큐브수학 실력 무료 스마트러닝

첫째 QR코드 스캔하여 1초 만에 바로 강의 시청

둘째 최적화된 강의 커리큘럼으로 학습 효과 UP!

서술형 문제 풀이 강의

서술형 풀이를 쓰기 어려울 때 문제 해결 전략 강의를 통해 서술형 풀이를 체계적으로 완성합니다.

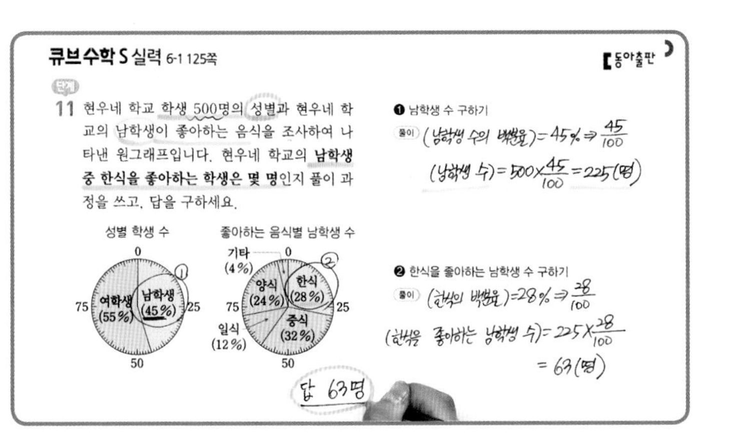

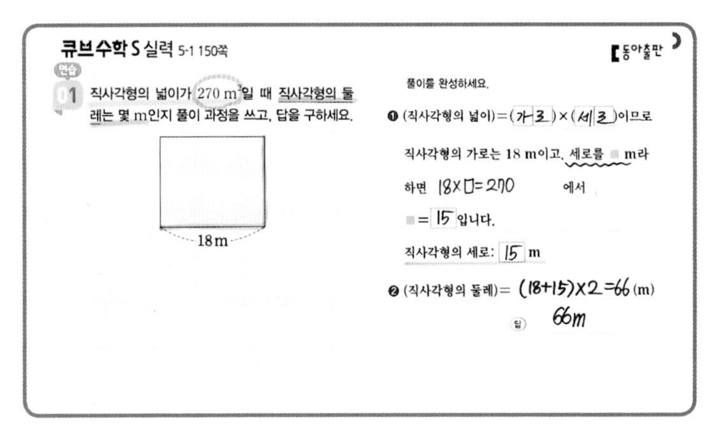

#큐브수학 #초등수학 #무료

큐브수학 실력 **초등수학 6학년** 강의 목록

구분	단원명	학습 내용	공부한 날	동영상 확인
서술형 강의	1. 분수의 나눗셈	서술형 해결하기 026쪽	월 일	▶ ▢
		서술형 해결하기 027쪽	월 일	▶ ▢
		서술형 해결하기 028쪽	월 일	▶ ▢
		서술형 해결하기 029쪽	월 일	▶ ▢
	2. 소수의 나눗셈	서술형 해결하기 054쪽	월 일	▶ ▢
		서술형 해결하기 055쪽	월 일	▶ ▢
		서술형 해결하기 056쪽	월 일	▶ ▢
		서술형 해결하기 057쪽	월 일	▶ ▢
	3. 공간과 입체	서술형 해결하기 076쪽	월 일	▶ ▢
		서술형 해결하기 077쪽	월 일	▶ ▢
	4. 비례식와 비례배분	서술형 해결하기 100쪽	월 일	▶ ▢
		서술형 해결하기 101쪽	월 일	▶ ▢
		서술형 해결하기 102쪽	월 일	▶ ▢
		서술형 해결하기 103쪽	월 일	▶ ▢
	5. 원의 넓이	서술형 해결하기 128쪽	월 일	▶ ▢
		서술형 해결하기 129쪽	월 일	▶ ▢
		서술형 해결하기 130쪽	월 일	▶ ▢
		서술형 해결하기 131쪽	월 일	▶ ▢
	6. 원기둥, 원뿔, 구	서술형 해결하기 152쪽	월 일	▶ ▢
		서술형 해결하기 153쪽	월 일	▶ ▢

큐브수학 초등수학 6학년 학습 계획표

학습 계획표를 따라 차근차근 수학 공부를 시작해 보세요.
큐브수학과 함께라면 수학 공부, 어렵지 않습니다.

단원	회차	진도북	매칭북	공부한 날
1단원	1회	006~011쪽	01쪽	월 일
	2회	012~015쪽	02~03쪽	월 일
	3회	016~019쪽	04쪽	월 일
	4회	020~025쪽	05~07쪽	월 일
	5회	026~029쪽	08~09쪽	월 일
	6회	030~032쪽		월 일
	7회		45~47쪽	월 일
2단원	8회	034~039쪽	10쪽	월 일
	9회	040~045쪽	11~13쪽	월 일
	10회	046~049쪽	14쪽	월 일
	11회	050~053쪽	15~16쪽	월 일
	12회	054~057쪽	17~18쪽	월 일
	13회	058~060쪽		월 일
	14회		48~50쪽	월 일
3단원	15회	064~069쪽	19쪽	월 일
	16회	070~073쪽		월 일
	17회	074~075쪽	20~22쪽	월 일
	18회	076~077쪽	23쪽	월 일
	19회	078~080쪽		월 일
	20회		51~53쪽	월 일

단원	회차	진도북	매칭북	공부한 날
4단원	21회	082~087쪽	24쪽	월 일
	22회	088~091쪽	25~26쪽	월 일
	23회	092~095쪽	27쪽	월 일
	24회	096~099쪽	28~29쪽	월 일
	25회	100~103쪽	30~31쪽	월 일
	26회	104~106쪽		월 일
	27회		54~56쪽	월 일
5단원	28회	110~115쪽	32쪽	월 일
	29회	116~119쪽	33~34쪽	월 일
	30회	120~123쪽	35쪽	월 일
	31회	124~127쪽	36~37쪽	월 일
	32회	128~131쪽	38~39쪽	월 일
	33회	132~134쪽		월 일
	34회		57~59쪽	월 일
6단원	35회	138~145쪽	40쪽	월 일
	36회	146~149쪽		월 일
	37회	150~151쪽	41~43쪽	월 일
	38회	152~153쪽	44쪽	월 일
	39회	154~156쪽		월 일
	40회		60~62쪽	월 일

큐브 수학 실력

|진도북|

6·2

구성과 특징

진도북 3단계 학습법

STEP 1 개념 완성하기

알차게 구성한 개념 정리와 개념 확인 문제로 개념을 완벽하게 익힙니다.
기본 유형 문제로 다양한 유형 학습을 준비합니다.

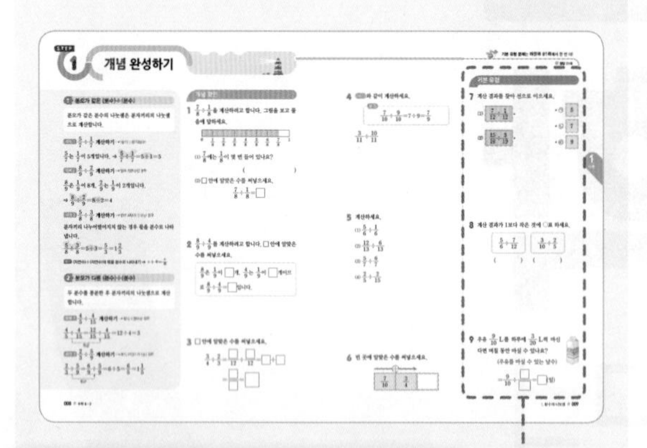

STEP 2 실력 다지기

학교 시험에 잘 나오는 문제와 다양한 유형의 문제를 유형 확인 강화 의 3단계로 학습하여 실력을 키웁니다.

약점 체크 틀리기 쉬운 문제를 집중적으로 학습합니다.

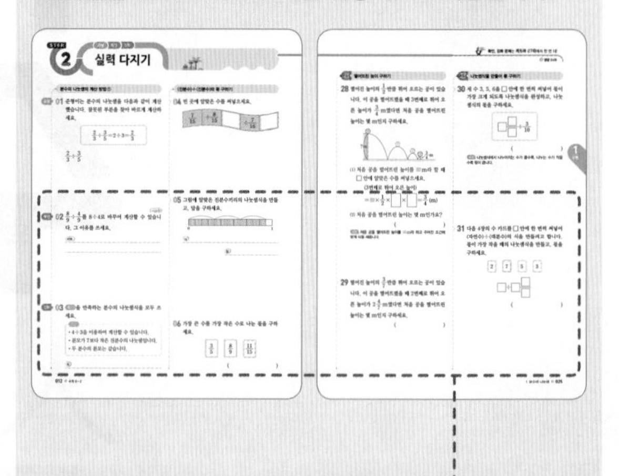

매칭북 1:1 매칭 학습

STEP1 한 번 더 개념 완성하기

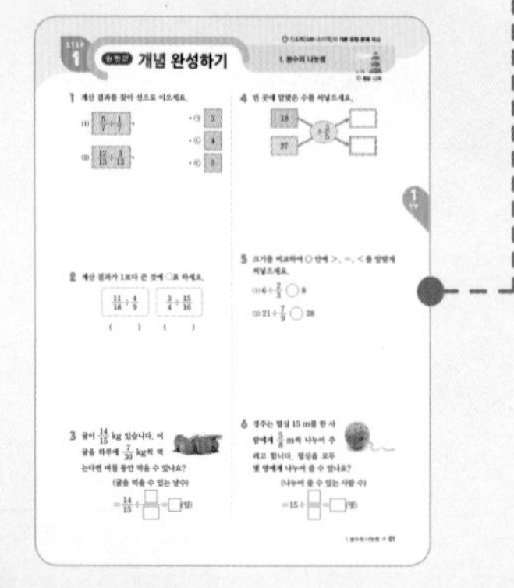

STEP1의 기본 유형 문제를 **한 번 더** 공부하여 개념을 완성합니다.

STEP2 한 번 더 실력 다지기

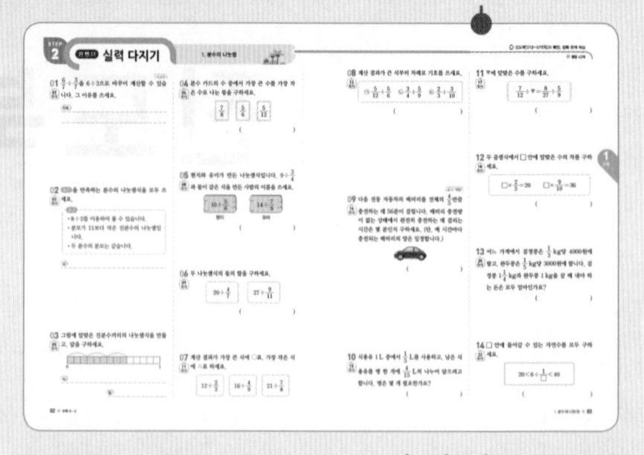

STEP2의 확인, 강화 문제를 **한 번 더** 공부하여 실력을 다집니다.

❶ 유형 학습 **하나의 주제**에 대한 필수 문제의 **3단계 입체적 유형 학습**
❷ 매칭 학습 진도북의 각 코너를 **1:1 매칭**시킨 매칭북을 통해 **한 번 더 복습**
❸ 서술형 강화 수학 핵심 역량의 접목/풀이 과정을 자연스럽게 익히면서 쓸 수 있는 **3단계 서술형 학습법**

STEP 3 서술형 해결하기

풀이 과정을 자연스럽게 익히면서 쓸 수 있는 체계적인 연습 단계 실전 의 3단계 학습으로 서술형을 완벽하게 대비합니다.

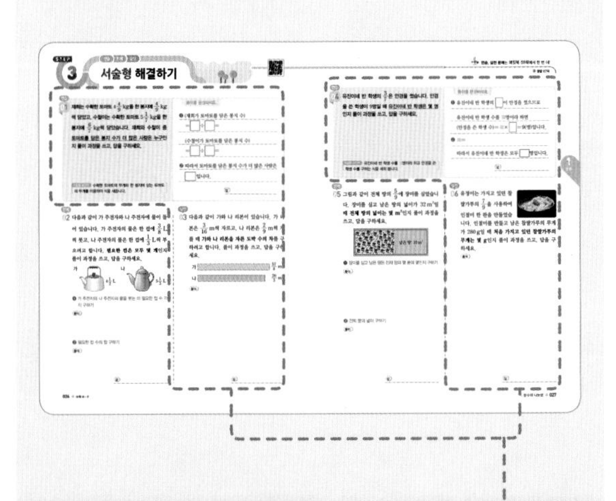

단원 마무리

한 단원을 마무리하는 단계로 해당 단원을 잘 공부했는지 확인하여 실력을 점검합니다.

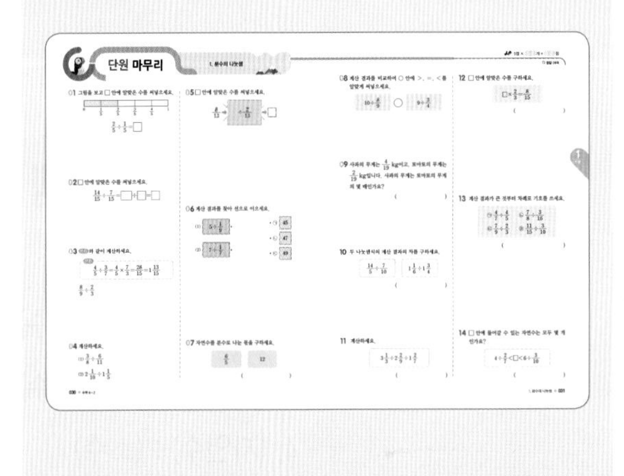

STEP3 한 번 더 서술형 해결하기

STEP3의 연습, 실전 문제를 **한 번 더** 공부하여 서술형을 해결합니다.

단원 평가

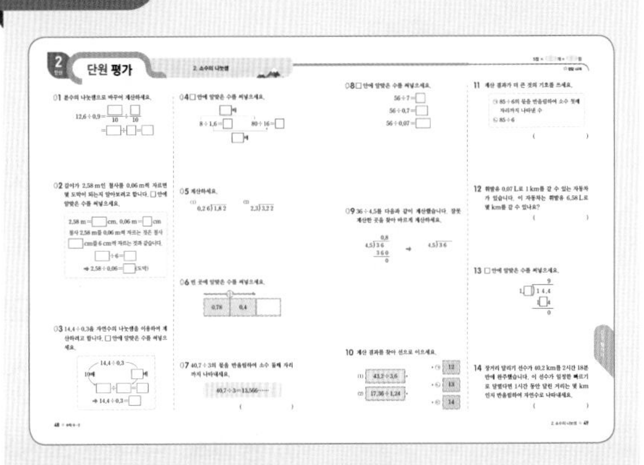

단원별로 실력을 최종 점검합니다.

차례

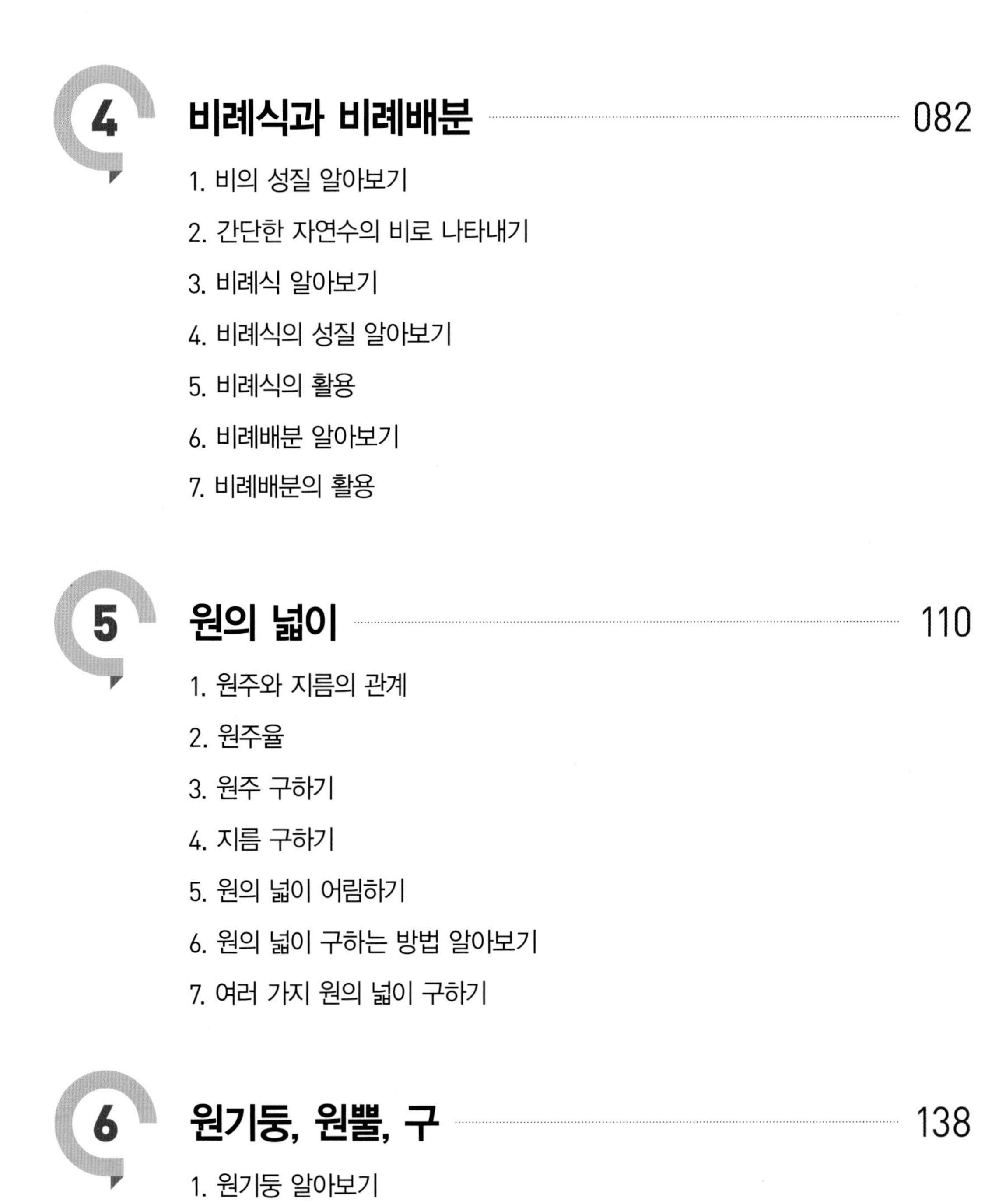

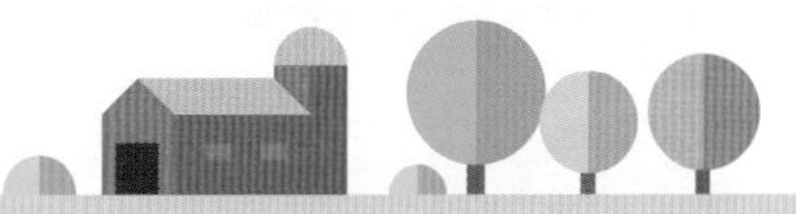

1 분수의 나눗셈

학습 계획표

공부할 날짜를 적고 **〈진도북〉**과 **〈매칭북〉**의 쪽수를 찾아 공부하세요.

학습 내용	계획 및 확인					
	진도북			매칭북		
STEP 1 **개념 완성하기**	008~011쪽 ➜	월	일	01쪽 ➜	월	일
STEP 2 **실력 다지기**	012~015쪽 ➜	월	일	02~03쪽 ➜	월	일
STEP 1 **개념 완성하기**	016~019쪽 ➜	월	일	04쪽 ➜	월	일
STEP 2 **실력 다지기**	020~025쪽 ➜	월	일	05~07쪽 ➜	월	일
STEP 3 **서술형 해결하기**	026~029쪽 ➜	월	일	08~09쪽 ➜	월	일
단원 마무리	030~032쪽 ➜	월	일	45~47쪽 ➜	월	일

대표 유형

- 이번 단원에서 꼭 공부해야 할 **〈대표 유형〉**입니다.
- 학습한 후에 이해가 부족한 유형은 ▢ 안에 ○표 한 후 반복하여 학습하세요.

- ▢ 분수의 나눗셈의 계산 방법①
- ▢ (진분수)÷(진분수)의 몫 구하기
- ▢ (자연수)÷(분수)의 몫 구하기
- ▢ 몫의 크기 비교하기
- ▢ 분수의 나눗셈의 활용①
- ▢ 곱셈과 나눗셈의 관계 활용
- ▢ 약점 체크 물건의 가격 구하기
- ▢ 약점 체크 크기 비교에서 빈 곳에 알맞은 수 구하기
- ▢ 분수의 나눗셈의 계산 방법②
- ▢ (자연수)÷(분수), (진분수)÷(분수)의 몫 구하기
- ▢ (가분수)÷(분수), (대분수)÷(분수)의 몫 구하기
- ▢ 분수의 나눗셈의 활용②
- ▢ 세 분수의 계산
- ▢ 문제 만들기
- ▢ 도형의 넓이를 이용하여 길이 구하기
- ▢ 범위에 알맞은 수 구하기
- ▢ 약점 체크 시간을 분수로 나타내어 계산하기
- ▢ 약점 체크 어떤 수 구하기
- ▢ 약점 체크 떨어뜨린 높이 구하기
- ▢ 약점 체크 나눗셈식을 만들어 몫 구하기

STEP 1 개념 완성하기

1 분모가 같은 (분수)÷(분수)

분모가 같은 분수의 나눗셈은 분자끼리의 나눗셈으로 계산합니다.

예제 1 $\frac{5}{7} \div \frac{1}{7}$ 계산하기 → (분수)÷(단위분수)

$\frac{5}{7}$는 $\frac{1}{7}$이 5개입니다. ➜ $\frac{5}{7} \div \frac{1}{7} = 5 \div 1 = 5$

예제 2 $\frac{8}{9} \div \frac{2}{9}$ 계산하기 → 몫이 자연수인 경우

$\frac{8}{9}$은 $\frac{1}{9}$이 8개, $\frac{2}{9}$는 $\frac{1}{9}$이 2개입니다.

➜ $\frac{8}{9} \div \frac{2}{9} = 8 \div 2 = 4$

예제 3 $\frac{5}{8} \div \frac{3}{8}$ 계산하기 → 몫이 자연수가 아닌 경우

분자끼리 나누어떨어지지 않는 경우 몫을 분수로 나타냅니다.

$\frac{5}{8} \div \frac{3}{8} = 5 \div 3 = \frac{5}{3} = 1\frac{2}{3}$

참고 (자연수)÷(자연수)의 몫을 분수로 나타내기 ➜ ▲÷●$=\frac{▲}{●}$

2 분모가 다른 (분수)÷(분수)

두 분수를 통분한 후 분자끼리의 나눗셈으로 계산합니다.

예제 1 $\frac{4}{5} \div \frac{4}{15}$ 계산하기 → 몫이 자연수인 경우

$\frac{4}{5} \div \frac{4}{15} = \frac{12}{15} \div \frac{4}{15} = 12 \div 4 = 3$

통분

예제 2 $\frac{2}{3} \div \frac{5}{9}$ 계산하기 → 몫이 자연수가 아닌 경우

$\frac{2}{3} \div \frac{5}{9} = \frac{6}{9} \div \frac{5}{9} = 6 \div 5 = \frac{6}{5} = 1\frac{1}{5}$

통분

개념 확인

1 $\frac{7}{8} \div \frac{1}{8}$을 계산하려고 합니다. 그림을 보고 물음에 답하세요.

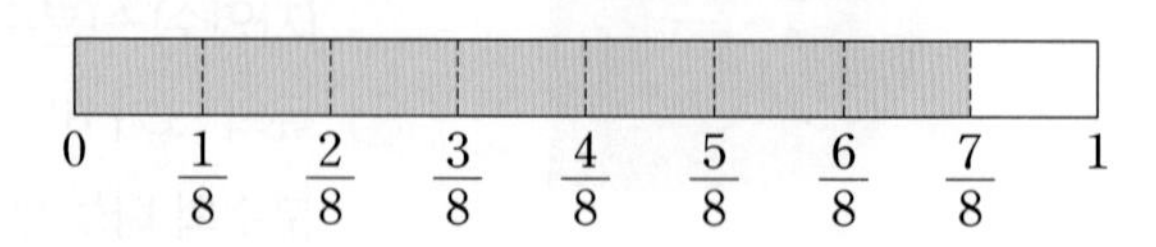

(1) $\frac{7}{8}$에는 $\frac{1}{8}$이 몇 번 들어 있나요?

( )

(2) □ 안에 알맞은 수를 써넣으세요.

$\frac{7}{8} \div \frac{1}{8} = □$

2 $\frac{8}{9} \div \frac{4}{9}$를 계산하려고 합니다. □ 안에 알맞은 수를 써넣으세요.

$\frac{8}{9}$은 $\frac{1}{9}$이 □개, $\frac{4}{9}$는 $\frac{1}{9}$이 □개이므로 $\frac{8}{9} \div \frac{4}{9} = □$입니다.

3 □ 안에 알맞은 수를 써넣으세요.

$\frac{3}{4} \div \frac{2}{3} = \frac{□}{12} \div \frac{□}{12} = □ \div □$

$= \frac{□}{□} = □$

기본 유형

4 보기 와 같이 계산하세요.

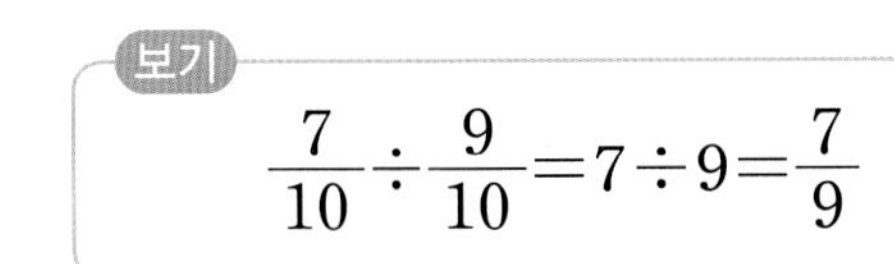

$\frac{3}{11}\div\frac{10}{11}$

5 계산하세요.

(1) $\frac{5}{6}\div\frac{1}{6}$

(2) $\frac{12}{13}\div\frac{6}{13}$

(3) $\frac{5}{7}\div\frac{6}{7}$

(4) $\frac{2}{5}\div\frac{2}{15}$

6 빈 곳에 알맞은 수를 써넣으세요.

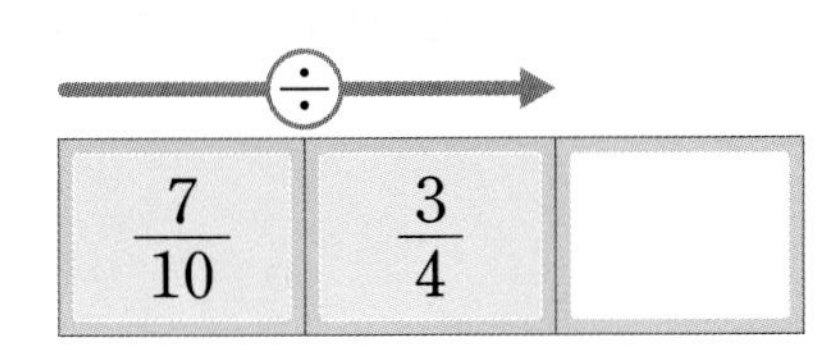

7 계산 결과를 찾아 선으로 이으세요.

(1) $\frac{7}{12}\div\frac{1}{12}$ •

(2) $\frac{15}{19}\div\frac{3}{19}$ •

• ㉠ 5

• ㉡ 7

• ㉢ 9

8 계산 결과가 1보다 작은 것에 ○표 하세요.

$\frac{5}{6}\div\frac{7}{12}$	$\frac{3}{10}\div\frac{2}{5}$
(　　　)	(　　　)

9 우유 $\frac{9}{10}$ L를 하루에 $\frac{3}{20}$ L씩 마신다면 며칠 동안 마실 수 있나요?

(우유를 마실 수 있는 날수)

$=\frac{9}{10}\div\frac{\square}{\square}=\square$(일)

STEP 1 개념 완성하기

3 (자연수)÷(분수)

(1) (자연수)÷(분수)의 계산 원리

예제 일정한 빠르기로 땅콩 8 kg을 수확하는 데 $\frac{2}{3}$시간이 걸릴 때 1시간 동안 수확할 수 있는 땅콩의 무게를 구하세요.

① (1시간 동안 수확할 수 있는 땅콩의 무게)

$=$(수확한 땅콩의 무게)÷(걸린 시간)$=8\div\frac{2}{3}$

② $\frac{1}{3}$시간 동안 수확할 수 있는 땅콩의 무게 구하기

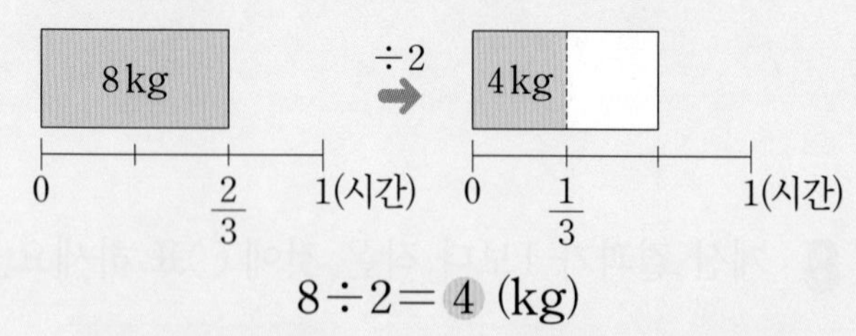

$8\div 2=4$ (kg)

1시간 동안 수확할 수 있는 땅콩의 무게 구하기

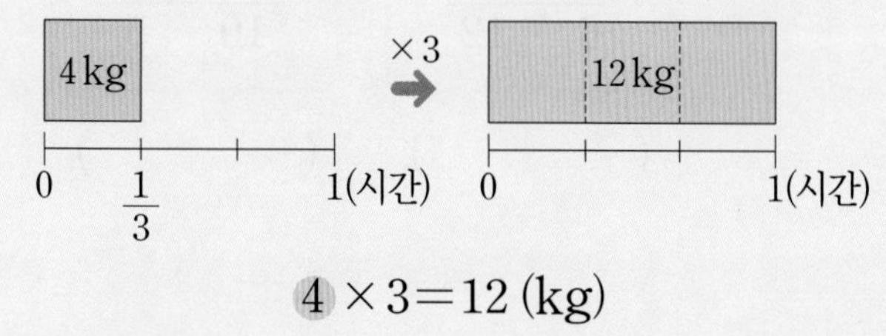

$4\times 3=12$ (kg)

➜ $8\div\frac{2}{3}=(8\div 2)\times 3=12$

(2) (자연수)÷(분수)의 계산 방법

나누어지는 수를 나누는 수의 분자로 나눈 후 분모를 곱합니다.

▲÷$\frac{●}{■}$=(▲÷●)×■

예제 $4\div\frac{2}{5}$ 계산하기

$4\div\frac{2}{5}=(4\div 2)\times 5=2\times 5=10$

개념 확인

1 호박 $\frac{3}{4}$통의 무게가 6 kg일 때 호박 한 통의 무게를 구하려고 합니다. 물음에 답하세요.

(1) 호박 한 통의 무게를 구하는 식을 알아보려고 합니다. □ 안에 알맞은 수를 써넣으세요.

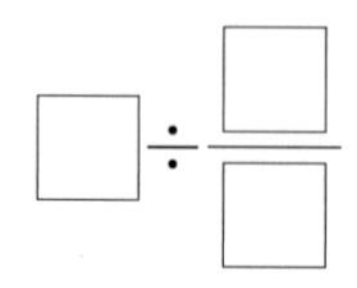

$\square\div\frac{\square}{\square}$

(2) 호박 한 통의 무게를 구하는 과정입니다. □ 안에 알맞은 수를 써넣으세요.

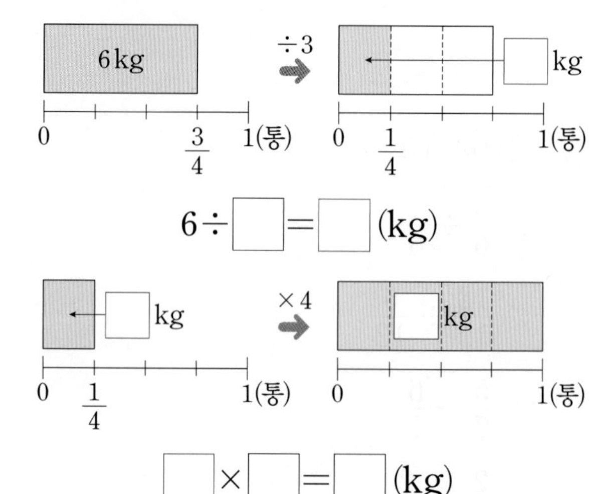

$6\div\square=\square$ (kg)

$\square\times\square=\square$ (kg)

(3) □ 안에 알맞은 수를 써넣으세요.

$6\div\frac{3}{4}=(6\div\square)\times\square=\square$

2 보기 와 같이 계산하세요.

보기

$2\div\frac{2}{5}=(2\div 2)\times 5=5$

$21\div\frac{7}{8}$

3 바르게 계산한 것의 기호를 쓰세요.

㉠ $6 \div \frac{3}{7} = (6 \div 3) \times 7 = 14$

㉡ $12 \div \frac{2}{3} = (12 \div 3) \times 2 = 8$

(　　　　　　　)

4 계산하세요.

(1) $2 \div \frac{2}{3}$

(2) $8 \div \frac{3}{5}$

(3) $10 \div \frac{5}{8}$

(4) $16 \div \frac{4}{9}$

5 □ 안에 알맞은 수를 써넣으세요.

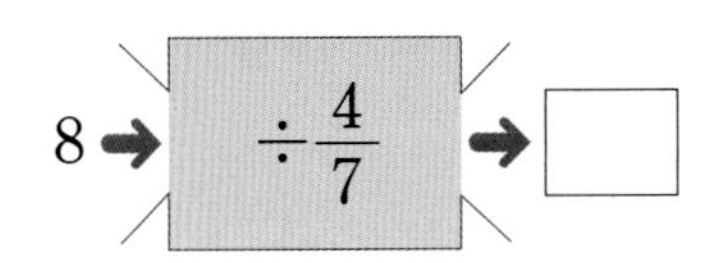

기본 유형

6 빈 곳에 알맞은 수를 써넣으세요.

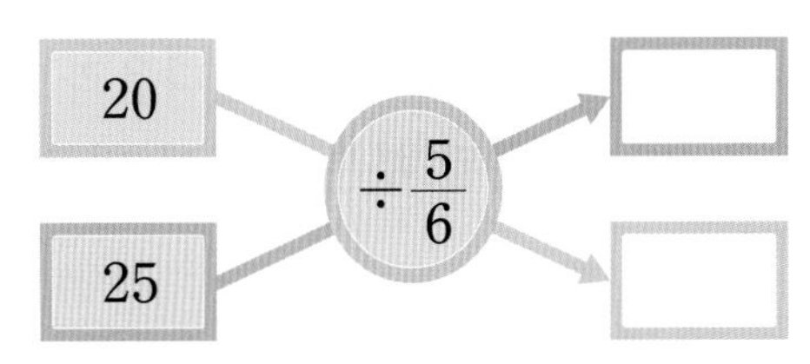

7 크기를 비교하여 ○ 안에 >, =, <를 알맞게 써넣으세요.

(1) $9 \div \frac{3}{5}$ ○ 10

(2) $18 \div \frac{9}{10}$ ○ 20

8 연희는 초콜릿 4 kg을 한 사람에게 $\frac{2}{7}$ kg씩 나누어 주려고 합니다. 초콜릿을 모두 몇 명에게 나누어 줄 수 있나요?

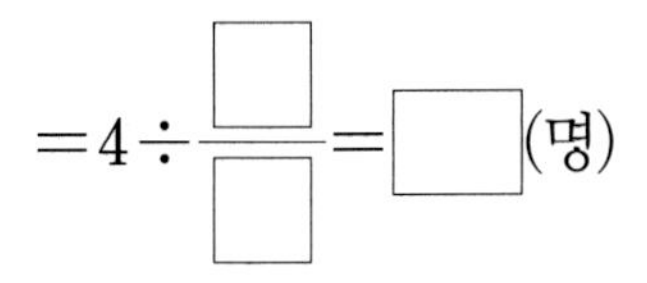

(나누어 줄 수 있는 사람 수)

$= 4 \div \frac{\square}{\square} = \square$(명)

STEP 2 유형 확인 강화

실력 다지기

분수의 나눗셈의 계산 방법 ①

유형 **01** 준형이는 분수의 나눗셈을 다음과 같이 계산했습니다. 잘못된 부분을 찾아 바르게 계산하세요.

$$\frac{2}{3}\div\frac{3}{5}=2\div 3=\frac{2}{3}$$

$\frac{2}{3}\div\frac{3}{5}$

확인 **02** $\frac{8}{9}\div\frac{4}{9}$를 $8\div 4$로 바꾸어 계산할 수 있습니다. 그 이유를 쓰세요. 서술형

이유

강화 **03** 조건 을 만족하는 분수의 나눗셈식을 모두 쓰세요.

조건
- $4\div 3$을 이용하여 계산할 수 있습니다.
- 분모가 7보다 작은 진분수의 나눗셈입니다.
- 두 분수의 분모는 같습니다.

식

(진분수)÷(진분수)의 몫 구하기

04 빈 곳에 알맞은 수를 써넣으세요.

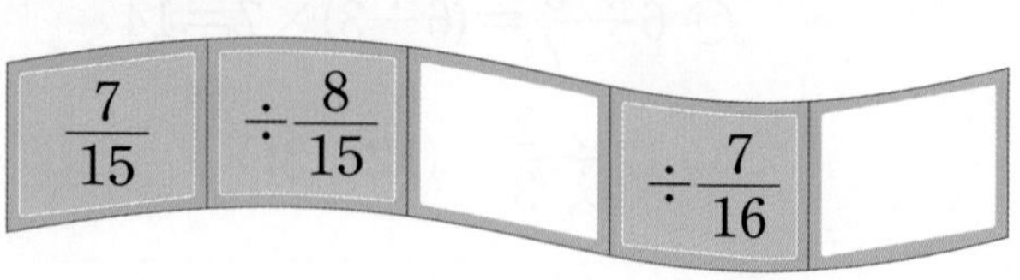

05 그림에 알맞은 진분수끼리의 나눗셈식을 만들고, 답을 구하세요.

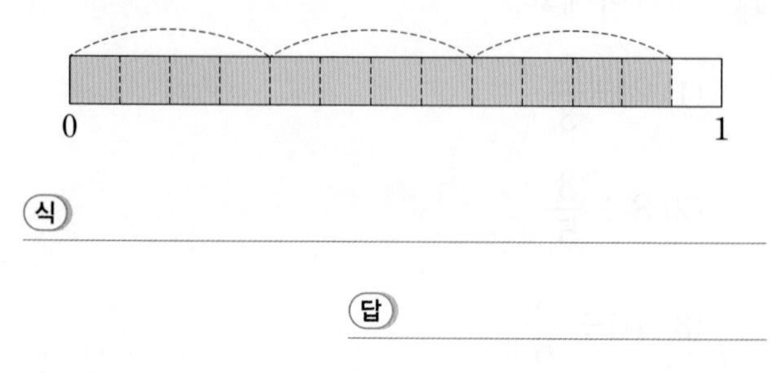

식

답

06 가장 큰 수를 가장 작은 수로 나눈 몫을 구하세요.

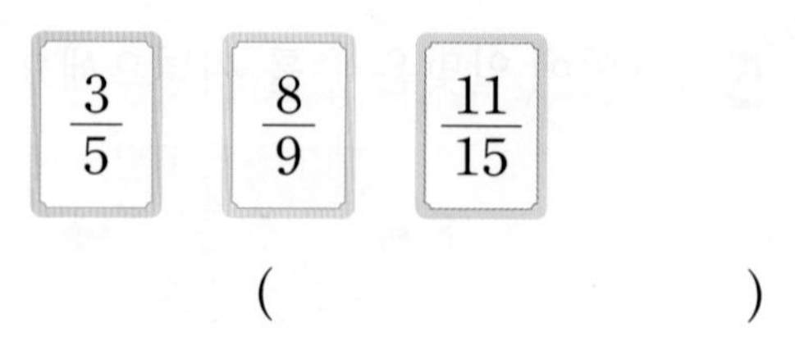

(　　　　　　　　)

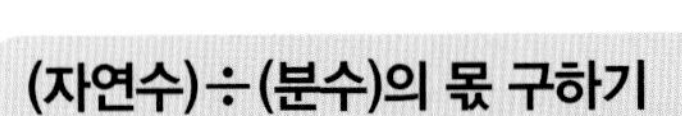

(자연수)÷(분수)의 몫 구하기

07 ㉠을 ㉡으로 나눈 몫을 구하세요.

㉠ 15 ㉡ $\frac{1}{8}$이 5개인 수

( )

08 정수와 선미가 만든 나눗셈식입니다. $4 \div \frac{2}{3}$와 몫이 같은 식을 만든 사람의 이름을 쓰세요.

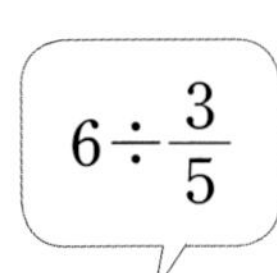

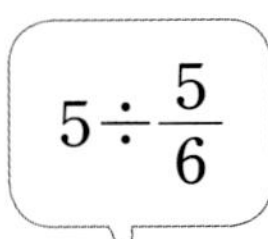

정수

선미

( )

09 두 나눗셈식의 몫의 합을 구하세요.

$6 \div \frac{3}{7}$ $5 \div \frac{2}{3}$

( )

몫의 크기 비교하기

10 계산 결과를 비교하여 ○ 안에 >, =, <를 알맞게 써넣으세요.

$\frac{9}{10} \div \frac{7}{10}$ 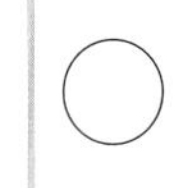 $\frac{8}{9} \div \frac{3}{9}$

11 계산 결과가 가장 큰 식에 ○표, 가장 작은 식에 △표 하세요.

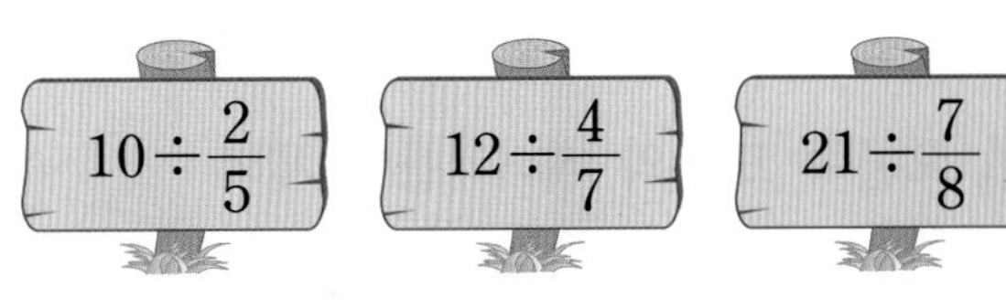

서술형

12 계산 결과가 작은 식부터 차례로 기호를 쓰려고 합니다. 풀이 과정을 쓰고, 답을 구하세요.

㉠ $\frac{5}{12} \div \frac{3}{4}$ ㉡ $\frac{3}{5} \div \frac{6}{7}$ ㉢ $\frac{4}{15} \div \frac{4}{9}$

풀이

답

1 단원

실력 다지기

분수의 나눗셈의 활용 ①

유형 **13** 집에서 병원까지의 거리는 집에서 은행까지의 거리의 몇 배인가요?

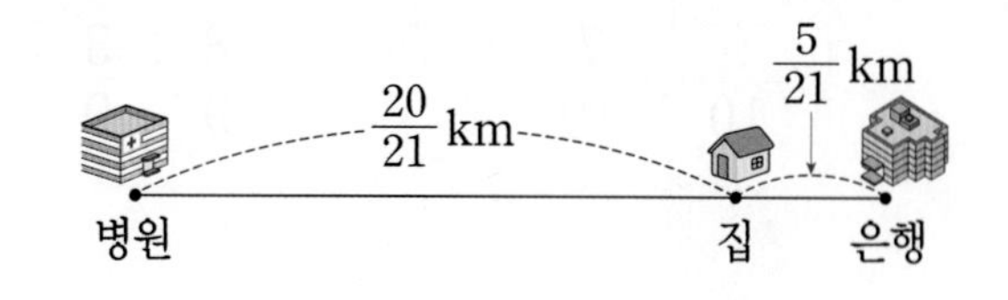

식

답

확인 **14** 오른쪽 드론의 배터리를 전체의 $\frac{3}{7}$만큼 충전하는 데 48분이 걸립니다. 배터리 충전량이 없는 상태에서 완전히 충전하는 데 걸리는 시간은 몇 분인가요? (단, 매 시간마다 충전되는 배터리의 양은 일정합니다.)

도전 수학

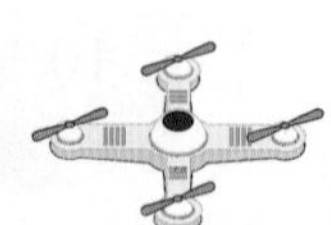

( )

강화 **15** 수정과 1 L 중에서 $\frac{1}{7}$ L를 마시고, 남은 수정과를 한 컵에 $\frac{3}{14}$ L씩 똑같이 나누어 담으려고 합니다. 컵은 몇 개 필요한가요?

( )

곱셈과 나눗셈의 관계 활용

16 □ 안에 알맞은 수를 써넣으세요.

$$\square \times \frac{8}{9} = \frac{1}{6}$$

17 ★에 알맞은 수를 구하세요.

$$\frac{9}{14} \div ★ = \frac{9}{20} \div \frac{3}{5}$$

( )

18 ㉠과 ㉡에 알맞은 수의 차를 구하세요.

$$㉠ \times \frac{4}{5} = 16 \qquad ㉡ \times \frac{6}{11} = 18$$

( )

약점 체크 물건의 가격 구하기

19 어느 가게에서 아이스크림 $\frac{2}{5}$ kg을 3200원에 팔고 있습니다. 이 아이스크림 $1\frac{3}{10}$ kg의 가격은 얼마인가요?

( )

해결 먼저 아이스크림 1 kg의 가격을 구한 후 $1\frac{3}{10}$ kg의 가격을 구합니다.

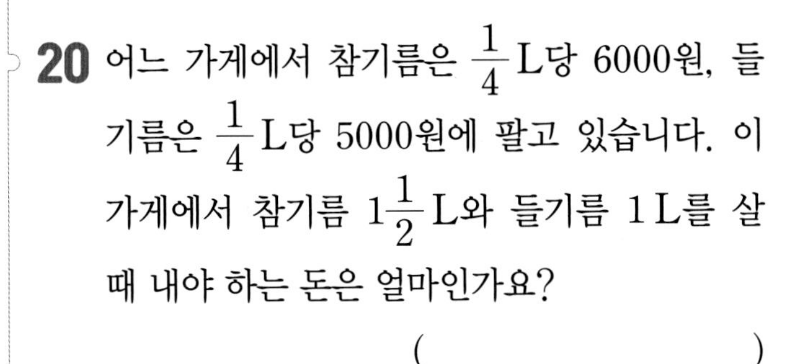

20 어느 가게에서 참기름은 $\frac{1}{4}$ L당 6000원, 들기름은 $\frac{1}{4}$ L당 5000원에 팔고 있습니다. 이 가게에서 참기름 $1\frac{1}{2}$ L와 들기름 1 L를 살 때 내야 하는 돈은 얼마인가요?

( )

약점 체크 크기 비교에서 빈 곳에 알맞은 수 구하기

21 □ 안에 들어갈 수 있는 자연수 중에서 가장 큰 수를 구하세요.

$$\frac{\square}{25}\div\frac{2}{25}<3$$

( )

해결 분모가 같은 (진분수)÷(진분수)의 계산 방법을 이용하여 '<'의 왼쪽 식을 간단히 나타내어 봅니다.

22 식이 적힌 종이에 잉크가 묻어 일부분이 보이지 않습니다. 보이지 않는 부분에 들어갈 수 있는 자연수를 모두 구하세요.

$$10<3\div\frac{1}{}<20$$

( )

STEP 1 # 개념 완성하기

4 (분수)÷(분수)를 (분수)×(분수)로 계산하기

(1) **(분수)÷(분수)를 (분수)×(분수)로 나타내기**

예제 $\frac{5}{7}$ km를 걸어가는 데 $\frac{2}{5}$시간이 걸릴 때 같은 빠르기로 1시간 동안 걸어갈 수 있는 거리를 구하세요.

① (1시간 동안 걸어갈 수 있는 거리)

$=$(걸은 거리)$\div$(걸린 시간)$=\frac{5}{7}\div\frac{2}{5}$

② $\frac{1}{5}$시간 동안 걸어갈 수 있는 거리 구하기

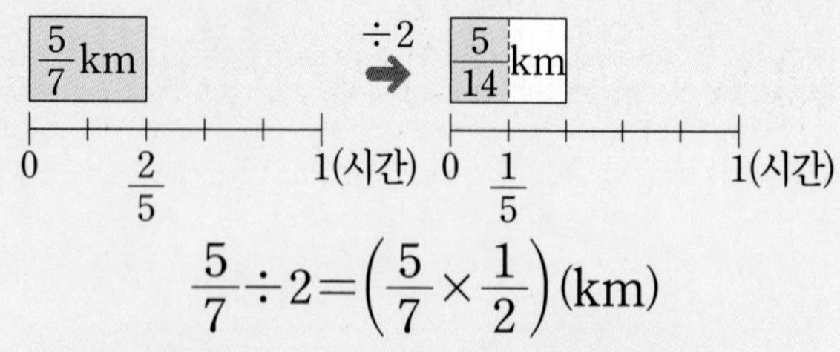

$\frac{5}{7}\div 2=\left(\frac{5}{7}\times\frac{1}{2}\right)$(km)

1시간 동안 걸어갈 수 있는 거리 구하기

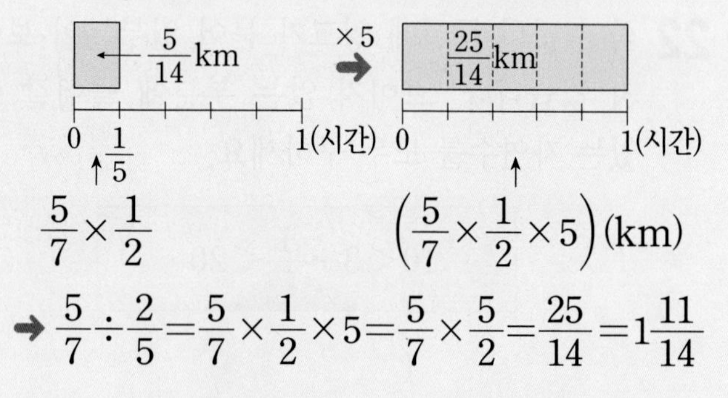

$\frac{5}{7}\times\frac{1}{2}$ $\left(\frac{5}{7}\times\frac{1}{2}\times 5\right)$(km)

➜ $\frac{5}{7}\div\frac{2}{5}=\frac{5}{7}\times\frac{1}{2}\times 5=\frac{5}{7}\times\frac{5}{2}=\frac{25}{14}=1\frac{11}{14}$

(2) **(분수)÷(분수)를 (분수)×(분수)로 바꾸어 계산하기**

분수의 나눗셈은 나눗셈을 곱셈으로 바꾸고, 나누는 분수의 분모와 분자를 바꾸어 계산합니다.

$\frac{▲}{■}\div\frac{★}{●}=\frac{▲}{■}\times\frac{●}{★}$

예제 $\frac{3}{4}\div\frac{2}{9}$ 계산하기

$\frac{3}{4}\div\frac{2}{9}=\frac{3}{4}\times\frac{9}{2}=\frac{27}{8}=3\frac{3}{8}$

개념 확인

1 고무 끈 $\frac{3}{5}$ m의 무게가 $\frac{4}{9}$ kg일 때 고무 끈 1 m의 무게를 구하려고 합니다. 물음에 답하세요.

(1) 고무 끈 1 m의 무게를 구하는 식을 알아보려고 합니다. □ 안에 알맞은 수를 써넣으세요.

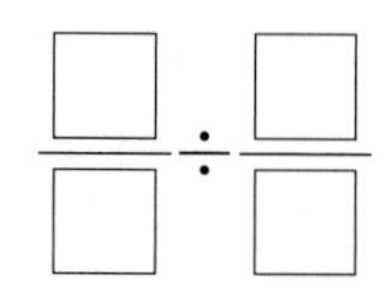

$\frac{□}{□}\div\frac{□}{□}$

(2) 고무 끈 1 m의 무게를 구하는 과정입니다. □ 안에 알맞은 수를 써넣으세요.

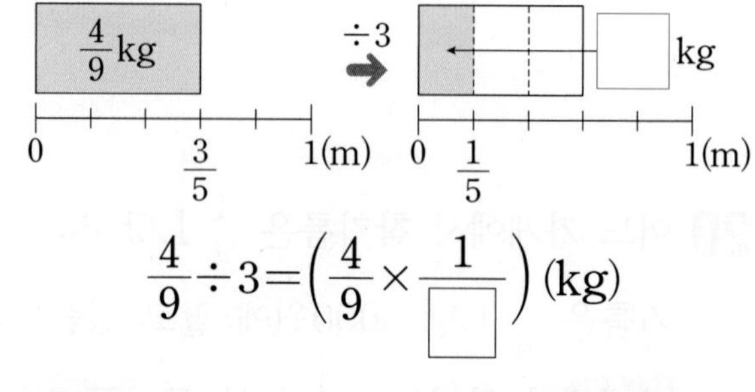

$\frac{4}{9}\div 3=\left(\frac{4}{9}\times\frac{1}{□}\right)$(kg)

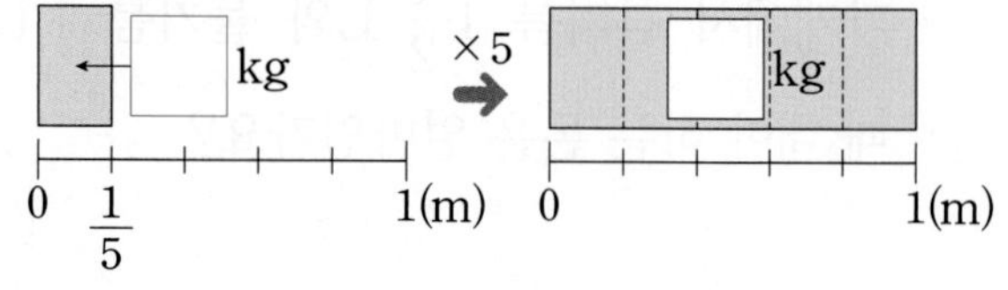

$\frac{4}{9}\times\frac{1}{□}\times□=\frac{□}{□}$(kg)

(3) □ 안에 알맞은 수를 써넣으세요.

$\frac{4}{9}\div\frac{3}{5}=\frac{4}{9}\times\frac{1}{□}\times□$

$=\frac{4}{9}\times\frac{□}{□}=\frac{□}{□}$

정답 03쪽

2 $\frac{3}{7} \div \frac{3}{10}$을 곱셈식으로 바르게 나타낸 것을 찾아 ○표 하세요.

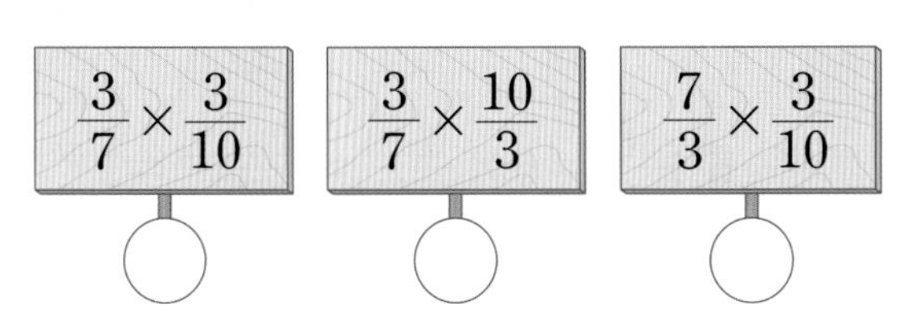

3 보기 와 같이 계산하세요.

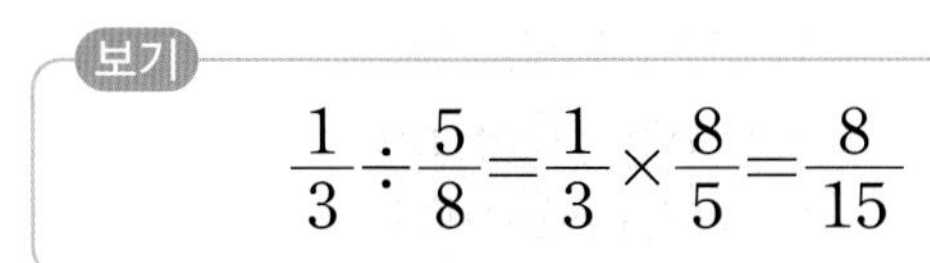

$\frac{1}{4} \div \frac{4}{5}$

4 나눗셈식을 곱셈식으로 나타내어 계산하세요.

(1) $\frac{5}{7} \div \frac{3}{4}$

(2) $\frac{9}{11} \div \frac{4}{5}$

5 빈 곳에 알맞은 수를 써넣으세요.

$\frac{1}{6}$ → $\div \frac{7}{8}$ → □

기본 유형

6 나눗셈식의 몫을 바르게 구한 것을 찾아 기호를 쓰세요.

㉠ $\frac{7}{8} \div \frac{2}{3} = \frac{7}{12}$ ㉡ $\frac{9}{10} \div \frac{1}{7} = 6\frac{3}{10}$

( )

7 작은 수를 큰 수로 나눈 몫을 구하세요.

$\frac{5}{12}$ $\frac{5}{9}$

( )

8 진희가 가지고 있는 리본은 $\frac{4}{5}$ m이고, 민호가 가지고 있는 리본은 $\frac{3}{4}$ m입니다. 진희의 리본의 길이는 민호의 리본의 길이의 몇 배인가요?

(진희의 리본의 길이)÷(민호의 리본의 길이)

$= \frac{4}{5} \div \frac{\square}{\square} = \square$(배)

1 단원

STEP 1

개념 완성하기

5 (분수)÷(분수)

(1) **(자연수)÷(분수)**

나눗셈을 곱셈으로 바꾸고, 나누는 분수의 분모와 분자를 바꾸어 계산합니다.

예제 $4\div\frac{3}{5}$ 계산하기

$$4\div\frac{3}{5}=4\times\frac{5}{3}=\frac{20}{3}=6\frac{2}{3}$$

(2) **(가분수)÷(분수)**

두 분수를 통분하여 계산하거나 곱셈으로 바꾸어 계산합니다.

예제 $\frac{7}{4}\div\frac{5}{6}$ 계산하기

방법 1 두 분수를 통분하여 계산하기

$$\frac{7}{4}\div\frac{5}{6}=\frac{21}{12}\div\frac{10}{12}=21\div10=\frac{21}{10}=2\frac{1}{10}$$

방법 2 곱셈으로 바꾸어 계산하기

$$\frac{7}{4}\div\frac{5}{6}=\frac{7}{\cancel{4}_{2}}\times\frac{\cancel{6}^{3}}{5}=\frac{21}{10}=2\frac{1}{10}$$

(3) **(대분수)÷(분수)**

대분수를 가분수로 고쳐서 계산합니다.

예제 $2\frac{3}{5}\div1\frac{2}{3}$ 계산하기

방법 1 두 분수를 통분하여 계산하기

$$2\frac{3}{5}\div1\frac{2}{3}=\frac{13}{5}\div\frac{5}{3}=\frac{39}{15}\div\frac{25}{15}$$
$$=39\div25=\frac{39}{25}=1\frac{14}{25}$$

방법 2 곱셈으로 바꾸어 계산하기

$$2\frac{3}{5}\div1\frac{2}{3}=\frac{13}{5}\div\frac{5}{3}=\frac{13}{5}\times\frac{3}{5}$$
$$=\frac{39}{25}=1\frac{14}{25}$$

개념 확인

1 □ 안에 알맞은 수를 써넣으세요.

$$6\div\frac{5}{9}=6\times\frac{\square}{\square}=\frac{\square}{\square}=\square$$

2 $\frac{1}{2}\div\frac{2}{3}$를 계산하려고 합니다. 물음에 답하세요.

(1) 두 분수를 통분하여 계산하세요.

$$\frac{1}{2}\div\frac{2}{3}=\frac{3}{6}\div\frac{\square}{6}=3\div\square=\frac{\square}{\square}$$

(2) 곱셈으로 바꾸어 계산하세요.

$$\frac{1}{2}\div\frac{2}{3}=\frac{1}{2}\times\frac{\square}{\square}=\frac{\square}{\square}$$

3 $2\frac{1}{4}\div\frac{2}{3}$를 2가지 방법으로 계산한 것입니다. □ 안에 알맞은 수를 써넣으세요.

방법 1 $2\frac{1}{4}\div\frac{2}{3}=\frac{\square}{4}\div\frac{2}{3}=\frac{\square}{12}\div\frac{\square}{12}$
$=\square\div\square=\frac{\square}{\square}=\square$

방법 2 $2\frac{1}{4}\div\frac{2}{3}=\frac{\square}{4}\div\frac{2}{3}=\frac{\square}{4}\times\frac{\square}{\square}$
$=\frac{\square}{\square}=\square$

정답 03쪽

4 현민이와 희연이가 $3\frac{1}{7}\div\frac{3}{8}$을 계산한 것입니다. 바르게 계산한 사람의 이름을 쓰세요.

현민: $3\frac{1}{7}\div\frac{3}{8}=3\frac{1}{7}\times\frac{8}{3}=3\frac{8}{21}$

희연: $3\frac{1}{7}\div\frac{3}{8}=\frac{22}{7}\div\frac{3}{8}=\frac{22}{7}\times\frac{8}{3}$

$=\frac{176}{21}=8\frac{8}{21}$

(　　　　　　　　)

5 계산하세요.

(1) $8\div\frac{2}{11}$

(2) $\frac{1}{6}\div\frac{7}{8}$

(3) $\frac{7}{5}\div\frac{5}{9}$

(4) $2\frac{1}{6}\div\frac{2}{7}$

6 빈 곳에 알맞은 수를 써넣으세요.

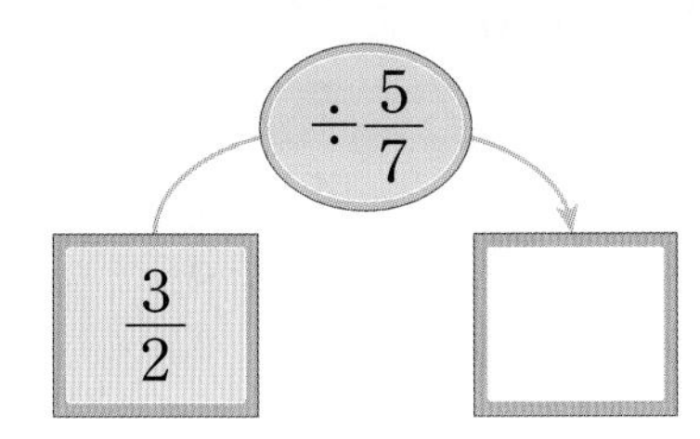

기본 유형

7 $\frac{8}{3}\div\frac{3}{10}$을 2가지 방법으로 계산하세요.

방법 1 두 분수를 통분하여 계산하기

방법 2 곱셈으로 바꾸어 계산하기

8 계산 결과가 1보다 큰 식의 기호를 쓰세요.

㉠ $\frac{1}{3}\div\frac{3}{4}$　　㉡ $\frac{5}{9}\div\frac{2}{5}$

(　　　　　　　　)

9 오른쪽 별 모양 장식 한 개를 만드는 데 철사 $\frac{2}{9}$ m가 필요합니다. 철사 $5\frac{1}{3}$ m로 만들 수 있는 별 모양 장식은 몇 개인가요?

(만들 수 있는 별 모양 장식 수)

$=5\frac{1}{3}\div\frac{\square}{\square}=\square$(개)

1 단원

실력 다지기

분수의 나눗셈의 계산 방법 ②

유형 **01** 다음 방법으로 분수의 나눗셈을 계산하세요.

> (자연수)÷(분수)는 나눗셈을 곱셈으로 바꾸고, 나누는 분수의 분모와 분자를 바꾸어 계산합니다.

$3\div\frac{7}{8}$

확인 **02** $\frac{3}{10}\div\frac{3}{4}$을 2가지 방법으로 계산하세요.

서술형

강화 **03** 분수의 나눗셈을 잘못 계산한 것입니다. 계산이 잘못된 이유를 쓰고, 바르게 계산하세요.

$$1\frac{3}{5}\div\frac{2}{7}=\frac{8}{5}\div\frac{2}{7}=\frac{8}{5}\times\frac{2}{7}=\frac{16}{35}$$

이유

$1\frac{3}{5}\div\frac{2}{7}$

(자연수)÷(분수), (진분수)÷(분수)의 몫 구하기

04 가운데 수를 바깥의 수로 나누어 빈 곳에 써넣으세요.

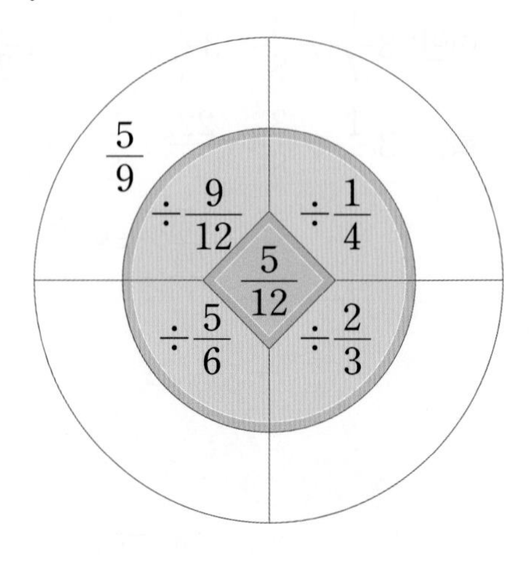

05 ■−▲의 값을 구하세요.

> $7\div\frac{2}{7}=$■ $8\div\frac{2}{5}=$▲

( )

06 계산 결과가 큰 식부터 차례로 ◯ 안에 번호를 써넣으세요.

$\frac{7}{18}\div\frac{4}{9}$ ◯ $\frac{4}{7}\div\frac{2}{3}$ ◯ $\frac{14}{25}\div\frac{7}{15}$ ◯

(가분수)÷(분수), (대분수)÷(분수)의 몫 구하기

07 가장 큰 수를 가장 작은 수로 나눈 몫을 구하세요.

$1\frac{5}{9}$ $3\frac{1}{2}$ $2\frac{2}{3}$

( )

08 계산 결과를 비교하여 ○ 안에 >, =, <를 알맞게 써넣으세요.

$\frac{16}{9} \div \frac{2}{3}$ 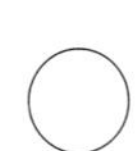 $\frac{21}{10} \div \frac{2}{5}$

09 ㉠은 ㉡의 몇 배인가요?

㉠ $4\frac{2}{3} \div 3\frac{1}{2}$ ㉡ $1\frac{1}{6} \div 1\frac{1}{4}$

( )

분수의 나눗셈의 활용②

10 철근 $\frac{3}{4}$ m의 무게가 $\frac{15}{2}$ kg일 때 철근 1 m의 무게는 몇 kg인가요?

( )

11 다음은 북한산 진흥왕 순수비에 대한 설명입니다. 순수비의 높이는 너비의 몇 배인가요?
(진흥왕: 신라의 제24대 왕)

교과 역량

진흥왕 순수비는 신라 진흥왕이 한강 유역을 개척한 것을 기념하여 세운 화강암 비석으로 높이는 약 $1\frac{27}{50}$ m, 너비는 약 $\frac{7}{10}$ m입니다.

( )

12 메주 한 덩이를 만드는 데 콩 $\frac{2}{3}$ kg이 필요하다고 합니다. 연정이는 콩 6 kg으로 메주를 만들고, 성현이는 콩 2 kg으로 메주를 만든다면 연정이는 성현이보다 메주를 몇 덩이 더 많이 만들 수 있나요?
(메주: 콩을 삶아서 찧은 다음, 덩이를 지어서 띄워 말린 것)

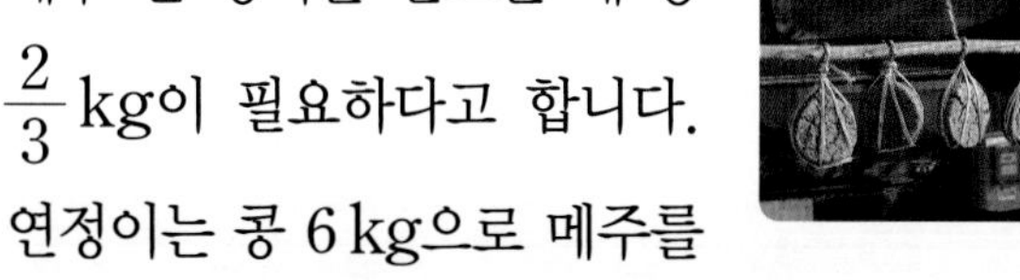

( )

실력 다지기

세 분수의 계산

유형 **13** 계산하세요.

$$2\frac{2}{9} \div 1\frac{2}{3} \div \frac{4}{7}$$

(　　　　　　　　)

확인 **14** 계산 결과가 $1\frac{1}{4}$인 식을 찾아 기호를 쓰세요.

㉠ $\frac{3}{8} \div \frac{9}{16} \div \frac{5}{6}$　㉡ $3\frac{1}{3} \div \frac{4}{7} \times \frac{3}{14}$

(　　　　　　　　)

강화 **15** 계산 결과가 더 큰 것에 ○표 하세요.

$\frac{7}{12} \times 2\frac{1}{7} \div \frac{5}{6}$ (　)

$6\frac{1}{4} \div 1\frac{7}{8} \div 1\frac{1}{5}$ (　)

문제 만들기

16 다음 조건을 이용하여 문제를 만든 것입니다. □ 안에 알맞은 수를 써넣어 문제를 완성하고, 문제의 답을 구하세요.

찰흙의 무게　$\frac{14}{15} \div \frac{7}{8}$

작품을 만드는 데 정미는 찰흙을 □ kg 사용했고, 수철이는 찰흙을 □ kg 사용했습니다. 정미가 사용한 찰흙의 무게는 수철이가 사용한 찰흙의 무게의 몇 배인가요?

(　　　　　　　　)

서술형

17 다음 나눗셈식과 관련된 문제를 만들고, 만든 문제의 답을 구하세요.

$$5\frac{3}{5} \div \frac{4}{9}$$

문제

답

정답 04쪽

도형의 넓이를 이용하여 길이 구하기

18 다음은 넓이가 $\frac{4}{25}$ m², 세로가 $\frac{1}{5}$ m인 직사각형입니다. □ 안에 알맞은 수를 써넣으세요.

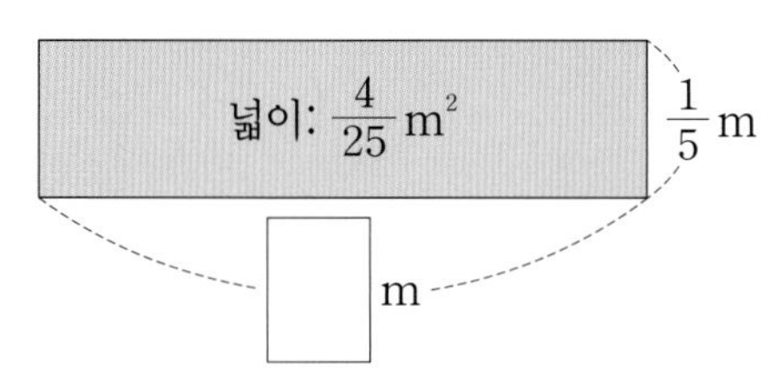

19 넓이가 2 m²인 평행사변형이 있습니다. 이 평행사변형의 밑변의 길이가 $\frac{1}{3}$ m라면 높이는 몇 m인가요?

식

답

20 승주네 밭은 넓이가 $\frac{3}{7}$ km²인 삼각형 모양입니다. 승주네 밭의 높이가 $\frac{3}{4}$ km라면 밑변의 길이는 몇 km인가요?

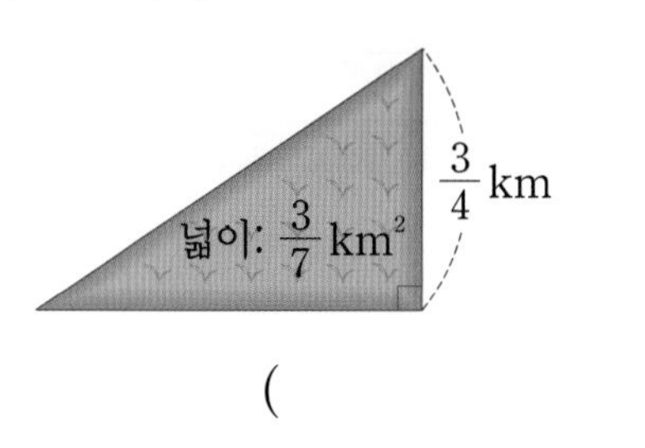

(　　　　　　　　)

범위에 알맞은 수 구하기

21 □ 안에 들어갈 수 있는 자연수 중에서 가장 큰 수를 구하세요.

$$\square < \frac{7}{5} \div \frac{2}{7}$$

(　　　　　　　　)

22 □ 안에 들어갈 수 있는 자연수를 모두 구하세요.

$$\frac{8}{15} \div \frac{2}{5} < \square < 2\frac{2}{7} \div \frac{4}{9}$$

(　　　　　　　　)

23 ♥에 공통으로 들어갈 수 있는 수를 모두 찾아 ○표 하세요.

$2 \div \frac{4}{9} < ♥$　　　$♥ < 6\frac{2}{3} \div 1\frac{1}{9}$

4　　$4\frac{2}{3}$　　5　　$6\frac{1}{2}$

1 단원

약점 체크 **시간을 분수로 나타내어 계산하기**

유형 **24** 자동차를 타고 100 km를 가는 데 1시간 15분이 걸렸습니다. 한 시간 동안 간 평균 거리는 몇 km인가요?

(　　　　　　　　　　)

해결 1시간=60분임을 이용하여 1시간 15분을 분수로 나타냅니다.

확인 **25** 수도로 40 L들이 욕조에 물을 가득 채우는 데 4분 40초가 걸렸습니다. 이 수도에서 나오는 물의 양이 일정할 때 1분 동안 나오는 물은 몇 L인가요?

(　　　　　　　　　　)

약점 체크 **어떤 수 구하기**

26 $2\frac{2}{5}$를 어떤 수로 나누었더니 $2\frac{2}{3}$가 되었습니다. 어떤 수를 구하세요.

(　　　　　　　　　　)

해결 어떤 수를 □라 하고 식을 세운 후 어떤 수를 구합니다.

27 어떤 수를 $\frac{2}{3}$로 나누어야 할 것을 잘못하여 $\frac{2}{3}$를 곱했더니 $\frac{6}{7}$이 되었습니다. 바르게 계산한 값을 구하세요.

(　　　　　　　　　　)

약점 체크 떨어뜨린 높이 구하기

28 떨어진 높이의 $\frac{1}{2}$만큼 튀어 오르는 공이 있습니다. 이 공을 떨어뜨렸을 때 3번째로 튀어 오른 높이가 $\frac{3}{4}$ m였다면 처음 공을 떨어뜨린 높이는 몇 m인지 구하세요.

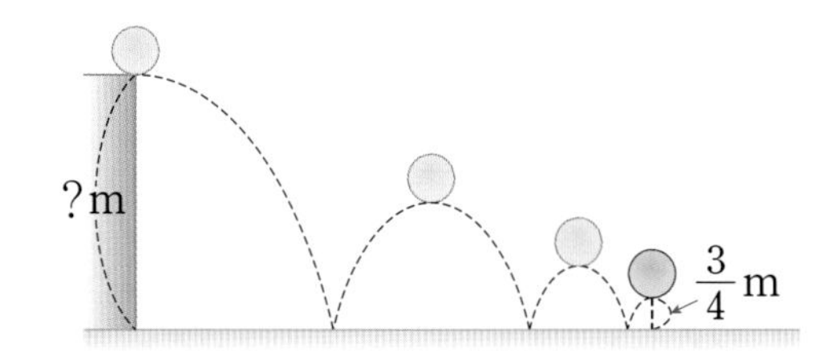

(1) 처음 공을 떨어뜨린 높이를 ■ m라 할 때 □ 안에 알맞은 수를 써넣으세요.

(3번째로 튀어 오른 높이)

$= ■ \times \frac{1}{2} \times \square \times \square = \frac{3}{4}$ (m)

(2) 처음 공을 떨어뜨린 높이는 몇 m인가요?

( )

해결 처음 공을 떨어뜨린 높이를 ■ m라 하고 주어진 조건에 맞게 식을 세웁니다.

29 떨어진 높이의 $\frac{3}{7}$만큼 튀어 오르는 공이 있습니다. 이 공을 떨어뜨렸을 때 2번째로 튀어 오른 높이가 $2\frac{4}{7}$ m였다면 처음 공을 떨어뜨린 높이는 몇 m인지 구하세요.

( )

약점 체크 나눗셈식을 만들어 몫 구하기

30 세 수 3, 5, 6을 □ 안에 한 번씩 써넣어 몫이 가장 크게 되도록 나눗셈식을 완성하고, 나눗셈식의 몫을 구하세요.

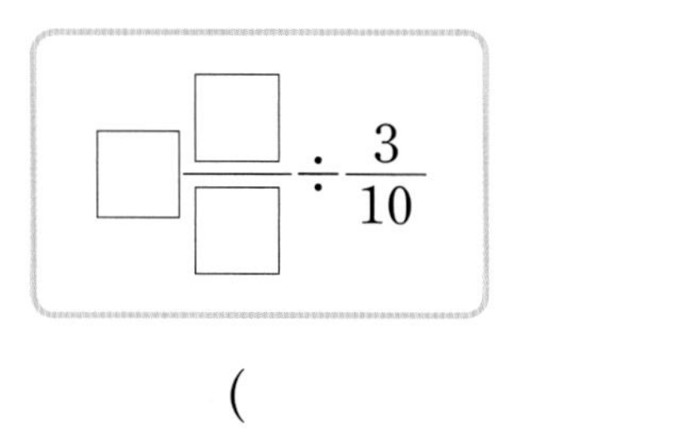

( )

해결 나눗셈식에서 나누어지는 수가 클수록, 나누는 수가 작을수록 몫이 큽니다.

1 단원

31 다음 4장의 수 카드를 □ 안에 한 번씩 써넣어 (자연수)÷(대분수)의 식을 만들려고 합니다. 몫이 가장 작을 때의 나눗셈식을 만들고, 몫을 구하세요.

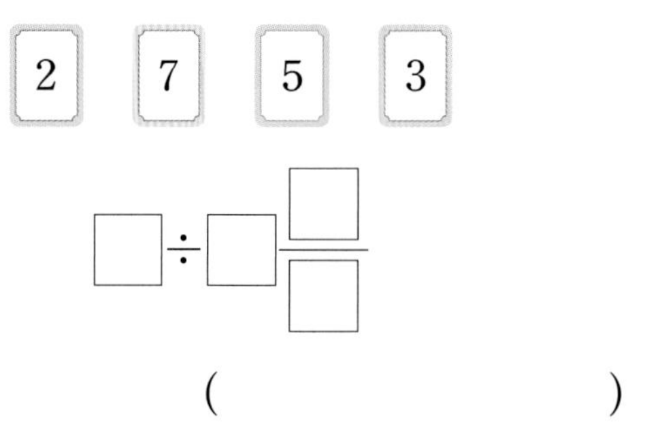

( )

STEP 3 연습 단계 실전

서술형 해결하기

연습

01 재희는 수확한 토마토 $4\frac{4}{9}$ kg을 한 봉지에 $\frac{4}{9}$ kg씩 담았고, 수철이는 수확한 토마토 $5\frac{1}{7}$ kg을 한 봉지에 $\frac{6}{7}$ kg씩 담았습니다. 재희와 수철이 중 토마토를 담은 봉지 수가 더 많은 사람은 누구인지 풀이 과정을 쓰고, 답을 구하세요.

서술형 포인트 수확한 토마토의 무게와 한 봉지에 담는 토마토의 무게를 이용하여 식을 세웁니다.

풀이를 완성하세요.

❶ (재희가 토마토를 담은 봉지 수)

$=\square\div\square=$

(수철이가 토마토를 담은 봉지 수)

$=\square\div\square=$

❷ 따라서 토마토를 담은 봉지 수가 더 많은 사람은 □입니다.

답

단계

02 다음과 같이 가 주전자와 나 주전자에 물이 들어 있습니다. 가 주전자의 물은 한 컵에 $\frac{3}{8}$ L씩 붓고, 나 주전자의 물은 한 컵에 $\frac{1}{3}$ L씩 부으려고 합니다. **필요한 컵은 모두 몇 개**인지 풀이 과정을 쓰고, 답을 구하세요.

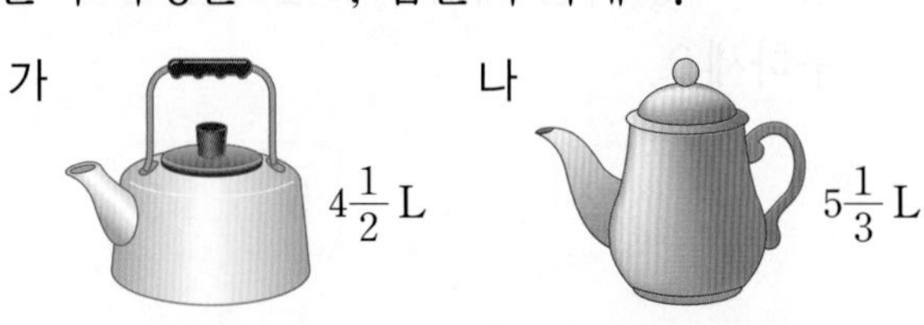

❶ 가 주전자와 나 주전자의 물을 붓는 데 필요한 컵 수 각각 구하기

풀이

❷ 필요한 컵 수의 합 구하기

풀이

답

실전

03 다음과 같이 가와 나 리본이 있습니다. 가 리본은 $\frac{3}{16}$ m씩 자르고, 나 리본은 $\frac{2}{9}$ m씩 자를 때 **가와 나 리본을 자른 도막 수의 차**를 구하려고 합니다. 풀이 과정을 쓰고, 답을 구하세요.

가 $\frac{57}{8}$ m

나 $\frac{20}{3}$ m

풀이

답

정답 07쪽

연습

04 **유진이네 반 학생의 $\frac{3}{7}$은 안경을 썼습니다. 안경을 쓴 학생이 9명일 때 유진이네 반 학생은 몇 명인지 풀이 과정을 쓰고, 답을 구하세요.**

서술형 포인트 유진이네 반 학생 수를 ■명이라 하고 안경을 쓴 학생 수를 구하는 식을 세워 봅니다.

풀이를 완성하세요.

❶ 유진이네 반 학생의 □이 안경을 썼으므로

유진이네 반 학생 수를 ■명이라 하면

(안경을 쓴 학생 수)=■×□=9(명)입니다.

❷ ■=

따라서 유진이네 반 학생은 모두 □명입니다.

답

1 단원

단계

05 그림과 같이 전체 땅의 $\frac{5}{9}$에 장미를 심었습니다. 장미를 심고 남은 땅의 넓이가 32 m^2일 때 **전체 땅의 넓이는 몇 m^2**인지 풀이 과정을 쓰고, 답을 구하세요.

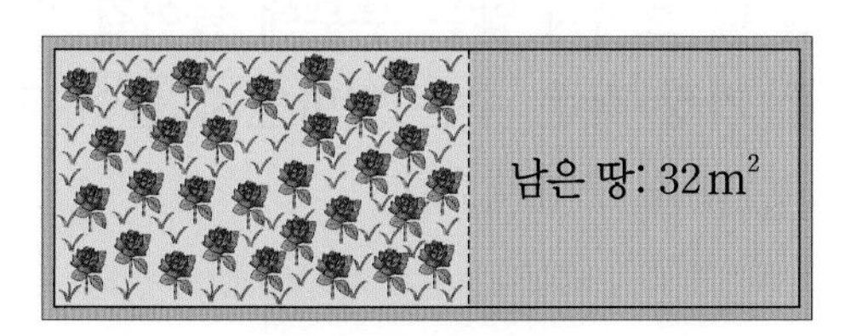

❶ 장미를 심고 남은 땅은 전체 땅의 몇 분의 몇인지 구하기

풀이

❷ 전체 땅의 넓이 구하기

풀이

답

실전

06 유정이는 가지고 있던 찹쌀가루의 $\frac{7}{9}$을 사용하여 인절미 한 판을 만들었습니다. 인절미를 만들고 남은 찹쌀가루의 무게가 280 g일 때 **처음 가지고 있던 찹쌀가루의 무게는 몇 g**인지 풀이 과정을 쓰고, 답을 구하세요.

풀이

답

STEP 3 서술형 해결하기

연습

07 **다음 나눗셈식의 몫은 자연수입니다. ▲에 들어갈 수 있는 수 중 가장 큰 수는 얼마인지 풀이 과정을 쓰고, 답을 구하세요.**

$$\frac{5}{7} \div \frac{▲}{14}$$

서술형 포인트 두 분수의 분모를 생각하지 않고 분자끼리만 계산하지 않도록 주의합니다.

풀이를 완성하세요.

❶ $\frac{5}{7} \div \frac{▲}{14} = \frac{\square}{14} \div \frac{▲}{14} = \square \div ▲$에서

나눗셈식의 몫이 자연수이므로 ▲에는 □의

약수가 들어가야 합니다.

❷ □의 약수:

따라서 ▲에 들어갈 수 있는 수 중 가장 큰 수는

□입니다.

답

단계

08 다음 나눗셈식의 몫은 자연수입니다. **1부터 9까지의 수 중 □ 안에 들어갈 수 있는 수**를 모두 구하려고 합니다. 풀이 과정을 쓰고, 답을 구하세요.

$$\frac{16}{3} \div \frac{4}{\square}$$

❶ □ 안에 들어갈 수 있는 수의 조건 알아보기

풀이

❷ 1부터 9까지의 수 중 □ 안에 들어갈 수 있는 수 모두 구하기

풀이

답

실전

09 나눗셈식이 쓰여 있는 종이가 찢어져서 일부가 보이지 않습니다. 나눗셈식의 몫이 자연수일 때 **보이지 않는 부분에 들어갈 수 있는 수 중 가장 작은 수**는 얼마인지 풀이 과정을 쓰고, 답을 구하세요.

$$\frac{}{7} \div \frac{5}{21}$$

풀이

답

연습

10 수족관에 들어 있는 400 L의 물을 빼고 있습니다. 물을 빼기 시작하고 $12\frac{2}{3}$분 후 남은 물이 96 L일 때 1분 동안 빠지는 물은 몇 L인지 풀이 과정을 쓰고, 답을 구하세요. (단, 물이 빠지는 양은 일정합니다.)

서술형 포인트 먼저 $12\frac{2}{3}$분 동안 빠진 물의 양을 구한 후 1분 동안 빠지는 물의 양을 구합니다.

풀이를 완성하세요.

❶ 물을 빼기 시작하고 $12\frac{2}{3}$분 후 남은 물의 양은 ☐ L입니다.

➜ ($12\frac{2}{3}$분 동안 빠진 물의 양)

=(처음에 있던 물의 양)

−($12\frac{2}{3}$분 후 남은 물의 양)

=

❷ (1분 동안 빠지는 물의 양)

=($12\frac{2}{3}$분 동안 빠진 물의 양)÷☐

=

답

단계

11 굵기가 일정한 8 cm 길이의 양초에 불을 붙이고 4분 30초가 지난 후 양초의 길이를 재었더니 $2\frac{3}{5}$ cm였습니다. 양초가 일정한 빠르기로 탈 때 **1분 동안 타는 양초의 길이는 몇 cm**인지 풀이 과정을 쓰고, 답을 구하세요.

❶ 4분 30초 동안 탄 양초의 길이 구하기

풀이

❷ 1분 동안 타는 양초의 길이 구하기

풀이

답

실전

12 굵기가 일정한 14 cm 길이의 양초에 불을 붙이고 7분 30초가 지난 후 양초의 길이를 재었더니 $10\frac{1}{4}$ cm였습니다. 양초가 일정한 빠르기로 탈 때 **1분 동안 타는 양초의 길이는 몇 cm**인지 풀이 과정을 쓰고, 답을 구하세요.

풀이

답

단원 마무리

01 그림을 보고 □ 안에 알맞은 수를 써넣으세요.

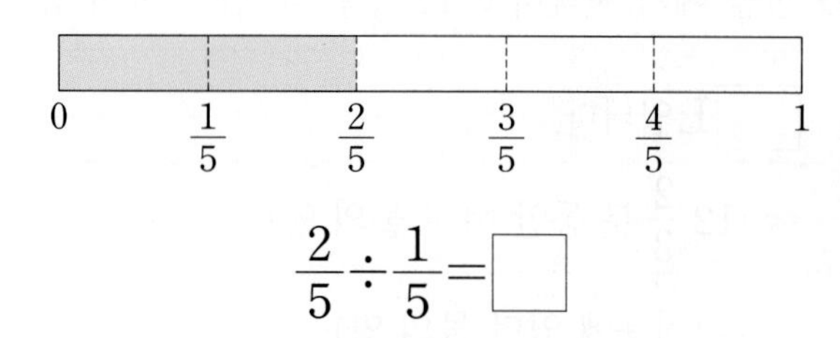

$\frac{2}{5}\div\frac{1}{5}=\square$

02 □ 안에 알맞은 수를 써넣으세요.

$\frac{14}{15}\div\frac{7}{15}=\square\div\square=\square$

03 보기 와 같이 계산하세요.

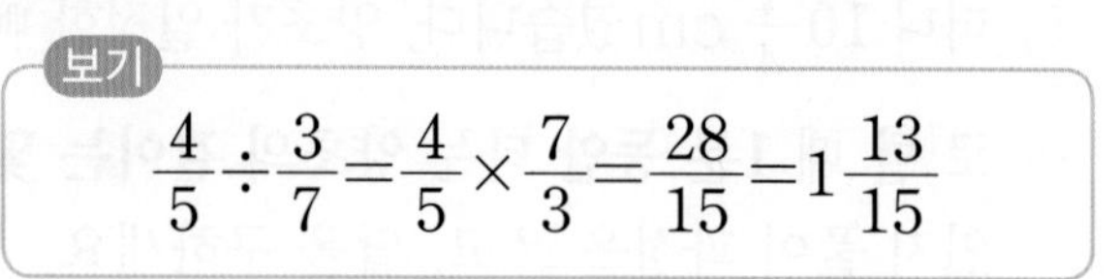

보기
$\frac{4}{5}\div\frac{3}{7}=\frac{4}{5}\times\frac{7}{3}=\frac{28}{15}=1\frac{13}{15}$

$\frac{8}{9}\div\frac{2}{3}$

04 계산하세요.

(1) $\frac{3}{8}\div\frac{6}{11}$

(2) $2\frac{1}{10}\div1\frac{1}{5}$

05 □ 안에 알맞은 수를 써넣으세요.

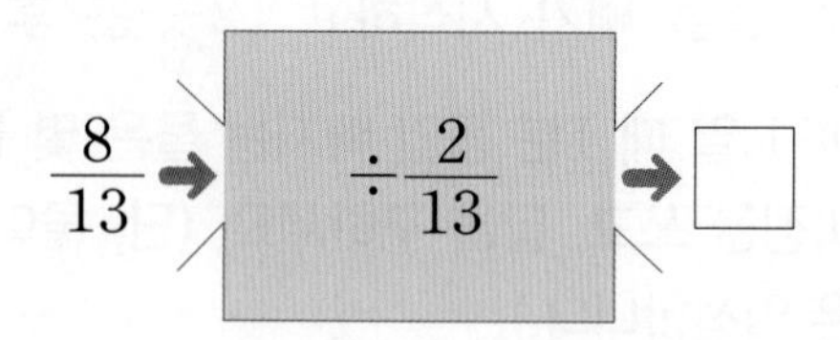

06 계산 결과를 찾아 선으로 이으세요.

(1) $5\div\frac{1}{9}$ •

(2) $7\div\frac{1}{7}$ •

• ㉠ 45

• ㉡ 47

• ㉢ 49

07 자연수를 분수로 나눈 몫을 구하세요.

$\frac{6}{5}$　　12

(　　　　　　)

08 계산 결과를 비교하여 ○ 안에 $>$, $=$, $<$를 알맞게 써넣으세요.

$10 \div \frac{8}{9}$ 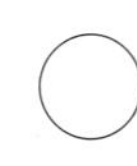 $9 \div \frac{3}{4}$

09 사과의 무게는 $\frac{4}{19}$ kg이고, 토마토의 무게는 $\frac{2}{19}$ kg입니다. 사과의 무게는 토마토의 무게의 몇 배인가요?

(　　　　　　　　)

10 두 나눗셈식의 계산 결과의 차를 구하세요.

$\frac{14}{5} \div \frac{7}{10}$　　$1\frac{1}{6} \div 1\frac{3}{4}$

(　　　　　　　　)

11 계산하세요.

$3\frac{1}{3} \div 2\frac{2}{9} \div 1\frac{2}{7}$

(　　　　　　　　)

12 □ 안에 알맞은 수를 구하세요.

$\square \times \frac{2}{3} = \frac{8}{15}$

(　　　　　　　　)

13 계산 결과가 큰 것부터 차례로 기호를 쓰세요.

㉠ $\frac{4}{7} \div \frac{4}{5}$　　㉡ $\frac{7}{8} \div \frac{3}{16}$

㉢ $\frac{7}{9} \div \frac{2}{3}$　　㉣ $\frac{11}{15} \div \frac{3}{10}$

(　　　　　　　　)

14 □ 안에 들어갈 수 있는 자연수는 모두 몇 개인가요?

$4 \div \frac{2}{7} < \square < 6 \div \frac{3}{10}$

(　　　　　　　　)

1 단원

단원 마무리

15 윗변의 길이가 $3\frac{1}{2}$ m, 아랫변의 길이가 6 m인 사다리꼴이 있습니다. 이 사다리꼴의 넓이가 19 m^2일 때 사다리꼴의 높이는 몇 m인가요?

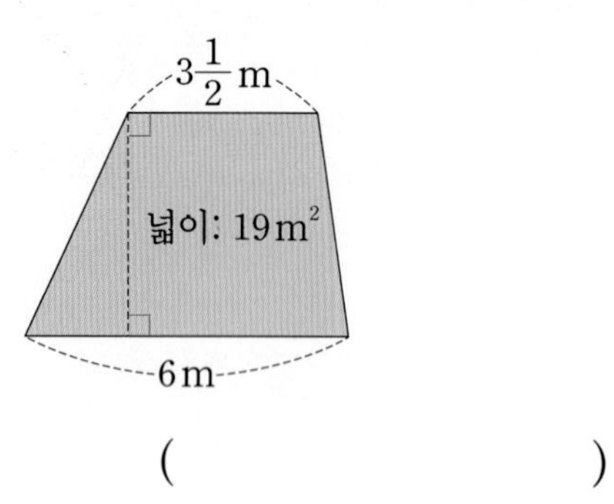

(　　　　　　　　)

16 어떤 수를 $1\frac{1}{5}$로 나누어야 할 것을 잘못하여 $1\frac{1}{5}$을 곱했더니 $\frac{3}{5}$이 되었습니다. 바르게 계산한 값을 구하세요.

(　　　　　　　　)

17 다음 4장의 수 카드를 □ 안에 한 번씩 써넣어 (자연수)÷(대분수)의 식을 만들려고 합니다. 몫이 가장 클 때의 나눗셈식을 만들고, 몫을 구하세요.

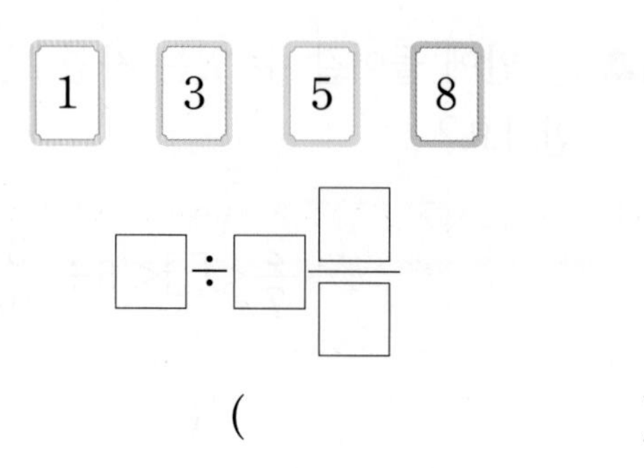

(　　　　　　　　)

18 분수의 나눗셈을 잘못 계산한 것입니다. 계산이 잘못된 이유를 쓰고, 바르게 계산하세요.

$$1\frac{3}{8}\div\frac{2}{3}=1\frac{3}{8}\times\frac{3}{2}=1\frac{9}{16}$$

이유

$1\frac{3}{8}\div\frac{2}{3}$

19 들이가 10 L인 물통에 물이 $2\frac{1}{2}$ L 들어 있습니다. 이 물통에 물을 가득 채우려면 들이가 $\frac{3}{4}$ L인 그릇으로 적어도 몇 번 부어야 하는지 풀이 과정을 쓰고, 답을 구하세요.

풀이

답

20 오른쪽 나눗셈식의 몫은 자연수입니다. 1부터 9까지의 수 중 □ 안에 들어갈 수 있는 수를 모두 구하려고 합니다. 풀이 과정을 쓰고, 답을 구하세요.

$\frac{9}{4}\div\frac{3}{\square}$

풀이

답

쉬어가기

미국 친구

헬로
(Hello)

헬로, 나는 미국에 살고 있는 타일러라고 해.
오백여 년 전에 콜럼버스라는 사람이 새로운 대륙을 발견했는데 그 대륙에 세워진 나라가 바로 미국이야.
미국은 다양한 사람들과 다채로운 문화가 한데 섞인 세계 최대의 이민 국가야.
미국 최대의 도시인 뉴욕에는 타임스퀘어라는 곳이 있는데 그곳에는 다양한 볼거리와 즐길거리가 있어.
미국 애리조나 주 북서부에 있는 그랜드 캐니언이라는 협곡은 미국하면 떠오르는 관광지 중 하나야.

미국의 '러시모어 산'

'러시모어 산'은 미국의 위대한 대통령 4명의 얼굴을 조각한 것으로 세계에서 가장 거대하고 유명한 조각 기념물이야.

2 소수의 나눗셈

학습 계획표

공부할 날짜를 적고 **〈진도북〉**과 **〈매칭북〉**의 쪽수를 찾아 공부하세요.

학습 내용	계획 및 확인					
	진도북			매칭북		
STEP 1 개념 완성하기	036~039쪽 ➡	월	일	10쪽 ➡	월	일
STEP 2 실력 다지기	040~045쪽 ➡	월	일	11~13쪽 ➡	월	일
STEP 1 개념 완성하기	046~049쪽 ➡	월	일	14쪽 ➡	월	일
STEP 2 실력 다지기	050~053쪽 ➡	월	일	15~16쪽 ➡	월	일
STEP 3 서술형 해결하기	054~057쪽 ➡	월	일	17~18쪽 ➡	월	일
단원 마무리	058~060쪽 ➡	월	일	48~50쪽 ➡	월	일

대표 유형

- 이번 단원에서 꼭 공부해야 할 **<대표 유형>**입니다.
- 학습한 후에 이해가 부족한 유형은 ▢ 안에 ○표 한 후 반복하여 학습하세요.

- ▢ (소수)÷(소수)의 계산 방법
- ▢ 계산이 잘못된 부분 찾기
- ▢ (소수)÷(소수)의 몫 구하기
- ▢ 몫의 크기 비교하기①
- ▢ (소수)÷(소수)의 활용
- ▢ 범위에 맞게 알맞은 수 구하기
- ▢ 빈 곳에 알맞은 수 구하기
- ▢ 곱셈과 나눗셈의 관계 활용
- ▢ 약점 체크 소수의 혼합 계산
- ▢ 약점 체크 도형의 넓이를 이용하여 길이 구하기
- ▢ 약점 체크 약속에 따라 계산하기
- ▢ 약점 체크 수 카드를 이용하여 나눗셈식 만들기
- ▢ (자연수)÷(소수)의 몫 구하기
- ▢ 몫의 크기 비교하기②
- ▢ (자연수)÷(소수)의 활용
- ▢ 몫을 반올림하여 나타내기
- ▢ 남는 양 구하기의 활용
- ▢ 물건의 가격 비교하기
- ▢ 약점 체크 처음에 있던 양 구하기
- ▢ 약점 체크 몫의 규칙 알아보기

STEP 1

개념 완성하기

1 (소수)÷(소수) → 자연수의 나눗셈 이용

나눗셈에서 나누는 수와 나누어지는 수에 같은 수를 곱하면 몫은 변하지 않습니다.

➜ 나누는 수와 나누어지는 수에 같은 수를 곱해 (자연수)÷(자연수)의 식을 만들어 계산합니다.

14.4 ÷ 0.6 (10배, 10배) → 144 ÷ 6	1.44 ÷ 0.06 (100배, 100배) → 144 ÷ 6
$14.4 \div 0.6 = 144 \div 6 = 24$	$1.44 \div 0.06 = 144 \div 6 = 24$

참고 소수를 10배, 100배…… 하면 소수점이 오른쪽으로 한 자리, 두 자리…… 이동합니다.

2 자릿수가 같은 (소수)÷(소수)

예제 1 $2.1 \div 0.7$ 계산하기 → (소수 한 자리 수)÷(소수 한 자리 수)

방법 1 분수의 나눗셈으로 계산하기

$$2.1 \div 0.7 = \frac{21}{10} \div \frac{7}{10} = 21 \div 7 = 3$$

방법 2 소수점을 옮겨 세로로 계산하기

$0.7\overline{)2.1}$ ➜ $7\overline{)21}$, 몫 3, $21 - 21 = 0$ | $0.7\overline{)2.1}$, 몫 3, $21 - 21 = 0$

└ 나누는 수와 나누어지는 수의 소수점을 각각 오른쪽으로 한 자리 옮깁니다.

예제 2 $1.23 \div 0.41$ 계산하기 → (소수 두 자리 수)÷(소수 두 자리 수)

방법 1 분수의 나눗셈으로 계산하기

$$1.23 \div 0.41 = \frac{123}{100} \div \frac{41}{100} = 123 \div 41 = 3$$

방법 2 소수점을 옮겨 세로로 계산하기

$0.41\overline{)1.23}$ ➜ $41\overline{)123}$, 몫 3, $123 - 123 = 0$ | $0.41\overline{)1.23}$, 몫 3, $123 - 123 = 0$

└ 나누는 수와 나누어지는 수의 소수점을 각각 오른쪽으로 두 자리 옮깁니다.

개념 확인

1 그림을 0.3씩 나누고, □ 안에 알맞은 수를 써넣으세요.

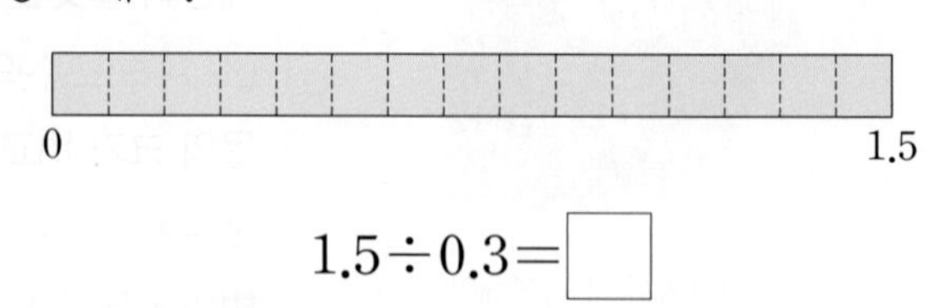

$1.5 \div 0.3 =$ □

2 길이가 5.88 m인 철사를 0.07 m씩 자르면 몇 도막이 되는지 알아보려고 합니다. □ 안에 알맞은 수를 써넣으세요.

5.88 m= □ cm, 0.07 m= □ cm

철사 5.88 m를 0.07 m씩 자르는 것은 철사 □ cm를 7 cm씩 자르는 것과 같습니다.

□ ÷7= □

➜ $5.88 \div 0.07 =$ □ (도막)

3 $20.7 \div 0.9$를 자연수의 나눗셈을 이용하여 계산하려고 합니다. □ 안에 알맞은 수를 써넣으세요.

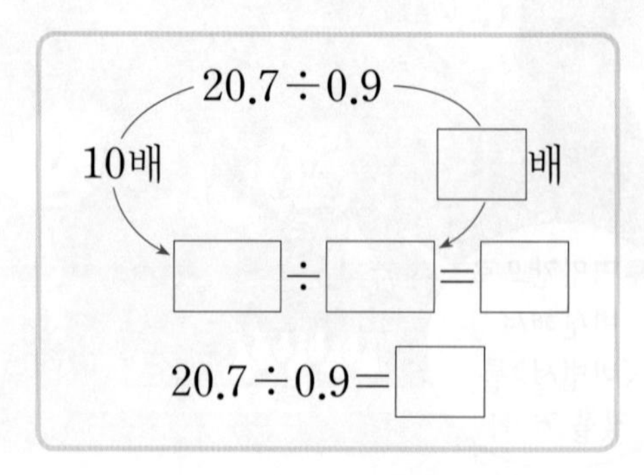

기본 유형

4 보기 와 같이 분수의 나눗셈으로 계산하세요.

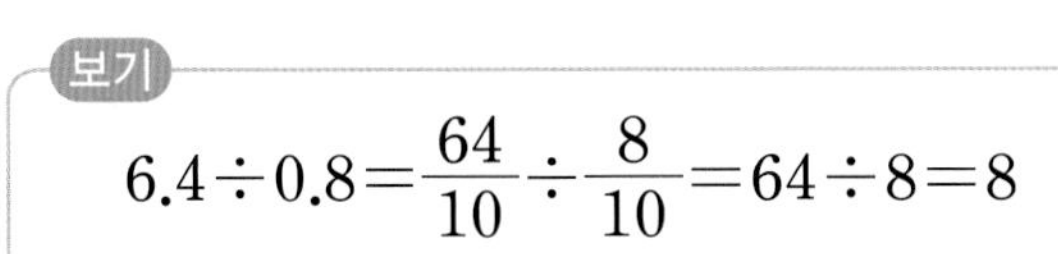
보기

$$6.4 \div 0.8 = \frac{64}{10} \div \frac{8}{10} = 64 \div 8 = 8$$

$7.2 \div 0.9$

5 계산하세요.

(1) $1.2\overline{)4.8}$

(2) $0.9\,3\overline{)6.5\,1}$

(3) $3.6 \div 0.3$

(4) $11.25 \div 2.25$

6 빈 곳에 알맞은 수를 써넣으세요.

(1)

7.5	÷2.5	

(2)

9.12	÷1.14	

7 $10.8 \div 0.9$를 2가지 방법으로 계산하세요.

방법 1 분수의 나눗셈으로 계산하기

방법 2 소수점을 옮겨 세로로 계산하기

8 큰 수를 작은 수로 나눈 몫을 빈 곳에 써넣으세요.

0.64	4.48

9 길이가 2.88 m인 털실이 있습니다. 이 털실을 한 도막에 0.72 m씩 자른다면 모두 몇 도막이 되나요?

(털실의 도막 수)

$= \square \div 0.72 = \square$(도막)

2 단원

STEP 1 개념 완성하기

3 자릿수가 다른 (소수)÷(소수)

나누어지는 수 또는 나누는 수가 자연수가 되도록 나누어지는 수와 나누는 수에 같은 수를 곱하여 계산합니다.

예제 $6.45 \div 1.5$ 계산하기

방법 1 나누어지는 수가 자연수가 되도록 나누어지는 수와 나누는 수에 같은 수를 곱하여 계산하기

$$6.45 \div 1.5 = 4.3 \quad 645 \div 150 = 4.3$$

(100배, 100배)

$1.50\overline{)6.45}$ ➔ $150\overline{)645.0}$: 몫 4.3, 600, 450, 450, 0

└ 나누는 수와 나누어지는 수의 소수점을 각각 오른쪽으로 두 자리 옮깁니다.

참고 소수 한 자리 수를 100배 한 경우 마지막 수의 끝에 0을 적어 나타냅니다. 예 1.5의 100배 ➔ 150

방법 2 나누는 수가 자연수가 되도록 나누어지는 수와 나누는 수에 같은 수를 곱하여 계산하기

$$6.45 \div 1.5 = 4.3 \quad 64.5 \div 15 = 4.3$$

(10배, 10배)

$1.5\overline{)6.45}$ ➔ $15\overline{)64.5}$: 몫 4.3, 60, 45, 45, 0

중요 자릿수가 다른 소수의 나눗셈에서 소수점의 위치 알아보기

소수점의 이동	소수점을 옮길 때에는 나누는 수와 나누어지는 수의 소수점을 오른쪽으로 똑같이 옮깁니다.
몫의 소수점의 위치	몫의 소수점은 나누어지는 수의 옮긴 소수점의 위치와 같은 자리에 찍습니다.

개념 확인

1 $1.08 \div 0.9$를 계산하려고 합니다. 소수점을 바르게 옮긴 것에 ○표 하세요.

$1.08 \div 0.9 = 10.8 \div 9$ ( )

$1.08 \div 0.9 = 108 \div 9$ ( )

2 $1.68 \div 1.2$를 소수점을 옮겨 세로로 계산하려고 합니다. □ 안에 알맞은 수를 써넣으세요.

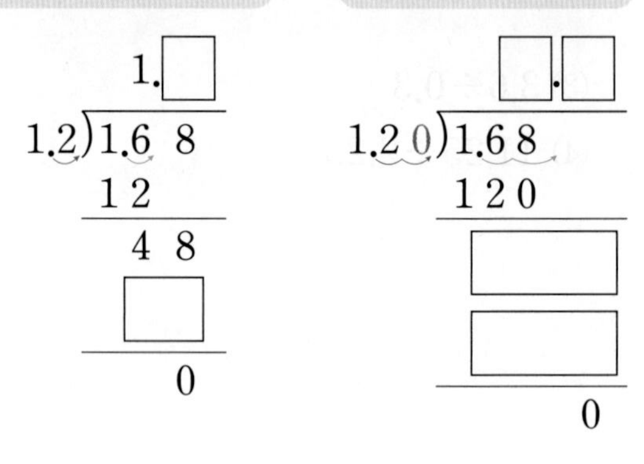

(1) 나누는 수가 자연수가 되도록 소수점을 옮겨 계산하기
1.□
1.2)1.6 8
12
4 8
□
0
(2) 나누어지는 수가 자연수가 되도록 소수점을 옮겨 계산하기
□.□
1.20)1.68
120
□
□
0

3 □ 안에 알맞은 수를 써넣으세요.

(1) $7.04 \div 3.2 = 704 \div$ □ $=$ □

(2) $7.04 \div 3.2 = 70.4 \div$ □ $=$ □

기본 유형

4 계산하세요.

(1) $1.2\overline{)3.72}$

(2) $6.3\overline{)28.35}$

(3) $1.25 \div 0.5$

(4) $4.48 \div 1.6$

5 $3.84 \div 0.8$의 몫을 구한 것입니다. 연희와 윤수 중 몫을 바르게 구한 사람의 이름을 쓰세요.

(　　　　　　　　　)

6 빈 곳에 알맞은 수를 써넣으세요.

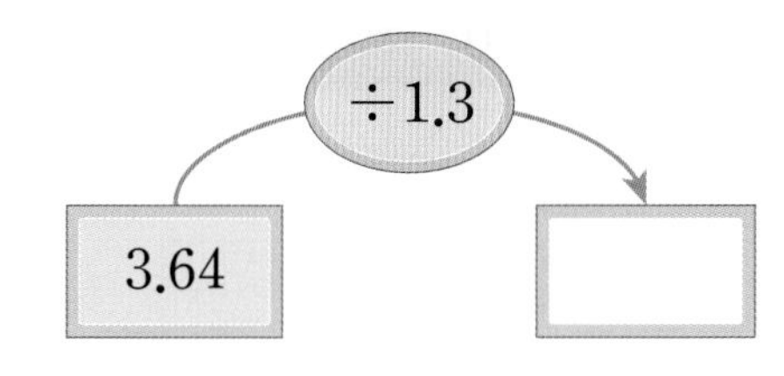

7 계산 결과를 찾아 선으로 이으세요.

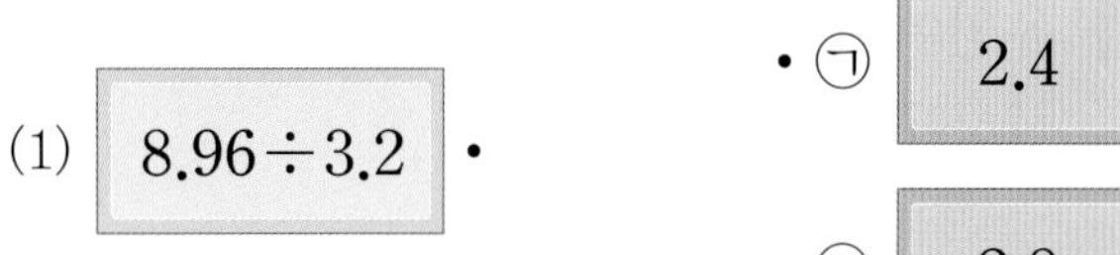

8 크기를 비교하여 ○ 안에 >, =, <를 알맞게 써넣으세요.

(1) $7.84 \div 1.4$ ○ 5

(2) $22.94 \div 3.7$ ○ 7

9 1분에 3.7 L의 물을 뿌리는 스프링클러가 있습니다. 이 스프링클러로 27.38 L의 물을 뿌리는 데 걸리는 시간은 몇 분인가요?

물을 흩어서 뿌리는 기구

(걸리는 시간)

$= \square \div 3.7 = \square$ (분)

2 단원

STEP 2 유형 확인 강화

실력 다지기

(소수)÷(소수)의 계산 방법

유형 01 유인이가 설명하는 방법으로 1.28÷1.6을 계산하세요.

나누는 수가 자연수가 되도록
나누어지는 수와 나누는 수에
각각 같은 수를 곱해서 계산해!
유인

1.28÷1.6

확인 02 조건을 모두 만족하는 나눗셈식을 쓰고, 몫을 구하세요.

조건
- 225÷25를 이용하여 풀 수 있습니다.
- 나누는 수와 나누어지는 수를 각각 10배 하면 225÷25가 됩니다.

식 ______

답 ______

서술형

강화 03 12.96÷1.08을 계산하고, 계산 방법을 쓰세요.

$1.08\overline{)12.96}$

방법 ______

계산이 잘못된 부분 찾기

04 잘못 계산한 것의 기호를 쓰세요.

㉠
$$\begin{array}{r} 24 \\ 1.3\overline{)31.2} \\ 26 \\ \hline 52 \\ 52 \\ \hline 0 \end{array}$$

㉡
$$\begin{array}{r} 36 \\ 6.1\overline{)21.96} \\ 183 \\ \hline 366 \\ 366 \\ \hline 0 \end{array}$$

(　　　　　　)

05 소수의 나눗셈을 분수의 나눗셈으로 계산한 것입니다. 계산이 잘못된 부분을 찾아 바르게 계산하세요.

$$2.24 \div 0.4 = \frac{224}{100} \div \frac{4}{10} = 224 \div 4 = 56$$

2.24÷0.4

서술형

06 계산이 잘못된 부분을 찾아 바르게 계산하고, 잘못된 이유를 쓰세요.

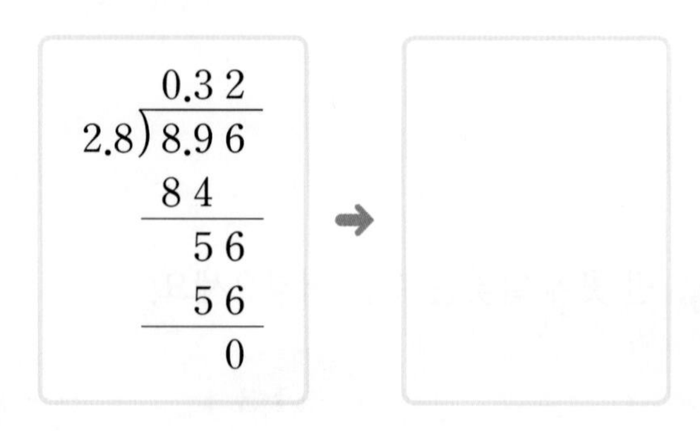

이유 ______

정답 10쪽

(소수)÷(소수)의 몫 구하기

07 빈 곳에 알맞은 수를 써넣으세요.

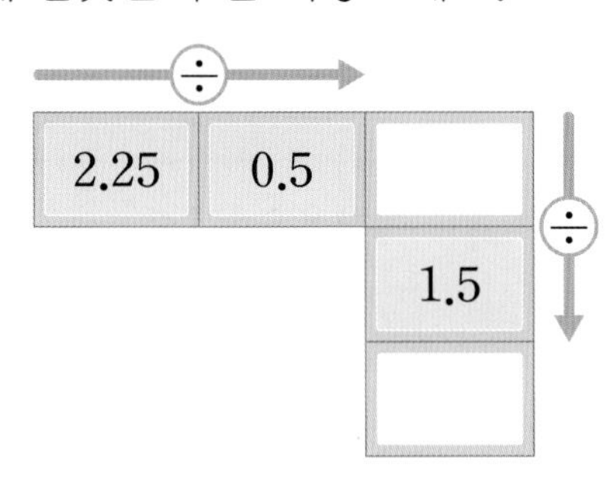

08 가장 큰 수를 가장 작은 수로 나눈 몫을 구하세요.

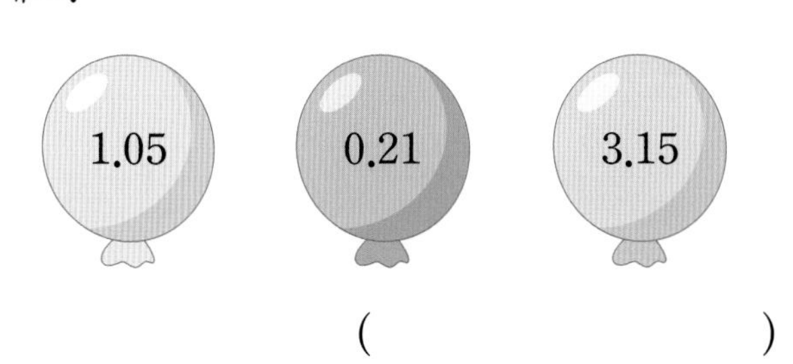

(　　　　　　　　)

09 몫이 다른 하나를 찾아 기호를 쓰세요.

㉠ $7.02 \div 1.3$
㉡ $6.75 \div 1.5$
㉢ $9.18 \div 1.7$

(　　　　　　　　)

몫의 크기 비교하기①

10 계산 결과를 비교하여 ○ 안에 $>$, $=$, $<$를 알맞게 써넣으세요.

$28.5 \div 1.9$ ○ $4.32 \div 0.27$

11 계산 결과가 가장 큰 나눗셈식을 찾아 ○표 하세요.

$3.7\overline{)11.1}$　　$0.67\overline{)3.35}$　　$0.7\overline{)3.43}$

12 계산 결과가 작은 나눗셈식부터 차례로 글자를 썼을 때 만들어지는 단어를 쓰세요.

교과역량

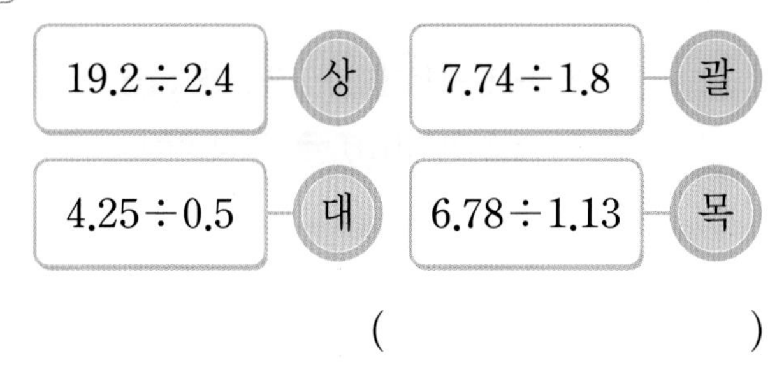

(　　　　　　　　)

(소수)÷(소수)의 활용

유형 **13** 소리는 상온(15 ℃)에서 일정한 빠르기로 1초 동안 0.34 km를 갑니다. 천둥이 친 곳에서 15.3 km 떨어진 곳은 천둥이 친 후 몇 초 뒤에 천둥소리를 들을 수 있나요?

교과역량

식

답

확인 **14** 집에서 도서관을 거쳐 학교까지 가는 거리는 집에서 학교까지 바로 가는 거리의 몇 배인가요?

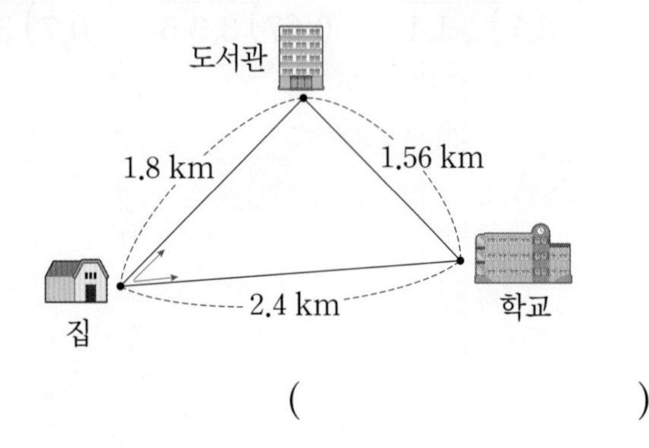

(　　　　　　　)

강화 **15** 미국에서 사용하는 길이 단위로 피트(ft)와 인치(in)가 있습니다. 은수의 키가 152.4 cm일 때 키를 피트와 인치로 각각 나타내세요.

교과역량

- 1 피트(ft) ➡ 30.48 cm
- 1 인치(in) ➡ 2.54 cm

(　　　　　　　) 피트

(　　　　　　　) 인치

범위에 맞게 알맞은 수 구하기

16 1부터 9까지의 자연수 중 □ 안에 들어갈 수 있는 수를 모두 구하세요.

$9.8 \div 1.4 < \square$

(　　　　　　　)

서술형

17 □ 안에 들어갈 수 있는 자연수는 모두 몇 개인지 풀이 과정을 쓰고, 답을 구하세요.

$6.45 \div 2.15 < \square < 1.47 \div 0.21$

풀이

답

18 ㉠보다 크고 ㉡보다 작은 소수 한 자리 수를 모두 구하세요.

㉠ $2.88 \div 0.8$

㉡ $24.18 \div 6.2$

(　　　　　　　)

빈 곳에 알맞은 수 구하기

19 □ 안에 알맞은 수를 써넣으세요.

(1)

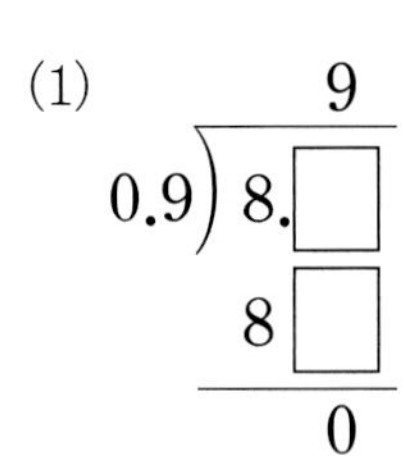

```
        9
0.9) 8.□
     8□
     ---
      0
```

(2)

```
          6
1.□) 7.2
     7 2
     ---
       0
```

20 나눗셈식에서 ㉠, ㉡, ㉢에 알맞은 수가 잘못 짝 지어진 것을 찾아 기호를 쓰세요.

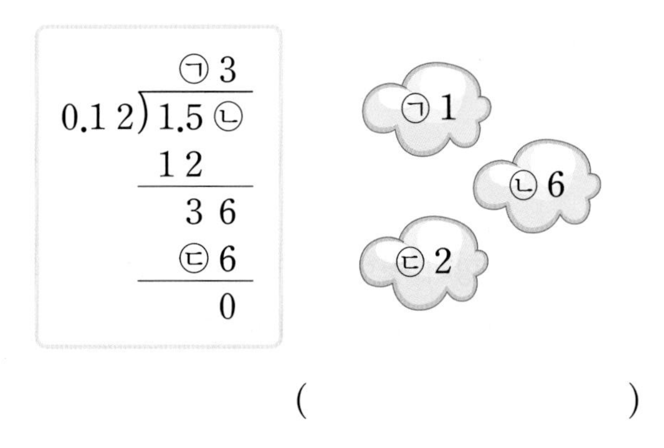

```
          ㉠3
0.1 2) 1.5㉡
       1 2
       ----
        3 6
        ㉢6
       ----
          0
```


(　　　　　　　)

21 ★에 알맞은 수를 구하세요.(단, ★은 모두 같은 수입니다.)

```
          2.□
7.3) 1 6.7 ★
     1 4 □
     --------
       2 □ ★
       2 □ ★
     --------
           0
```

(　　　　　　　)

곱셈과 나눗셈의 관계 활용

22 □ 안에 알맞은 수를 써넣으세요.

$7.24 \times \square = 43.44$

서술형

23 나눗셈식이 적힌 종이에 얼룩이 묻어 나누는 수가 보이지 않습니다. 나누는 수는 얼마인지 풀이 과정을 쓰고, 답을 구하세요.

8.25÷ (얼룩) =2.5

풀이

답

24 □ 안에 알맞은 수가 더 큰 것의 기호를 쓰세요.

㉠ $\square \times 1.82 = 12.74$

㉡ $11.68 \div \square = 1.6$

(　　　　　　　)

2 단원

실력 다지기

약점 체크 소수의 혼합 계산

유형 **25** 준호가 소수의 혼합 계산을 다음과 같이 계산했습니다. 잘못된 부분을 찾아 바르게 계산하세요.

$8.64 \div 3.2 + 1.2 \times 0.9 = 2.7 + 1.2 \times 0.9$
$= 3.9 \times 0.9$
$= 3.51$

$8.64 \div 3.2 + 1.2 \times 0.9$

주의 혼합 계산에서 계산 순서를 생각하지 않고 앞에서부터 계산하면 결과가 다르게 나올 수 있습니다. 반드시 혼합 계산의 계산 순서에 맞게 계산합니다.

확인 **26** 계산 결과가 더 큰 것의 기호를 쓰세요.

㉠ $12 - 8.4 \div 2.4 \times 2.1$
㉡ $1.3 + 9.75 \div 1.3 - 4.88$

( )

약점 체크 도형의 넓이를 이용하여 길이 구하기

27 다음은 넓이가 $11.61\ \text{m}^2$인 삼각형입니다. 이 삼각형의 높이가 4.3 m일 때 밑변의 길이는 몇 m인가요?

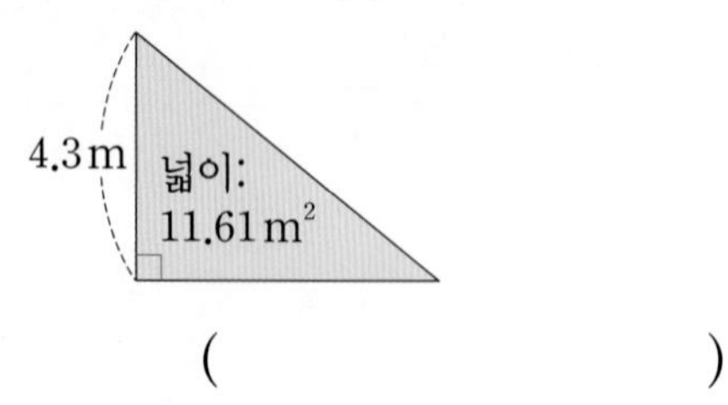

( )

해결 (삼각형의 넓이)=(밑변의 길이)×(높이)÷2임을 이용하여 밑변의 길이를 구합니다.

28 직사각형과 평행사변형의 넓이는 같습니다. 평행사변형의 밑변의 길이가 3.12 cm일 때 높이는 몇 cm인가요?

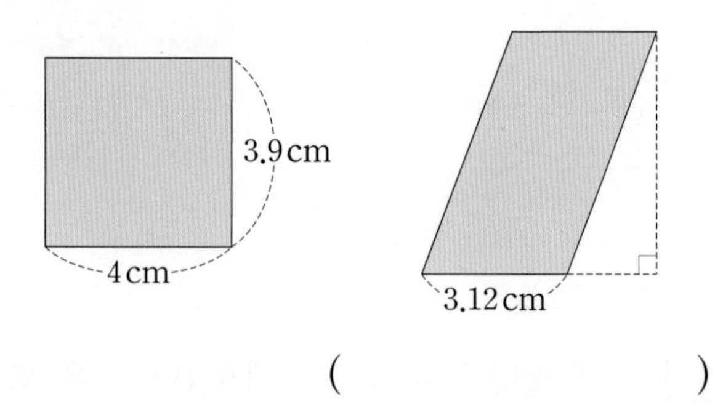

( )

약점 체크 약속에 따라 계산하기

29 가◆나=(가+나)÷나일 때 5.6◆1.12의 값을 구하세요.

( )

해결 ◆ 앞의 수와 뒤의 수를 구분한 후 약속에 따라 식을 세워 계산합니다.

30 다음과 같이 약속할 때 0.5◎(4.3◎6.45)의 값을 구하세요.

㉠◎㉡=㉡÷㉠

( )

약점 체크 수 카드를 이용하여 나눗셈식 만들기

31 수 카드 4, 5, 6, 8을 □ 안에 한 번씩 써넣어 몫이 가장 작은 나눗셈식을 만들고, 나눗셈식의 몫을 구하세요.

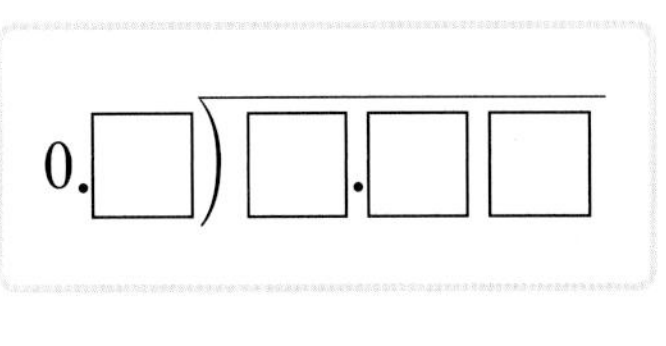

( )

해결 나눗셈식 ■÷▲에서
- ■가 클수록, ▲가 작을수록 몫이 큽니다.
- ■가 작을수록, ▲가 클수록 몫이 작습니다.

32 주어진 수 카드를 □ 안에 한 번씩 써넣어 나눗셈식을 만들려고 합니다. 만든 나눗셈식의 몫이 가장 클 때의 몫을 구하세요.

2 8 1 4

0.□□÷0.□□

( )

STEP 1 개념 완성하기

4 (자연수)÷(소수) → 소수점 아래 0을 내려 계산하기

예제 1 $10\div2.5$ 계산하기 → (자연수)÷(소수 한 자리 수)

방법 1 분수의 나눗셈으로 계산하기

$$10\div2.5=\frac{100}{10}\div\frac{25}{10}=100\div25=4$$

방법 2 소수점을 옮겨 세로로 계산하기

2.5)10.0 → 25)100 = 4, 100, 0

└ 나누는 수와 나누어지는 수의 소수점을 각각 오른쪽으로 한 자리 옮깁니다.

참고 자연수는 오른쪽 끝자리에 소수점과 0을 붙여 소수로 나타낼 수 있습니다.

예 $10=10.0=10.00=10.000=10.0000\cdots\cdots$

예제 2 $6\div0.15$ 계산하기 → (자연수)÷(소수 두 자리 수)

방법 1 분수의 나눗셈으로 계산하기

$$6\div0.15=\frac{600}{100}\div\frac{15}{100}=600\div15=40$$

방법 2 소수점을 옮겨 세로로 계산하기

0.15)6.00 → 15)600 = 40, 600, 0

└ 나누는 수와 나누어지는 수의 소수점을 각각 오른쪽으로 두 자리 옮깁니다.

[나누는 수, 나누어지는 수와 몫의 관계]

(1) 나누어지는 수가 같을 때 나누는 수와 몫의 관계

나누어지는 수가 같을 때 나누는 수를 $\frac{1}{10}$배 하면 몫은 10배가 됩니다.

예 $10\div5=2$
($\times\frac{1}{10}$, $\times10$)
$10\div0.5=20$
($\times\frac{1}{10}$, $\times10$)
$10\div0.05=200$

(2) 나누는 수가 같을 때 나누어지는 수와 몫의 관계

나누는 수가 같을 때 나누어지는 수를 10배 하면 몫도 10배가 됩니다.

예 $0.15\div0.05=3$
($\times10$, $\times10$)
$1.5\div0.05=30$
($\times10$, $\times10$)
$15\div0.05=300$

개념 확인

1 $24\div4.8$을 2가지 방법으로 계산하려고 합니다. 물음에 답하세요.

(1) 분수의 나눗셈으로 계산하세요.

$$24\div4.8=\frac{240}{10}\div\frac{\square}{10}=\square\div\square=\square$$

(2) 소수점을 옮겨 세로로 계산하세요.

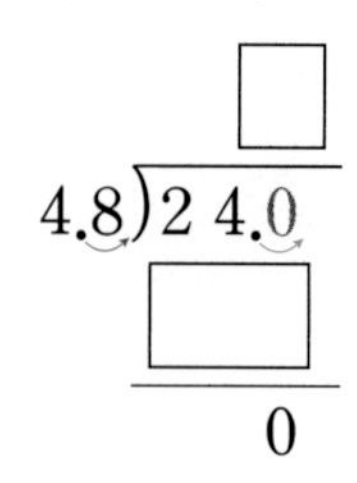

2 □ 안에 알맞은 수를 써넣으세요.

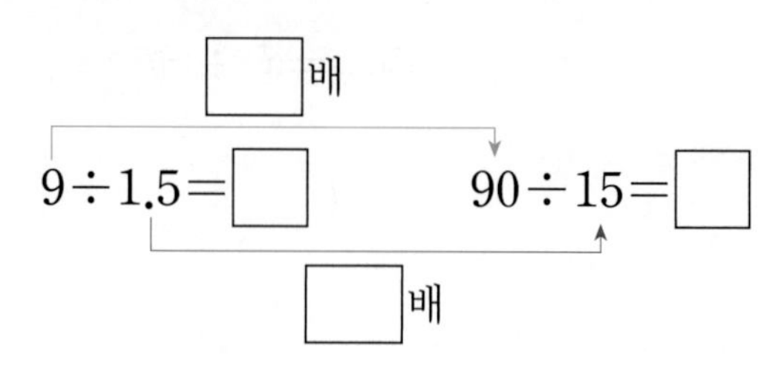

3 보기 와 같이 분수의 나눗셈으로 계산하세요.

보기

$$7\div1.4=\frac{70}{10}\div\frac{14}{10}=70\div14=5$$

(1) $27\div4.5$

(2) $34\div1.36$

기본 유형

4 □ 안에 알맞은 수를 써넣으세요.

(1)

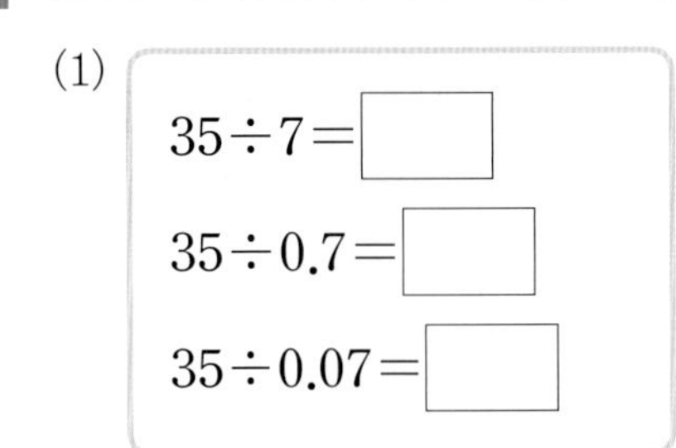

(2)

$1.25 \div 0.05 = \square$

$12.5 \div 0.05 = \square$

$125 \div 0.05 = \square$

5 계산하세요.

(1) $3.6 \overline{) 1\ 8}$

(2) $1.2\ 4 \overline{) 3\ 1}$

(3) $81 \div 5.4$

(4) $29 \div 1.45$

6 빈 곳에 알맞은 수를 써넣으세요.

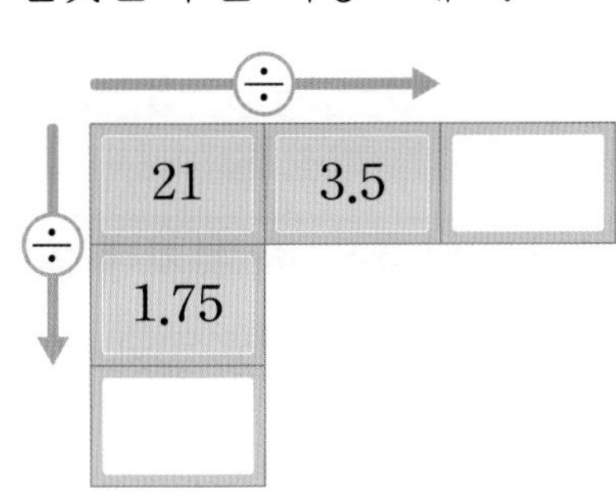

7 $39 \div 3.25$를 2가지 방법으로 계산하세요.

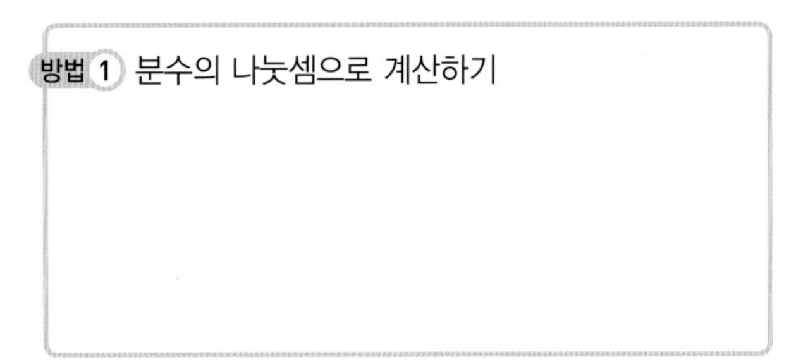

방법 2 소수점을 옮겨 세로로 계산하기

8 자연수를 소수로 나눈 몫을 구하세요.

(　　　　　　　　)

9 철사로 별 모양 한 개를 만드는 데 철사 13.8 cm가 필요합니다. 철사 69 cm로 만들 수 있는 별 모양은 몇 개인가요?

(만들 수 있는 별 모양의 수)

$= \square \div 13.8 = \square$(개)

2 단원

STEP 1 개념 완성하기

5 몫을 반올림하여 나타내기

몫을 간단한 소수로 구할 수 없는 경우 몫을 반올림하여 나타냅니다.

예제 5.3÷0.3의 몫을 반올림하여 나타내기

5.3÷0.3=17.666……

① 몫을 반올림하여 자연수로 나타내기
5.3÷0.3=17.6…… ➜ 18

② 몫을 반올림하여 소수 첫째 자리까지 나타내기
5.3÷0.3=17.66…… ➜ 17.7

③ 몫을 반올림하여 소수 둘째 자리까지 나타내기
5.3÷0.3=17.666…… ➜ 17.67

6 나누어 주고 남는 양 알아보기

예제 찰흙 12.3 kg을 한 사람에게 2 kg씩 나누어 줄 때 나누어 줄 수 있는 사람 수와 남는 찰흙의 무게를 구하세요.

방법 1 똑같이 덜어 내는 방법으로 구하기

12.3−2−2−2−2−2−2=0.3 (6번)

➜ 12.3에서 2를 6번 빼면 0.3이 남습니다.

나누어 줄 수 있는 사람 수: 6명
남는 찰흙의 무게: 0.3 kg

방법 2 세로로 계산하기

한 사람이 가지는 찰흙의 무게 → 2

2)12.3 = 6 … 0.3 (나누어 주는 찰흙의 무게 12)

나누어 줄 수 있는 사람 수: 6명
남는 찰흙의 무게: 0.3 kg

남는 양의 소수점은 나누어지는 수의 소수점의 위치와 같은 자리에 찍습니다.

참고 나누어 줄 수 있는 사람 수는 소수가 될 수 없으므로 나눗셈의 몫을 자연수까지 구합니다.

개념 확인

[1~2] 2÷3의 몫을 구하려고 합니다. 물음에 답하세요.

1 몫을 소수 셋째 자리까지 계산하세요.

3)2

2 2÷3의 몫을 반올림하여 나타내세요.

(1) 몫을 반올림하여 자연수로 나타내세요.
(　　　　　)

(2) 몫을 반올림하여 소수 첫째 자리까지 나타내세요.
(　　　　　)

(3) 몫을 반올림하여 소수 둘째 자리까지 나타내세요.
(　　　　　)

3 밀가루 15.2 kg을 한 봉지에 3 kg씩 나누어 담을 때 담는 봉지 수와 남는 밀가루의 무게를 구하려고 합니다. □ 안에 알맞은 수를 써넣으세요.

15.2−3−3−3−3−3=□

밀가루 15.2 kg을 한 봉지에 3 kg씩 나누어 담으면 □봉지가 되고, 밀가루는 □kg 남습니다.

기본 유형

4 상자 한 개를 묶는 데 리본 2 m가 필요합니다. 리본 15.6 m로 묶을 수 있는 상자 수와 남는 리본의 길이를 구하려고 합니다. 승호와 은희 중 바르게 구한 사람의 이름을 쓰세요.

승호	은희
$\begin{array}{r} 7 \\ 2\overline{)15.6} \\ 14 \\ \hline 16 \end{array}$	$\begin{array}{r} 7 \\ 2\overline{)15.6} \\ 14 \\ \hline 1.6 \end{array}$
상자 수: 7개 남는 리본: 16 m	상자 수: 7개 남는 리본: 1.6 m

( )

5 몫을 반올림하여 소수 첫째 자리까지 나타내세요.

(1) $9\overline{)7}$ (2) $7\overline{)12.3}$

몫 ( ) 몫 ( )

6 몫을 반올림하여 소수 둘째 자리까지 나타내세요.

(1) $1.2 \div 0.7$ ➔ ( )

(2) $34 \div 9$ ➔ ( )

7 $18.7 \div 9$의 몫을 반올림하여 주어진 자리까지 나타내려고 합니다. 빈칸에 알맞은 수를 써넣으세요.

소수 첫째 자리까지	
소수 둘째 자리까지	
소수 셋째 자리까지	

8 몫을 반올림하여 자연수까지 나타낸 수가 6인 나눗셈식을 찾아 기호를 쓰세요.

㉠ $20 \div 3$ ㉡ $33.7 \div 6$

( )

9 끈 29.4 m를 한 사람에게 4 m씩 나누어 주려고 합니다. 나누어 줄 수 있는 사람 수와 남는 끈의 길이를 구하세요.

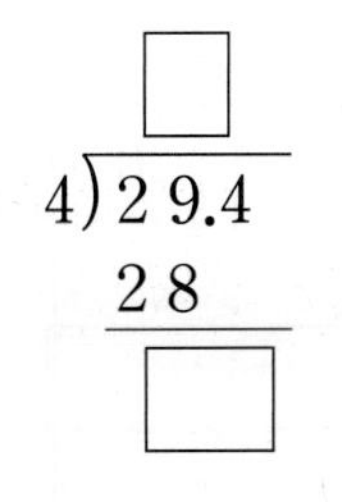

나누어 줄 수 있는 사람 수: □명

남는 끈의 길이: □ m

실력 다지기

(자연수)÷(소수)의 몫 구하기

유형 **01** 잘못 계산한 부분을 찾아 바르게 계산하세요.

```
        2.5
3.8 ) 9 5
      7 6
      1 9 0
      1 9 0
          0
```

→ (빈칸)

확인 **02** 빈 곳에 알맞은 수를 써넣으세요.

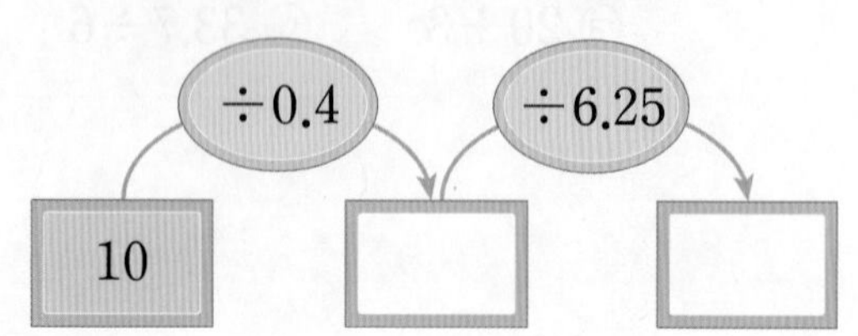

강화 **03** 사다리를 타고 내려간 곳에 나눗셈의 몫을 써넣으세요.

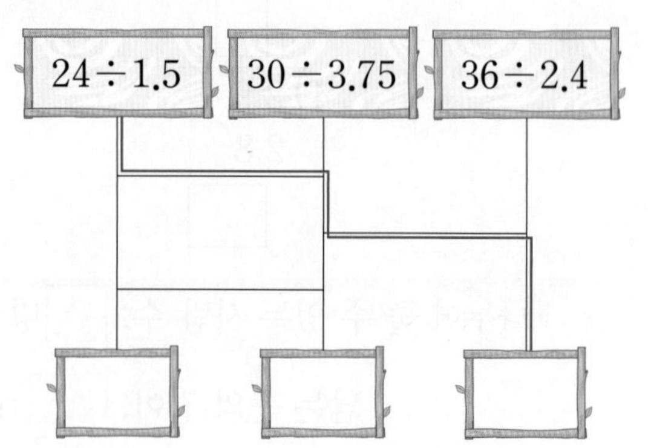

몫의 크기 비교하기②

04 연정이와 민규 중 몫이 더 큰 나눗셈식을 말한 사람의 이름을 쓰세요.

( )

05 몫이 작은 나눗셈식부터 차례로 기호를 쓰세요.

㉠ $19\div3.8$
㉡ $11\div2.75$
㉢ $42\div5.25$

( )

06 몫이 가장 큰 나눗셈식과 가장 작은 나눗셈식의 몫의 차를 구하세요.

$9\div1.5$	$10\div0.5$	$36\div2.25$

( )

(자연수)÷(소수)의 활용

07 민재의 몸무게는 38 kg이고, 동생의 몸무게는 9.5 kg입니다. 민재의 몸무게는 동생의 몸무게의 몇 배인가요?

식 ______________________

답 ____________

서술형

08 휘발유 1 L로 11.25 km를 가는 자동차가 있습니다. 이 자동차가 90 km를 가는 데 필요한 휘발유는 몇 L인지 2가지 방법으로 구하세요.

방법 1

방법 2

09 금 한 돈의 무게는 3.75 g입니다. 반지 한 개를 만드는 데 금 1.2돈이 필요합니다. 금 225 g으로 만들 수 있는 반지는 모두 몇 개인가요?

(돈: 귀금속이나 한약재의 무게를 잴 때 쓰는 단위)

( )

몫을 반올림하여 나타내기

10 몫을 반올림하여 소수 둘째 자리까지 바르게 나타낸 사람의 이름을 쓰세요.

15.2÷3 ➜ 5.07	18.4÷7 ➜ 2.62
경훈	민정

( )

11 계산 결과를 비교하여 ○ 안에 >, =, <를 알맞게 써넣으세요.

2.6÷0.6의 몫을 반올림하여 소수 첫째 자리까지 나타낸 수 ○ 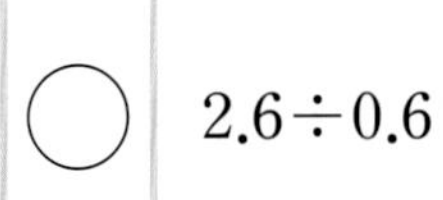
2.6÷0.6

12 서울 한양도성길 중 백악구간의 전체 거리는 4.7 km입니다. 이 구간을 걷는 데 3시간이 걸릴 때 한 시간 동안 걷는 평균 거리는 몇 km인지 반올림하여 소수 둘째 자리까지 나타내세요.

교과 역량

(백악구간: 창의문에서 혜화문까지의 구간)

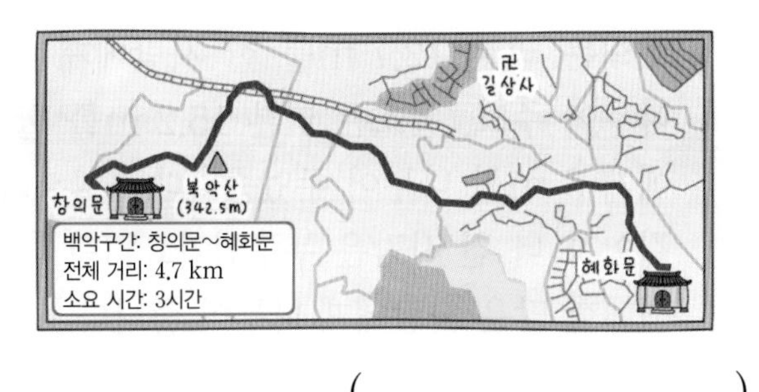

( )

실력 다지기

남는 양 구하기의 활용

유형 **13** 물 27.6 L를 한 병에 6 L씩 나누어 담을 때 담을 수 있는 병 수와 남는 물의 양을 알기 위해 다음과 같이 계산했습니다. 잘못 계산한 곳을 찾아 바르게 계산하세요.

$$\begin{array}{r} 4.6 \\ 6\overline{)\,27.6} \\ 24 \\ \hline 36 \\ 36 \\ \hline 0 \end{array}$$

병 수: 4병

남는 물: 0.6 L

➜

병 수: ____병

남는 물: ____ L

확인 **14** 서술형

상자 한 개를 포장하는 데 포장지 2 m^2가 필요합니다. 포장지 9.6 m^2로 포장할 수 있는 상자 수와 남는 포장지의 넓이를 2가지 방법으로 구하세요.

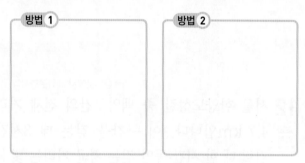

강화 **15** 주희는 리본 12.7 m를 한 사람에게 4 m씩 나누어 주고, 윤호는 리본 15.2 m를 한 사람에게 3 m씩 나누어 주었습니다. 남는 리본의 길이가 더 긴 사람은 누구인가요?(단, 리본을 최대한 많은 사람에게 나누어 줍니다.)

(　　　　　　　　)

물건의 가격 비교하기

16 도전 수학

가 가게와 나 가게에서 삼겹살을 각각 다음과 같이 팔고 있습니다. 같은 양의 삼겹살을 살 때 어느 가게에서 사는 것이 더 저렴한지 알아보려고 합니다. 물음에 답하세요.

가 가게	0.1 kg당 1800원
나 가게	0.15 kg당 2250원

(1) 가 가게와 나 가게의 삼겹살 1 kg의 가격을 각각 구하세요.

가 가게 (　　　　　　　　)

나 가게 (　　　　　　　　)

(2) 같은 양의 삼겹살을 살 때 어느 가게에서 사는 것이 더 저렴한가요?

(　　　　　　　　)

17 서술형 교과 역량

어느 음료 가게에서 딸기주스를 다음과 같이 팔고 있습니다. 주스 1 L의 가격을 각각 구하여 표를 완성하고, 주스 양에 따라 1 L의 가격이 어떻게 변하는지 쓰세요.(단, 주스 1 L의 가격은 반올림하여 자연수로 나타냅니다.)

주스의 양	가격	1 L의 가격
0.3 L	2500원	
0.5 L	3800원	
0.7 L	5000원	

정답 13쪽

약점 체크 **처음에 있던 양 구하기**

18 수정이네 학교 6학년 학생들이 야영을 하는데 쌀을 한 모둠에게 5 kg씩 나누어 주었더니 14모둠에 나누어 주고, 1.8 kg이 남았습니다. 처음에 있던 쌀은 몇 kg인가요?

( )

해결 먼저 14모둠에게 나누어 준 쌀의 무게를 구한 후 남은 쌀의 무게를 더하여 처음에 있던 쌀의 무게를 구합니다.

19 감자를 한 사람에게 2 kg씩 나누어 주면 7명에게 나누어 줄 수 있고, 2.2 kg이 남습니다. 이 감자를 한 사람에게 3 kg씩 나누어 줄 때 나누어 줄 수 있는 사람은 몇 명이고, 남는 감자는 몇 kg인지 구하세요.

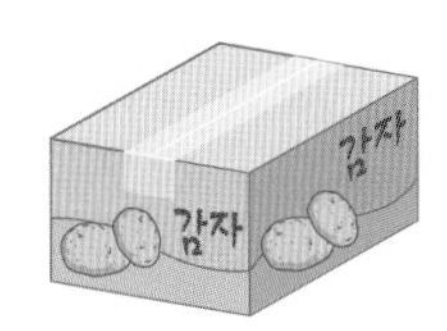

사람 수 ( )

남는 감자의 무게 ( )

약점 체크 **몫의 규칙 알아보기**

20 나눗셈식에서 몫의 소수 일곱째 자리 숫자를 구하세요.

$6.8 \div 0.3$

( )

해결 몫의 소수점 아래 숫자에서 규칙을 찾습니다.

21 두 나눗셈식 중 몫의 소수 35째 자리 숫자가 4인 식을 찾아 쓰세요.

$38 \div 11$ $40 \div 27$

( )

2 단원

STEP 3 연습 단계 실전

서술형 해결하기

연습 01

은미가 운동장 둘레를 달리고 있습니다. 은미가 6분 30초 동안 1.3 km를 일정한 빠르기로 달렸다면 1분 동안 달린 거리는 몇 km인지 풀이 과정을 쓰고, 답을 구하세요.

서술형 포인트 1분 동안 달린 거리를 구해야 하므로 먼저 6분 30초는 몇 분인지 소수로 나타냅니다.

풀이를 완성하세요.

❶ □초=1분이므로

6분 30초=6분+□분=□분

❷ (1분 동안 달린 거리)

=(달린 거리)÷(걸린 시간)

=□÷□=□(km)

답

단계 02

어느 버스가 일정한 빠르기로 다음과 같이 달렸습니다. 이 버스가 같은 빠르기로 달릴 때 **4시간 동안 갈 수 있는 거리는 몇 km**인지 풀이 과정을 쓰고, 답을 구하세요.

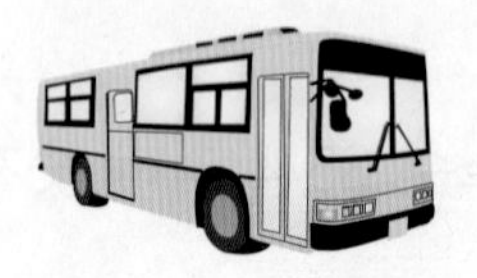

달린 시간: 1시간 30분
달린 거리: 108.75 km

❶ 버스가 1시간 동안 달린 거리 구하기

풀이

❷ 버스가 4시간 동안 갈 수 있는 거리 구하기

풀이

답

실전 03

선민이가 자전거를 타고 일정한 빠르기로 다음과 같이 달렸습니다. 선민이가 같은 빠르기로 달릴 때 **8분 동안 갈 수 있는 거리는 몇 km**인지 풀이 과정을 쓰고, 답을 구하세요.

달린 시간	달린 거리
5분 45초	1.84 km

풀이

답

연습

04

그림과 같이 둘레가 45 m인 원 모양 연못의 둘레를 따라 2.25 m 간격으로 말뚝을 세우려고 합니다. 필요한 말뚝은 몇 개인지 풀이 과정을 쓰고, 답을 구하세요.(단, 말뚝의 두께는 생각하지 않습니다.)

서술형 포인트 말뚝과 말뚝 사이의 간격 수와 필요한 말뚝 수 사이의 관계를 생각해 봅니다.

풀이를 완성하세요.

❶ 연못의 둘레는 ☐ m이고, ☐ m 간격으로 말뚝을 세우므로

(말뚝과 말뚝 사이의 간격 수)

=(연못의 둘레)÷(말뚝과 말뚝 사이의 간격)

=☐÷☐=☐(군데)

❷ 필요한 말뚝 수는 말뚝과 말뚝 사이의 간격 수와 ☐.

따라서 필요한 말뚝은 ☐개입니다.

답

2 단원

단계

05

그림과 같이 길이가 10.8 km인 도로의 한쪽에 0.24 km 간격으로 가로등을 세우려고 합니다. 도로의 처음과 끝에 모두 가로등을 세울 때 **필요한 가로등은 몇 개**인지 풀이 과정을 쓰고, 답을 구하세요.(단, 가로등의 두께는 생각하지 않습니다.)

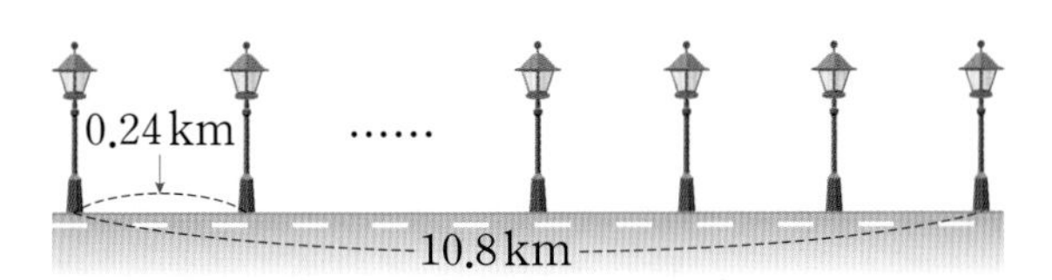

❶ 가로등과 가로등 사이의 간격 수 구하기

풀이

❷ 필요한 가로등 수 구하기

풀이

답

실전

06

길이가 339.2 m인 산책로의 한쪽에 6.4 m 간격으로 나무를 심으려고 합니다. 산책로의 처음과 끝에 모두 나무를 심을 때 **필요한 나무는 몇 그루**인지 풀이 과정을 쓰고, 답을 구하세요.(단, 나무의 두께는 생각하지 않습니다.)

풀이

답

STEP 3 서술형 해결하기

연습 07 ■를 9로 나눈 몫을 반올림하여 소수 첫째 자리까지 나타내려고 합니다. 풀이 과정을 쓰고, 답을 구하세요.

서술형 포인트 ■를 사용하여 곱셈식을 세워 ■를 구합니다.

풀이를 완성하세요.

❶ ■에 3.1을 곱한 값이 46.5이므로

■×□=□입니다.

➜ ■=

❷ ■÷9=□÷9=□……

따라서 ■를 9로 나눈 몫을 반올림하여 소수 첫째 자리까지 나타내면 □입니다.

답

단계 08 어떤 수를 4.1로 나누어야 할 것을 잘못하여 4.1을 곱했더니 50.43이 되었습니다. **바르게 계산했을 때의 몫**은 얼마인지 풀이 과정을 쓰고, 답을 구하세요.

❶ 어떤 수를 □라 하고 식을 세워 어떤 수 구하기

풀이

❷ 바르게 계산했을 때의 몫 구하기

풀이

답

실전 09 어떤 수를 1.8로 나누어야 할 것을 잘못하여 1.8을 곱했더니 10.53이 되었습니다. **바르게 계산했을 때의 몫**은 얼마인지 풀이 과정을 쓰고, 답을 구하세요.

풀이

답

정답 15쪽

연습

10 **강당에 학생들이 모여 있습니다. 전체 학생의 40 %는 남학생이고, 남학생은 84명입니다. 강당에 있는 여학생은 몇 명인지 풀이 과정을 쓰고, 답을 구하세요.**

서술형 포인트 먼저 40 %를 소수로 나타냅니다. 전체 학생 수를 ▲명이라 하고 남학생 수를 구하는 식을 세웁니다.

풀이를 완성하세요.

❶ 40 %=□(소수)이므로

강당에 있는 전체 학생 수를 ▲명이라 하면

(남학생 수)=▲×□=84(명)입니다.

▲=

➔ 전체 학생 수는 □명입니다.

❷ (여학생 수)=(전체 학생 수)−(남학생 수)

=

답

단계

11 상자 안에 들어 있는 공의 색깔을 조사했더니 전체의 24 %는 빨간색, 전체의 52 %는 파란색, 나머지는 모두 노란색이었습니다. 노란색 공이 96개일 때 **상자 안에 들어 있는 공은 모두 몇 개**인지 풀이 과정을 쓰고, 답을 구하세요.

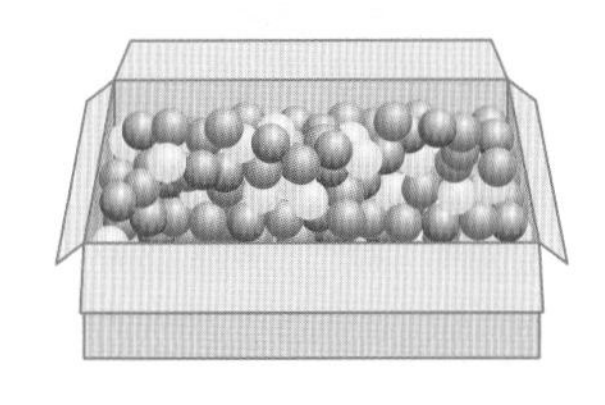

❶ 노란색 공의 비율 구하기

풀이

❷ 상자 안에 들어 있는 전체 공 수 구하기

풀이

답

실전

12 종윤이네 반 학급문고를 조사했더니 전체의 35 %는 위인전, 전체의 20 %는 사전, 나머지는 모두 과학책이었습니다. 과학책이 108권일 때 **학급문고의 책은 모두 몇 권**인지 풀이 과정을 쓰고, 답을 구하세요.

풀이

답

단원 마무리

01 □ 안에 알맞은 수를 써넣으세요.

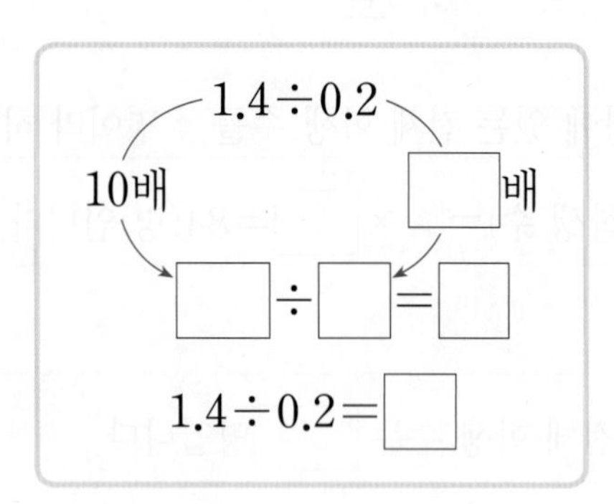

02 □ 안에 알맞은 수를 써넣으세요.

$4.05 \div 1.5 = 405 \div \square = \square$

03 보기 와 같이 분수의 나눗셈으로 계산하세요.

보기

$8.4 \div 1.4 = \frac{84}{10} \div \frac{14}{10} = 84 \div 14 = 6$

$21.6 \div 2.7$

04 $9.1 \div 6 = 1.5166\cdots\cdots$의 몫을 반올림하여 주어진 자리까지 나타내려고 합니다. 빈칸에 알맞은 수를 써넣으세요.

소수 첫째 자리까지	
소수 둘째 자리까지	
소수 셋째 자리까지	

05 계산하세요.

(1) $1.3\overline{)9.1}$

(2) $4.3\overline{)9.03}$

06 큰 수를 작은 수로 나눈 몫을 빈 곳에 써넣으세요.

1.62	9.72

07 □ 안에 알맞은 수를 써넣으세요.

$12 \div 3 = \square$

$12 \div 0.3 = \square$

$12 \div 0.03 = \square$

08 나눗셈식의 몫을 반올림하여 소수 둘째 자리까지 나타내세요.

$25.7 \div 0.9$

(   )

09 빈 곳에 알맞은 수를 써넣으세요.

18	$\div 4.5$		$\div 0.16$	

10 계산 결과를 비교하여 ○ 안에 >, =, <를 알맞게 써넣으세요.

$5.25 \div 0.7$ ○ $8.64 \div 1.2$

11 민호의 몸무게는 37.5 kg이고, 아버지의 몸무게는 75 kg입니다. 아버지의 몸무게는 민호의 몸무게의 몇 배인가요?

식

답

12 □ 안에 알맞은 수를 구하세요.

$11.16 \div \square = 1.8$

(   )

13 □ 안에 들어갈 수 있는 자연수를 모두 구하세요.

$19.25 \div 3.85 < \square < 10.08 \div 1.2$

(   )

14 가 가게와 나 가게에서 쌀을 다음과 같이 팔고 있습니다. 같은 무게의 쌀을 살 때 어느 가게에서 쌀을 사는 것이 더 저렴한가요?

가 가게	4.5 kg당 15750원
나 가게	3.5 kg당 11900원

(   )

단원 마무리

15 다음은 넓이가 10.48 cm^2인 마름모입니다. 이 마름모의 한 대각선의 길이가 5.24 cm일 때 다른 대각선의 길이는 몇 cm인가요?

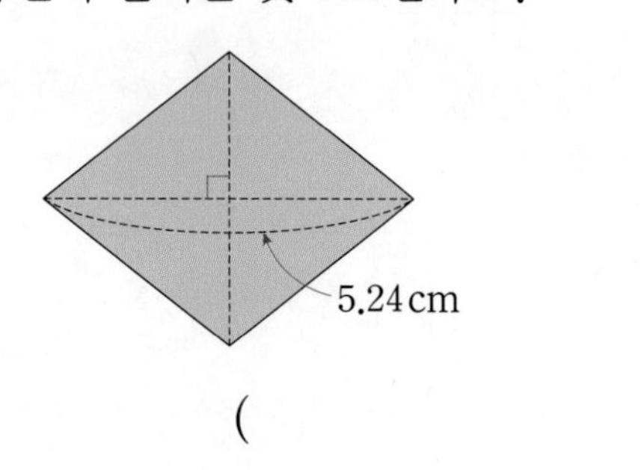

( )

16 오른쪽 병에 들어 있는 주스를 한 사람에게 0.2 L씩 나누어 주면 4명에게 나누어 줄 수 있고, 0.12 L가 남습니다. 이 주스를 한 사람에게 0.15 L씩 나누어 줄 때 나누어 줄 수 있는 사람은 몇 명이고, 남는 주스는 몇 L인지 구하세요.

사람 수 ( )

남는 주스의 양 ( )

17 나눗셈식에서 몫의 소수 아홉째 자리 숫자를 구하세요.

25.4÷1.1

( )

서술형 문제

18 14.84÷2.12를 계산하고, 계산 방법을 쓰세요.

$2.12\overline{)14.84}$

방법

19 수호가 살고 있는 어느 지역에 11시간 동안 47 mm의 비가 내렸습니다. 한 시간 동안 내린 평균 비의 양은 몇 mm인지 반올림하여 소수 첫째 자리까지 나타내려고 합니다. 풀이 과정을 쓰고, 답을 구하세요.

풀이

답

20 어떤 수를 2.5로 나누어야 할 것을 잘못하여 2.5를 곱했더니 8.75가 되었습니다. 바르게 계산했을 때의 몫은 얼마인지 풀이 과정을 쓰고, 답을 구하세요.

풀이

답

쉬어가기

올라, 무쵸 구스토
(Hola, Mucho Gusto)

우리는 멕시코에 살고 있는 호세와 카를로스야.
'올라, 무쵸 구스토(Hola, Mucho Gusto)'는 '안녕, 만나서 반가워.'라는 뜻의 멕시코 인사말이야.
지금부터 멕시코의 문화유산 테오티우아칸에 대해 소개할게.
'테오티우아칸'은 '신의 도시'로 불리던 고대 도시로 멕시코에서 가장 오래된 유적지 중 하나야.
이 도시의 상징인 태양의 피라미드와 달의 피라미드는 정교하고 치밀한 계획으로 만들어졌고, 종교적인 상징성이 강하게 나타나는 것으로 유명해.
테오티우아칸의 문화 예술은 다른 지역에도 널리 영향을 끼쳤어~!

태양의 피라미드

달의 피라미드 광장

'테오티우아칸'은 현재까지 전체의 10% 정도만 발굴을 마친 상태인데
그 면적이 여의도의 4배에 가까울 정도로 큰 유적지야.

3 공간과 입체

학습 계획표

공부할 날짜를 적고 〈**진도북**〉과 〈**매칭북**〉의 쪽수를 찾아 공부하세요.

학습 내용	계획 및 확인					
	진도북			매칭북		
STEP 1 **개념 완성하기**	064~069쪽 ➜	월	일	19쪽 ➜	월	일
STEP 2 **실력 다지기**	070~075쪽 ➜	월	일	20~22쪽 ➜	월	일
STEP 3 **서술형 해결하기**	076~077쪽 ➜	월	일	23쪽 ➜	월	일
단원 마무리	078~080쪽 ➜	월	일	51~53쪽 ➜	월	일

대표 유형

- 이번 단원에서 꼭 공부해야 할 〈**대표 유형**〉입니다.
- 학습한 후에 이해가 부족한 유형은 ▢ 안에 ○표 한 후 반복하여 학습하세요.

▢ 본 방향 알아보기
▢ 여러 가지 방법으로 쌓기나무의 개수 구하기
▢ 쌓은 모양 알아보기
▢ 위, 앞, 옆에서 본 모양 알아보기
▢ 여러 가지 모양 만들기
▢ 전체 모양을 구하여 여러 방향에서 본 모양 그리기
▢ 위, 앞, 옆에서 본 모양의 활용
▢ 각 층의 모양으로 알맞은 경우 알아보기
▢ **약점 체크** 위치 찾기
▢ **약점 체크** 만들 수 있는 전체 모양 알아보기
▢ **약점 체크** 조건을 만족하는 모양 알아보기
▢ **약점 체크** 쌓기나무의 개수가 가장 많은(적은) 경우 알아보기

개념 완성하기

1 어느 방향에서 본 것인지 알아보기

예제 조각상을 어느 방향에서 본 것인지 알아보기

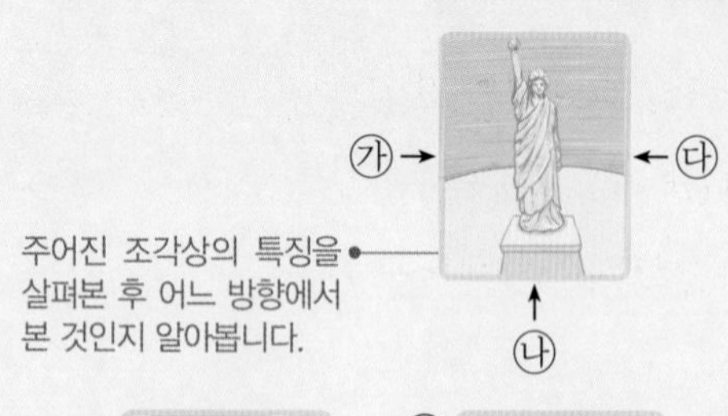

주어진 조각상의 특징을 살펴본 후 어느 방향에서 본 것인지 알아봅니다.

①  ②  ③ 

① 조각상의 앞모습이 보입니다. ➡ ㉯ 방향

② 오른쪽 팔을 올리고 있는 옆모습이 보입니다.
➡ ㉮ 방향

③ 왼쪽 팔을 내리고 있는 옆모습이 보입니다.
➡ ㉰ 방향

2 쌓은 모양과 위에서 본 모양으로 쌓기나무의 개수 구하기

예제 쌓은 모양과 위에서 본 모양으로 쌓기나무의 개수 구하기

위에서 본 모양

㉠에 쌓기나무가 없으므로 뒤에 보이지 않는 쌓기나무는 없습니다.
➡ (쌓기나무의 개수)=9개

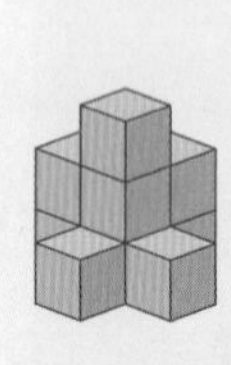

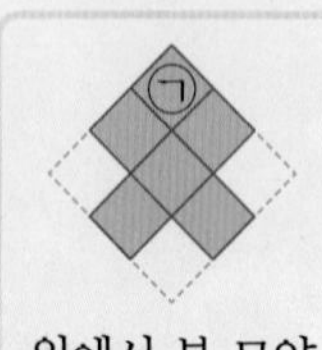

위에서 본 모양

㉠에 쌓인 쌓기나무는 1개 또는 2개입니다.
➡ (쌓기나무의 개수)
=10개 또는 11개

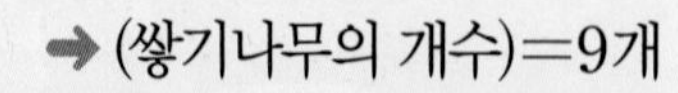

위에서 본 모양에서 뒤에 보이지 않는 쌓기나무가 있는지 없는지 알 수 있습니다.

개념 확인

1 전봇대, 집, 나무를 각 방향에서 사진을 찍었습니다. 사진을 어느 방향에서 찍었는지 □ 안에 알맞은 기호를 써넣으세요.

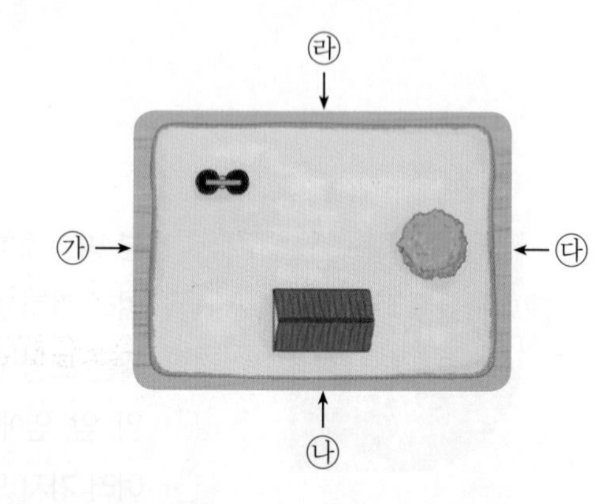

(1)  왼쪽부터 전봇대, 집, 나무가 있습니다. ➡ □

(2) 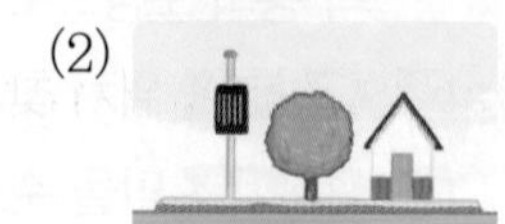 왼쪽부터 전봇대, 나무, 집이 있습니다. ➡ □

(3)  왼쪽부터 집, 나무, 전봇대가 있습니다. ➡ □

(4)  왼쪽부터 나무, 집, 전봇대가 있습니다. ➡ □

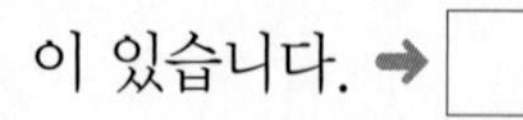

2 쌓기나무를 왼쪽과 같은 모양으로 쌓았습니다. 돌렸을 때 왼쪽 그림과 같은 모양을 만들 수 없는 경우를 찾아 ×표 하세요.

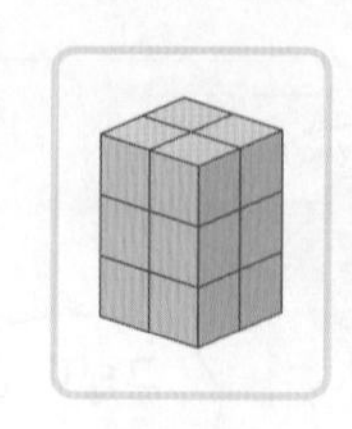

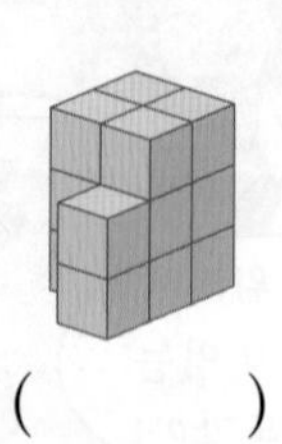
(　　)

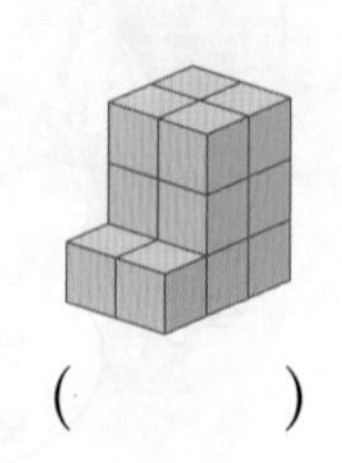
(　　)

정답 17쪽

3 다음과 같이 공을 놓고 각 방향에서 사진을 찍었을 때 가능하지 않은 사진을 찾아 기호를 쓰세요.

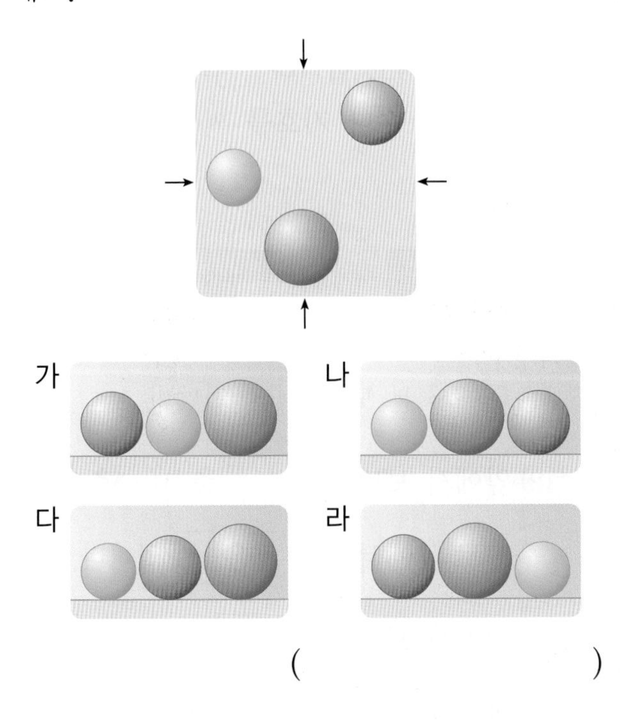

(　　　　　　　　)

4 쌓기나무로 쌓은 모양을 보고 위에서 본 모양을 그렸습니다. 관계있는 것끼리 선으로 이으세요.

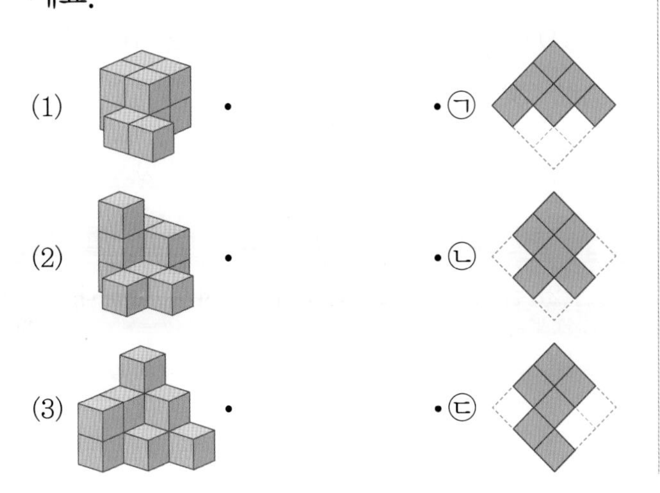

기본 유형

5 준호와 친구들이 각 방향에서 장식품 사진을 찍었습니다. 사진을 찍은 사람은 누구인지 □ 안에 이름을 써넣으세요.

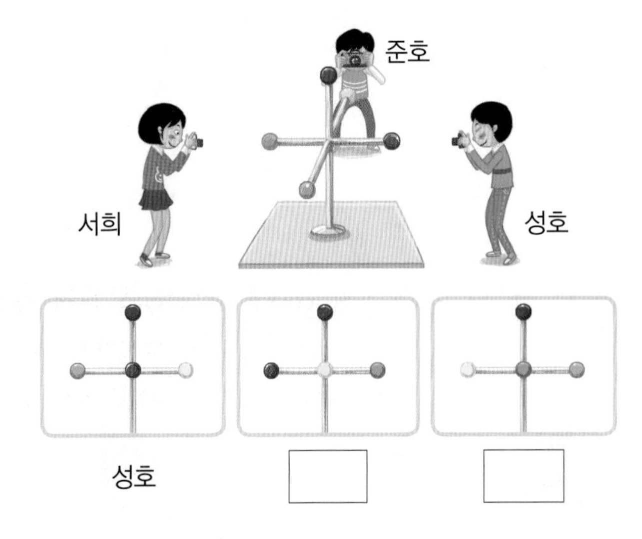

6 주어진 모양과 똑같이 쌓는 데 필요한 쌓기나무의 개수를 구하세요.

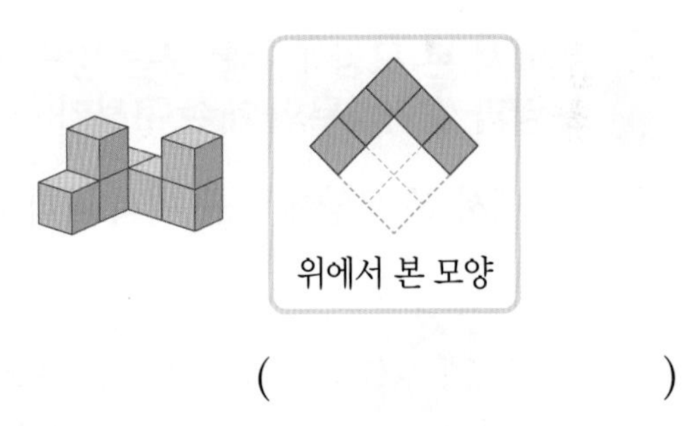

(　　　　　　　　)

7 왼쪽 모양을 위에서 내려다보면 어떤 모양인지 찾아 기호를 쓰세요.

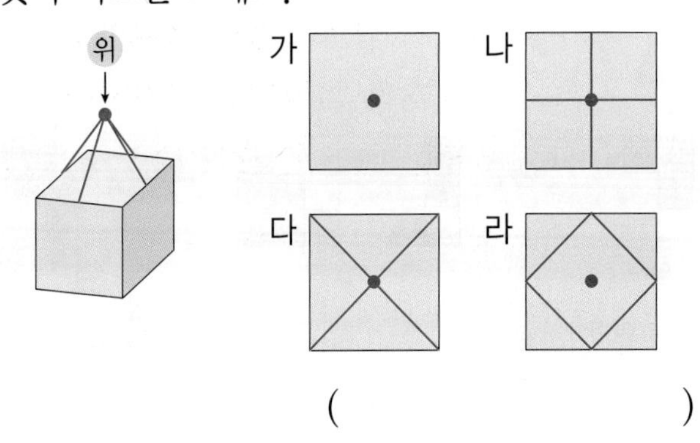

(　　　　　　　　)

STEP 1 # 개념 완성하기

3 위, 앞, 옆에서 본 모양으로 쌓은 모양과 쌓기나무의 개수 구하기

예제 1 위, 앞, 옆에서 본 모양 그리기

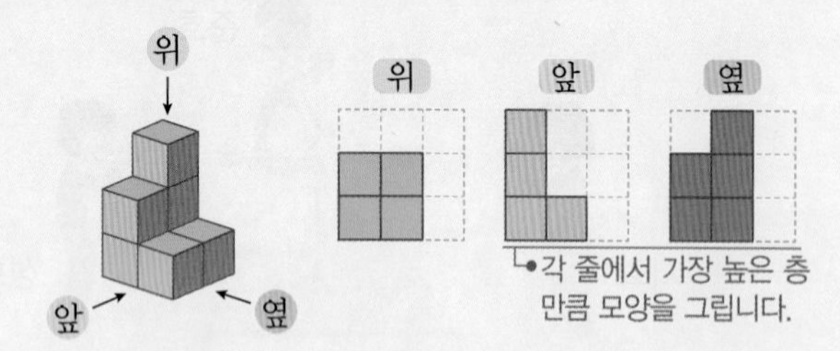

예제 2 위, 앞, 옆에서 본 모양을 보고 쌓은 모양 알기

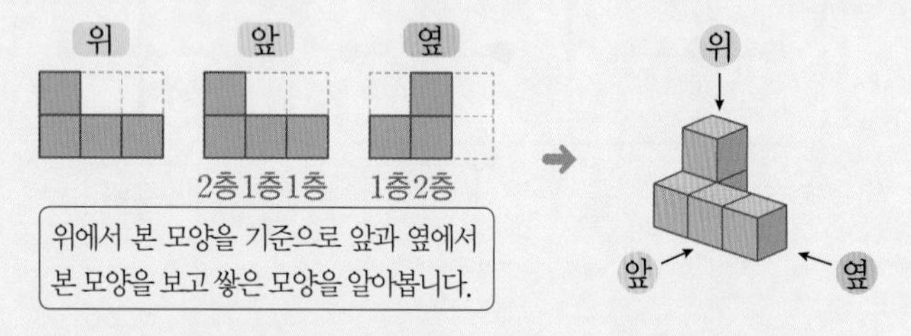

주의 위, 앞, 옆에서 본 모양으로 쌓은 모양을 알 수 없는 경우가 있습니다.

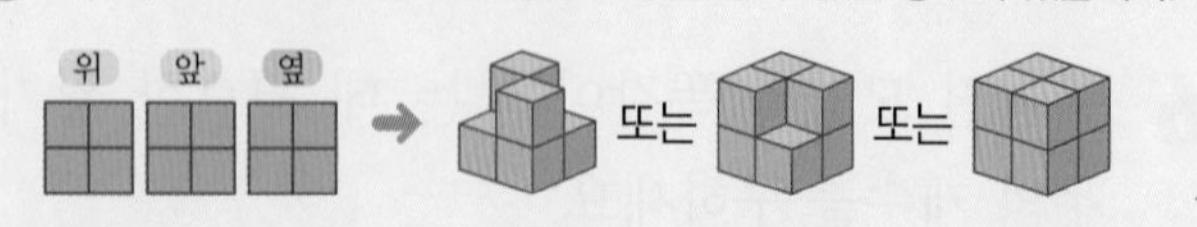

4 위에서 본 모양에 수를 쓰는 방법으로 쌓은 모양과 쌓기나무의 개수 구하기

예제 1 위에서 본 모양에 수를 써서 나타내기

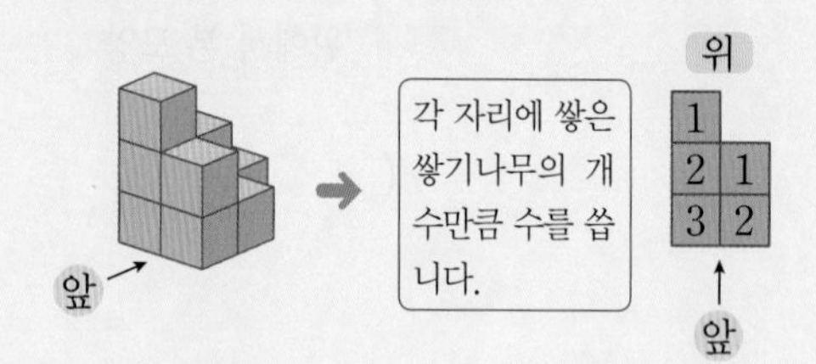

➔ (쌓기나무의 개수)$=1+2+1+3+2=9$(개)

예제 2 위에서 본 모양에 수를 쓴 것을 보고 쌓은 모양 알기

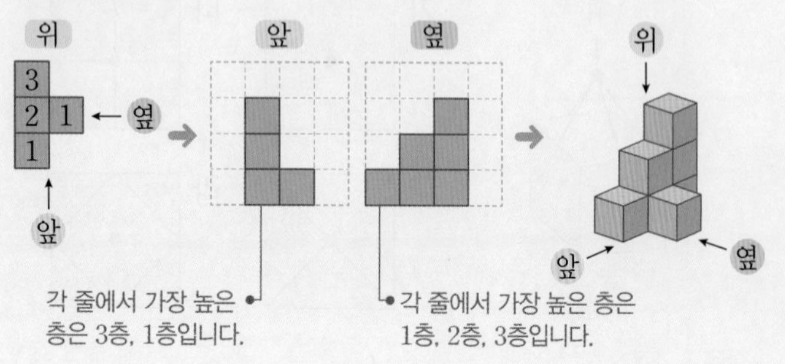

개념 확인

1 오른쪽 쌓기나무로 쌓은 모양을 보고 위, 앞, 옆에서 본 모양을 알아보려고 합니다. □ 안에 알맞은 수나 기호를 써넣으세요.

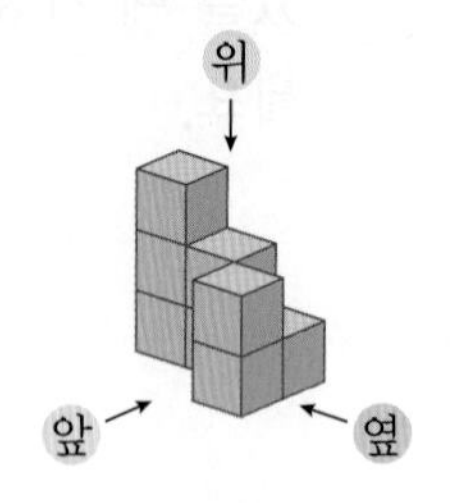

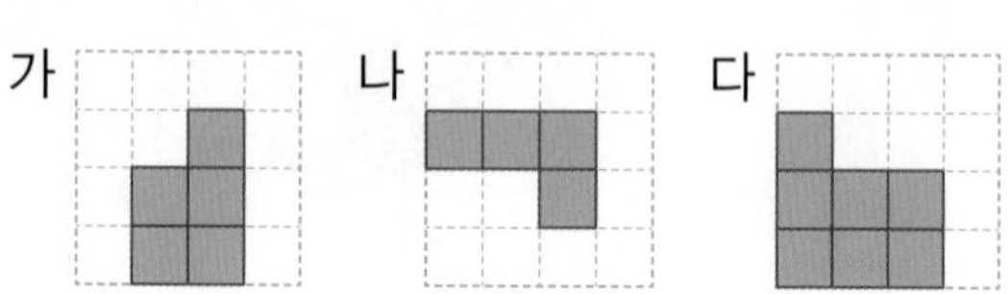

(1) 위에서 본 모양은 □입니다.

(2) 앞에서 보면 3층, □층, □층으로 보이므로 앞에서 본 모양은 □입니다.

(3) 옆에서 보면 2층, □층으로 보이므로 옆에서 본 모양은 □입니다.

2 오른쪽 쌓기나무로 쌓은 모양을 보고 위에서 본 모양에 수를 써서 나타내려고 합니다. 물음에 답하세요.

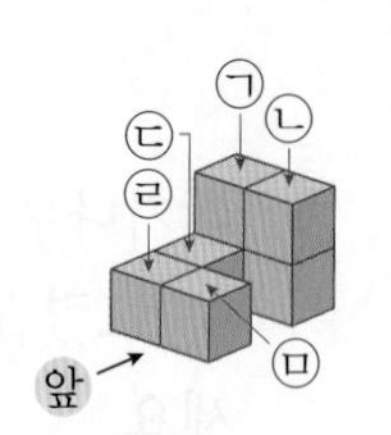

(1) ㉠, ㉡, ㉢, ㉣, ㉤에 쌓인 쌓기나무는 각각 몇 개인가요?

㉠	㉡	㉢	㉣	㉤

(2) 위에서 본 모양에 수를 써서 나타내세요.

위

앞

정답 17쪽

기본 유형

3 오른쪽 쌓기나무로 쌓은 모양을 위에서 본 모양입니다. 쌓은 모양을 앞과 옆에서 본 모양을 각각 그리세요.

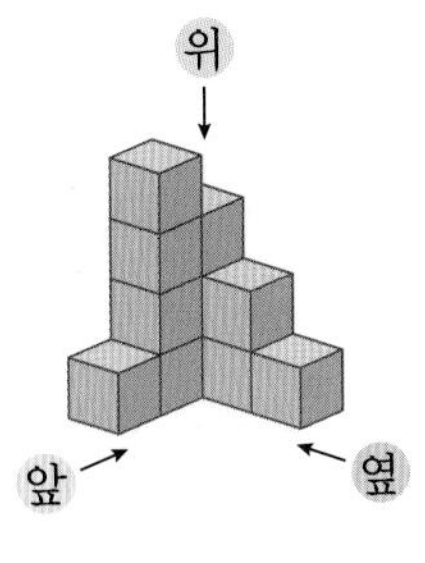

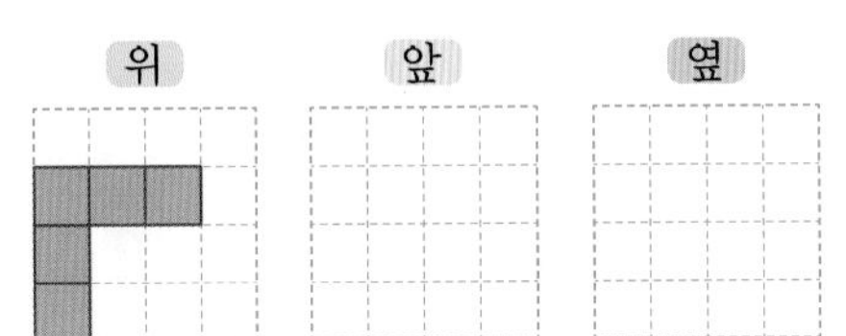

4 쌓기나무로 쌓은 모양을 보고 위에서 본 모양에 수를 쓰세요.

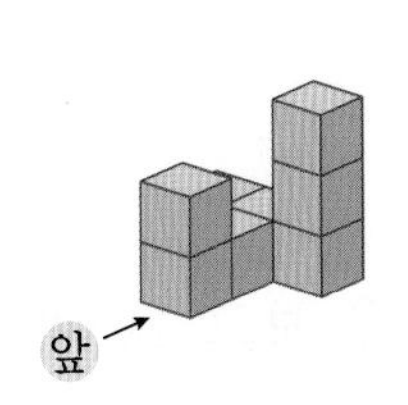

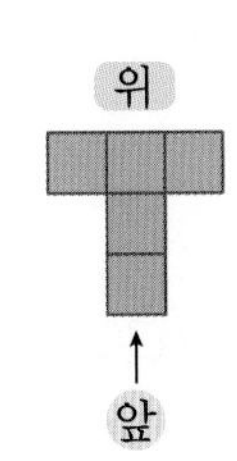

5 쌓기나무로 쌓은 모양을 위, 앞, 옆에서 본 모양을 보고 물음에 답하세요.

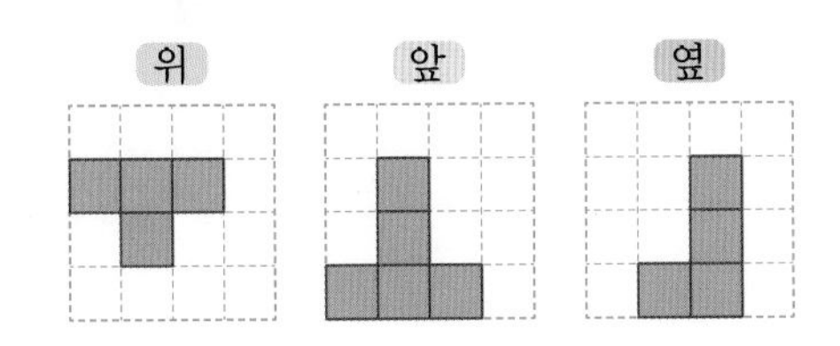

(1) 쌓은 모양을 찾아 ○표 하세요.

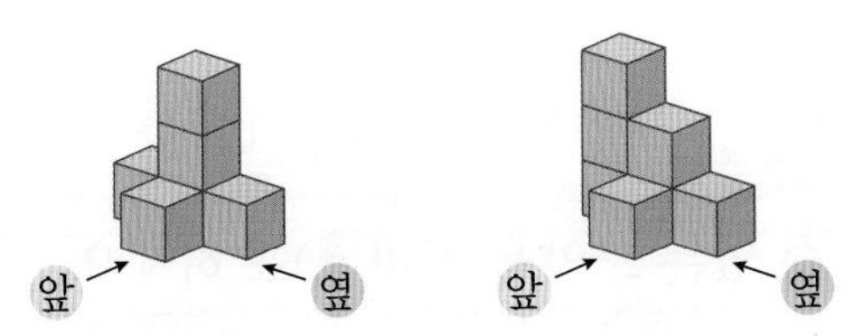

(2) 쌓은 모양과 똑같은 모양으로 쌓는 데 필요한 쌓기나무는 몇 개인가요?

(　　　　　　　　)

6 쌓기나무로 쌓은 모양을 보고 위에서 본 모양에 수를 쓴 것입니다. 쌓은 모양으로 알맞은 것을 찾아 기호를 쓰세요.

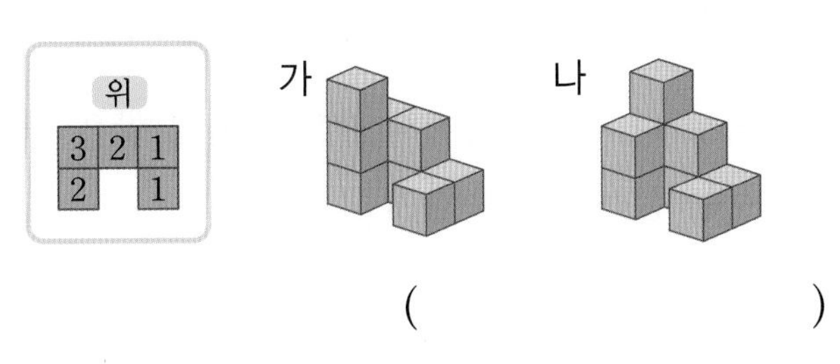

(　　　　　　　　)

7 쌓기나무로 쌓은 모양을 보고 위에서 본 모양에 수를 썼습니다. 쌓은 모양을 앞에서 본 모양에는 '앞', 옆에서 본 모양에는 '옆'을 쓰세요.

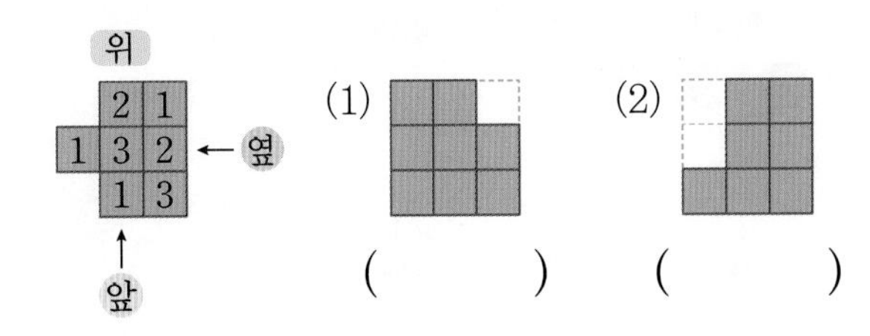

(　　　)　(　　　)

8 쌓기나무로 쌓은 모양을 위, 앞, 옆에서 본 모양입니다. □ 안에 알맞은 수를 써넣으세요.

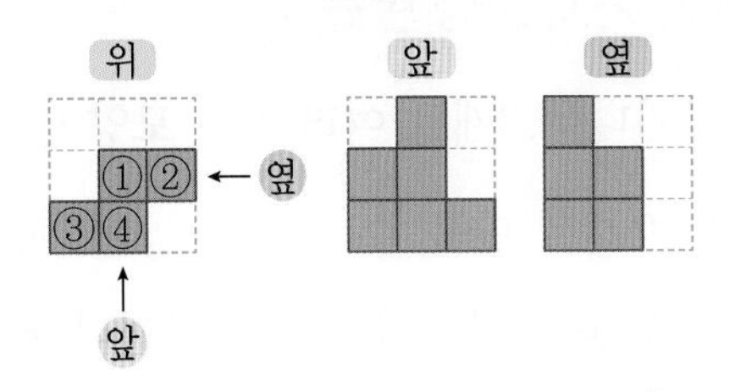

(1) 앞에서 본 모양을 보면 쌓기나무가 ②에는 □개, ③에는 □개 쌓여 있습니다.

(2) 옆에서 본 모양을 보면 쌓기나무가 ①에는 □개, ④에는 □개 쌓여 있습니다.

(3) 똑같은 모양으로 쌓는 데 필요한 쌓기나무는 □개입니다.

3 단원

STEP 1 개념 완성하기

5 층별로 나타낸 모양으로 쌓은 모양과 쌓기나무의 개수 구하기

예제 1 쌓은 모양을 보고 층별로 나타낸 모양 그리기

층별로 나타낸 모양에서 같은 위치에 쌓은 쌓기나무는 같은 위치의 칸에 그립니다.

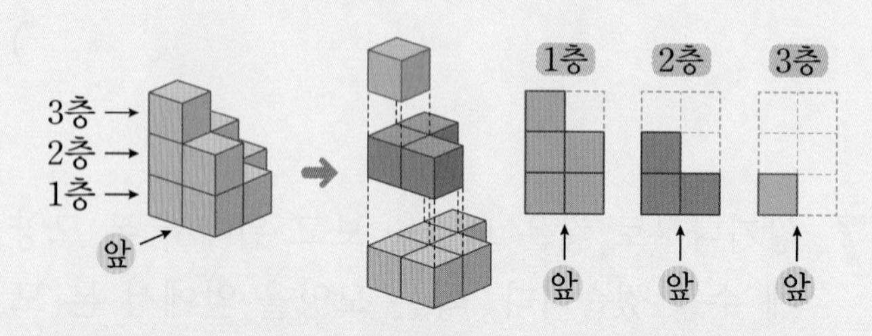

예제 2 층별로 나타낸 모양을 보고 쌓은 모양 알기

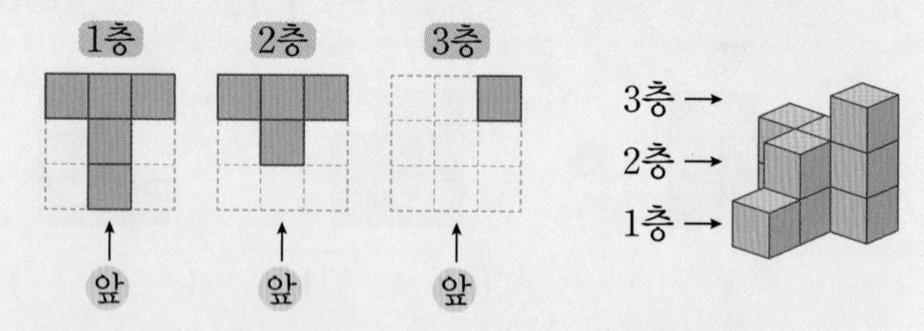

→ (쌓기나무의 개수) $=5+4+1=10$(개)

└ 각 층에 쌓인 쌓기나무의 개수의 합

참고 각 층에 쌓은 쌓기나무의 개수는 색칠된 칸 수와 같습니다.

중요 층별로 나타낸 모양을 보고 쌓을 수 있는 모양은 항상 한 가지입니다.

6 여러 가지 모양 만들기

예제 1 쌓기나무 3개로 여러 가지 모양 만들기

쌓기나무 2개로 만들 수 있는 모양인 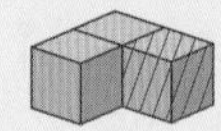 에 쌓기나무 1개를 붙여 가면서 모양을 만듭니다.

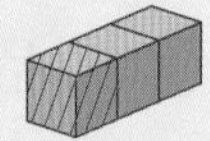 → 2가지

참고 쌓기나무로 만든 모양을 뒤집거나 돌렸을 때 나오는 모양은 같은 모양입니다. 예

예제 2 2가지 모양을 사용하여 새로운 모양 만들기

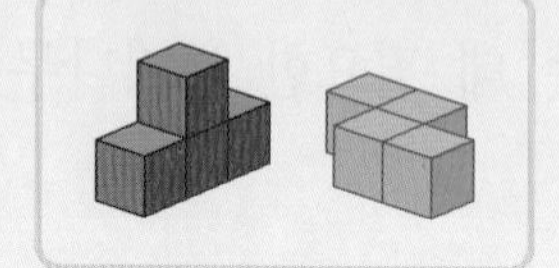 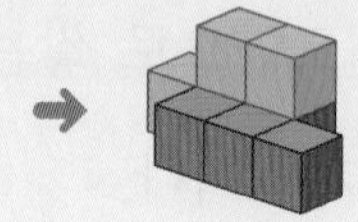 

개념 확인

1 쌓기나무로 쌓은 모양을 층별로 나타낸 모양입니다. 몇 층에 쌓은 모양인지 □ 안에 알맞은 수를 써넣으세요.

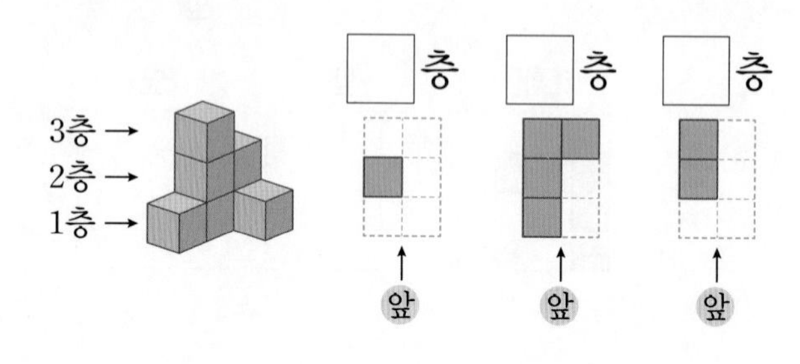

2 쌓기나무로 쌓은 모양을 보고 1층과 2층 모양을 각각 그리세요.

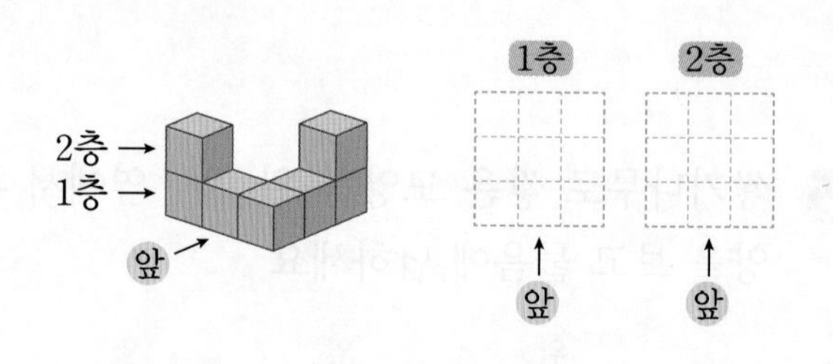

3 모양에 쌓기나무 1개를 더 붙여서 만들 수 있는 모양을 찾아 ○표 하세요.

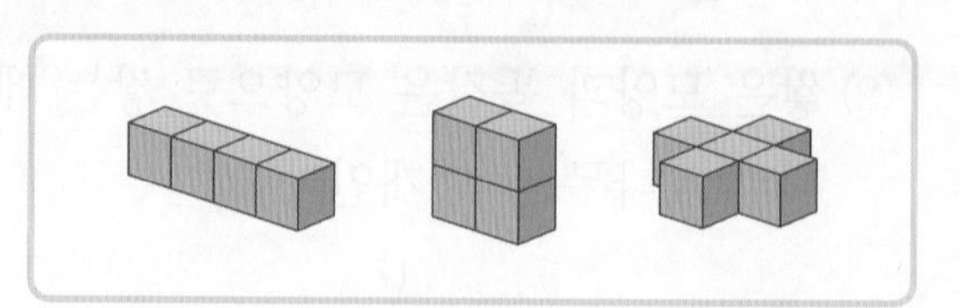

4 쌓기나무를 3개씩 붙여서 2가지 모양을 만들었습니다. 이것을 사용하여 만들 수 있는 새로운 모양을 찾아 기호를 쓰세요.

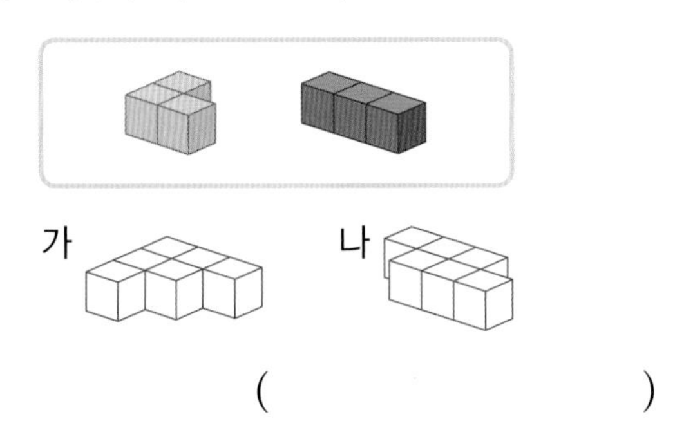

( )

5 쌓기나무로 쌓은 모양과 1층 모양을 보고 2층과 3층 모양을 각각 그리세요.

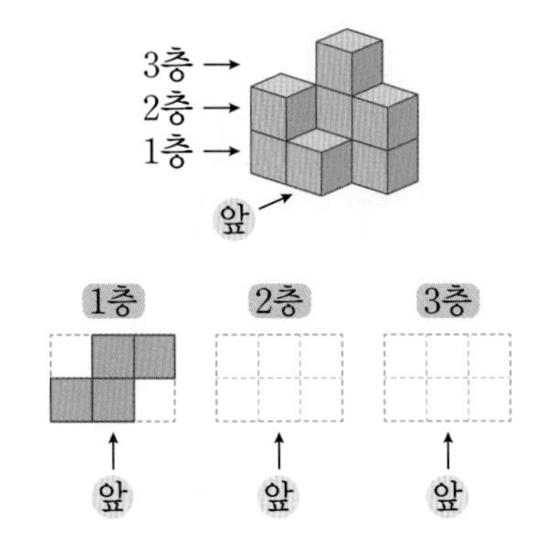

6 오른쪽은 쌓기나무 4개로 만든 모양입니다. 오른쪽과 같은 모양을 찾아 기호를 쓰세요.

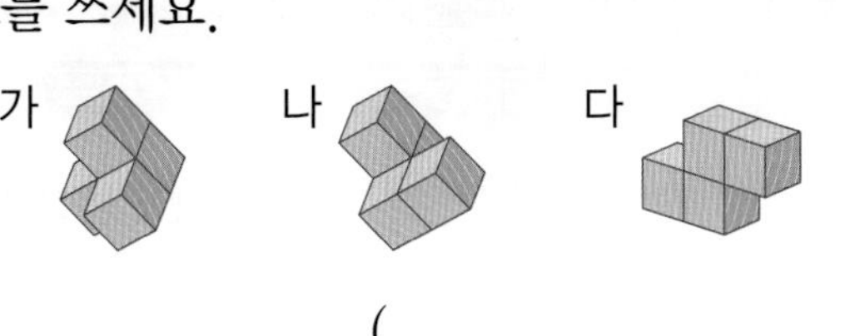

( )

기본 유형

7 쌓기나무로 쌓은 모양을 층별로 나타낸 모양입니다. 쌓은 모양을 찾아 기호를 쓰세요.

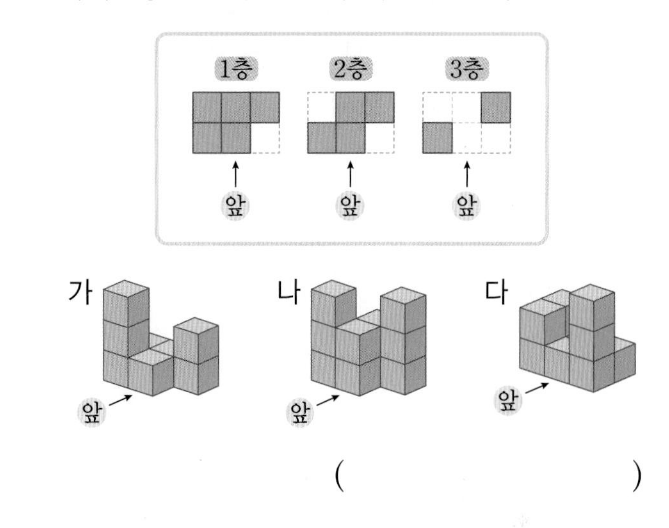

( )

8 쌓기나무로 쌓은 모양을 층별로 나타낸 모양입니다. 쌓은 모양을 위에서 본 모양을 그리고, 각 자리에 쌓은 쌓기나무의 개수를 쓰세요.

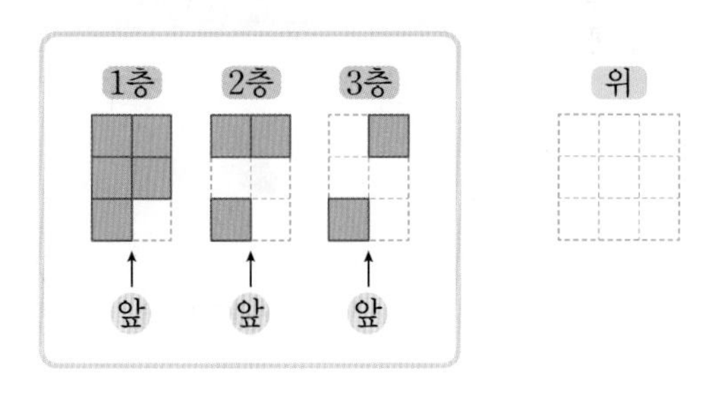

9 오른쪽은 쌓기나무를 4개씩 붙여서 만든 2가지 모양을 사용하여 새로운 모양을 만든 것입니다. 사용한 2가지 모양을 찾아 기호를 쓰세요.

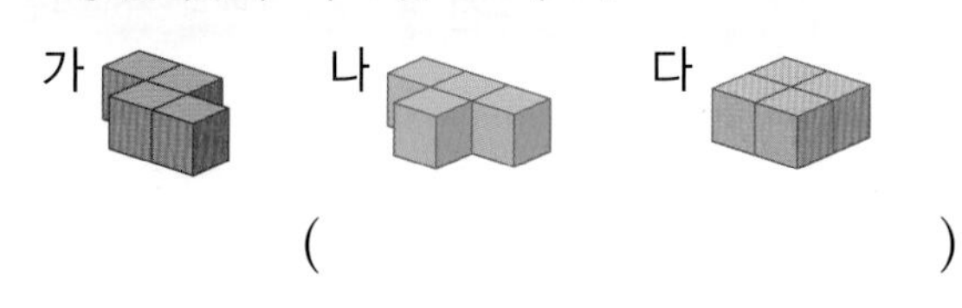

( )

STEP 2 실력 다지기

유형 · 확인 · 강화

본 방향 알아보기

유형 **01** 책상 위에 놓인 컵을 화살표(→) 방향에서 보았을 때 보이는 모양을 찾아 기호를 쓰세요.

가 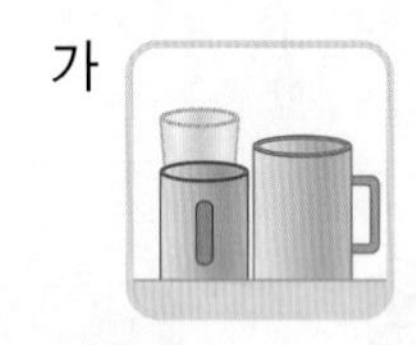 나  다 

(　　　　　　　　)

확인 **02** 요가 자세를 촬영한 카메라와 장면이 잘못 짝 지어진 것을 찾아 기호를 쓰세요. 교과역량

가 
3번 카메라

나 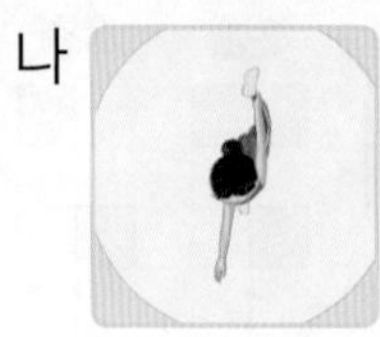
5번 카메라

다 
2번 카메라

(　　　　　　　　)

강화 **03** 02에서 촬영한 장면을 보고 수진이가 말한 것입니다. 틀린 이유를 쓰세요. 서술형

요가하는 사람의 옆모습이 보이고, 앞으로 뻗은 손이 오른쪽을 가리키므로 1번 카메라에서 찍은 거야.

수진

이유 ________________________________

____

여러 가지 방법으로 쌓기나무의 개수 구하기

04 정육면체 모양 블록을 이용하여 다음과 같은 진열대를 만들었습니다. 진열대를 만드는 데 사용한 블록의 개수를 구하세요.

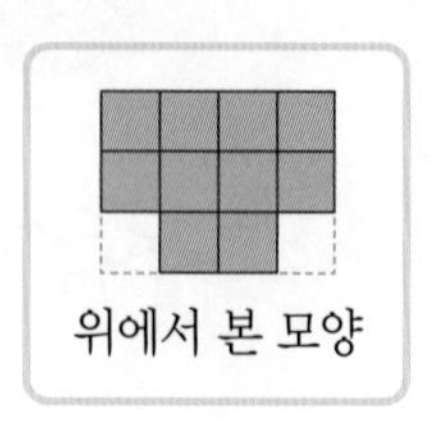
위에서 본 모양

(　　　　　　　　)

05 쌓기나무로 쌓은 모양을 층별로 나타낸 모양입니다. 똑같은 모양으로 쌓는 데 필요한 쌓기나무의 개수를 구하세요.

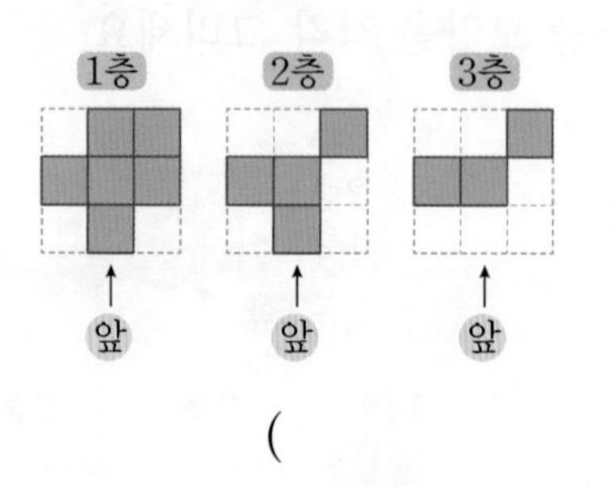

(　　　　　　　　)

06 똑같은 모양으로 쌓는 데 필요한 쌓기나무의 개수가 더 많은 것의 기호를 쓰세요.

가 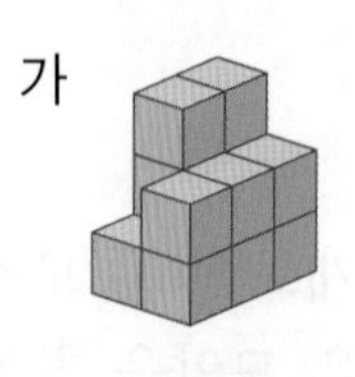

위에서 본 모양

나

위에서 본 모양

(　　　　　　　　)

정답 17쪽

쌓은 모양 알아보기

07 관계있는 것끼리 선으로 이으세요.

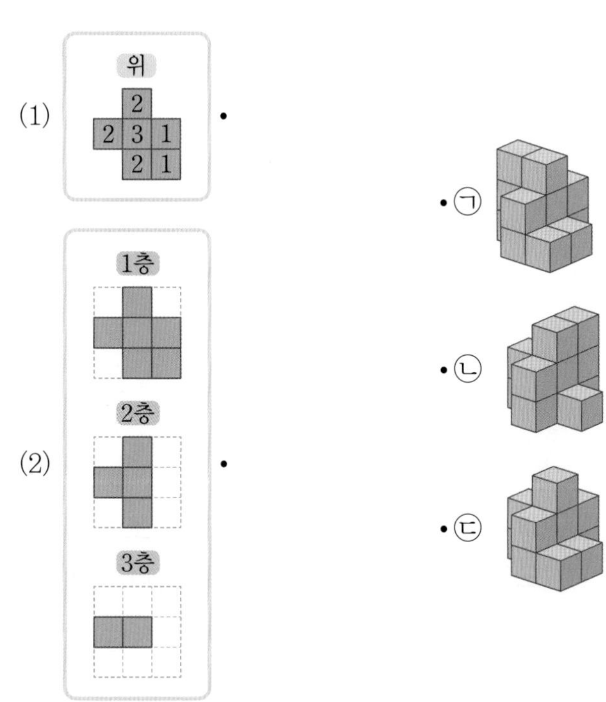

08 쌓기나무로 쌓은 모양을 위, 앞, 옆에서 본 모양입니다. 전체 모양으로 가능한 모양을 모두 찾아 기호를 쓰세요.

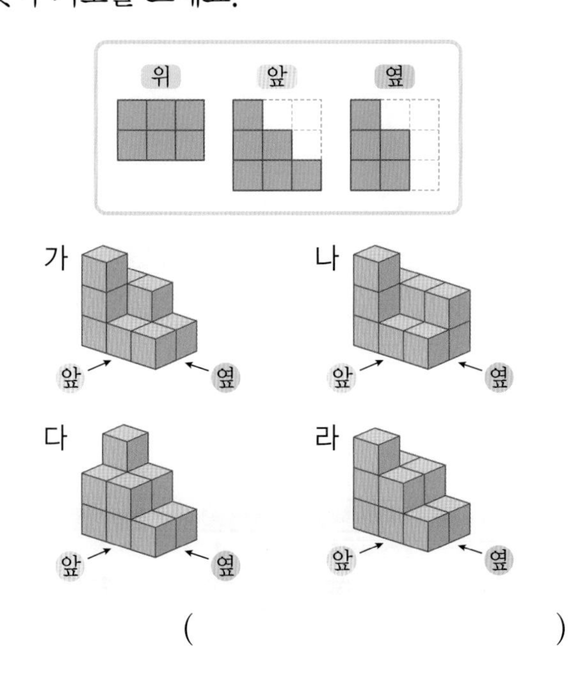

(　　　　　　　　　　)

위, 앞, 옆에서 본 모양 알아보기

09 오른쪽은 쌓기나무 9개로 쌓은 모양입니다. 쌓은 모양을 위에서 본 모양이 다음과 같을 때 앞, 옆에서 본 모양을 각각 그리세요.

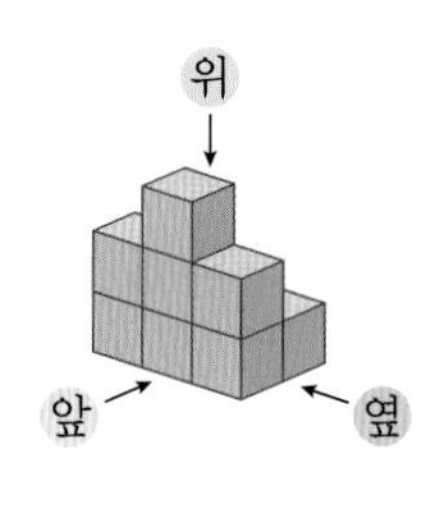

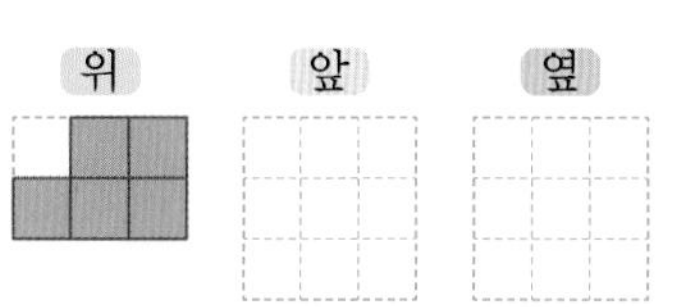

10 쌓기나무 8개로 쌓은 모양입니다. 옆에서 본 모양이 서로 같은 것을 찾아 기호를 쓰세요.

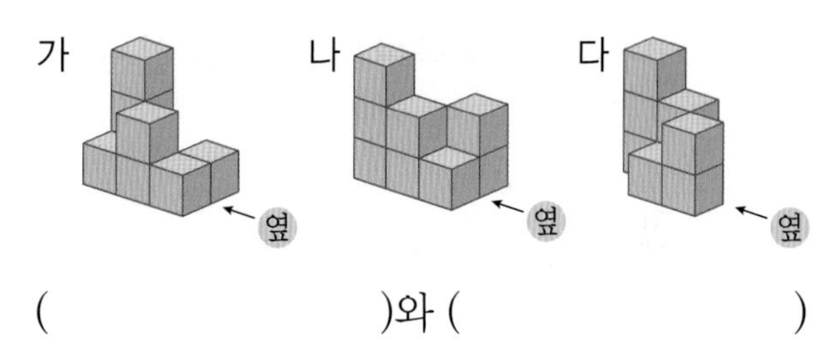

(　　　　　　)와 (　　　　　　)

11 오른쪽과 같은 구멍이 있는 상자에 쌓기나무를 붙여서 만든 모양을 넣으려고 합니다. 넣을 수 있는 모양을 모두 찾아 기호를 쓰세요.

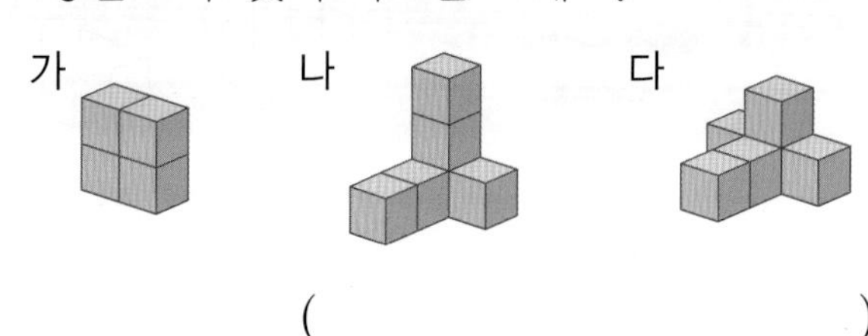

(　　　　　　　　　　)

3
단원

STEP 2 실력 다지기

여러 가지 모양 만들기

유형 **12** 모양에 쌓기나무 1개를 더 붙여서 서로 다른 6가지 모양을 만드세요.(단, 뒤집거나 돌렸을 때 같은 모양인 것은 한 가지로 생각합니다.)

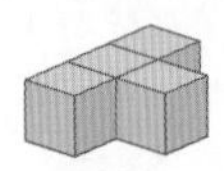
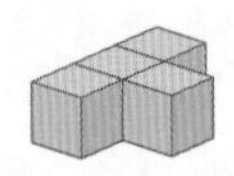
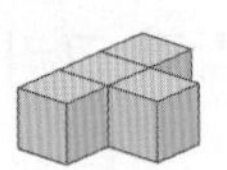
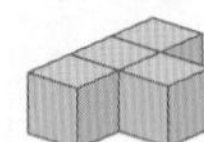
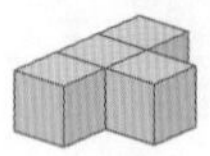
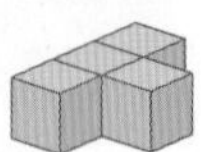

확인 **13** 쌓기나무 4개를 붙여서 만들 수 있는 서로 다른 모양은 모두 몇 가지인가요?

( )

강화 **14** 쌓기나무를 4개씩 붙여서 만든 2가지 모양을 사용하여 만들 수 있는 모양을 모두 찾아 각각 구분하여 색칠하세요.

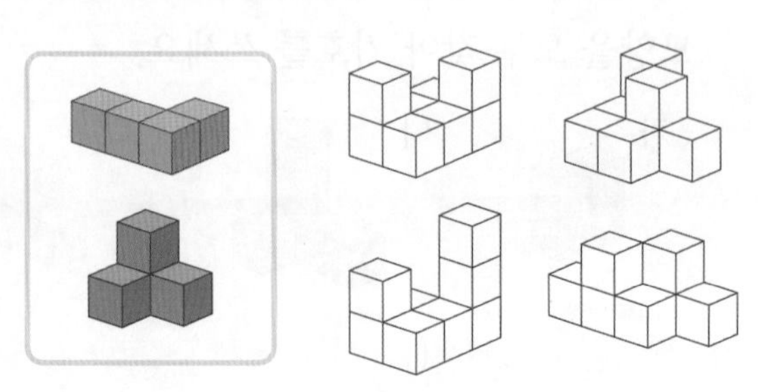

전체 모양을 구하여 여러 방향에서 본 모양 그리기

15 쌓기나무로 쌓은 모양과 위에서 본 모양입니다. 쌓은 모양을 옆에서 본 모양을 그리세요.

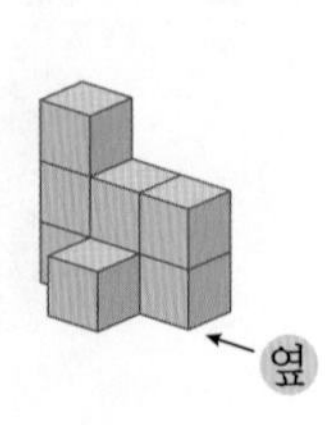

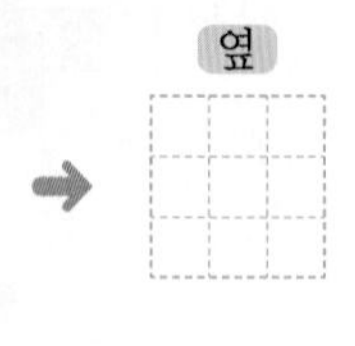

16 쌓기나무 12개로 쌓은 모양을 보고 위에서 본 모양에 수를 쓰는 방법으로 나타낸 것입니다. 위에서 본 모양의 빈 곳에 알맞은 수를 써넣고, 쌓은 모양을 앞, 옆에서 본 모양을 각각 그리세요.

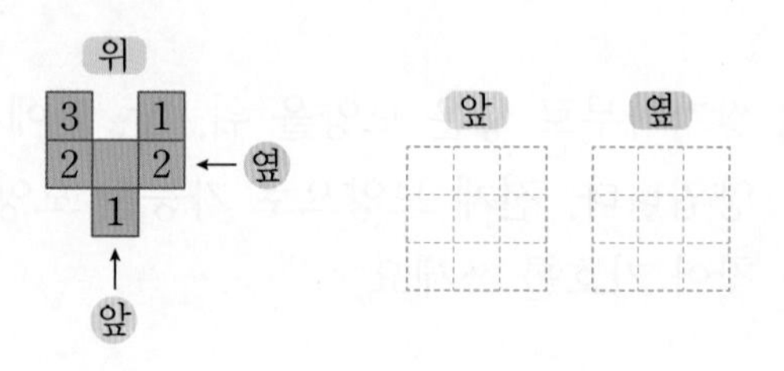

17 쌓기나무로 쌓은 모양을 층별로 나타낸 모양입니다. 쌓은 모양을 위, 앞, 옆에서 본 모양을 각각 그리세요.

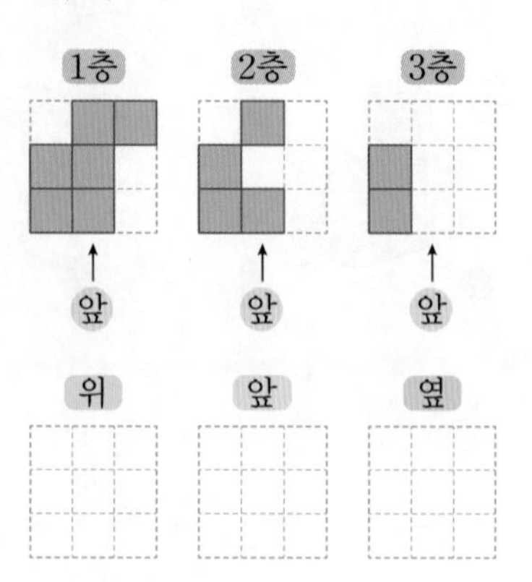

정답 18쪽

위, 앞, 옆에서 본 모양의 활용

18 쌓기나무로 쌓은 모양을 위, 앞, 옆에서 본 모양입니다. 똑같은 모양으로 쌓는 데 필요한 쌓기나무의 개수를 구하세요.

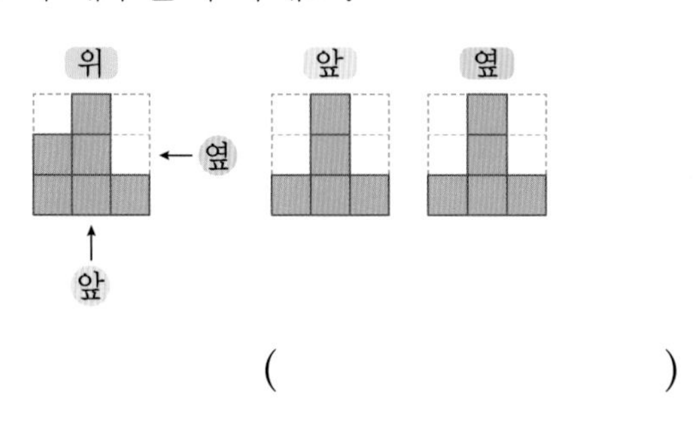

( )

19 쌓기나무로 쌓은 모양을 위와 앞에서 본 모양입니다. 쌓은 모양을 옆에서 본 모양을 그리세요.

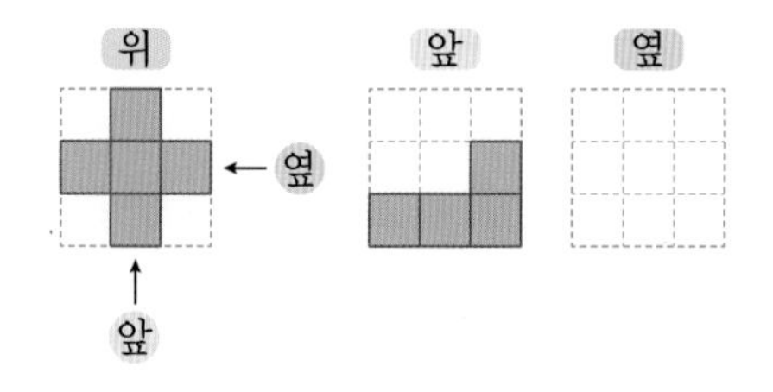

20 쌓기나무 9개로 쌓은 모양을 위, 앞, 옆에서 본 모양입니다. ●에 쌓인 쌓기나무의 개수를 구하세요.

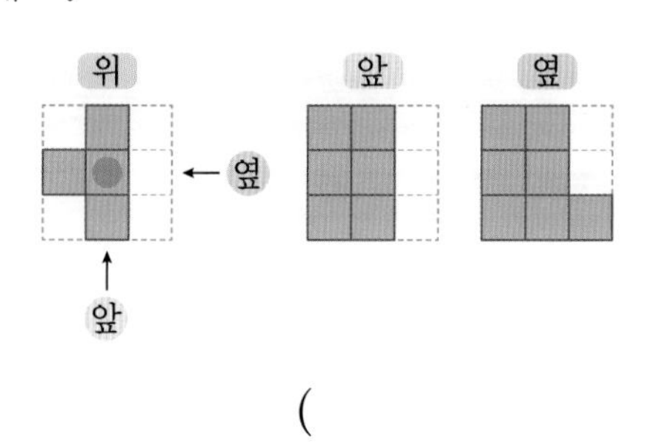

( )

각 층의 모양으로 알맞은 경우 알아보기

21 쌓기나무로 1층 위에 2층과 3층을 쌓으려고 합니다. 1층 모양을 보고 2층과 3층으로 알맞은 모양을 각각 찾아 기호를 쓰세요.

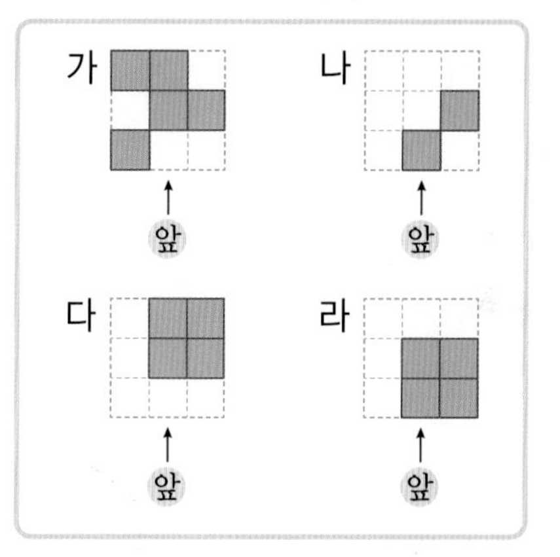

22 서술형 교과역량 오른쪽은 쌓기나무로 3층까지 쌓은 모양을 보고 1층과 3층의 모양을 그린 것입니다. 2층의 모양으로 가능한 경우를 모두 그리고, 그린 방법을 쓰세요.

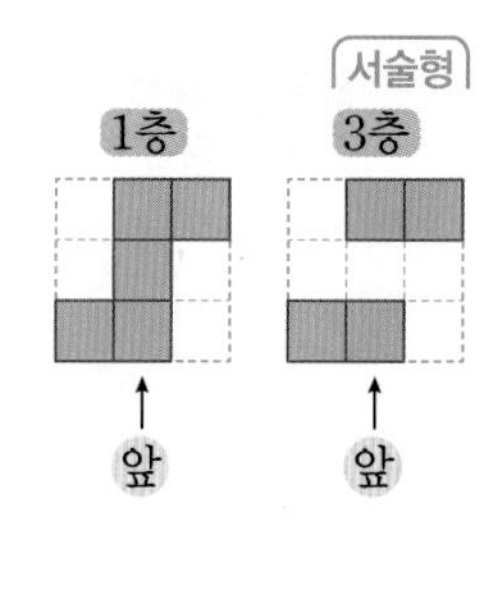

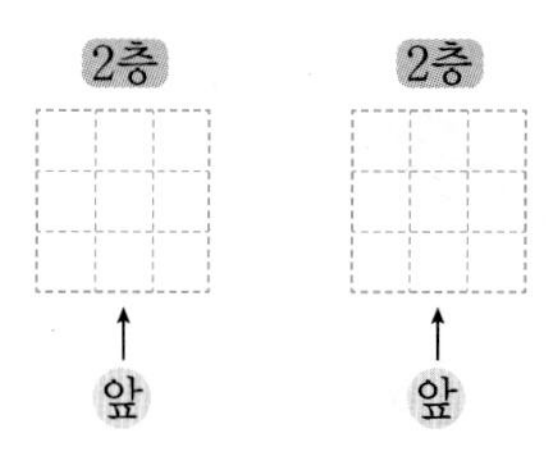

방법

실력 다지기

약점 체크 위치 찾기

유형 **23** 준영이와 윤진이가 각자의 위치에서 찍은 사진입니다. 준영이와 윤진이의 위치를 각각 찾아 기호를 쓰세요.

도전 수학

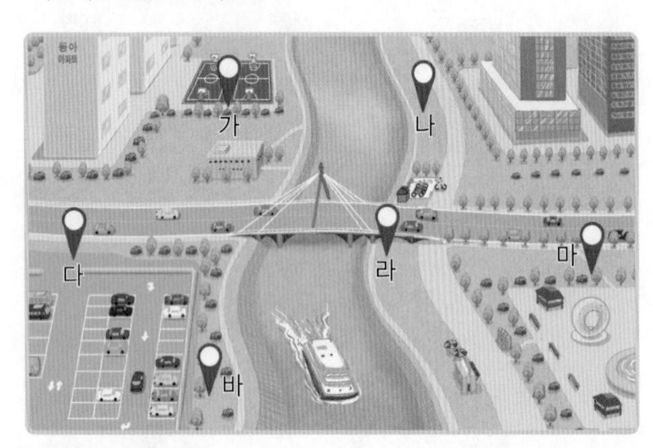

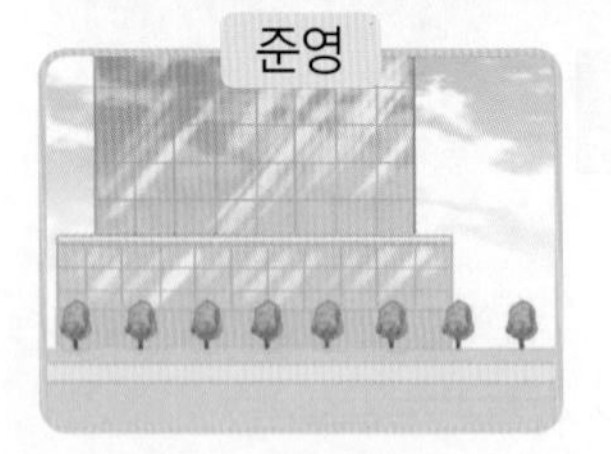

준영 (　　　　　　　　)

윤진 (　　　　　　　　)

주의 사진에서 건물만 보고 위치를 찾지 않도록 주의합니다. 건물과 건물을 보는 방향을 생각하여 위치를 찾습니다.

확인 **24** 미연이가 한 말을 보고 23에서 미연이의 위치를 찾아 기호를 쓰세요.

정면에는 아파트가 보이고, 오른쪽에는 농구장이 보여.
미연

(　　　　　　　　)

약점 체크 만들 수 있는 전체 모양 알아보기

25 쌓기나무로 쌓은 모양과 위에서 본 모양입니다. 쌓은 모양을 위에서 본 모양에 수를 써서 나타내려고 합니다. 가능한 모양을 모두 나타내세요.

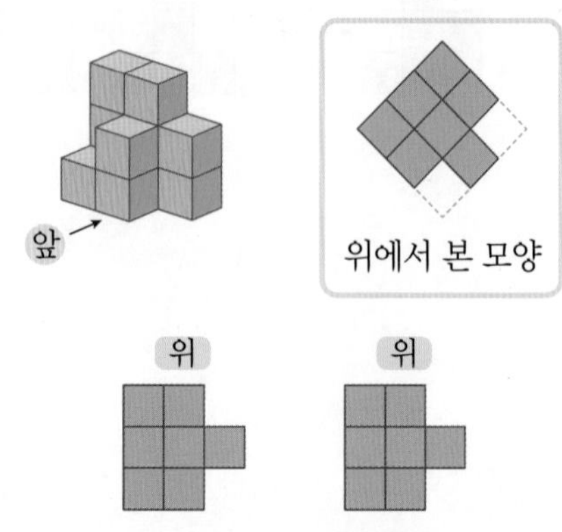

해결 먼저 주어진 조건을 이용하여 쌓은 모양의 뒤에 보이지 않는 쌓기나무를 찾습니다.

26 쌓기나무로 쌓은 모양을 위, 앞, 옆에서 본 모양입니다. 이와 같은 방법으로 쌓기나무를 쌓으면 여러 가지 모양이 나올 수 있습니다. 나올 수 있는 모양은 모두 몇 가지인지 구하세요.

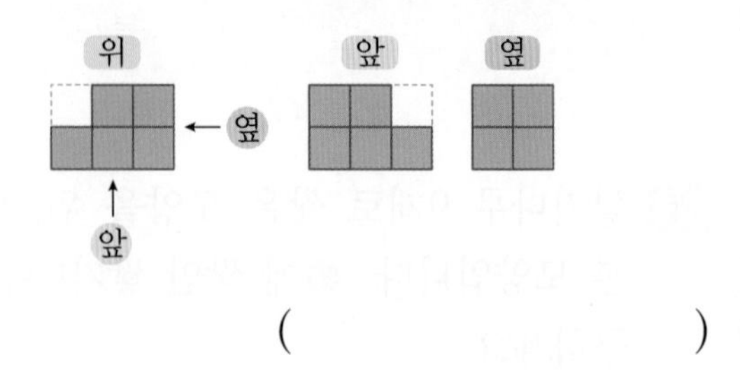

(　　　　　　　　)

정답 18쪽

약점 체크 조건을 만족하는 모양 알아보기

27 쌓기나무 6개를 사용하여 쌓은 모양을 보고 현우, 미혜, 성훈이가 대화를 한 것입니다. 쌓은 모양을 위에서 본 모양을 그리고, 각 자리에 쌓은 쌓기나무의 개수를 쓰세요.

2층으로 쌓은 모양이야.

1층에 쌓여 있는 쌓기나무는 4개이고, 위에서 본 모양은 정사각형이야.

앞에서 본 모양과 옆에서 본 모양은 서로 같아.

현우

미혜

성훈

해결 먼저 위에서 본 모양을 구하여 그린 후 조건을 모두 만족하도록 각 자리에 쌓기나무의 개수를 씁니다.

28 쌓기나무를 8개씩 사용하여 가와 나를 쌓으려고 합니다. 가와 나가 조건을 모두 만족할 때 쌓을 수 있는 모양을 위에서 본 모양에 수를 쓰는 방법으로 나타내세요.

조건
- 쌓은 모양은 서로 다릅니다.
- 2층으로 쌓은 모양입니다.
- 위에서 본 모양이 서로 같습니다.
- 앞에서 본 모양이 서로 같습니다.
- 옆에서 본 모양이 서로 같습니다.

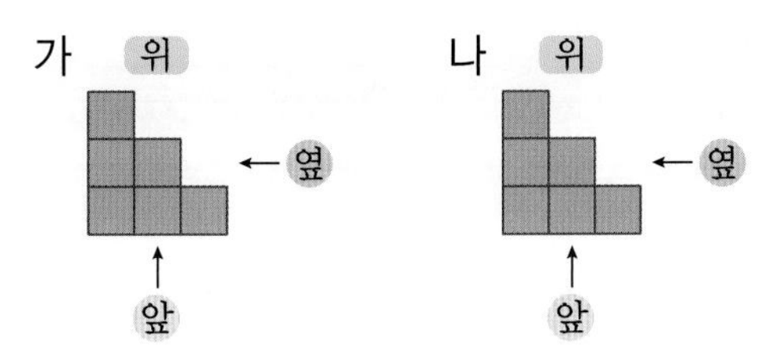

약점 체크 쌓기나무의 개수가 가장 많은(적은) 경우 알아보기

29 쌓기나무로 쌓은 모양을 보고 쌓기나무가 가장 적은 경우와 가장 많은 경우의 쌓기나무의 개수를 각각 구하세요.

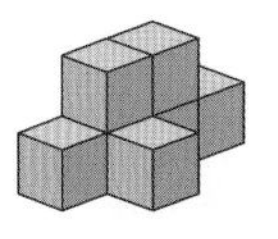

가장 적은 경우 (　　　　　　　　)

가장 많은 경우 (　　　　　　　　)

해결 쌓은 모양을 보고 위에서 본 모양을 그린 후 뒤에 보이지 않는 부분에 있을 수 있는 쌓기나무를 생각해 봅니다.

30 쌓기나무로 쌓은 모양을 위, 앞, 옆에서 본 모양입니다. 쌓기나무가 가장 많은 경우의 쌓기나무의 개수를 구하세요.

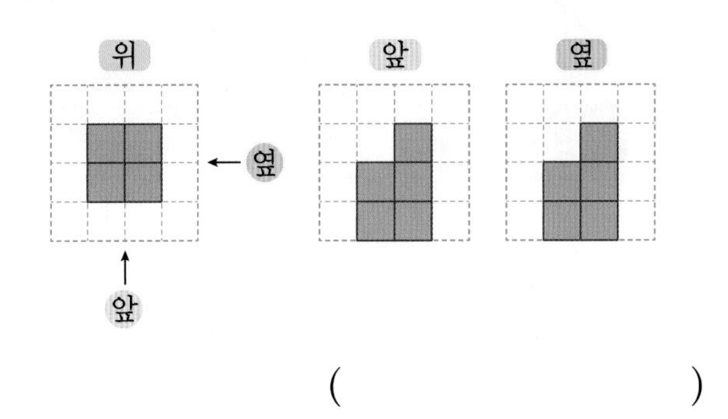

(　　　　　　　　)

3 단원

STEP 3

연습 단계 실전

서술형 해결하기

연습

01 주어진 모양과 똑같이 쌓는 데 필요한 쌓기나무가 더 많은 것의 기호를 쓰려고 합니다. 풀이 과정을 쓰고, 답을 구하세요.

가

나

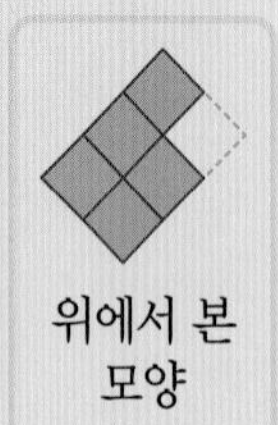

서술형 포인트 쌓은 모양과 위에서 본 모양을 비교하여 똑같이 쌓는 데 필요한 쌓기나무의 개수를 구합니다.

풀이를 완성하세요.

❶ 가: 쌓은 모양과 위에서 본 모양에서 뒤에 보이지 않는 쌓기나무는 ☐.

➜ (필요한 쌓기나무의 개수)=☐개

나: 쌓은 모양과 위에서 본 모양에서 뒤에 보이지 않는 쌓기나무가 ☐.

➜ (필요한 쌓기나무의 개수)=☐개

❷ 필요한 쌓기나무가 더 많은 것은 ☐입니다.

답

단계

02 쌓기나무로 쌓은 모양을 층별로 나타낸 모양입니다. **사용한 쌓기나무가 더 많은 것**의 기호를 쓰려고 합니다. 풀이 과정을 쓰고, 답을 구하세요.

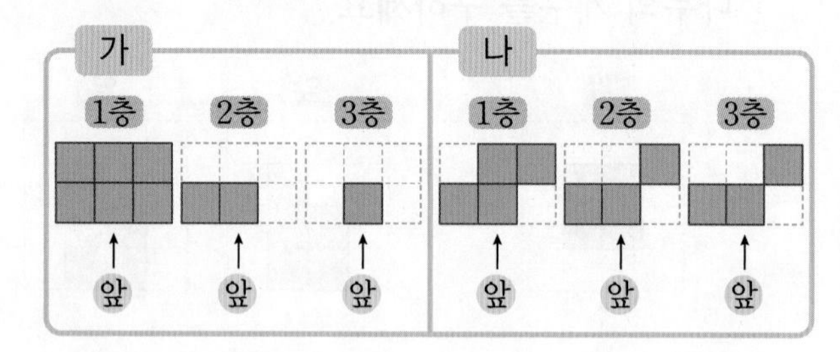

❶ 사용한 쌓기나무의 개수 각각 구하기

풀이

❷ 사용한 쌓기나무가 더 많은 것의 기호 쓰기

풀이

답

실전

03 쌓기나무로 쌓은 모양을 위, 앞, 옆에서 본 모양입니다. **사용한 쌓기나무가 더 많은 것**의 기호를 쓰려고 합니다. 풀이 과정을 쓰고, 답을 구하세요.

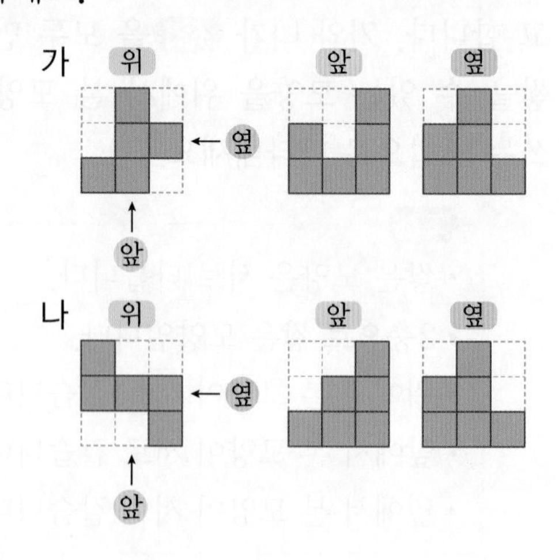

풀이

답

연습, 실전 문제는 매칭북 23쪽에서 한 번 더!

정답 20쪽

연습 04 **왼쪽 정육면체 모양에서 쌓기나무 몇 개를 빼냈더니 오른쪽과 같은 모양이 되었습니다. 빼낸 쌓기나무는 몇 개인지 풀이 과정을 쓰고, 답을 구하세요.**

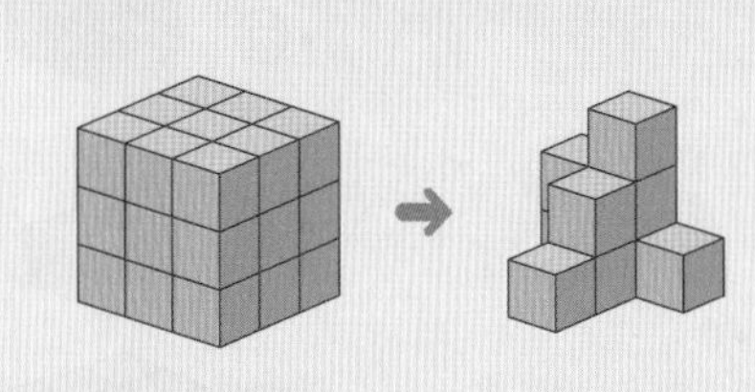

위에서 본 모양

서술형 포인트 정육면체의 성질을 이용하여 정육면체 모양의 쌓기나무의 개수를 구한 후 빼낸 쌓기나무의 개수를 구합니다.

풀이를 완성하세요.

❶ 정육면체는 모든 모서리의 길이가 같으므로 한 모서리에 쌓기나무가 □개씩 있습니다.

➜ (정육면체 모양의 쌓기나무의 개수)

=

(빼낸 후 모양의 쌓기나무의 개수)=□개

❷ (빼낸 쌓기나무의 개수)

=

답

단계 05 다음과 같은 모양에 쌓기나무 몇 개를 더 쌓아 가장 작은 정육면체 모양을 만들려고 합니다. **필요한 쌓기나무는 몇 개**인지 풀이 과정을 쓰고, 답을 구하세요.

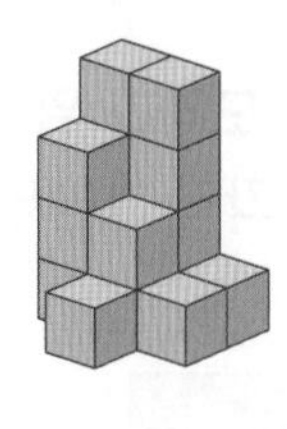

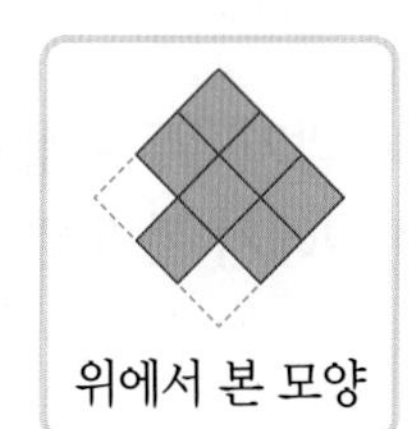

위에서 본 모양

❶ 주어진 모양과 만들 수 있는 가장 작은 정육면체 모양의 쌓기나무의 개수 각각 구하기

풀이

❷ 필요한 쌓기나무의 개수 구하기

풀이

답

실전 06 다음과 같은 모양에 쌓기나무 몇 개를 더 쌓아 가장 작은 직육면체 모양을 만들려고 합니다. **필요한 쌓기나무는 몇 개**인지 풀이 과정을 쓰고, 답을 구하세요.

위에서 본 모양

풀이

답

3 단원

단원 마무리

01 책상 위의 공을 여러 방향에서 본 것입니다. 어느 방향에서 본 것인지 찾아 기호를 쓰세요.

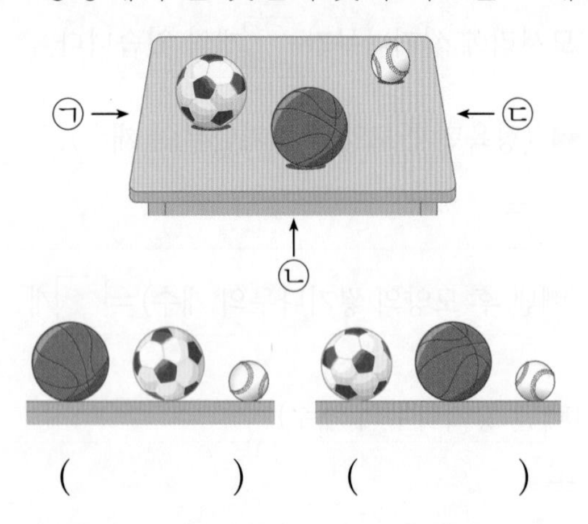

( ) ( )

02 왼쪽은 쌓기나무로 쌓은 모양을 보고 위에서 본 모양에 수를 쓴 것입니다. 전체 모양으로 알맞은 것을 찾아 기호를 쓰세요.

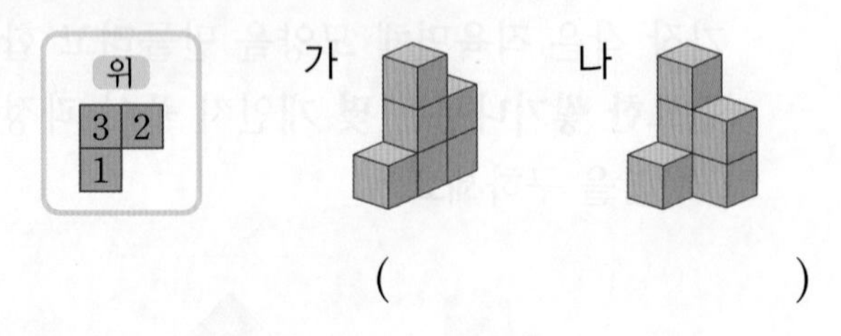

( )

[03~04] 주어진 모양과 똑같이 쌓는 데 필요한 쌓기나무의 개수를 구하세요.

03

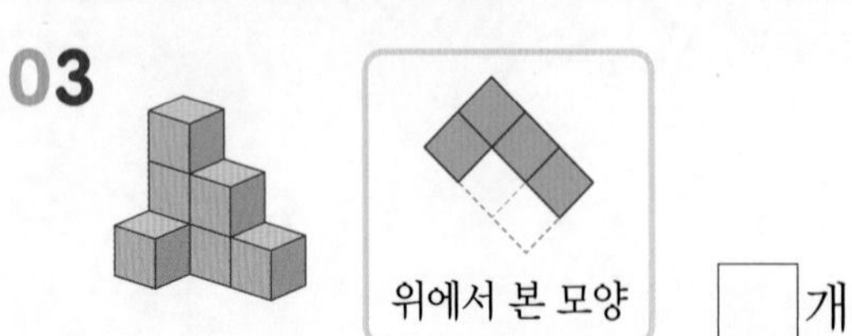

□개

04

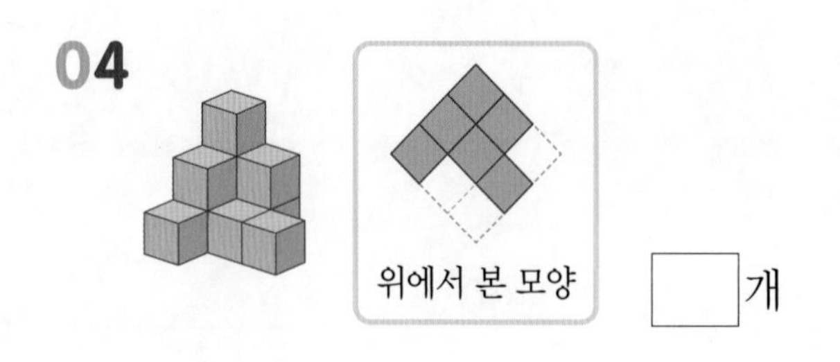

□개

05 쌓기나무 4개로 만든 모양입니다. 서로 같은 모양을 찾아 선으로 이으세요.

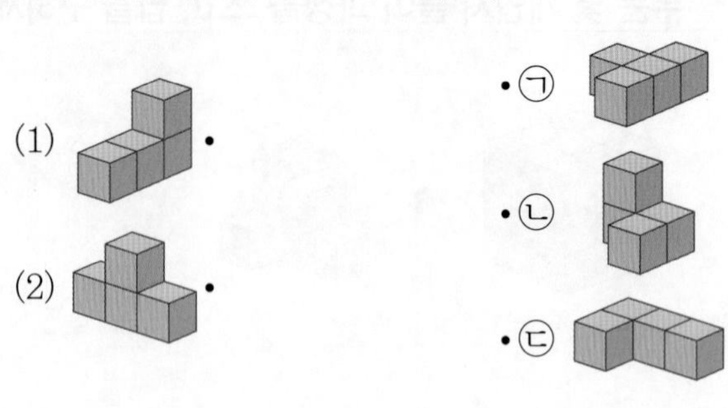

06 모양에 쌓기나무 1개를 더 붙여서 만들 수 있는 모양은 모두 몇 가지인가요? (단, 뒤집거나 돌렸을 때 같은 모양인 것은 한 가지로 생각합니다.)

( )

[07~08] 쌓기나무로 쌓은 모양과 위에서 본 모양입니다. 앞과 옆에서 본 모양을 각각 그리세요.

07

08

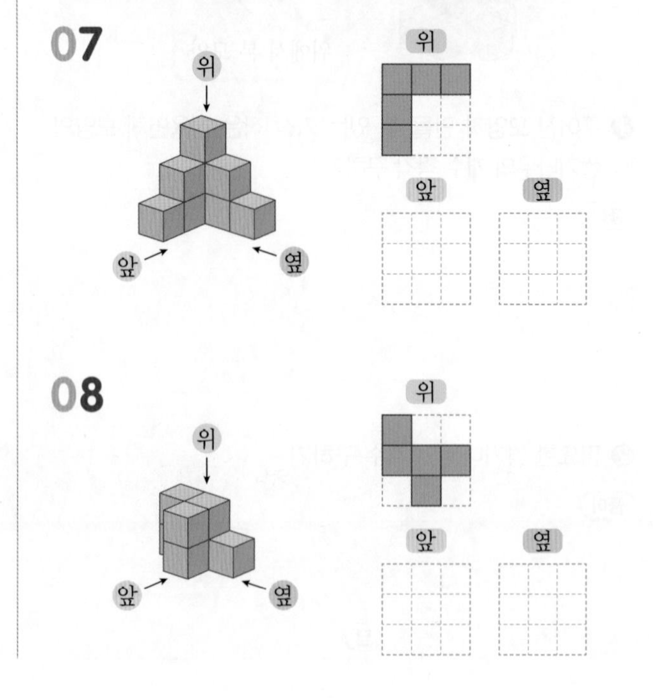

정답 21쪽

09 쌓기나무로 쌓은 모양을 층별로 나타낸 모양입니다. 쌓은 모양을 위에서 본 모양에 수를 쓰는 방법으로 나타내고, 똑같은 모양으로 쌓는 데 필요한 쌓기나무의 개수를 구하세요.

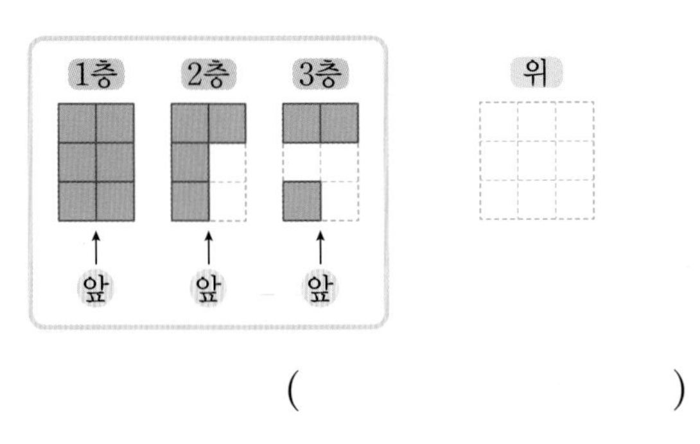

( )

10 쌓기나무로 쌓은 모양을 위, 앞, 옆에서 본 모양입니다. 전체 모양으로 가능한 모양을 찾아 기호를 쓰세요.

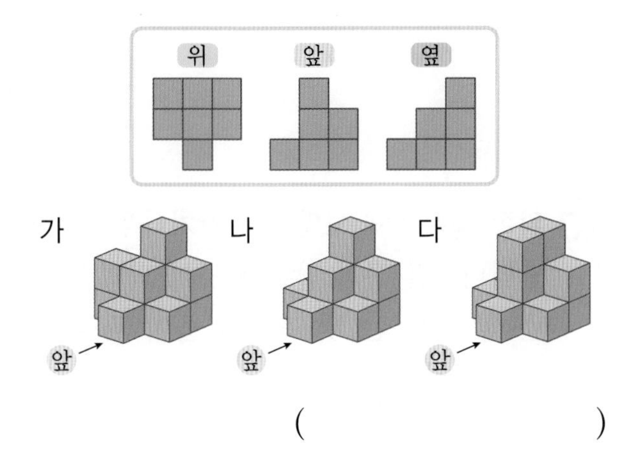

( )

11 쌓기나무를 각각 3개, 4개 붙여서 만든 2가지 모양을 사용하여 새로운 모양을 만들었습니다. 어떻게 만들었는지 구분하여 색칠하세요.

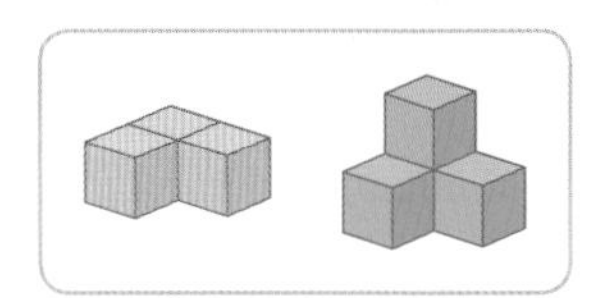

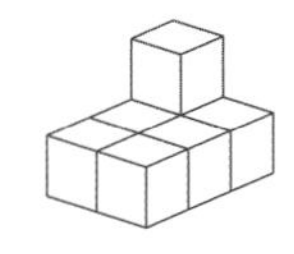

12 쌓기나무로 쌓은 모양을 보고 위에서 본 모양에 수를 쓴 것입니다. 옆에서 본 모양이 다른 하나를 찾아 기호를 쓰세요.

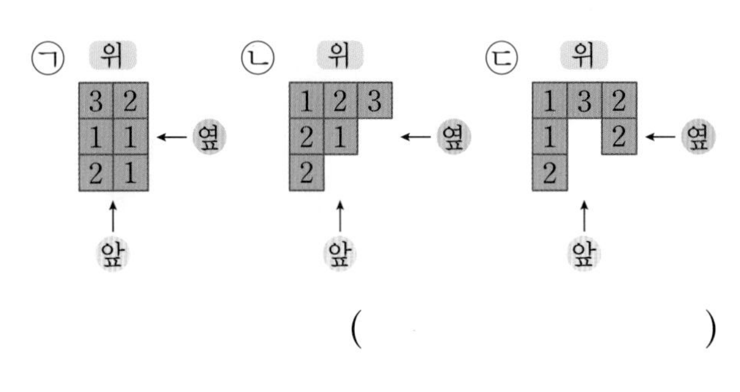

( )

13 쌓기나무로 쌓은 모양을 위, 앞, 옆에서 본 모양입니다. 똑같은 모양으로 쌓는 데 필요한 쌓기나무의 개수를 구하세요.

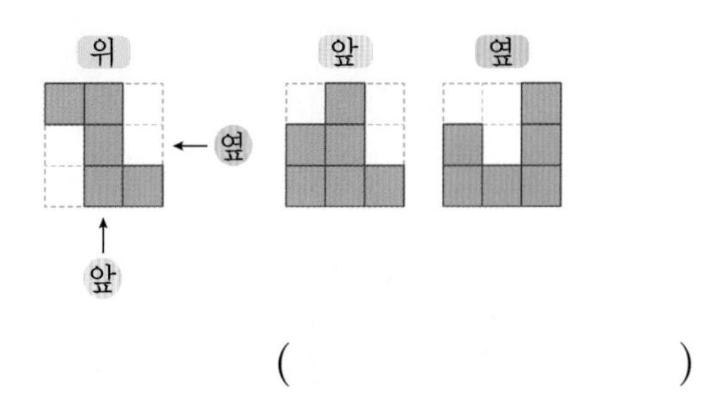

( )

14 쌓기나무로 쌓은 모양을 층별로 나타낸 모양입니다. 쌓은 모양을 위, 앞, 옆에서 본 모양을 각각 그리세요.

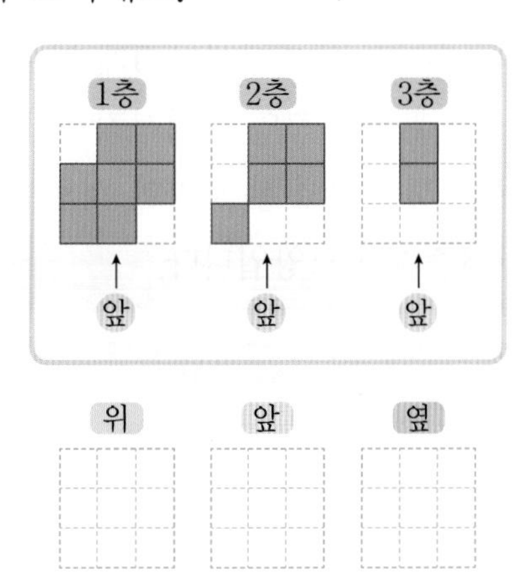

3 단원

단원 마무리

15 쌓기나무 12개로 쌓은 모양을 위, 앞, 옆에서 본 모양입니다. ◆에 쌓인 쌓기나무의 개수를 구하세요.

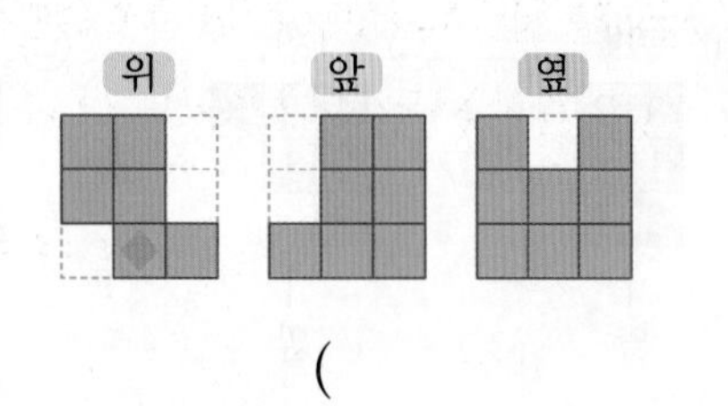

( )

16 쌓기나무로 쌓은 모양과 위에서 본 모양입니다. 쌓은 모양을 위에서 본 모양에 수를 써서 나타내려고 합니다. 가능한 모양을 모두 나타내세요.

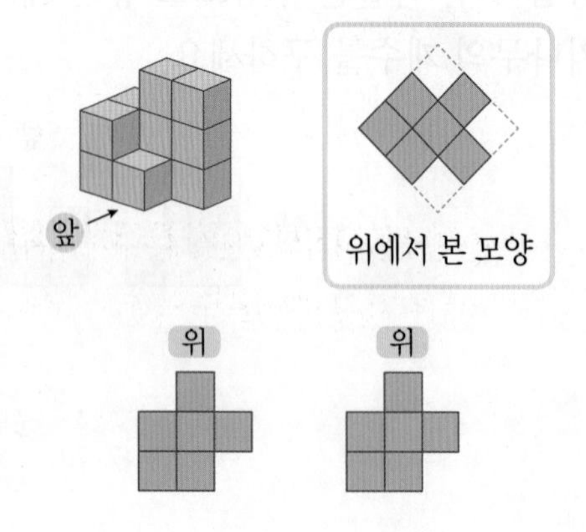

17 쌓기나무 11개로 조건 을 모두 만족하도록 쌓으려고 합니다. 쌓을 수 있는 모양을 위에서 본 모양에 수를 쓰는 방법으로 나타내세요.

조건
- 1층에는 쌓기나무가 9개 있습니다.
- 위에서 본 모양은 정사각형입니다.
- 앞과 옆에서 본 모양이 서로 같습니다.
- 3층짜리 모양입니다.

서술형 문제

18 오른쪽 모양과 똑같이 쌓는 데 필요한 쌓기나무의 개수를 영호는 6개, 진희는 8개라고 답했습니다. 서로 다르게 답한 이유를 쓰세요.

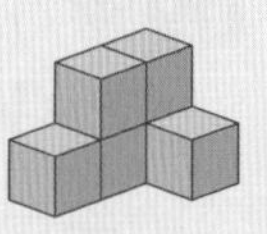

이유

19 쌓기나무가 15개 있습니다. 다음과 같이 쌓기나무를 쌓는다면 남는 쌓기나무는 몇 개인지 풀이 과정을 쓰고, 답을 구하세요.

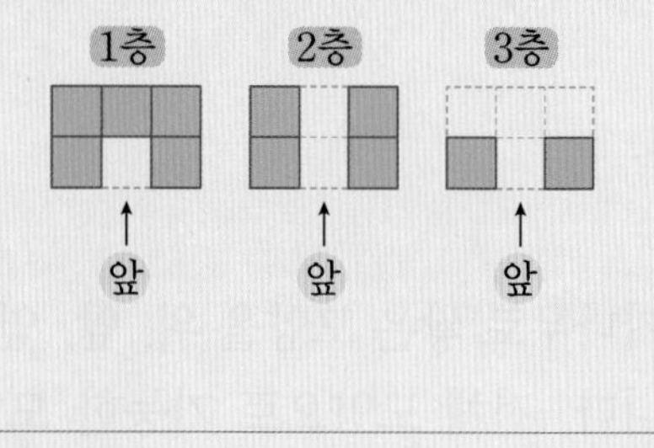

풀이

답

20 왼쪽 정육면체 모양에서 쌓기나무 몇 개를 빼냈더니 오른쪽과 같은 모양이 되었습니다. 빼낸 쌓기나무는 몇 개인지 풀이 과정을 쓰고, 답을 구하세요.

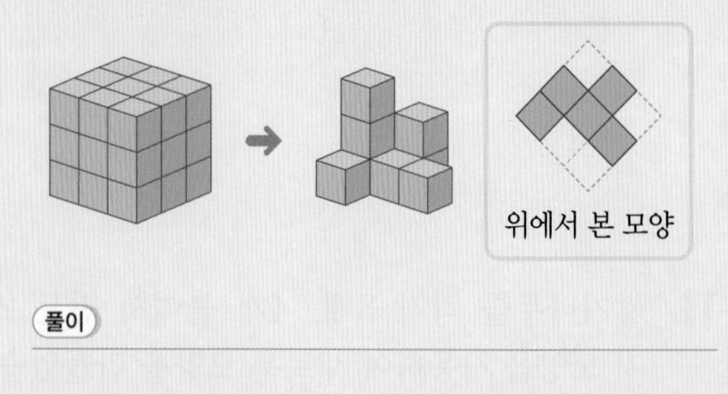

풀이

답

쉬어가기

나는 대만에 살고 있는 샤오핑이야.
대만 사람들은 공용어로 중국어를 가장 많이 사용해.
'씨에씨에(Xièxie)'는 '고마워요'와 같은 뜻이야.

대만의 수도는 타이베이야. 타이베이에는 대만의 상징인 타이베이 101빌딩, 국립 고궁 박물원 등이 있어.
대만에는 다양한 축제가 있어. 그중 등불 축제는 음력 설을 기념하여 열리는데 이때 거리에는 등불이 장식되고 사람들은 하늘에 등불을 날려 보내면서 소원을 빌어.

'드래곤 보트 축제'는 대만의 명절인 단오절을 기념하는 축제야.
용춤, 사자춤 등을 볼 수 있어!

4 비례식과 비례배분

학습 계획표

공부할 날짜를 적고 **〈진도북〉**과 **〈매칭북〉**의 쪽수를 찾아 공부하세요.

학습 내용	계획 및 확인					
	진도북			매칭북		
STEP 1 개념 완성하기	084~087쪽 ➜	월	일	24쪽 ➜	월	일
STEP 2 실력 다지기	088~091쪽 ➜	월	일	25~26쪽 ➜	월	일
STEP 1 개념 완성하기	092~095쪽 ➜	월	일	27쪽 ➜	월	일
STEP 2 실력 다지기	096~099쪽 ➜	월	일	28~29쪽 ➜	월	일
STEP 3 서술형 해결하기	100~103쪽 ➜	월	일	30~31쪽 ➜	월	일
단원 마무리	104~106쪽 ➜	월	일	54~56쪽 ➜	월	일

※**특강**을 활용하여 이전에 배운 내용과 이번에 배울 내용의 흐름을 이해합니다.

대표 유형

- 이번 단원에서 꼭 공부해야 할 **〈대표 유형〉**입니다.
- 학습한 후에 이해가 부족한 유형은 □ 안에 ○표 한 후 반복하여 학습하세요.

- □ 비율이 같은 비 구하기
- □ 가장 간단한 자연수의 비로 나타내기
- □ 비례식 알아보기
- □ 항 알아보기
- □ 간단한 자연수의 비의 활용
- □ 비의 성질을 이용하여 모르는 값 구하기
- □ 약점 체크 넓이의 비를 가장 간단한 자연수의 비로 나타내기
- □ 약점 체크 조건을 만족하는 비례식 만들기
- □ 비례식의 성질
- □ 비례식의 성질을 이용하여 모르는 값 구하기
- □ 간단한 자연수의 비로 나타내어 비례배분하기
- □ 비례식의 성질의 활용
- □ 비례배분의 활용
- □ 지도에서 실제 거리 구하기
- □ 약점 체크 곱셈식을 보고 비로 나타내기
- □ 약점 체크 공정하게 나누기

STEP 1

개념 완성하기

1 비의 성질 알아보기

(1) 비의 전항과 후항

3 : 2에서
- 전항 ➜ 기호 ':' 앞에 있는 3
- 후항 ➜ 기호 ':' 뒤에 있는 2

(2) 비의 성질

① 비의 전항과 후항에 0이 아닌 같은 수를 곱하여도 비율은 같습니다.

② 비의 전항과 후항을 0이 아닌 같은 수로 나누어도 비율은 같습니다.

예제 3 : 6과 비율이 같은 비 만들기

방법 1 전항과 후항에 같은 수를 곱합니다.

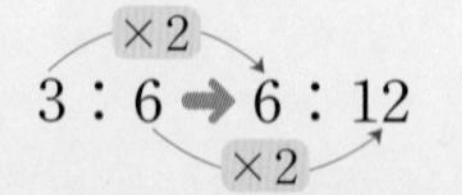

$3 : 6 \rightarrow 6 : 12$ (×2, ×2)

방법 2 전항과 후항을 같은 수로 나눕니다.

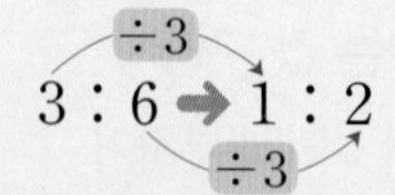

$3 : 6 \rightarrow 1 : 2$ (÷3, ÷3)

2 간단한 자연수의 비로 나타내기

(1) 소수의 비를 간단한 자연수의 비로 나타내기

① 전항과 후항에 10, 100……을 곱합니다.

② 전항과 후항을 두 수의 공약수로 나눕니다.

예제 0.2 : 0.4를 간단한 자연수의 비로 나타내기

$0.2 : 0.4 \rightarrow (0.2 \times 10) : (0.4 \times 10) \rightarrow 2 : 4$

$\rightarrow (2 \div 2) : (4 \div 2) \rightarrow 1 : 2$

(2) 분수의 비를 간단한 자연수의 비로 나타내기

① 전항과 후항에 두 분모의 공배수를 곱합니다.

② 전항과 후항을 두 수의 공약수로 나눕니다.

예제 $\frac{3}{5} : \frac{3}{4}$을 간단한 자연수의 비로 나타내기

$\frac{3}{5} : \frac{3}{4} \rightarrow (\frac{3}{5} \times 20) : (\frac{3}{4} \times 20) \rightarrow 12 : 15$

$\rightarrow (12 \div 3) : (15 \div 3) \rightarrow 4 : 5$

개념 확인

1 전항에는 ○표, 후항에는 △표 하세요.

(1) 7 : 3　　(2) 9 : 7

(3) 11 : 2　　(4) 6 : 13

2 수진이가 한 말을 보고 3 : 7과 비율이 같은 비를 만들어 보세요.

3 : 7의 전항과 후항에 3을 곱하면 비율이 같은 비를 만들 수 있어.

3 : 7 ➜ □ : □

3 0.6 : 0.5를 간단한 자연수의 비로 나타내려고 합니다. 물음에 답하세요.

(1) 0.6 : 0.5를 간단한 자연수의 비로 나타내려면 전항과 후항에 각각 어떤 수를 곱해야 하나요?

(　　　　　　)

(2) 0.6 : 0.5를 간단한 자연수의 비로 나타내세요.

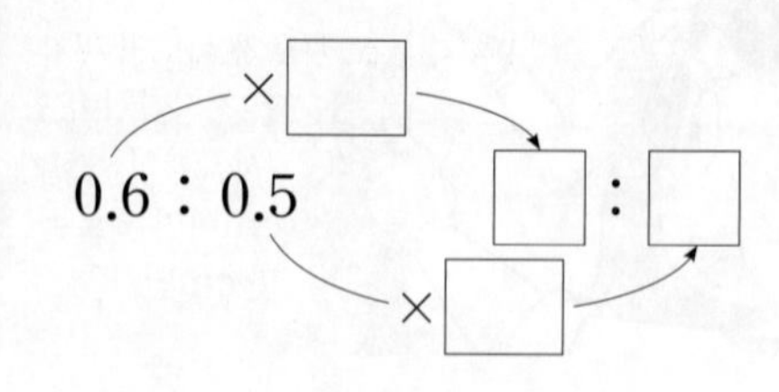

기본 유형

4 $\frac{2}{3}:\frac{1}{5}$의 전항과 후항에 두 분모의 최소공배수를 곱하여 간단한 자연수의 비로 나타내세요.

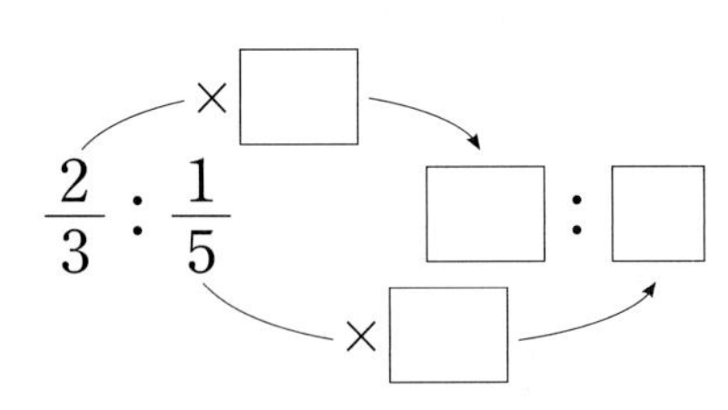

5 비의 성질을 이용하여 비율이 같은 비를 찾아 선으로 이으세요.

(1) 5 : 2 • • ㉠ 700 : 300

(2) 18 : 12 • • ㉡ 20 : 8

(3) 7 : 3 • • ㉢ 3 : 2

6 $0.4:\frac{1}{10}$을 간단한 자연수의 비로 나타내려고 합니다. 다음 2가지 방법으로 나타내세요.

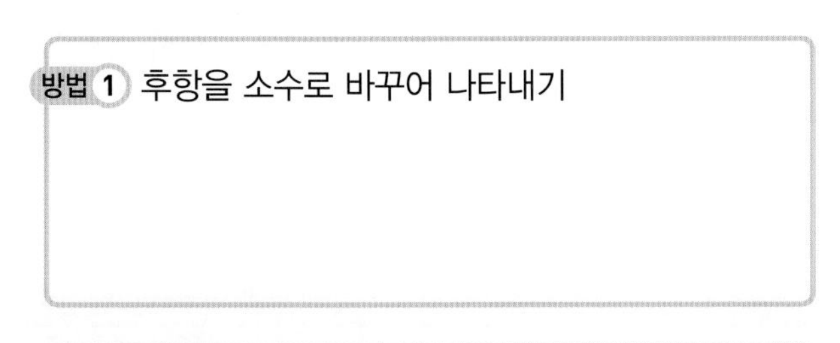

방법 1 후항을 소수로 바꾸어 나타내기
방법 2 전항을 분수로 바꾸어 나타내기

7 비의 성질을 이용하여 □ 안에 알맞은 수를 써넣으세요.

(1) 3 : 4=9 : □=□ : 28

(2) 18 : 12=□ : 6=3 : □

8 간단한 자연수의 비로 나타내세요.

(1) 1.2 : 0.8

(2) $\frac{1}{2}:\frac{2}{5}$

(3) 28 : 35

(4) $\frac{1}{3}:0.2$

9 수진이가 가지고 있는 리본의 길이는 1.2 m이고, 진현이가 가지고 있는 리본의 길이는 2.5 m입니다. 수진이와 진현이가 가지고 있는 리본의 길이의 비를 간단한 자연수의 비로 나타내세요.

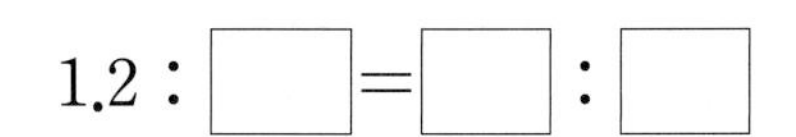

4 단원

STEP 1

개념 완성하기

3 비례식 알아보기

(1) 비례식

비례식: 비율이 같은 두 비를 기호 '='를 사용하여 나타낸 식

$\frac{■}{▲}=\frac{●}{♥}$ ➜ ■ : ▲=● : ♥

예제 3 : 2와 6 : 4를 비례식으로 나타내기

3 : 2의 비율 → $\frac{3}{2}$

6 : 4의 비율 → $\frac{6}{4}=\frac{3}{2}$

비율이 같습니다.

➜ 3 : 2=6 : 4 또는 6 : 4=3 : 2

(2) 비례식의 외항과 내항

외항

3 : 2 = 6 : 4

내항

① 외항: 바깥쪽에 있는 3과 4

② 내항: 안쪽에 있는 2와 6

(3) 비례식을 이용하여 비의 성질 나타내기

① 5 : 8은 전항과 후항에 2를 곱한 10 : 16과 비율이 같습니다.

비의 전항과 후항에 0이 아닌 같은 수를 곱하여도 비율은 같습니다.

×2

5 : 8=10 : 16

×2

위의 비례식에서 ➜ 외항 5, 16 내항 8, 10

② 16 : 12는 전항과 후항을 4로 나눈 4 : 3과 비율이 같습니다.

비의 전항과 후항을 0이 아닌 같은 수로 나누어도 비율은 같습니다.

÷4

16 : 12=4 : 3

÷4

위의 비례식에서 ➜ 외항 16, 3 내항 12, 4

개념 확인

1 □ 안에 알맞은 말을 써넣으세요.

비율이 같은 두 비를 기호 '='를 사용하여 1 : 5=3 : 15와 같이 나타낼 수 있으며 이와 같은 식을 □(이)라고 합니다.

2 두 비를 보고 물음에 답하세요.

2 : 3   6 : 9

(1) 비율을 각각 분수로 나타내세요.

2 : 3 ➜ (비율)=$\frac{□}{□}$

6 : 9 ➜ (비율)=$\frac{□}{□}$

(2) 두 비를 비례식으로 나타내세요.

□ : □=□ : □

3 비례식인 것을 찾아 ○표 하세요.

4 : 1	4 : 3=12 : 9	10÷2=4+1
(　　)	(　　)	(　　)

기본 유형

4 외항에는 △표, 내항에는 ○표 하세요.

5 : 4=10 : 8

5 비의 성질을 이용하여 비례식을 만들려고 합니다. 물음에 답하세요.

(1) 전항과 후항에 같은 수를 곱하여 비례식을 완성하고, 외항과 내항을 쓰세요.

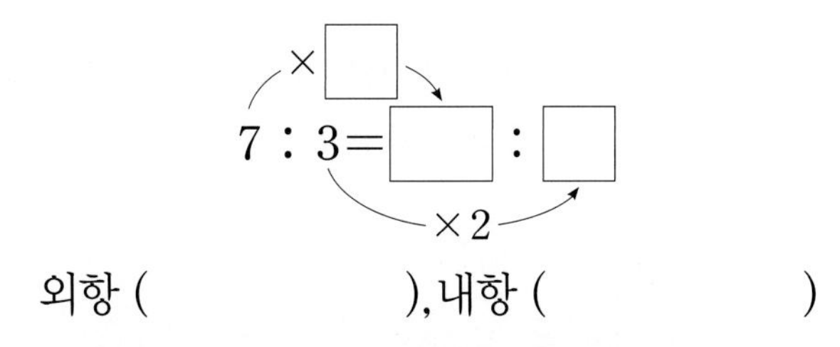

외항 ( ), 내항 ( )

(2) 전항과 후항을 같은 수로 나누어 비례식을 완성하고 외항과 내항을 쓰세요.

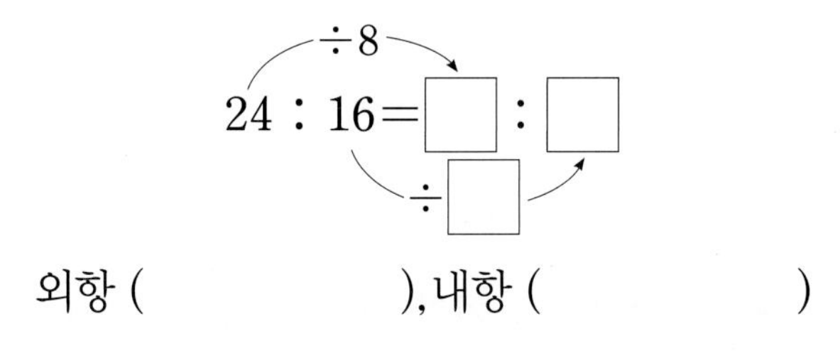

외항 ( ), 내항 ( )

6 선주와 정민이가 각각 비례식을 만들었습니다. 비례식을 잘못 만든 사람의 이름을 쓰세요.

( )

7 직사각형 가와 나를 보고 물음에 답하세요.

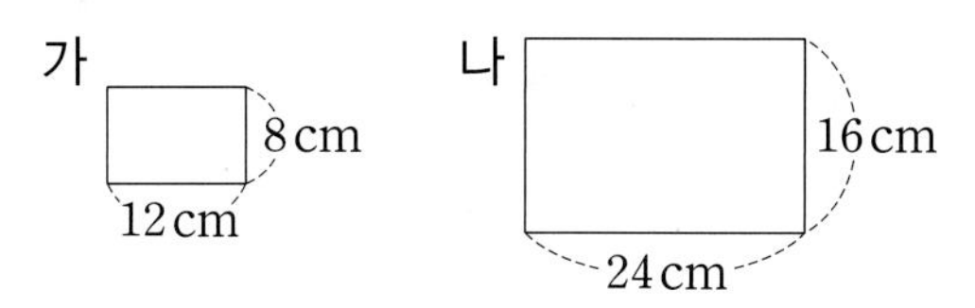

(1) 직사각형 가와 나의 가로와 세로의 비를 각각 구하세요.

직사각형	가로(cm)	세로(cm)	가로 : 세로
가			
나			

(2) (1)에서 구한 두 비의 비율을 각각 분수로 나타내세요.

직사각형 가 ( )

직사각형 나 ( )

(3) (1), (2)에서 구한 비율이 같은 두 비를 비례식으로 나타내세요.

12 : □=□ : □

8 비 3 : 5와 비율이 같은 비를 찾아 비례식으로 나타내려고 합니다. 물음에 답하세요.

6 : 11　　9 : 15

(1) 비율을 각각 분수로 나타내세요.

비	3 : 5	6 : 11	9 : 15
비율(분수)	$\frac{3}{5}$		

(2) 비 3 : 5와 비율이 같은 비를 찾아 비례식으로 나타내세요.

3 : □=□ : □

4 단원

STEP 2 유형 확인 강화

실력 다지기

비율이 같은 비 구하기

유형 **01** 비의 성질을 이용하여 다음 비와 비율이 같은 비를 2개 쓰세요.

8 : 3

( )

확인 **02** 비의 성질을 이용하여 비율이 $\frac{24}{18}$인 비를 2개 쓰세요.

( )

강화 **03** 가로와 세로의 비가 2 : 3이 아닌 색종이를 찾아 기호를 쓰세요.

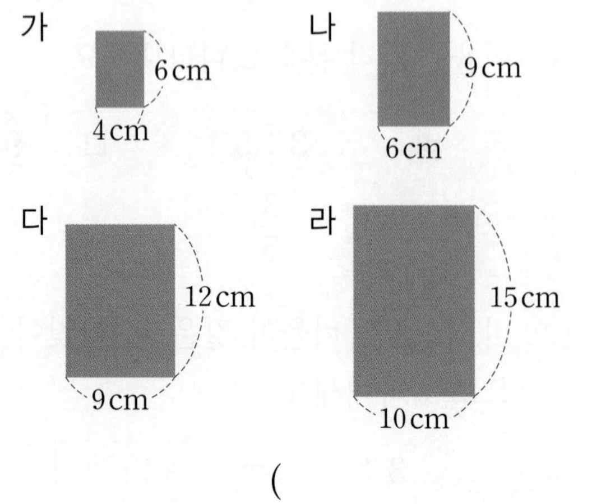

( )

가장 간단한 자연수의 비로 나타내기

가장 작은 자연수로 나타낸 비

04 농구공과 배구공의 무게의 비를 가장 간단한 자연수의 비로 나타내세요.

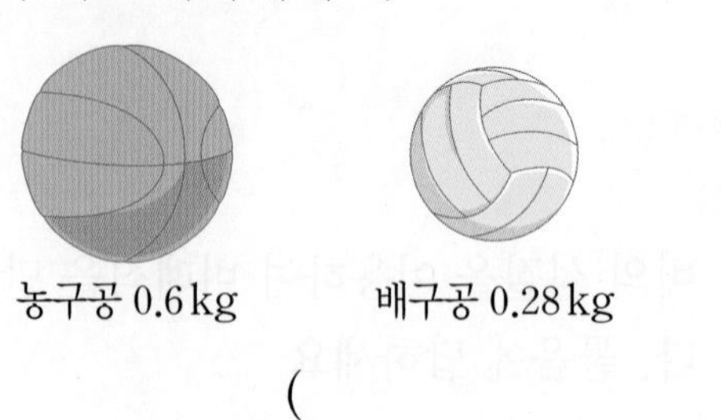

( )

05 비를 가장 간단한 자연수의 비로 바르게 나타낸 사람은 누구인가요?

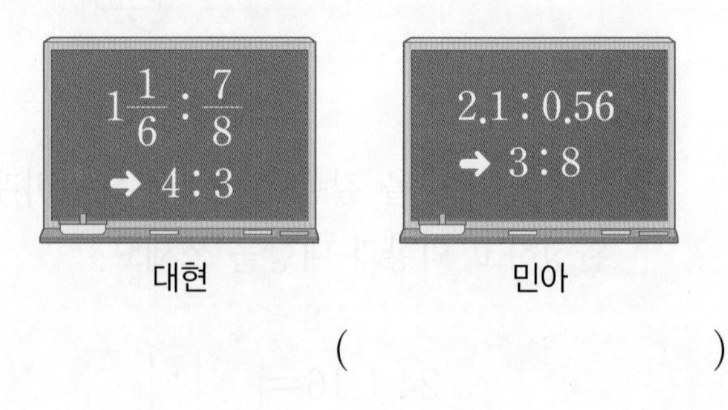

( )

06 $1\frac{1}{2}$: 1.8을 가장 간단한 자연수의 비로 나타내려고 합니다. 다음 2가지 방법으로 나타내세요.

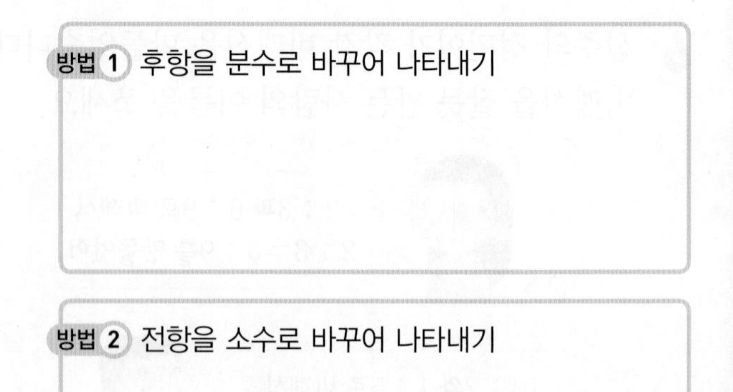

방법 1 후항을 분수로 바꾸어 나타내기
방법 2 전항을 소수로 바꾸어 나타내기

비례식 알아보기

07 비율이 같은 두 비를 찾아 비례식으로 나타내세요.

8 : 3　　4 : 6　　24 : 9　　12 : 8

(　　　　　　　　　　)

서술형
08 다음 식이 비례식이 아닌 이유를 쓰세요.

12 : 15＝3 : 5

이유

09 다람쥐가 비례식이 바르게 적힌 표지판을 따라갔을 때 먹을 수 있는 음식을 쓰세요.

교과역량

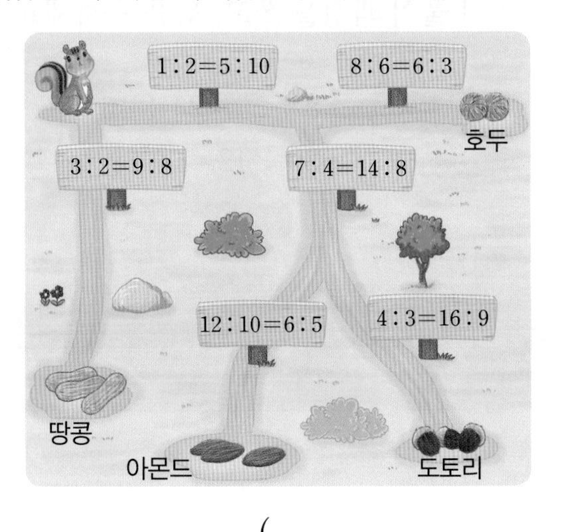

(　　　　　　　　　　)

항 알아보기

10 5 : 2＝20 : 8에 대하여 잘못 설명한 것을 모두 고르세요. (　　　　　)

① 비례식입니다.
② 2와 8은 내항입니다.
③ 5와 8은 외항입니다.
④ 2와 8은 후항입니다.
⑤ 2와 20은 전항입니다.

서술형
11 비례식에서 내항도 되고 후항도 되는 수는 얼마인지 풀이 과정을 쓰고, 답을 구하세요.

5 : 6＝15 : 18

풀이

답

12 진호가 한 말을 보고 만들 수 있는 비례식을 쓰세요.

진호
외항이 4와 5이고
내항이 1과 20인
비례식을 만들어 봐!

(　　　　　　　　　　)

4 단원

간단한 자연수의 비의 활용

유형 **13** 높이가 2.4 m인 나무의 그림자의 길이를 재어 보니 3.2 m였습니다. 나무의 높이와 그림자의 길이의 비를 가장 간단한 자연수의 비로 나타내세요.

( )

확인 **14** 같은 양의 일을 일정한 빠르기로 하는 데 윤주는 2시간, 연수는 3시간이 걸렸습니다. 윤주와 연수가 한 시간 동안 한 일의 양의 비를 가장 간단한 자연수의 비로 나타내세요.

( )

서술형

강화 **15** 교과역량 가와 나 컵에 각각 다음과 같이 물과 매실 원액을 섞어 매실주스를 만들었습니다. 매실주스를 만들 때 사용한 물 양과 매실 원액 양의 비를 각각 가장 간단한 자연수의 비로 나타내고, 두 매실주스의 진하기를 비교하세요.

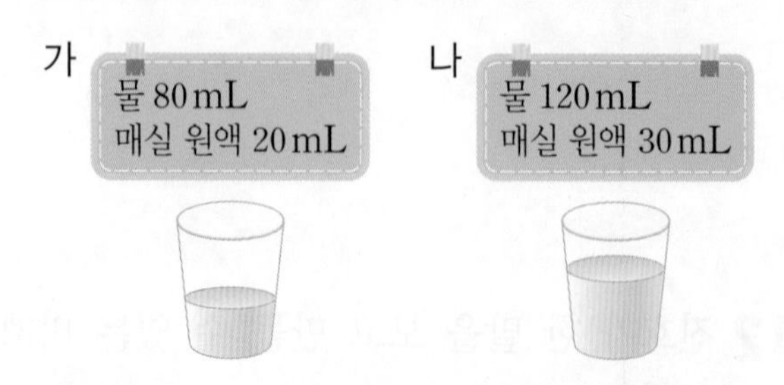

컵	가 컵	나 컵
비		
진하기		

비의 성질을 이용하여 모르는 값 구하기

16 책장에 꽂혀 있는 위인전 수와 과학책 수의 비는 4 : 3입니다. 과학책이 57권일 때 위인전은 몇 권인지 알아보기 위해 다음과 같은 비례식을 세웠습니다. □ 안에 알맞은 수를 써넣고, 위인전은 몇 권인지 구하세요.

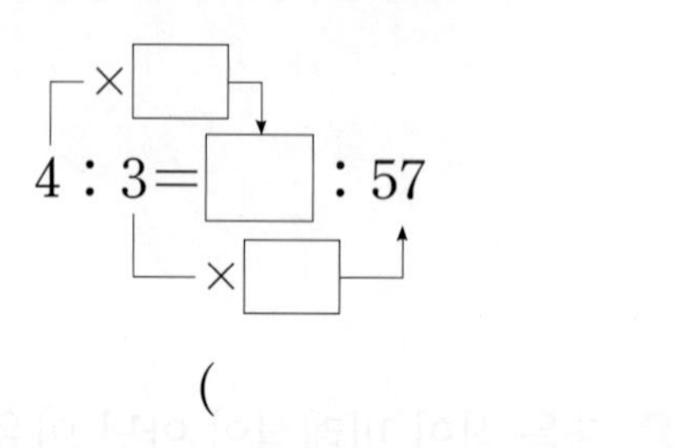

( )

17 가로와 세로의 비가 10 : 7인 직사각형입니다. 세로가 28 m일 때 가로는 몇 m인가요?

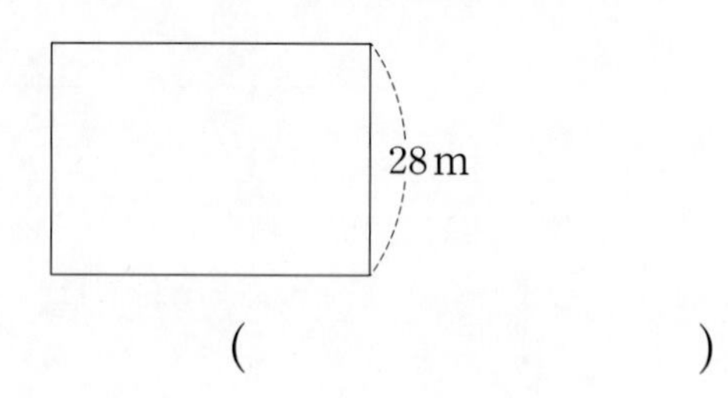

( )

서술형

18 ㉠이 같은 수일 때 □ 안에 알맞은 수는 얼마인지 풀이 과정을 쓰고, 답을 구하세요.

- 8 : ㉠ = 24 : 45
- 30 : 42 = ㉠ : □

풀이

답

약점 체크 넓이의 비를 가장 간단한 자연수의 비로 나타내기

19 평행사변형 가와 나의 넓이의 비를 가장 간단한 자연수의 비로 나타내세요.

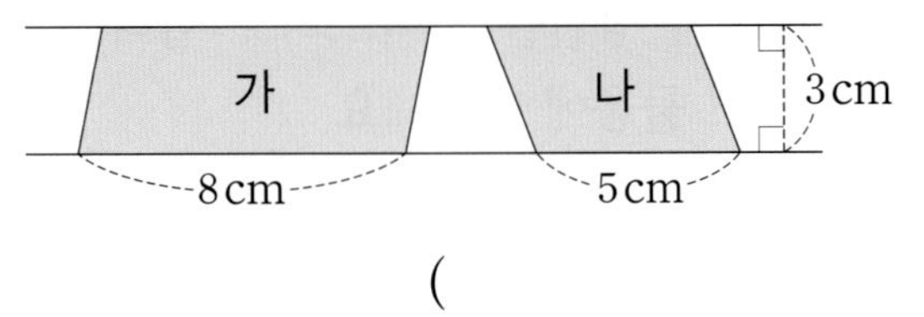

(　　　　　　　　　　)

해결 평행선 사이의 거리를 이용하여 평행사변형 가와 나의 넓이를 각각 구한 후 넓이의 비를 가장 간단한 자연수의 비로 나타냅니다.

20 직사각형 가와 나의 가로는 서로 같습니다. 직사각형 가와 나의 넓이의 비를 가장 간단한 자연수의 비로 나타내세요.

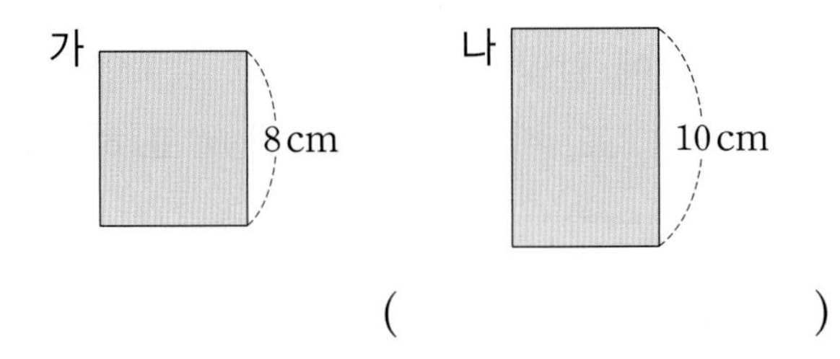

(　　　　　　　　　　)

약점 체크 조건을 만족하는 비례식 만들기

21 준수와 수민이가 설명하는 말에 맞게 비례식을 만들려고 합니다. ㉠, ㉡, ㉢에 알맞은 수를 각각 구하세요.

후항은 1과 4야.
비율은 3이야.
㉠ : 1 = ㉡ : ㉢
준수
수민

㉠ (　　　　　　　　　　)
㉡ (　　　　　　　　　　)
㉢ (　　　　　　　　　　)

해결 비례식에서 두 비의 비율이 같다는 것을 이용하여 각 기호에 알맞은 수를 구합니다.

22 조건 에 맞게 비례식을 완성하세요.

조건
- 비율은 $\frac{3}{4}$입니다.
- 외항의 곱은 24입니다.

6 : □ = □ : □

STEP 1 # 개념 완성하기

4 비례식의 성질 알아보기

비례식에서 외항의 곱과 내항의 곱은 같습니다.

(외항의 곱)=■×♥

■ : ▲=● : ♥ ➜ ■×♥=▲×●

(내항의 곱)=▲×●

예 외항 / 내항

3 : 2 = 6 : 4 ➜ (외항의 곱)=3×4=12, (내항의 곱)=2×6=12 같습니다.

예제 4 : 7=8 : 14가 옳은 비례식인지 알아보기

방법 1 두 비의 비율 비교하기

• 4 : 7 → (비율)=$\frac{4}{7}$ • 8 : 14 → (비율)=$\frac{8}{14}$=$\frac{4}{7}$

➜ 두 비의 비율이 같으므로 옳은 비례식입니다.

방법 2 외항의 곱과 내항의 곱 비교하기

• 외항: 4, 14 → (곱)=4×14=56

• 내항: 7, 8 → (곱)=7×8=56

➜ 외항의 곱과 내항의 곱이 같으므로 옳은 비례식입니다.

5 비례식의 활용

예제 연필 수와 지우개 수의 비는 3 : 2입니다. 연필이 9자루일 때 지우개 수를 구하세요.

① 지우개 수를 □개라 하고 비례식 세우기

(연필 수) : (지우개 수) ➜ 3 : 2=9 : □

② 비례식의 성질을 이용하여 □의 값 구하기

(외항의 곱)=(내항의 곱)

3 : 2=9 : □ ➜ 3×□=2×9

3×□=18

□=6

따라서 연필이 9자루이면 지우개는 6개입니다.

중요 3 : 2=9 : □에서 두 비의 비율이 같다는 것을 이용하여 □의 값을 구할 수도 있습니다.

3 : 2=9 : □ ➜ $\frac{3}{2}=\frac{9}{\square}$ ➜ □=6

개념 확인

1 비례식의 성질을 알아보려고 합니다. 비례식을 보고 물음에 답하세요.

2 : 5=6 : 15

(1) 비례식에서 외항의 곱과 내항의 곱을 각각 구하세요.

외항의 곱	□×□=□
내항의 곱	□×□=□

(2) □ 안에 알맞은 말을 써넣으세요.

비례식에서 외항의 곱과 내항의 곱은 □.

2 □ 안에 알맞은 수를 써넣고, ○ 안에 비례식이면 ○표, 비례식이 아니면 ×표 하세요.

(1)

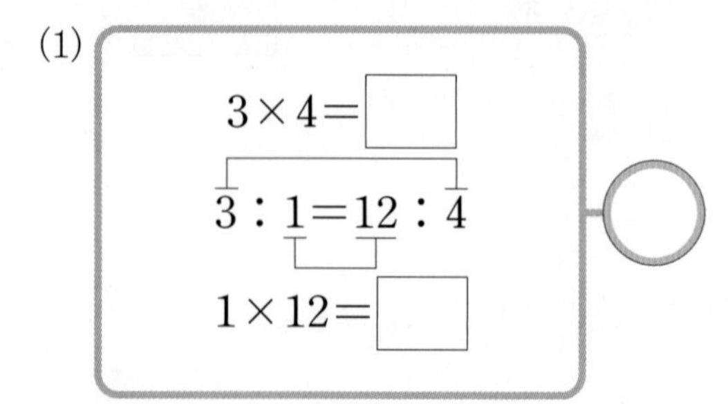

(2)

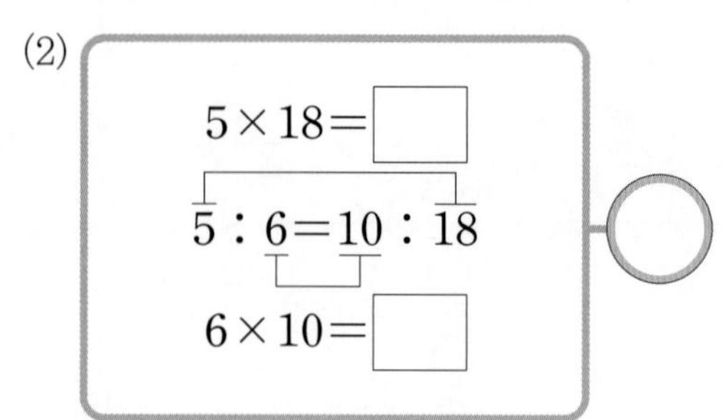

기본 유형

3 옳은 비례식을 찾아 기호를 쓰세요.

㉠ $6:7=12:14$
㉡ $5:9=\frac{1}{5}:\frac{1}{9}$

( )

4 비례식의 성질을 이용하여 ㉠을 구하려고 합니다. □ 안에 알맞은 수를 써넣으세요.

㉠ $:5=32:20$
㉠ $\times$ □ $=5\times$ □
㉠ $\times$ □ $=$ □
㉠ $=$ □

5 두부 100 g의 열량은 72킬로칼로리입니다. 두부 150 g의 열량은 몇 킬로칼로리인지 구하려고 합니다. 물음에 답하세요.

(1) 두부 150 g의 열량을 ■킬로칼로리라 하고 비례식을 세워 보세요.

$100:72=$ □ $:$ ■

(2) 비례식의 성질을 이용하여 ■를 구하세요.

$100\times$ ■ $=72\times$ □
$100\times$ ■ $=$ □
■ $=$ □

(3) 두부 150 g의 열량은 몇 킬로칼로리인가요?

( )

6 비례식의 성질을 이용하여 □ 안에 알맞은 수를 써넣으세요.

(1) □ $:1=30:5$

(2) $4:3=16:$ □

(3) $22:$ □ $=2:5$

(4) $27:18=$ □ $:2$

7 비례식의 성질을 이용하여 ●를 구하세요.

$\frac{1}{2}:0.2=20:$ ●

( )

8 과자가 2통에 3000원입니다. 똑같은 과자 5통을 사려면 얼마가 필요한지 구하려고 합니다. 물음에 답하세요.

(1) 필요한 금액을 ★원이라 하고 비례식을 세워 보세요.

$2:$ □ $=$ □ $:$ ★

(2) 필요한 금액은 얼마인가요?

( )

4 단원

개념 완성하기

6 비례배분 알아보기

- 비례배분: 전체를 주어진 비로 배분하는 것
- 전체 ★을 가 : 나=■ : ▲로 비례배분하기

➜ 가: $★\times\frac{■}{■+▲}$, 나: $★\times\frac{▲}{■+▲}$

예제 9를 가 : 나=1 : 2로 비례배분하기

가: $9\times\frac{1}{1+2}=9\times\frac{1}{3}=3$

나: $9\times\frac{2}{1+2}=9\times\frac{2}{3}=6$

7 비례배분의 활용

예제 1 공 18개를 형과 내가 5 : 4의 비로 나누어 가질 때 각각 몇 개 가지면 되는지 구하세요.

형: $18\times\frac{5}{5+4}=18\times\frac{5}{9}=10$(개)

나: $18\times\frac{4}{5+4}=18\times\frac{4}{9}=8$(개)

예제 2 색 테이프 80 cm를 윤희와 세민이가 3 : 2의 비로 나누어 가질 때 윤희가 가지게 되는 색 테이프의 길이를 구하세요.

방법 1 전체를 주어진 비로 배분하기

윤희가 가지게 되는 색 테이프는 전체 색 테이프의 $\frac{3}{3+2}=\frac{3}{5}$입니다. ➜ $80\times\frac{3}{5}=48$(cm)

방법 2 비의 성질 이용하기

윤희가 가지게 되는 색 테이프의 길이를 □cm라 하면

(전체 색 테이프) : (윤희가 가지게 되는 색 테이프)
$3+2=5$　　　　　　　　3

➜ 5 : 3=80 : □ (×16) ➜ □=3×16=48

따라서 윤희가 가지게 되는 색 테이프는 48 cm입니다.

개념 확인

1 구슬 16개를 재희와 현수가 5 : 3의 비로 나누어 가지려고 합니다. 물음에 답하세요.

(1) 수직선을 보고 □ 안에 알맞은 수를 써넣고, 재희와 현수는 각각 전체의 몇 분의 몇을 가지게 되는지 구하세요.

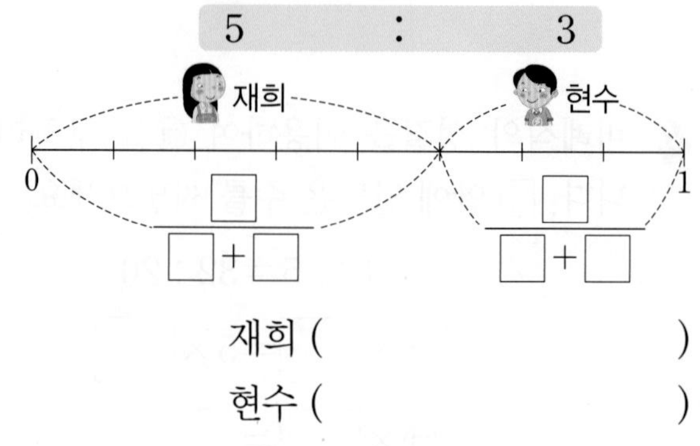

재희 (　　　　　　)

현수 (　　　　　　)

(2) 재희와 현수는 각각 구슬을 몇 개 가지게 되나요?

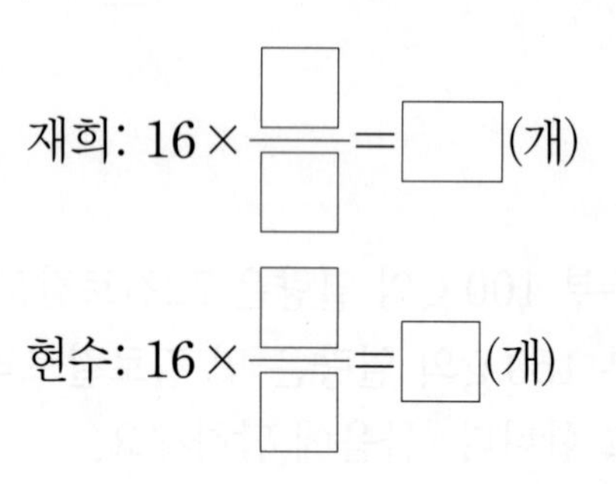

2 49를 1 : 6으로 비례배분하려고 합니다. □ 안에 알맞은 수를 써넣으세요.

$49\times\frac{1}{□+□}=49\times\frac{□}{□}=□$

$49\times\frac{6}{□+□}=49\times\frac{□}{□}=□$

3 75를 가 : 나=8 : 7로 비례배분하세요.

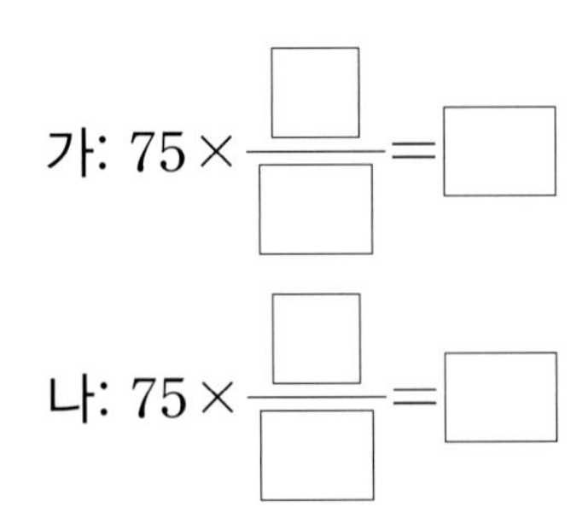

4 연필 20자루를 나리와 우주가 3 : 7의 비로 나누어 가지려고 합니다. 나리와 우주는 각각 연필을 몇 자루 가지게 되는지 구하세요.

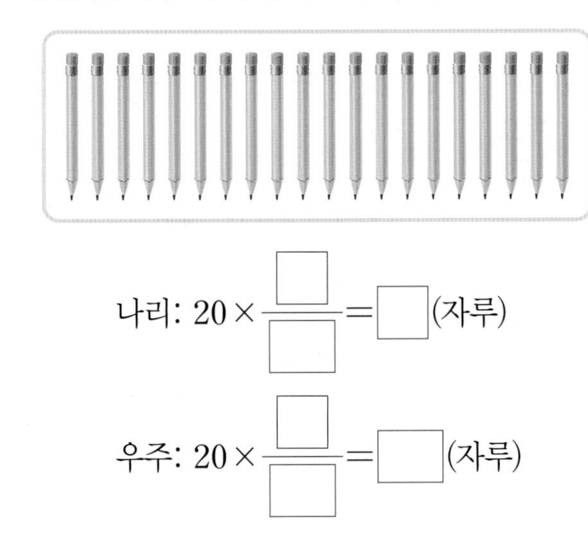

5 5000원을 준희와 선우에게 13 : 7로 나누어 줄 때 준희와 선우가 각각 가지게 되는 금액을 구하세요.

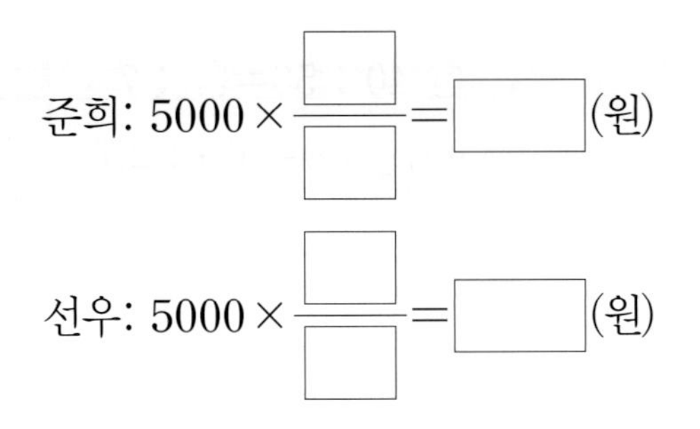

기본 유형

6 ▢ 안의 수를 주어진 비로 비례배분하여 [,] 안에 쓰세요.

(1) 45 4 : 5

➜ [,]

(2) 63 3 : 4

➜ [,]

7 주스 200 mL를 주연이와 해주가 2 : 3의 비로 나누어 마실 때 해주가 마시게 되는 주스 양을 비례식을 세워서 구하려고 합니다. 물음에 답하세요.

(1) 해주가 마시게 되는 주스 양을 ■ mL라 하고 비례식을 세워 보세요.

(전체 주스 양) : (해주가 마시게 되는 주스 양)

➜ ▢ : 3=▢ : ■

(2) 해주가 마시게 되는 주스는 몇 mL인가요?

( )

8 찰흙 30 kg을 가 모둠과 나 모둠에 2 : 1로 나누어 주려고 합니다. 가 모둠과 나 모둠은 각각 찰흙을 몇 kg 가지게 되는지 구하세요.

가 모둠 ( )

나 모둠 ( )

4 단원

실력 다지기

비례식의 성질

유형 **01** 다음 중 비례식이 <u>아닌</u> 것을 고르세요.

( )

① $1:4=5:20$　② $3:2=18:12$
③ $10:5=2:1$　④ $6:8=2:3$
⑤ $21:15=7:5$

확인 **02** 비례식에서 외항의 곱을 구하세요.

$\square:1.6=3:4$

( )

서술형

강화 **03** 수 카드 중에서 4장을 골라 한 번씩 사용하여 비례식을 만들고, 만든 방법을 쓰세요.

1	3	4	8	12	15

비례식

방법

비례식의 성질을 이용하여 모르는 값 구하기

04 비례식의 성질을 이용하여 □ 안에 알맞은 기약분수를 구하세요.

$\frac{3}{5}:\square=9:10$

( )

05 ㉠과 ㉡에 알맞은 수 중 더 큰 수의 기호를 쓰세요.

• ㉠ $:4=6:4.8$
• $35:40=1\frac{3}{4}:$ ㉡

( )

06 □ 안에 알맞은 수가 다른 하나를 찾아 기호를 쓰세요.

㉠ $40:56=\square:7$
㉡ $\square:9=1.5:2.7$
㉢ $1:8=\frac{3}{4}:\square$

( )

간단한 자연수의 비로 나타내어 비례배분하기

07 126을 다음 비로 비례배분하려고 합니다. 물음에 답하세요.

$$\frac{1}{4} : \frac{1}{5}$$

(1) 주어진 비를 가장 간단한 자연수의 비로 나타내세요.

( )

(2) 126을 (1)에서 구한 비로 비례배분하세요.

( ), ( )

08 100을 가 : 나=72 : 108로 비례배분하세요.

[가, 나] ➡ [,]

09 교과역량 ▢ 안의 수를 주어진 비로 비례배분하여 [,] 안에 나타내었습니다. 비례배분한 값을 보기 에서 찾아 낱말을 완성하세요.

230 0.75 : 0.4 ➡ [㉠ , ㉡]

150 0.9 : 1.35 ➡ [㉢ , ㉣]

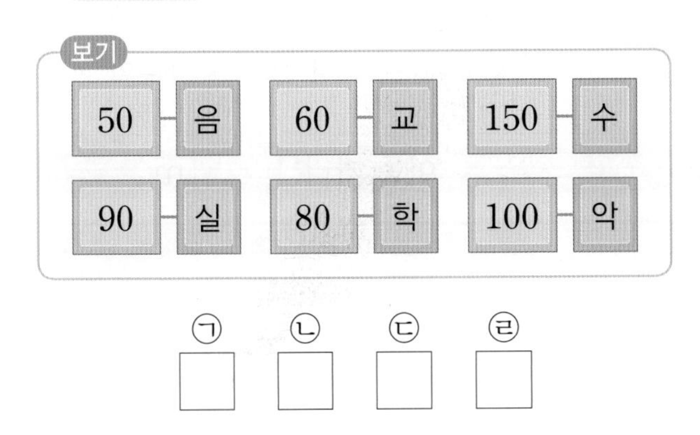

㉠ ㉡ ㉢ ㉣

비례식의 성질의 활용

10 학생과 어른의 동물원 입장료의 비는 10 : 13입니다. 어른의 입장료가 6500원일 때 학생의 입장료는 얼마인가요?

( )

11 어느 염전에서 소금물 15 L를 증발시켜 소금 90 g을 얻을 수 있다고 합니다. 이 염전에서 소금물 600 L를 증발시켰을 때 얻을 수 있는 소금은 몇 g인가요?

( )

12 서술형 똑같은 벽면 3개를 칠하려면 페인트 4통이 필요합니다. 미진이는 똑같은 벽면 6개를 칠하는 데 필요한 페인트의 양을 다음과 같이 구했습니다. 틀린 이유를 설명하고, 필요한 페인트의 양을 바르게 구하세요.

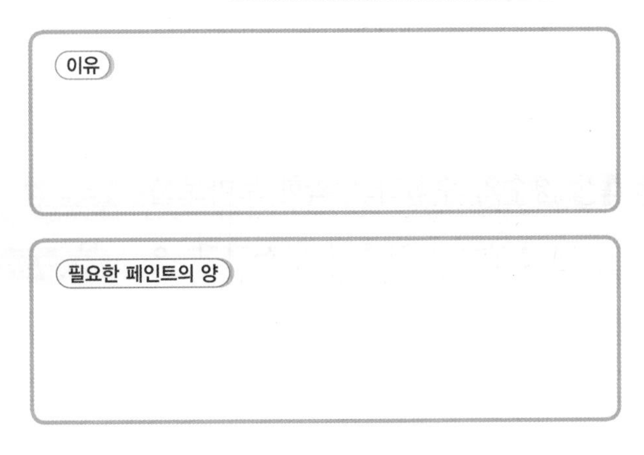

벽면 3개를 칠하는 데 필요한 페인트 통 수는 벽면 수보다 1 더 커. 따라서 벽면 6개를 칠하는 데 필요한 페인트는 7통이야.
이유
필요한 페인트의 양

4 단원

비례배분의 활용

유형 **13** 그림과 같이 길이가 80 cm인 나무 막대를 길이의 비가 2.5 : 1.5가 되도록 두 도막으로 잘랐습니다. 각 도막의 길이를 구하여 □ 안에 써넣으세요.

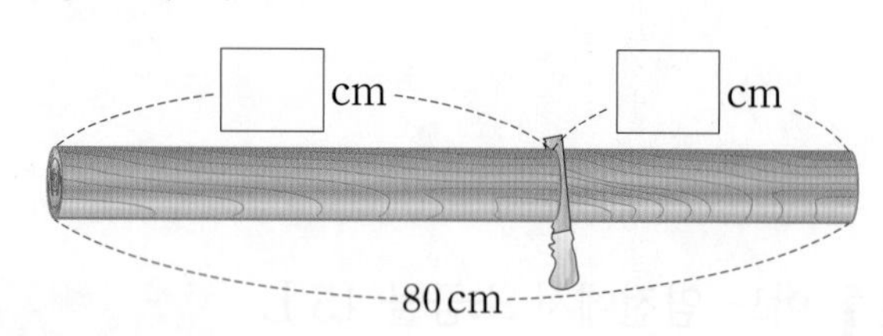

확인 **14** 연필 140자루를 학생 수의 비에 따라 가와 나 모둠에 나누어 주려고 합니다. 가와 나 모둠에 각각 연필을 몇 자루 주어야 하나요?

모둠	가	나
학생 수(명)	15	13

가 모둠 (　　　　　　)
나 모둠 (　　　　　　)

강화 **15** 경수와 수하가 수확한 토마토를 2 : 3으로 나누어 가졌더니 경수가 12 kg을 가지게 되었습니다. 수확한 토마토는 모두 몇 kg인가요?

(　　　　　　)

지도에서 실제 거리 구하기

16 지도상의 거리와 실제 거리의 비를 축척이라고 합니다. 다음 지도의 축척이 1 : 5000일 때 물음에 답하세요.

교과역량

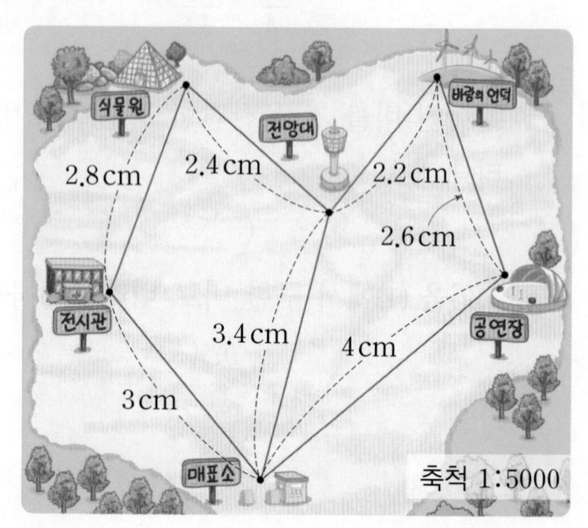

(1) 지도상에서 1 cm인 거리는 실제로 몇 m인가요?

(　　　　　　)

(2) 매표소에서 출발하여 전시관까지 가는 실제 이동 거리는 몇 m인가요?

(　　　　　　)

17 16에서 다음과 같은 경로로 산책하려고 합니다. 각 경로의 실제 이동 거리는 몇 m인가요?

① 매표소 ➜ 전망대 ➜ 식물원

이동 거리: □ m

② 매표소 ➜ 공연장 ➜ 바람의 언덕

이동 거리: □ m

약점 체크 곱셈식을 보고 비로 나타내기

18 다음 식을 보고 ㉮ : ㉯를 간단한 자연수의 비로 나타내세요.

㉮ $\times 0.6=$ ㉯ $\times 0.5$

( )

해결 비례식의 성질을 이용하여 ㉮와 ㉯에 곱해진 수를 비로 나타냅니다.

19 ㉮ $\times \frac{3}{5}$과 ㉯ $\times \frac{1}{3}$의 값이 같을 때 ㉮와 ㉯의 비를 간단한 자연수의 비로 나타내세요.

( )

약점 체크 공정하게 나누기

20 다음은 민서네 가족 4명과 윤하네 가족 5명이 함께 여행하면서 사용한 비용입니다. 가족의 구성원 수에 따라 여행 비용을 내려고 할 때 민서네 가족이 내야 하는 금액은 얼마인가요?

영수증 숙박비: 60000원	영수증 입장료: 35000원	영수증 식사비: 82000원	영수증 기타 비용: 39000원

( )

해결 민서네 가족과 윤하네 가족의 구성원 수의 비를 구하여 전체 여행 비용을 비례배분합니다.

서술형

21 도전 수학 신제품을 개발하는 데 가 회사는 3억 원, 나 회사는 5억 원을 투자하였습니다. 신제품으로 벌어들인 금액 24억 원을 가 회사와 나 회사가 나누어 가지려고 합니다. 가 회사와 나 회사가 어떻게 나누어 갖는 것이 공정할지 2가지 방법으로 구하세요.

방법 1 투자한 금액의 비로 나누어 갖기

방법 2 투자한 금액만큼 각각 가지고, 남은 금액을 똑같이 나누어 갖기

서술형 해결하기

연습

01 **어느 가게에서 빵을 다음과 같이 팔고 있습니다. 윤수는 빵 7개를 사고 10000원을 냈습니다. 윤수가 받아야 하는 거스름돈은 얼마인지 풀이 과정을 쓰고, 답을 구하세요. (단, 빵 한 개의 가격은 같습니다.)**

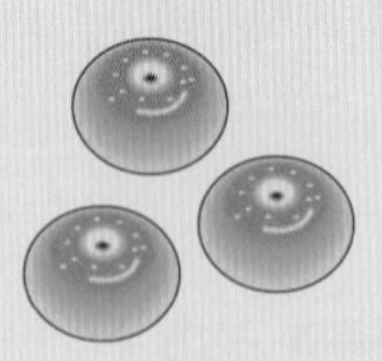

빵 3개: 3600원

서술형 포인트 문제에 주어진 조건에 맞게 비례식을 세워 빵 7개의 가격을 구합니다.

풀이를 완성하세요.

❶ 빵 3개의 가격: ☐원

빵 7개의 가격을 ■원이라 하고 비례식을 세우면

3 : ☐ = 7 : ■입니다.

❷ 3 × ■ = ☐ × ☐, 3 × ■ = ☐,

■ = ☐

➔ 빵 7개의 가격은 ☐원입니다.

(거스름돈) =

답

단계

02 가게에서 참기름을 1 L당 18000원에 팔고 있습니다. 민주 어머니께서 참기름 800 mL를 사고 15000원을 내셨습니다. **민주 어머니께서 받아야 하는 거스름돈은 얼마**인지 풀이 과정을 쓰고, 답을 구하세요.

참기름

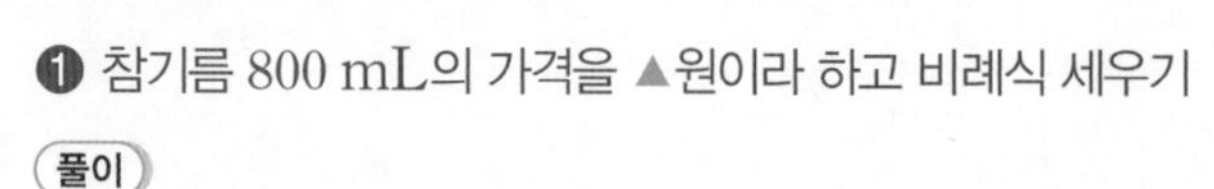

❶ 참기름 800 mL의 가격을 ▲원이라 하고 비례식 세우기

풀이

❷ 받아야 하는 거스름돈 구하기

풀이

답

실전

03 정육점에서 팔고 있는 돼지고기의 가격입니다. 성훈이 어머니께서 삼겹살 1.4 kg을 사고 30000원을 내셨습니다. **성훈이 어머니께서 받아야 하는 거스름돈은 얼마**인지 풀이 과정을 쓰고, 답을 구하세요.

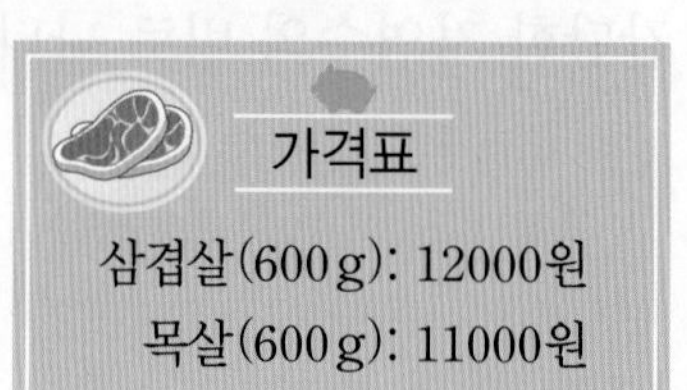

가격표

삼겹살(600 g): 12000원

목살(600 g): 11000원

풀이

답

정답 27쪽

연습

04 **밭을 그림과 같이 나누어 콩, 고추, 참깨를 심었습니다. 콩을 심은 밭은 전체의 24 %이고, 넓이는 120 m^2입니다. 밭의 전체 넓이는 몇 m^2인지 풀이 과정을 쓰고, 답을 구하세요.**

콩 120 m^2 (24 %) | 고추 | 참깨

서술형 포인트 백분율의 전체는 100 %임을 이용하여 비례식을 세웁니다.

풀이를 완성하세요.

❶ 밭의 24 %의 넓이: ☐ m^2

백분율의 전체는 ☐ %이므로 밭의 전체 넓이를 ● m^2라 하고 비례식을 세우면

24 : ☐ = ☐ : ●입니다.

❷ 24 × ● = ☐ × ☐, 24 × ● = ☐,

● = ☐

따라서 밭의 전체 넓이는 ☐ m^2입니다.

답

단계

05 주연이는 가지고 있던 리본의 80 %를 사용하여 상자를 포장하였습니다. 남은 리본의 길이가 0.6 m일 때 **처음에 가지고 있던 리본은 몇 m**인지 풀이 과정을 쓰고, 답을 구하세요.

❶ 처음에 가지고 있던 리본의 길이를 ◆ m라 하고 비례식 세우기

풀이

❷ 처음에 가지고 있던 리본의 길이 구하기

풀이

답

실전

06 운동장에 있는 학생 중 42 %는 남학생입니다. 운동장에 있는 여학생이 145명이라면 **운동장에 있는 학생은 모두 몇 명**인지 풀이 과정을 쓰고, 답을 구하세요.

풀이

답

4 단원

STEP 3 서술형 해결하기

연습

07 가로와 세로의 비가 7 : 4이고, 둘레가 66 cm인 직사각형입니다. 이 직사각형의 가로와 세로는 각각 몇 cm인지 풀이 과정을 쓰고, 답을 구하세요.

서술형 포인트 (가로)+(세로)의 값을 구한 후 가로와 세로의 비로 비례배분합니다.

풀이를 완성하세요.

❶ (직사각형의 둘레)=(가로+세로)×□

➜ (가로)+(세로)=(직사각형의 둘레)÷□

=

❷ 가로와 세로의 비가 □ : □이므로

(가로)=

(세로)=

답 가로: , 세로:

단계

08 직사각형 모양의 액자를 축소하여 나타낸 것입니다. 실제 액자의 둘레가 52 cm일 때 **실제 액자의 가로와 세로는 각각 몇 cm**인지 풀이 과정을 쓰고, 답을 구하세요.

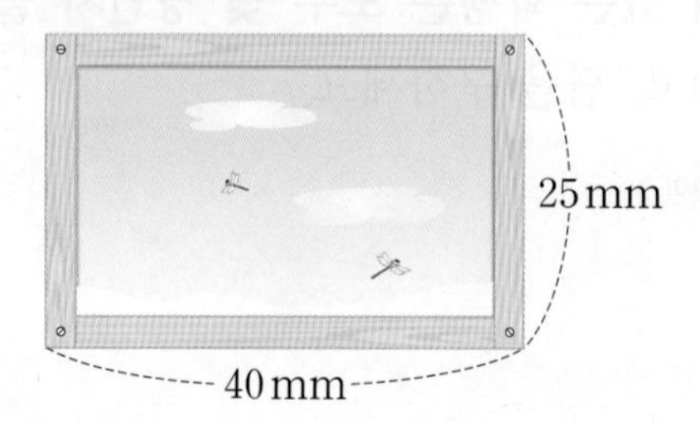

❶ 액자의 가로와 세로의 비를 간단한 자연수의 비로 나타내기

풀이

❷ 실제 액자의 가로와 세로 각각 구하기

풀이

답 가로: , 세로:

실전

09 직사각형 모양의 칠판을 축소하여 나타낸 것입니다. 실제 칠판의 둘레가 6 m일 때 **실제 칠판의 가로와 세로는 각각 몇 m**인지 풀이 과정을 쓰고, 답을 구하세요.

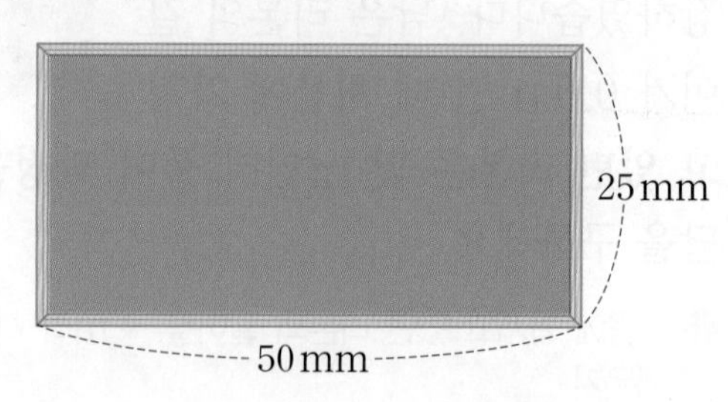

풀이

답 가로: , 세로:

정답 27쪽

10 **서로 맞물려 돌아가는 두 톱니바퀴 ㉮와 ㉯가 있습니다. ㉮의 톱니 수는 10개, ㉯의 톱니 수는 15개일 때 톱니바퀴 ㉮와 ㉯의 회전수의 비를 가장 간단한 자연수의 비로 나타내려고 합니다. 풀이 과정을 쓰고, 답을 구하세요.**

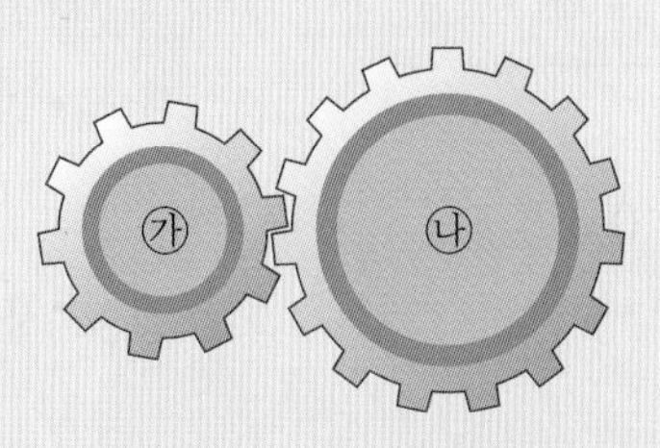

서술형 포인트 서로 맞물려 돌아가는 톱니바퀴에서 톱니 수와 회전수의 관계를 곱셈식으로 나타내어 회전수의 비를 구합니다.

풀이를 완성하세요.

❶ 맞물리는 톱니 수는 같으므로 각 톱니바퀴에서 톱니 수와 회전수의 곱은 서로 같습니다.

➜ (㉮의 톱니 수)×(㉮의 회전수)

=(☐의 톱니 수)×(☐의 회전수)

❷ (㉮의 회전수) : (㉯의 회전수)

=(☐의 톱니 수) : (☐의 톱니 수)

=

답

11 서로 맞물려 돌아가는 두 톱니바퀴 ㉮와 ㉯가 있습니다. ㉮의 톱니 수는 16개이고, ㉯의 톱니 수는 36개입니다. **톱니바퀴 ㉯가 24바퀴 도는 동안 톱니바퀴 ㉮는 몇 바퀴 도는지** 풀이 과정을 쓰고, 답을 구하세요.

❶ 톱니바퀴 ㉮와 ㉯의 회전수의 비를 간단한 자연수의 비로 나타내기

풀이

❷ 톱니바퀴 ㉯가 24바퀴 도는 동안 톱니바퀴 ㉮가 도는 바퀴 수 구하기

풀이

답

12 서로 맞물려 돌아가는 두 톱니바퀴 가와 나가 있습니다. 가의 톱니 수는 45개이고, 나의 톱니 수는 27개입니다. **톱니바퀴 가가 12바퀴 도는 동안 톱니바퀴 나는 몇 바퀴 도는지** 풀이 과정을 쓰고, 답을 구하세요.

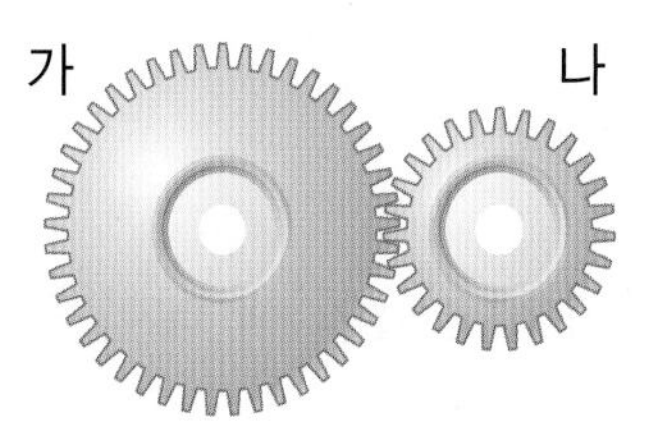

풀이

답

4 단원

단원 마무리

01 비의 성질을 이용하여 6 : 5와 비율이 같은 비를 만들려고 합니다. □ 안에 알맞은 수를 써넣으세요.

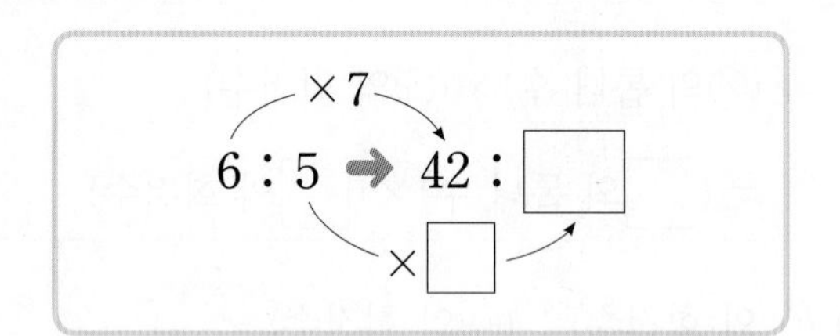

02 다음 중 비례식은 어느 것인가요? (　　　)

① 4×5=5×4　　② 6 : 5

③ 2 : 3=$\frac{2}{3}$　　④ 1 : 7=2 : 14

⑤ $\frac{3}{8}=\frac{15}{40}$

03 길이가 120 cm인 색 테이프를 2 : 3으로 비례배분하려고 합니다. □ 안에 알맞은 수를 써넣으세요.

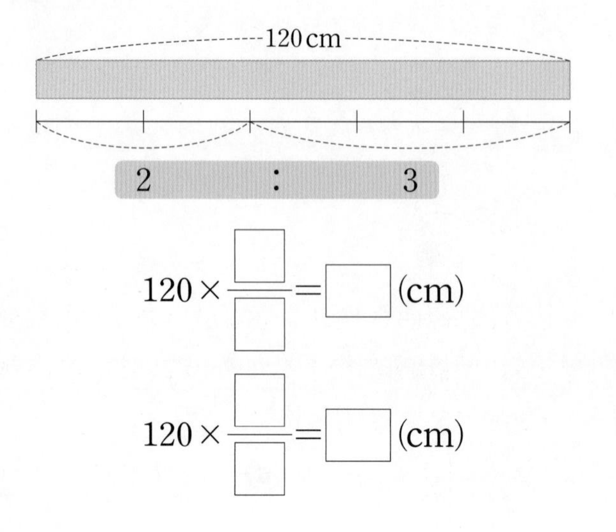

04 간단한 자연수의 비로 나타낸 것을 찾아 선으로 이으세요.

(1) 10 : 6 •　　　• ㉠ 4 : 11

　　　　　　　　• ㉡ 3 : 5

(2) 0.4 : 1.1 •　　• ㉢ 5 : 3

05 다음 비의 성질을 이용하여 2 : 5와 비율이 같은 비를 2개 쓰세요.

> 비의 전항과 후항에 0이 아닌 같은 수를 곱하여도 비율은 같습니다.

(　　　　　　　　)

06 다음 식이 비례식이 되도록 보기 에서 알맞은 비를 찾아 □ 안에 써넣으세요.

> 보기
> 18 : 6　　36 : 8　　10 : 3

9 : 2=□

07 ㉠과 ㉡에 알맞은 수를 각각 구하세요.

> 56 : 24=㉠ : 12=7 : ㉡

㉠ (　　　　　　)
㉡ (　　　　　　)

08 12 : 8=▲ : 12에서 비례식의 성질을 이용하여 ▲에 알맞은 수를 구한 것입니다. 잘못된 부분을 찾아 바르게 구하세요.

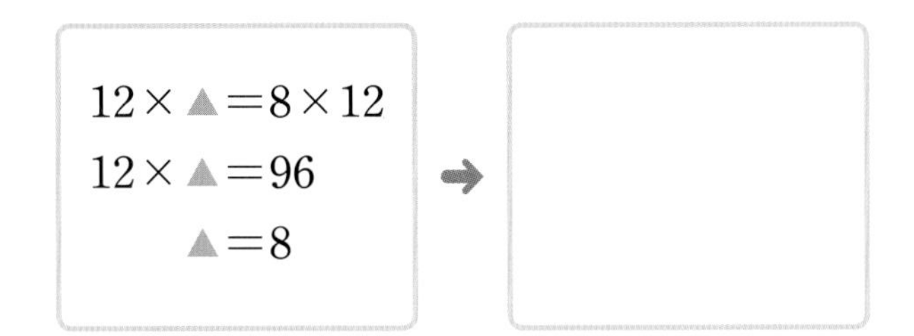

09 안의 수를 주어진 비로 비례배분하여 [,] 안에 쓰세요.

70　　5 : 9

[,]

10 4.9 : $2\frac{4}{5}$를 가장 간단한 자연수의 비로 나타내세요.

( )

11 비례식에서 내항의 곱은 얼마인가요?

$\frac{2}{5} : \frac{3}{8} = \square : 15$

( )

12 가로와 세로의 비가 4 : 3인 직사각형을 모두 찾아 기호를 쓰세요.

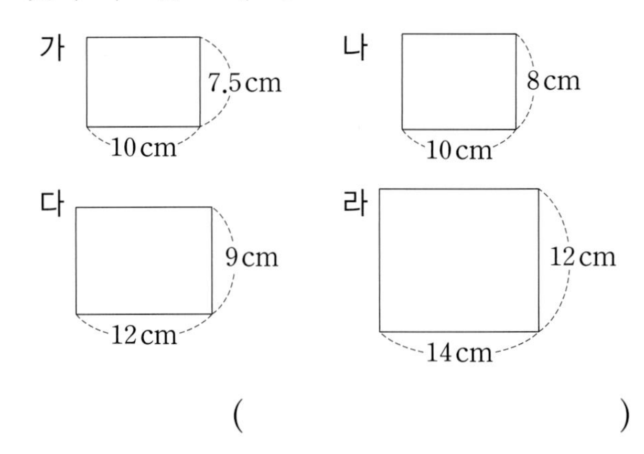

( )

13 인공위성이 일정한 빠르기로 지구의 둘레를 따라 79 km를 도는 데 10초가 걸렸습니다. 같은 빠르기로 237 km를 도는 데 걸리는 시간은 몇 초인가요?

인공위성: 지구와 같은 행성의 둘레를 도는 인공 장치

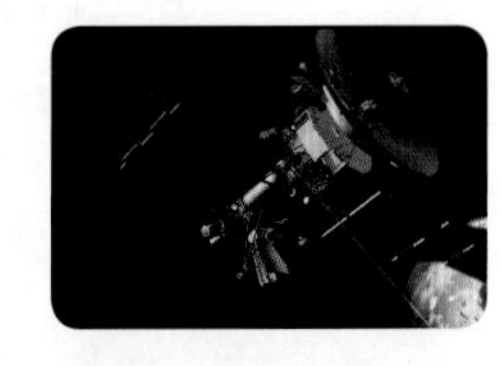

( )

14 어머니께서 주신 용돈을 윤수와 동생이 7 : 5로 나누어 가졌더니 윤수가 3500원을 가지게 되었습니다. 어머니께서 주신 용돈은 얼마인가요?

( )

단원 마무리

15 삼각형에서 색칠한 부분의 넓이는 전체의 35 % 입니다. 색칠한 부분의 넓이가 140 cm^2일 때 삼각형의 전체 넓이는 몇 cm^2인가요?

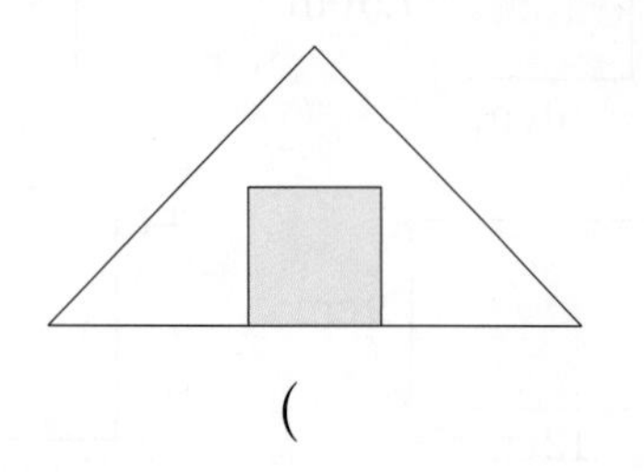

(　　　　　　　　　)

16 에 맞게 비례식을 완성하세요.

조건
- 비율은 4입니다.
- 내항의 곱은 80입니다.

□ : 4 = □ : □

17 서로 맞물려 돌아가는 두 톱니바퀴 ㉮와 ㉯가 있습니다. ㉮의 톱니 수는 24개이고, ㉯의 톱니 수는 16개입니다. 톱니바퀴 ㉯가 15바퀴 도는 동안 톱니바퀴 ㉮는 몇 바퀴 도는지 구하세요.

(　　　　　　　　　)

서술형 문제

18 비례식 8 : 5 = 24 : 15에서 전항도 되고 외항도 되는 수는 얼마인지 풀이 과정을 쓰고, 답을 구하세요.

풀이

답

19 밑변의 길이와 높이의 비가 8 : 5인 평행사변형입니다. 이 평행사변형의 높이가 20 cm일 때 평행사변형의 넓이는 몇 cm^2인지 풀이 과정을 쓰고, 답을 구하세요.

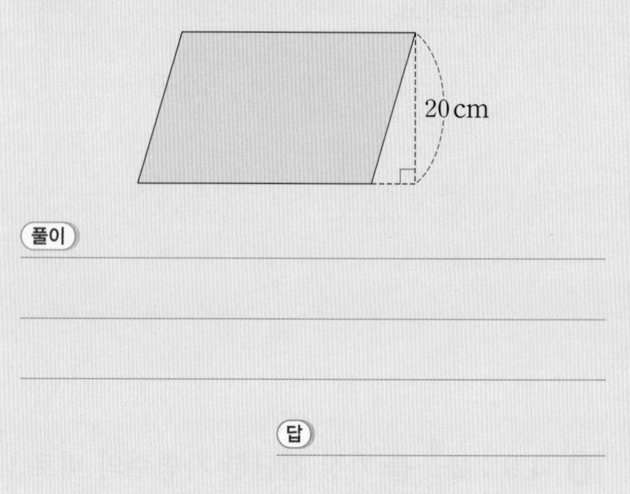

풀이

답

20 경수는 8시간, 수하는 6.5시간 동안 일을 하여 감자 58 kg을 수확하였습니다. 두 사람이 일한 시간의 비에 따라 감자를 나누어 가진다면 각각 몇 kg을 가지게 되는지 풀이 과정을 쓰고, 답을 구하세요.

풀이

답 경수: 　　　　　　　, 수하:

쉬어가기

크로아티아 친구

나는 크로아티아에 살고 있는 그라바르야.
'보크(Bok)'는 크로아티아 말로
'안녕하세요'라는 뜻이야~.
지금부터 크로아티아의 명소를 소개할게.
두브로브니크는 아드리아 해의 해안 도시야.
중세 도시의 아름다움을 그대로 간직하고 있어.
또 플리트비체는 세계 자연 유산으로 등록된
호수로 크로아티아 최초의 국립 공원이야.

아드리아 해의 진주로 불리는
'두브로브니크'

신비한 요정의 땅
'플리트비체'

노벨문학상 수상자 '조지 버나드 쇼'

노벨문학상 수상자인 조지 버나드 쇼는 다음과 같은 명언을 남겼어~.
'지상에 진정한 천국이 있다면 바로 두브로브니크이다.'

4
단원

특강 비, 비례식, 비례배분

비

비: 두 수를 나눗셈으로 비교하기 위해 기호 :을 사용하여 나타낸 것

㉮ 축구공 수와 농구공 수의 비 알아보기

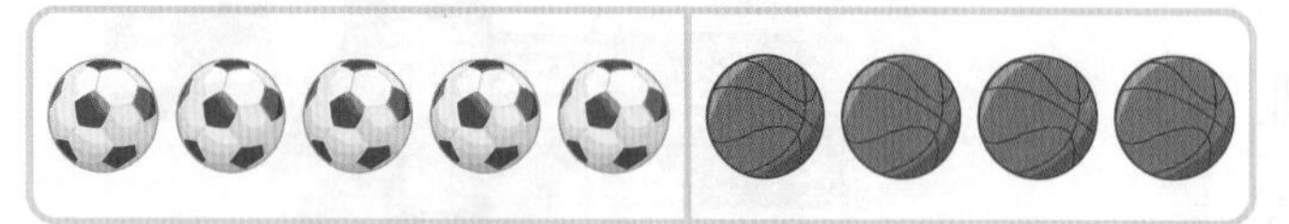

축구공 수와 농구공 수의 비

➜ (축구공 수) : (농구공 수)=5 : 4

축구공 수와 농구공 수를 나눗셈으로 비교하기 위해 비로 나타내!

비율

- 기준량 ➜ 기호 :의 오른쪽에 있는 수
  비교하는 양 ➜ 기호 :의 왼쪽에 있는 수

- 비율 ➜ 기준량에 대한 비교하는 양의 크기

(비율)=(비교하는 양)÷(기준량)

$=\frac{(\text{비교하는 양})}{(\text{기준량})}$

비율 구하기

㉮ 빨간색 공 수와 파란색 공 수의 비율 알아보기

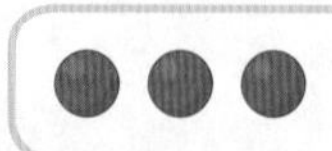
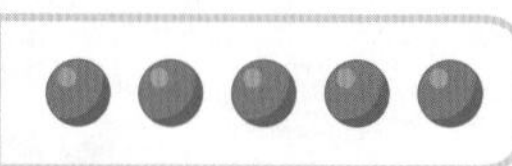

(빨간색 공 수) : (파란색 공 수)=3 : 5

➜ (비율)=3÷5=$\frac{3}{5}$(=0.6)

백분율

- 백분율: 기준량을 100으로 할 때의 비율
- 백분율은 기호 %를 사용하여 나타냅니다.

비율 $\frac{26}{100}$ ➜ 쓰기 26 % 읽기 26 퍼센트

비율을 백분율로, 백분율을 비율로 나타내기

- 비율 $\frac{13}{20}$을 백분율로 나타내기

$\frac{13}{20}$ ➜ $\frac{13}{20}=\frac{65}{100}=65$ %

- 백분율 54 %를 비율로 나타내기

54 % ➜ 분수: $54\div100=\frac{54}{100}\left(=\frac{27}{50}\right)$

소수: 54÷100=0.54

비의 성질

★이 0이 아닐 때

① 비의 전항과 후항에 0이 아닌 같은 수를 곱하여도 비율은 같습니다.

■ : ▲ ➜ (■ × ★) : (▲ × ★)

② 비의 전항과 후항을 0이 아닌 같은 수로 나누어도 비율은 같습니다.

■ : ▲ ➜ (■ ÷ ★) : (▲ ÷ ★)

비율이 같은 두 비
1 : 2와 2 : 4를 비례식으로
나타내면 1:2=2:4야!

비례식

비례식: 비율이 같은 두 비를 기호 '='를 사용하여 나타낸 식

■/▲ = ●/♥ ➜ ■ : ▲ = ● : ♥

비례식의 성질

비례식에서 외항의 곱과 내항의 곱은 같습니다.

(외항의 곱)=■×♥

■ : ▲ = ● : ♥ ➜ ■ × ♥ = ▲ × ●

(내항의 곱)=▲×●

비례식의 성질을 이용하여 □ 구하기

예 $5 : 3=15 : □$에서 □ 구하기

외항의 곱: $5\times□$, 내항의 곱: 3×15

➜ $5\times□=3\times15$

$5\times□=45$

$□=9$

비례배분

- 비례배분: 전체를 주어진 비로 배분하는 것
- 전체 ★을 가 : 나=■ : ▲로 비례배분하기

➜ 가: ★ × ■/(■+▲), 나: ★ × ▲/(■+▲)

주어진 비로 비례배분하기

예 15를 가 : 나=3 : 2로 비례배분하기

가: $15\times\frac{3}{3+2}=15\times\frac{3}{5}=9$

나: $15\times\frac{2}{3+2}=15\times\frac{2}{5}=6$

4 단원

5 원의 넓이

학습 계획표

공부할 날짜를 적고 〈**진도북**〉과 〈**매칭북**〉의 쪽수를 찾아 공부하세요.

학습 내용	계획 및 확인					
	진도북			매칭북		
STEP 1 개념 완성하기	112~115쪽 ➜	월	일	32쪽 ➜	월	일
STEP 2 실력 다지기	116~119쪽 ➜	월	일	33~34쪽 ➜	월	일
STEP 1 개념 완성하기	120~123쪽 ➜	월	일	35쪽 ➜	월	일
STEP 2 실력 다지기	124~127쪽 ➜	월	일	36~37쪽 ➜	월	일
STEP 3 서술형 해결하기	128~131쪽 ➜	월	일	38~39쪽 ➜	월	일
단원 마무리	132~134쪽 ➜	월	일	57~59쪽 ➜	월	일

※ **특강**을 활용하여 이전에 배운 내용과 이번에 배울 내용의 흐름을 이해합니다.

대표 유형

- 이번 단원에서 꼭 공부해야 할 〈**대표 유형**〉입니다.
- 학습한 후에 이해가 부족한 유형은 ☐ 안에 ○표 한 후 반복하여 학습하세요.

- ☐ 원주율 알아보기
- ☐ 지름(반지름)을 이용하여 원주 구하기
- ☐ 원주를 이용하여 지름(반지름) 구하기
- ☐ 원의 크기 비교하기
- ☐ 원주와 지름의 관계 활용
- ☐ 원주의 활용
- ☐ 약점 체크 코스의 길이 구하기
- ☐ 약점 체크 색칠한 부분의 둘레 구하기
- ☐ 원의 넓이 어림하기
- ☐ 반지름(지름)을 이용하여 원의 넓이 구하기
- ☐ 원의 넓이 비교하기
- ☐ 원의 반지름과 넓이의 관계 활용
- ☐ 여러 가지 도형의 넓이 구하기
- ☐ 도형의 일부분을 옮겨 넓이 구하기
- ☐ 약점 체크 여러 가지 방법으로 원의 넓이 구하기
- ☐ 약점 체크 원의 넓이를 이용하여 지름 구하기

STEP 1 개념 완성하기

1 원주와 지름의 관계

원주: 원의 둘레

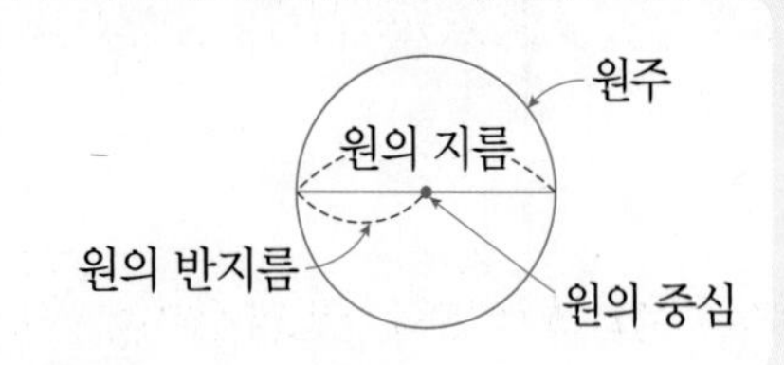

예제 원주와 지름의 관계 알아보기

가 나

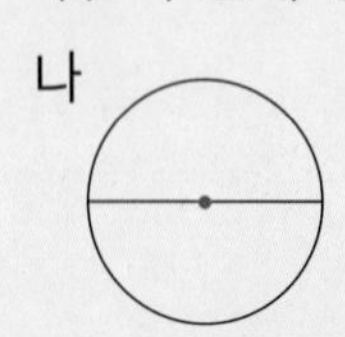

(가의 지름)<(나의 지름)
(가의 원주)<(나의 원주)

➔ ① 원의 지름이 크면 원주도 큽니다.
② 원주가 크면 원의 지름도 큽니다.

참고 원을 한 바퀴 굴렸을 때 굴러간 거리는 원주와 같습니다.

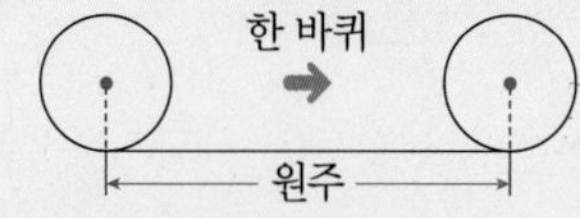

(원이 굴러간 거리)
=(원의 둘레)=(원주)

2 원주율

• 원주율: 원의 지름에 대한 원주의 비율
(원주율)=(원주)÷(지름)
• 원주율을 소수로 나타내면 3.1415926535897932……와 같이 끝없이 계속됩니다. 따라서 필요에 따라 3, 3.1, 3.14 등으로 어림하여 사용하기도 합니다.

예제 원주는 지름의 몇 배인지 알아보기

가 나

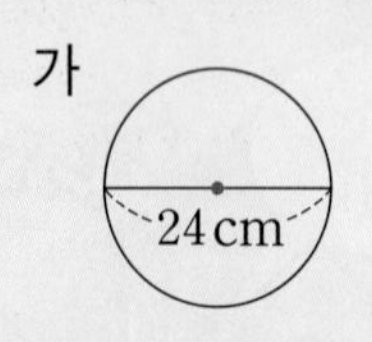

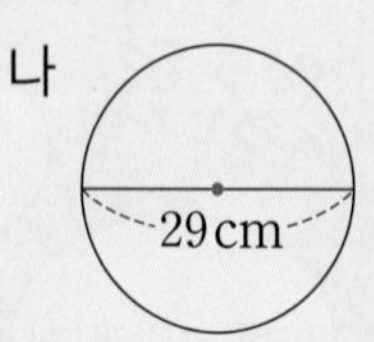

원주: 75.4 cm 원주: 91.1 cm

가: (원주)÷(지름)=75.4÷24=3.1…… → 3
나: (원주)÷(지름)=91.1÷29=3.1…… → 3
➔ 원주는 지름의 약 3배입니다.

중요 원의 크기와 관계없이 (원주)÷(지름)의 값은 일정합니다.

개념 확인

1 원에 지름은 빨간색으로, 원의 둘레는 초록색으로 표시하고, □ 안에 알맞은 말을 써넣으세요.

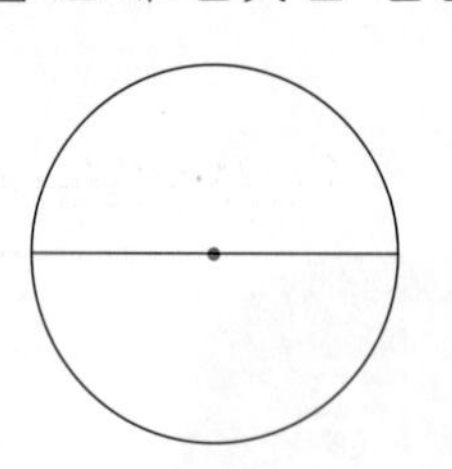

원의 둘레를 □(이)라고 합니다.

2 원주와 지름의 관계를 알아보려고 합니다. 오른쪽 그림을 보고 물음에 답하세요.

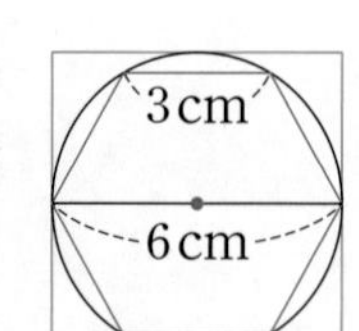

(1) 원 안의 정육각형과 원 밖의 정사각형의 둘레는 각각 원의 지름의 몇 배인지 □ 안에 알맞은 수를 써넣으세요.

(정육각형의 둘레)=(원의 지름)×□
(정사각형의 둘레)=(원의 지름)×□

(2) □ 안에 알맞은 수를 써넣으세요.

원주는 원의 지름의 □배보다 길고,
원의 지름의 □배보다 짧습니다.

기본 유형

3 원 모양 통조림의 지름과 원주입니다. 물음에 답하세요.

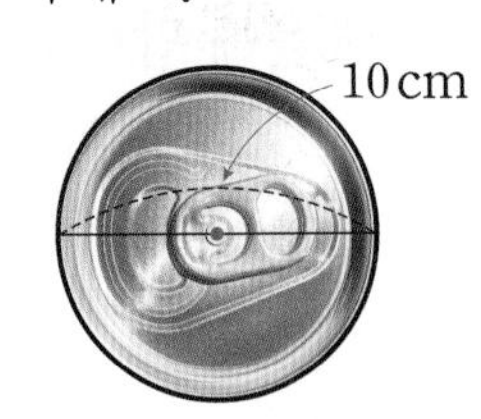

원주: 31.4 cm

(1) (원주)÷(지름)을 구하세요.

(원주)÷(지름)=31.4÷□

=□

(2) □ 안에 알맞은 말을 써넣으세요.

원의 지름에 대한 원주의 비율을 □(이)라고 합니다.

4 원 가와 원 나를 각각 한 바퀴 굴린 것입니다. 물음에 답하세요.

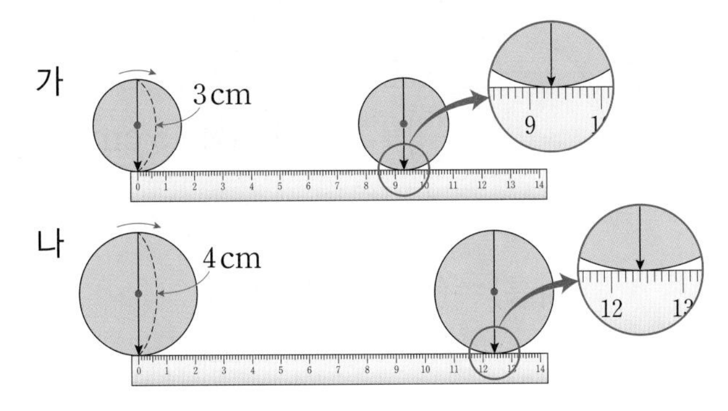

(1) 표를 완성하세요.

원	지름(cm)	원주(cm)	(원주)÷(지름)
가			
나			

(2) 원의 크기에 따라 (원주)÷(지름)의 값은 변하나요, 변하지 않나요?

(　　　　　　　　)

5 오른쪽 원 모양의 시계를 보고 설명이 맞으면 ○표, 틀리면 ×표 하세요.

- 선분 ㄱㄴ은 원의 지름입니다. (　)
- 원주와 지름의 길이는 같습니다. (　)
- 원주율은 시계의 둘레를 선분 ㄱㄴ으로 나눈 값입니다. (　)

6 그림을 보고 지름이 2 cm인 원의 원주와 가장 비슷한 길이를 찾아 기호를 쓰세요.

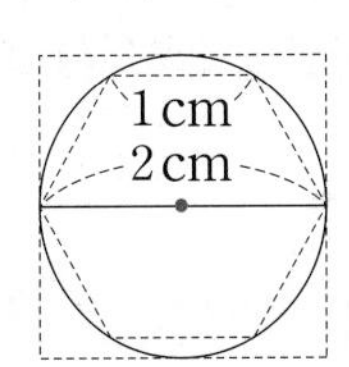

㉠ 4 cm　　㉡ 7 cm　　㉢ 10 cm

(　　　　　　　　)

7 원의 원주가 28.3 cm일 때 원주율을 반올림하여 소수 둘째 자리까지 나타내세요.

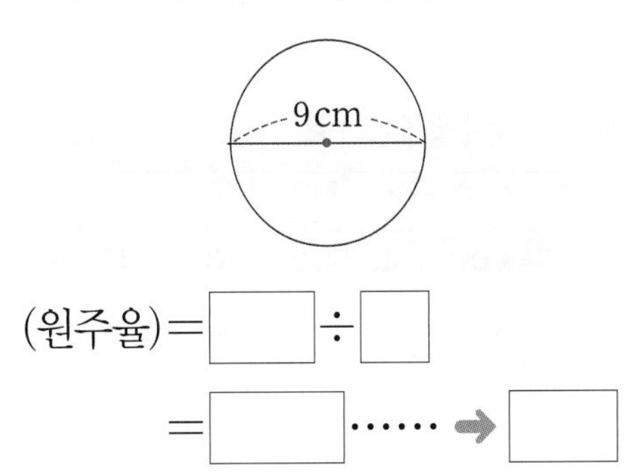

(원주율)=□÷□

=□…… ➜ □

STEP 1 개념 완성하기

3 원주 구하기

(원주)÷(지름)=(원주율)
➜ (원주)=(지름)×(원주율)
=(반지름)×2×(원주율)

예제 지름이 3 cm인 원의 원주 구하기(원주율: 3.1)

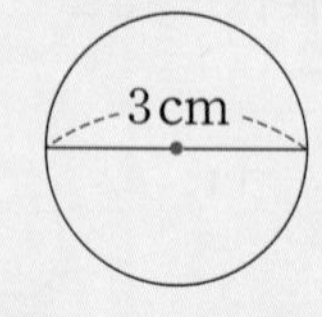

(원주)=(지름)×(원주율)
$=3\times3.1=9.3$(cm)

참고 여러 가지 도형의 둘레 구하기

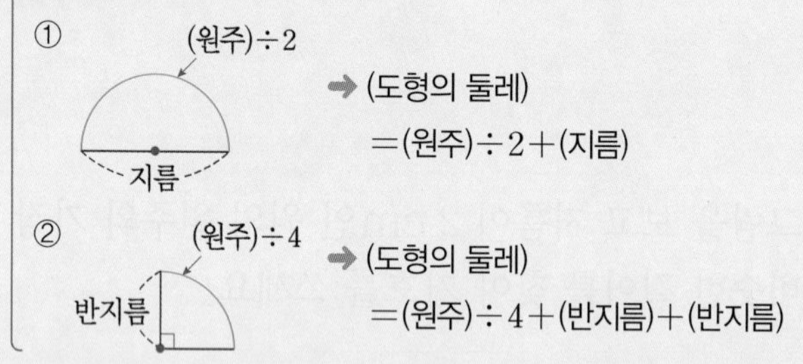

①
(원주)÷2
지름
➜ (도형의 둘레)
=(원주)÷2+(지름)
②
(원주)÷4
반지름
➜ (도형의 둘레)
=(원주)÷4+(반지름)+(반지름)

4 지름 구하기

(원주)÷(지름)=(원주율)
➜ (지름)=(원주)÷(원주율)
(반지름)=(원주)÷(원주율)÷2

예제 원주가 9 cm인 원의 지름 구하기(원주율: 3)

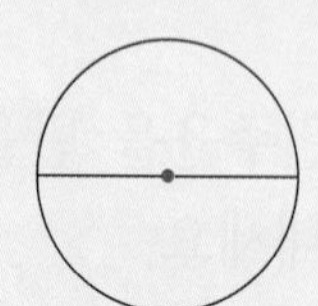

원주: 9 cm

(지름)=(원주)÷(원주율)
$=9\div3=3$(cm)

중요 원주와 지름의 관계 (원주율: 3)

원주(cm)	3	6	9	12	……
지름(cm)	1	2	3	4	……

(2배, 3배)

➜ 원주가 2배, 3배, 4배……가 되면 지름도 2배, 3배, 4배……가 됩니다.

개념 확인

1 원주를 구하려고 합니다. 물음에 답하세요. (원주율: 3)

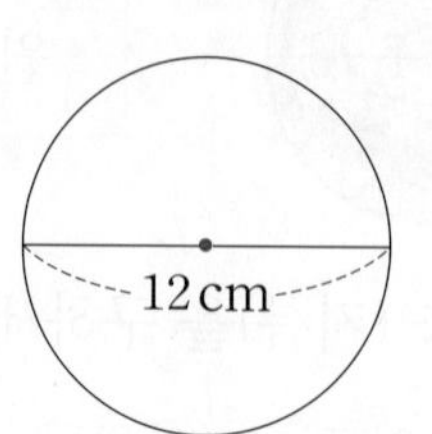

(1) 원의 지름은 몇 cm인가요?

( )

(2) □ 안에 알맞은 수를 써넣으세요.

(원주)=(지름)×(원주율)
=□×□=□(cm)

2 원주가 다음과 같을 때 □ 안에 알맞은 수를 써넣으세요. (원주율: 3.1)

(1)

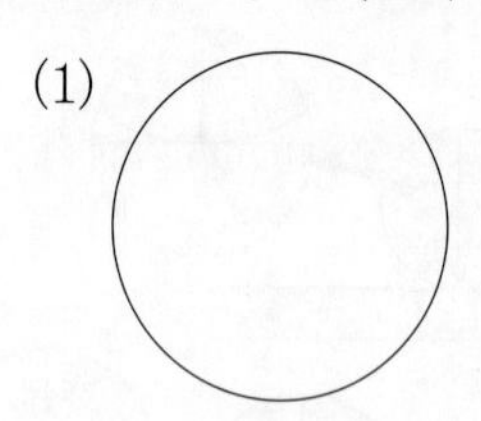

원주: 46.5 cm

(지름)=(원주)÷(원주율)
=□÷□=□(cm)

(2)

원주: 37.2 cm

(반지름)=(원주)÷(원주율)÷□
=□÷□÷□
=□(cm)

기본 유형

3 원주는 몇 cm인지 구하세요. (원주율: 3.14)

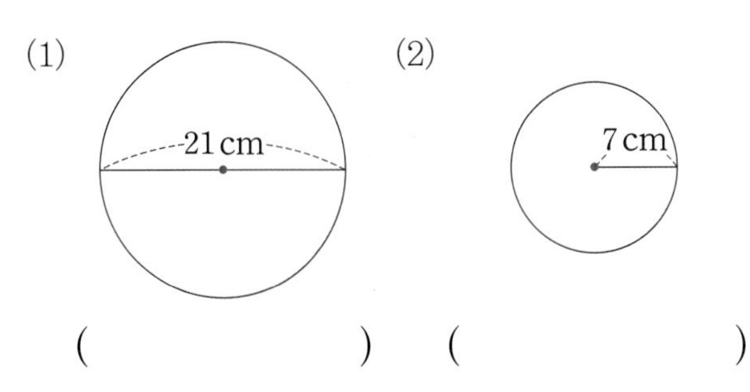

( ) ( )

4 원주가 다음과 같을 때 □ 안에 알맞은 수를 써넣으세요. (원주율: 3.14)

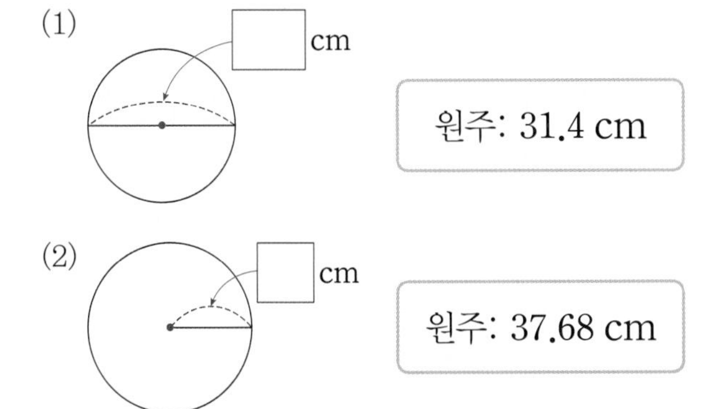

5 원주와 지름의 관계를 알아보려고 합니다. 물음에 답하세요. (원주율: 3)

(1) 원주가 다음과 같을 때 지름을 구하여 빈칸에 써넣으세요.

원주(cm)	9	18	27
지름(cm)	3		

(2) □ 안에 알맞은 수를 써넣으세요.

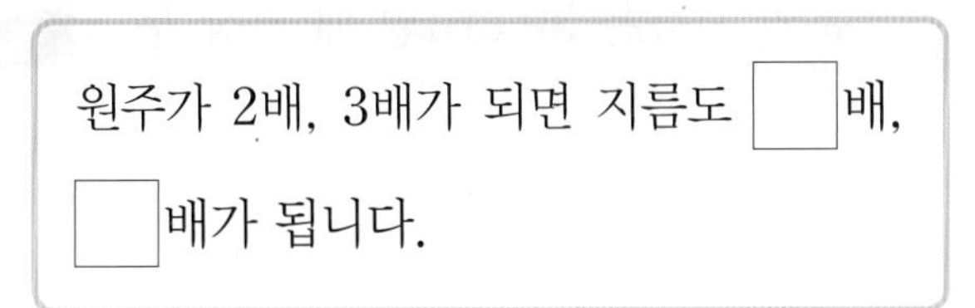

원주가 2배, 3배가 되면 지름도 □배, □배가 됩니다.

6 다음은 바깥쪽 반지름이 40 cm인 훌라후프입니다. 이 훌라후프의 바깥쪽 원주는 몇 cm인가요? (원주율: 3.1)

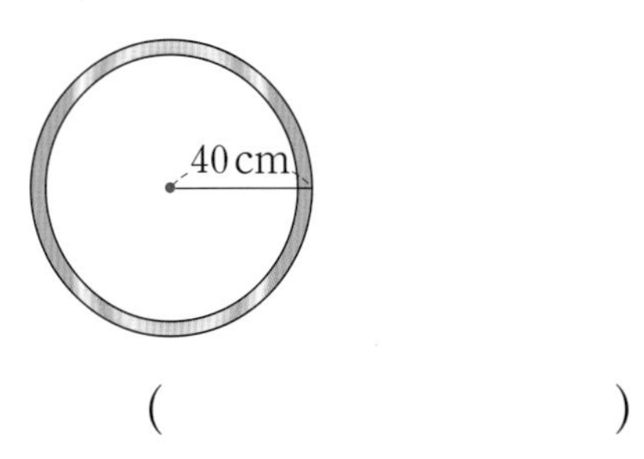

( )

7 원 모양인 오른쪽 동전의 둘레는 7.536 cm입니다. 동전의 지름은 몇 cm인가요? (원주율: 3.14)

( )

8 길이가 15 cm인 색 테이프를 겹치지 않게 붙여서 원을 만들었습니다. 물음에 답하세요.

(원주율: 3)

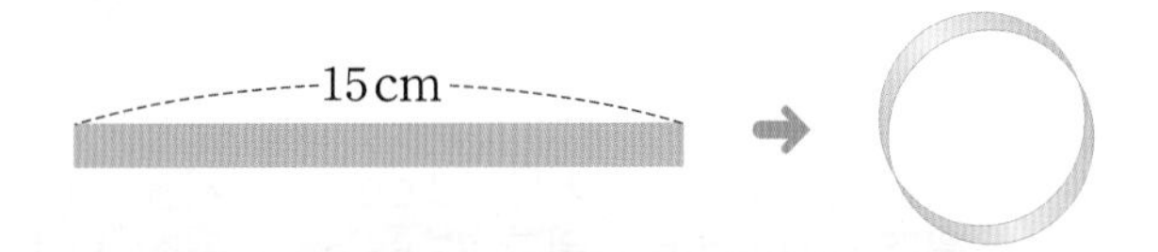

(1) 만들어진 원의 원주는 몇 cm인가요?

( )

(2) 만들어진 원의 지름은 몇 cm인가요?

( )

5 단원

STEP 2 유형 확인 강화

실력 다지기

원주율 알아보기

유형 **01** 준기, 서현, 민수가 원에 대하여 말한 것입니다. 잘못 말한 사람의 이름을 쓰세요.

> 준기: 지름에 대한 원주의 비율은 변하지 않아.
> 서현: 원이 커질수록 원주율도 커져.
> 민수: 원주는 지름의 약 3배야.

( )

확인 **02** 오른쪽 원의 원주는 40.84 cm입니다. 원주율을 반올림하여 주어진 자리까지 나타내세요.

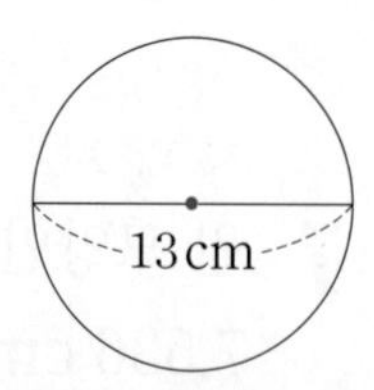

소수 첫째 자리까지	소수 둘째 자리까지

서술형

강화 **03** 여러 가지 원 모양이 들어 있는 물건입니다. 원주율을 각각 구해 □ 안에 써넣고, 원주율에 대해 알 수 있는 점을 쓰세요.

가

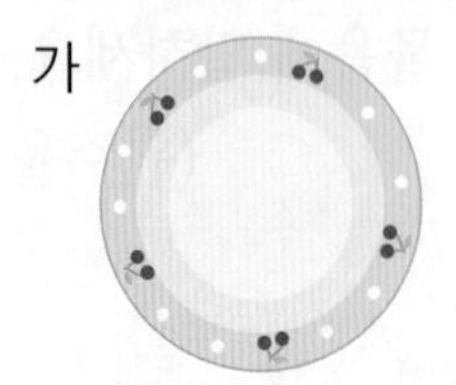

지름: 22 cm
원주: 69.08 cm

나

지름: 12 cm
원주: 37.68 cm

다

지름: 15 cm
원주: 47.1 cm

가: □ 나: □ 다: □

알 수 있는 점

지름(반지름)을 이용하여 원주 구하기

04 컴퍼스를 다음과 같이 벌려 원을 그렸습니다. 그린 원의 원주는 몇 cm인가요? (원주율: 3.1)

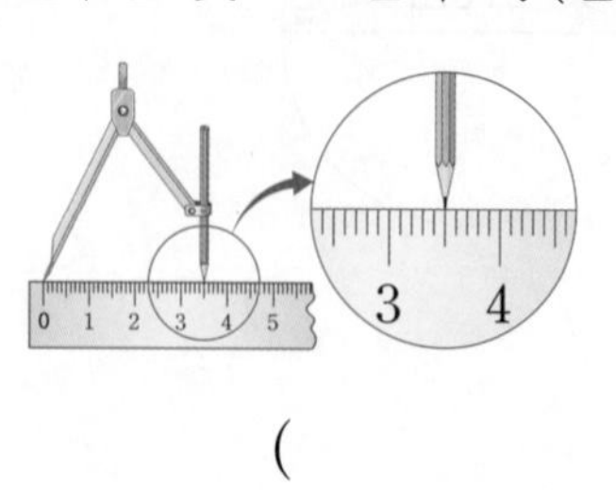

( )

05 크기가 다른 두 원의 중심을 겹쳐 놓은 것입니다. 큰 원의 원주는 몇 cm인가요?
(원주율: 3.14)

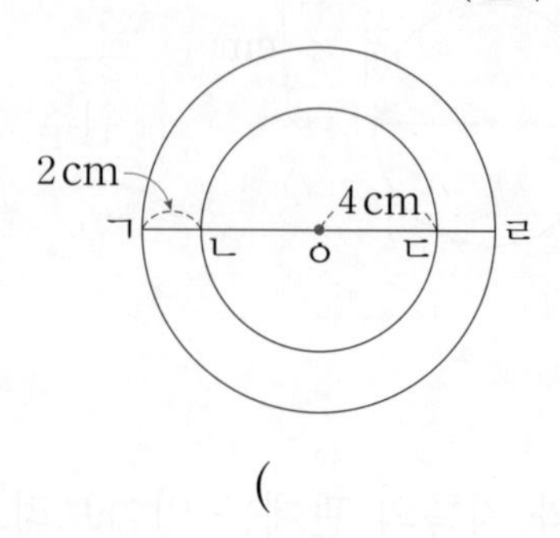

( )

06 오른쪽 절구의 단면의 모양은 원입니다. 절구에서 가장 두꺼운 부분의 지름은 45 cm, 가장 얇은 부분의 지름은 30 cm일 때 가장 두꺼운 부분과 가장 얇은 부분의 원주의 차는 몇 cm인가요? (원주율: 3)

교과역량

절구: 곡식을 빻거나 찧는 데 사용하는 기구

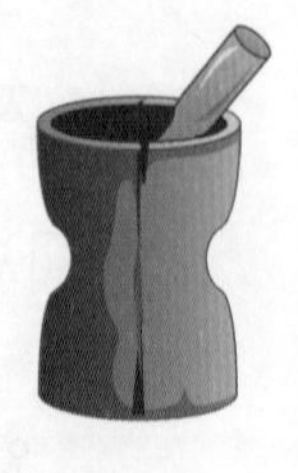

( )

원주를 이용하여 지름(반지름) 구하기

07 원주가 다음과 같은 원의 반지름은 몇 cm인지 구하세요. (원주율: 3.14)

(1) 원주: 31.4 cm

( )

(2) 원주: 28.26 cm

( )

08 원주가 105 cm인 피자를 밑면이 정사각형 모양인 직육면체 모양의 상자에 담으려고 합니다. 상자의 밑면의 한 변의 길이는 적어도 몇 cm이어야 하나요? (원주율: 3)

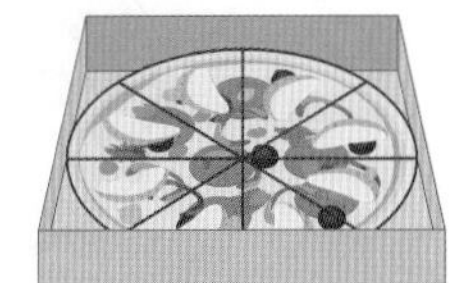

( )

09 원주가 다음과 같은 원 가, 나, 다가 있습니다. 지름이 가장 긴 원과 가장 짧은 원의 지름의 차는 몇 cm인가요? (원주율: 3.1)

원	가	나	다
원주(cm)	93	62	80.6

( )

원의 크기 비교하기

10 더 작은 원을 찾아 기호를 쓰세요. (원주율: 3)

㉠ 원주가 69 cm인 원
㉡ 지름이 21 cm인 원

( )

11 정수와 연아가 원 모양의 굴렁쇠를 굴리고 있습니다. 정수의 굴렁쇠는 반지름이 24 cm이고, 연아의 굴렁쇠는 원주가 157 cm입니다. 더 큰 굴렁쇠를 굴리고 있는 사람은 누구인가요?
(원주율: 3.14)

( )

12 큰 원부터 차례로 기호를 쓰세요. (원주율: 3.1)

㉠ 지름이 12 cm인 원
㉡ 반지름이 5.5 cm인 원
㉢ 원주가 40.3 cm인 원

( )

5 단원

STEP 2 실력 다지기

원주와 지름의 관계 활용

유형 **13** 수호와 윤정이가 다음과 같은 원을 그렸습니다. 수호가 그린 원의 지름은 윤정이가 그린 원의 지름의 몇 배인가요?(원주율: 3)

수호: 원주가 48 cm인 원
윤정: 원주가 12 cm인 원

( )

확인 **14** 오른쪽 그림에서 큰 원의 지름은 작은 원의 지름의 2배입니다. 큰 원의 원주가 56.52 cm일 때 작은 원의 원주는 몇 cm인지 풀이 과정을 쓰고, 답을 구하세요. (원주율: 3.14) [서술형]

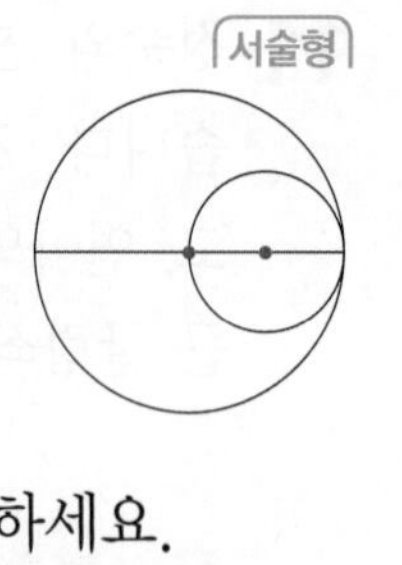

풀이

답

강화 **15** 작은 바퀴의 원주는 50.24 cm이고, 큰 바퀴의 원주는 작은 바퀴의 원주의 3배입니다. 큰 바퀴의 반지름은 몇 cm인가요?(원주율: 3.14)

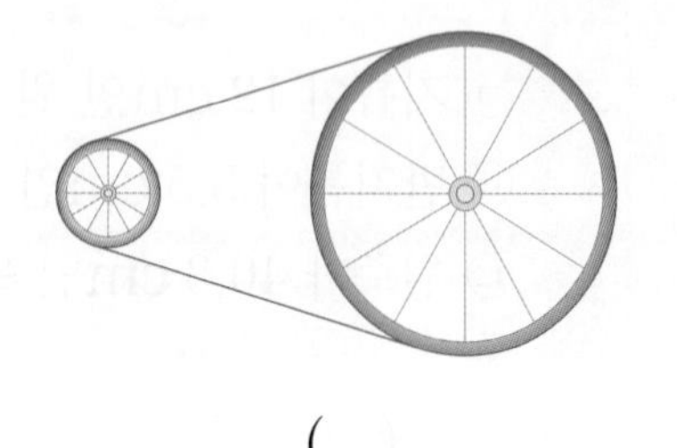

( )

원주의 활용

16 지름이 50 cm인 원 모양의 바퀴 자를 사용하여 강당 바닥의 가로를 재었더니 바퀴가 30바퀴 돌았습니다. 강당 바닥의 가로는 몇 cm인가요?(원주율: 3.1)

( )

17 놀이공원의 기차가 지름이 28 m인 원 모양의 철로 위를 돌았습니다. 기차가 달린 거리가 439.6 m일 때 기차는 철로 위를 몇 바퀴 돌았나요?(원주율: 3.14)

( )

18 그림과 같이 반지름이 4 cm인 원 모양의 끈에 1.5 cm 간격으로 구슬을 꿰어 팔찌를 만들려고 합니다. 필요한 구슬은 모두 몇 개인가요?(원주율: 3)

(단, 구슬의 두께는 생각하지 않습니다.)

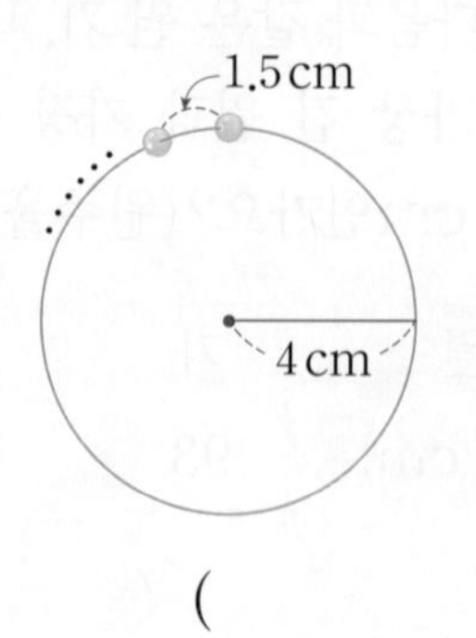

( )

약점 체크 **코스의 길이 구하기**

19 교과 역량 산책로에 여러 가지 반원 모양의 코스가 있습니다. 각 코스의 길이를 구하여 빈칸에 알맞은 수를 써넣으세요. (원주율: 3.1)

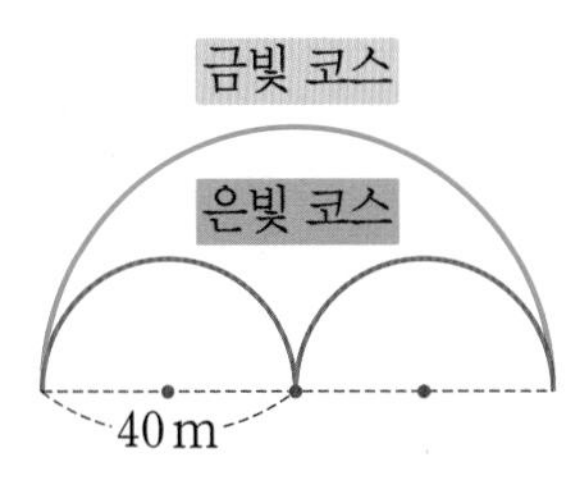

코스	금빛	은빛
코스의 길이(m)		

해결 반원에서 곡선 부분의 길이는 원주와 어떤 관계가 있는지 생각해 봅니다.

20 도전 수학 소희와 영윤이는 운동장에서 200 m 달리기 경기를 하려고 합니다. 공정한 경기를 하려면 1번 경주로의 출발점을 기준으로 했을 때 2번 경주로에서 달리는 사람은 몇 m 더 앞에서 출발하면 되는지 구하세요. (원주율: 3.14)
(단, 각 경주로의 안쪽 길이를 기준으로 거리를 구합니다.)

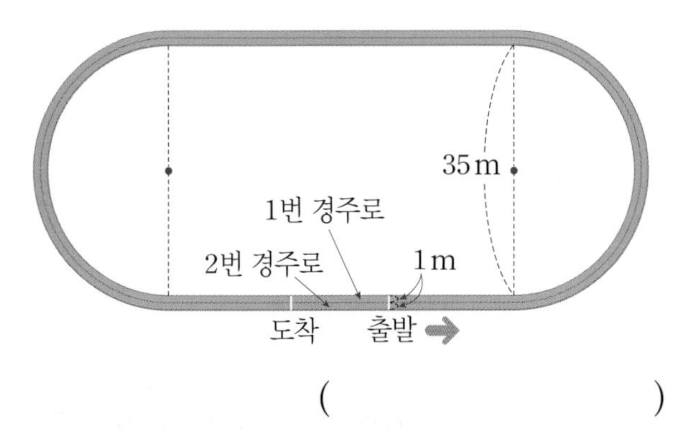

(　　　　　　　　)

약점 체크 **색칠한 부분의 둘레 구하기**

21 한 변의 길이가 25 cm인 정사각형 안에 가장 큰 원을 그린 것입니다. 색칠한 부분의 둘레는 몇 cm인가요? (원주율: 3.14)

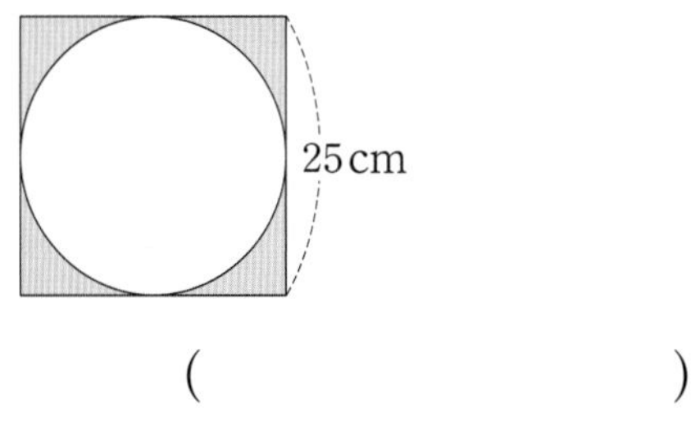

(　　　　　　　　)

주의 색칠한 부분의 둘레를 구할 때 색칠한 부분의 안쪽이나 바깥쪽 둘레만 구하지 않도록 주의합니다.

22 색칠한 부분의 둘레는 몇 cm인가요?
(원주율: 3)

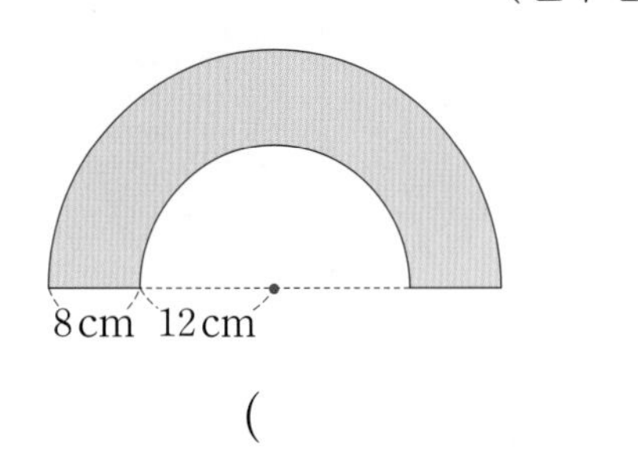

(　　　　　　　　)

STEP 1 개념 완성하기

5 원의 넓이 어림하기

예제 반지름이 5 cm인 원의 넓이 어림하기

방법 1 다각형으로 원의 넓이 어림하기

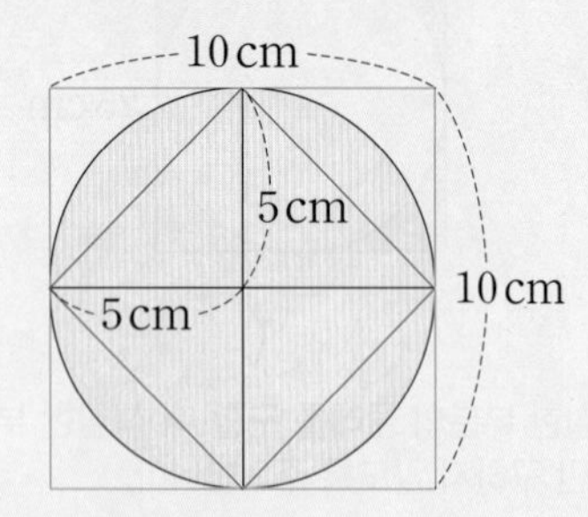

① (원 안의 정사각형의 넓이)$=10\times10\div2=50(\text{cm}^2)$ — 마름모

(원 안의 정사각형의 넓이)<(원의 넓이)

➡ 50 cm^2<(원의 넓이)

② (원 밖의 정사각형의 넓이)$=10\times10=100(\text{cm}^2)$

(원의 넓이)<(원 밖의 정사각형의 넓이)

➡ (원의 넓이)<100 cm^2

③ 원의 넓이는 50 cm^2보다 크고, 100 cm^2보다 작으므로 약 75 cm^2라고 어림할 수 있습니다.

방법 2 모눈종이를 이용하여 원의 넓이 어림하기

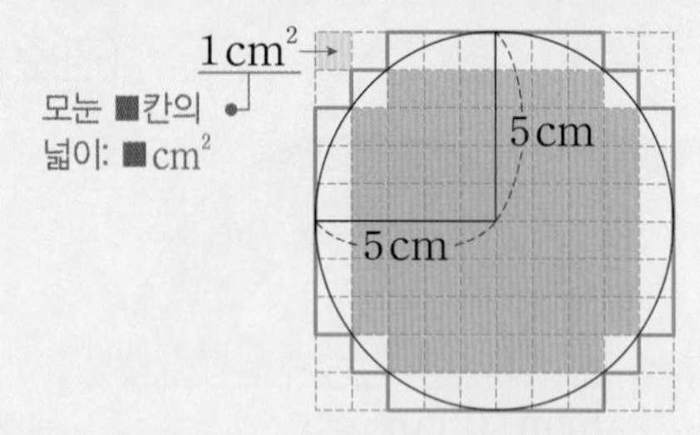

① 분홍색 모눈의 수는 60개이므로 넓이는 60 cm^2입니다.

(분홍색 모눈의 넓이)<(원의 넓이)

➡ 60 cm^2<(원의 넓이)

② 초록색 선 안쪽 모눈의 수는 88개이므로 넓이는 88 cm^2입니다.

(원의 넓이)<(초록색 선 안쪽 모눈의 넓이)

➡ (원의 넓이)<88 cm^2

③ 원의 넓이는 60 cm^2보다 크고, 88 cm^2보다 작으므로 약 74 cm^2라고 어림할 수 있습니다.

개념 확인

1 반지름이 8 cm인 원의 넓이를 어림하려고 합니다. 그림을 보고 물음에 답하세요.

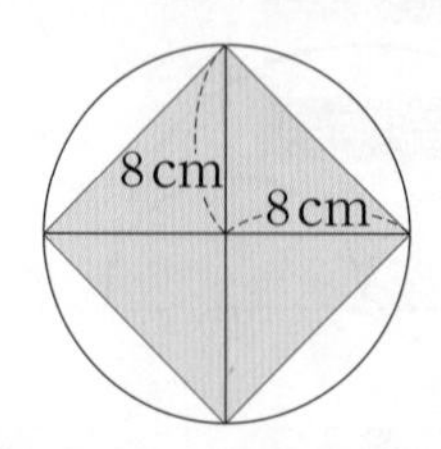

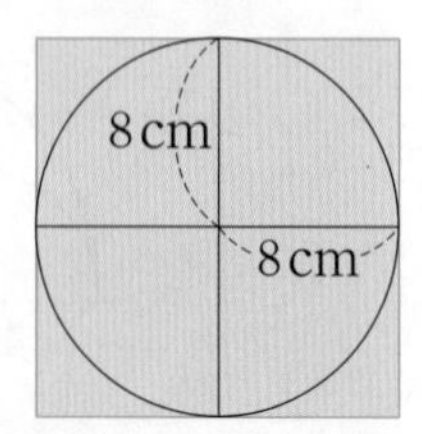

(1) 왼쪽 그림에서 원 안의 정사각형의 넓이를 구하세요.

(원 안의 정사각형의 넓이)

$=\square\times\square\div2$

$=\square(\text{cm}^2)$

(2) 원 안의 정사각형의 넓이와 원의 넓이를 비교해 보세요.

$\square\text{ cm}^2$<(원의 넓이)

(3) 오른쪽 그림에서 원 밖의 정사각형의 넓이를 구하세요.

(원 밖의 정사각형의 넓이)

$=\square\times\square$

$=\square(\text{cm}^2)$

(4) 원 밖의 정사각형의 넓이와 원의 넓이를 비교해 보세요.

(원의 넓이)<$\square\text{ cm}^2$

(5) □ 안에 알맞은 수를 써넣으세요.

원의 넓이는 $\square\text{ cm}^2$와 $\square\text{ cm}^2$ 사이의 값으로 어림할 수 있습니다.

2 모눈종이를 이용하여 지름이 8 cm인 오른쪽 원의 넓이를 어림하려고 합니다. 물음에 답하세요.

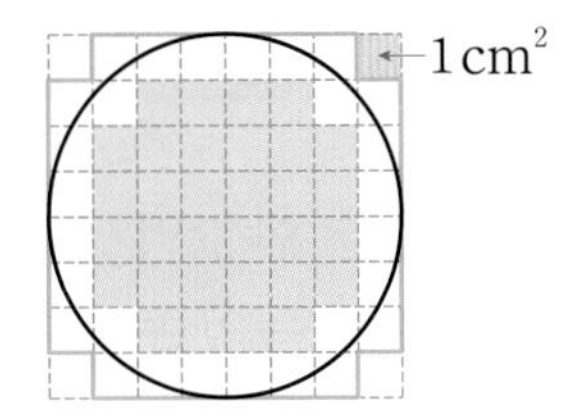

(1) 파란색 모눈의 수를 모두 세어 보세요.

(　　　　　　)

(2) 주황색 선 안쪽 모눈의 수를 모두 세어 보세요.

(　　　　　　)

(3) 원의 넓이를 어림해 보세요.

□ cm^2 < (원의 넓이)

(원의 넓이) < □ cm^2

[3~4] 원의 넓이를 어림하려고 합니다. □ 안에 알맞은 수를 써넣으세요.

3

3 cm

6 cm

□ cm^2 < (원의 넓이)

(원의 넓이) < □ cm^2

4

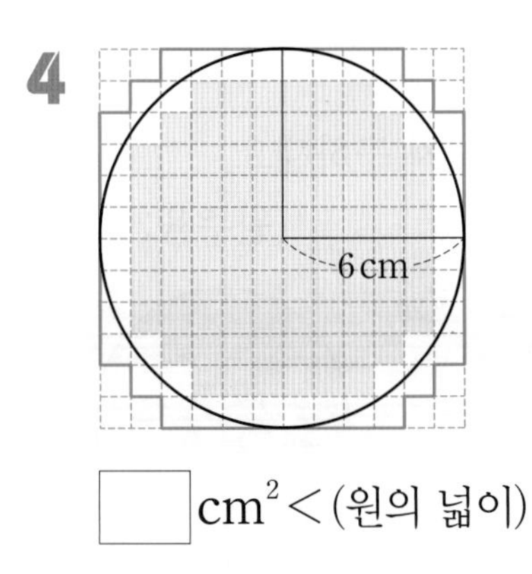

□ cm^2 < (원의 넓이)

(원의 넓이) < □ cm^2

기본 유형

5 원 안의 정육각형과 원 밖의 정육각형의 넓이를 이용하여 원의 넓이를 어림하려고 합니다. 물음에 답하세요.

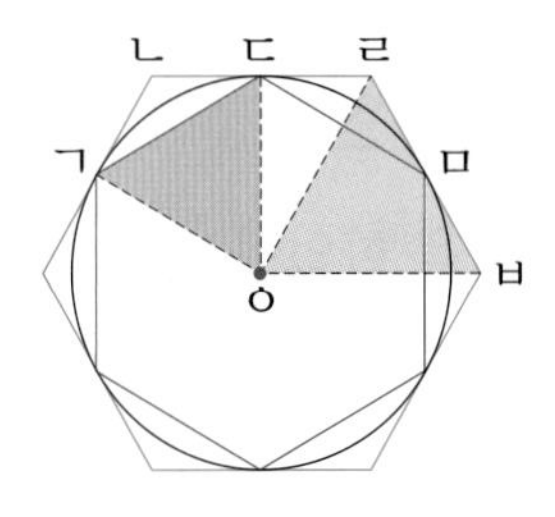

(1) 삼각형 ㄱㅇㄷ의 넓이가 $3\,cm^2$일 때 원 안의 정육각형의 넓이는 몇 cm^2인가요?

(원 안의 정육각형의 넓이)

= (삼각형 ㄱㅇㄷ의 넓이) × □

= □ × □ = □ (cm^2)

(2) 삼각형 ㄹㅇㅂ의 넓이가 $4\,cm^2$일 때 원 밖의 정육각형의 넓이는 몇 cm^2인가요?

(원 밖의 정육각형의 넓이)

= (삼각형 ㄹㅇㅂ의 넓이) × □

= □ × □ = □ (cm^2)

(3) 원의 넓이를 어림해 보세요.

□ cm^2 < (원의 넓이)

(원의 넓이) < □ cm^2

6 반지름이 7 cm인 오른쪽 원의 넓이를 어림하려고 합니다. □ 안에 알맞은 수를 써넣으세요.

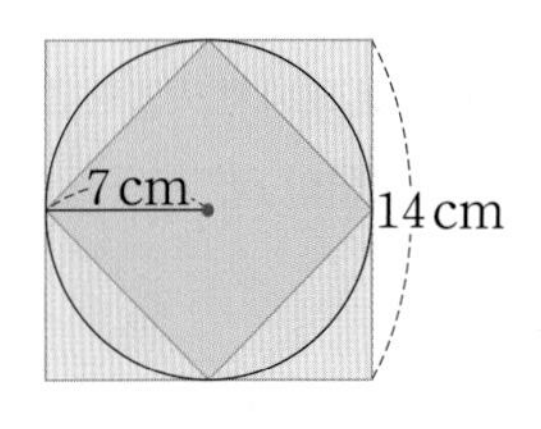

원 안의 정사각형의 넓이는 □ cm^2이고, 원 밖의 정사각형의 넓이는 □ cm^2이므로 원의 넓이를 약 □ cm^2라고 어림할 수 있습니다.

STEP 1 개념 완성하기

6 원의 넓이 구하는 방법 알아보기

원을 한없이 잘게 잘라 이어 붙이면 직사각형이 되므로 원의 넓이는 직사각형의 넓이와 같습니다.

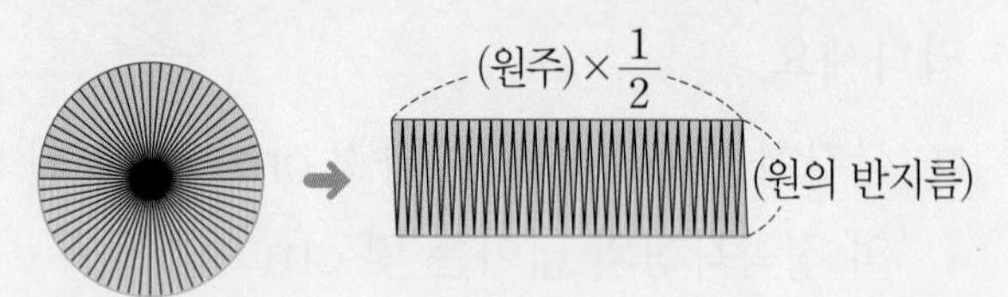

(원의 넓이)=(원주)$\times\frac{1}{2}\times$(반지름) ← 직사각형의 넓이

=(원주율)×(지름)$\times\frac{1}{2}\times$(반지름)

=(원주율)×(반지름)×(반지름)

예제 반지름이 2 cm인 원의 넓이 구하기(원주율: 3)

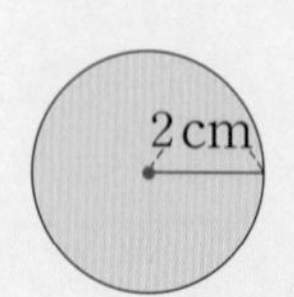

(원의 넓이)

=(원주율)×(반지름)×(반지름)

$=3\times2\times2=12(\text{cm}^2)$

7 여러 가지 원의 넓이 구하기

예제 색칠한 부분의 넓이 구하기(원주율: 3.1)

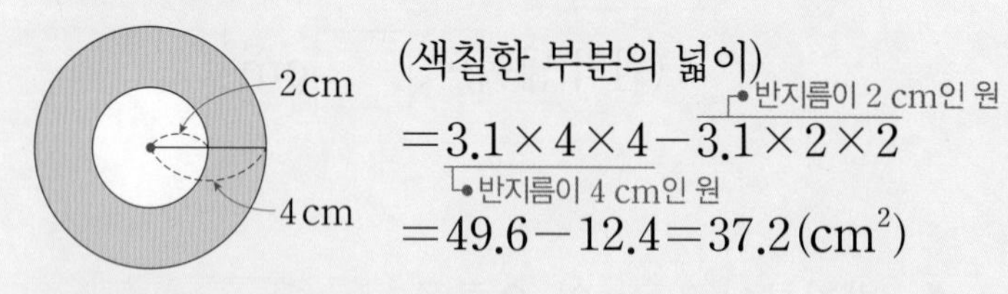

(색칠한 부분의 넓이)

$=3.1\times4\times4-3.1\times2\times2$ (반지름이 4 cm인 원 − 반지름이 2 cm인 원)

$=49.6-12.4=37.2(\text{cm}^2)$

참고 여러 가지 방법으로 넓이 구하기

① 도형의 일부분을 옮겨서 구하기

② 도형을 나누어 각 부분의 넓이의 합으로 구하기

(반원의 넓이)
+(직사각형의 넓이)

중요 원의 반지름과 원의 넓이의 관계 (원주율: 3)

반지름(cm)	2	4	6	8	……
넓이(cm)	12	48	108	192	……

(2배, 3배 / 4배, 9배)

→ 원의 반지름이 2배, 3배, 4배……가 되면 원의 넓이는 4배, 9배, 16배……가 됩니다.

개념 확인

1 원을 한없이 잘게 잘라 이어 붙여서 직사각형을 만들었습니다. 물음에 답하세요.

(원주율: 3.1)

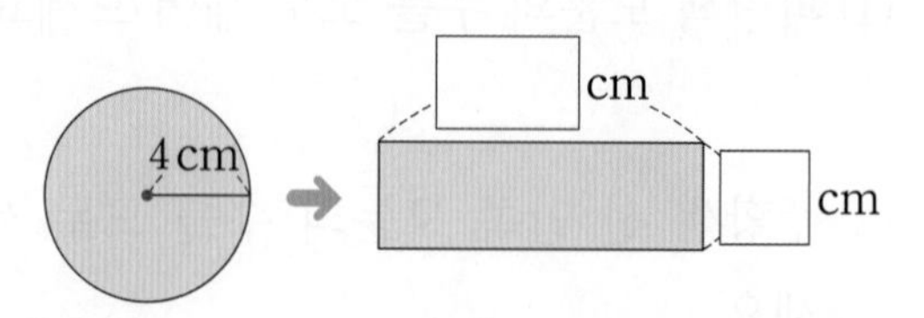

(1) 그림의 □ 안에 알맞은 수를 써넣으세요.

(2) 원의 넓이는 몇 cm^2인가요?

(　　　　　)

2 원의 넓이를 구하려고 합니다. □ 안에 알맞은 수를 써넣으세요. (원주율: 3.14)

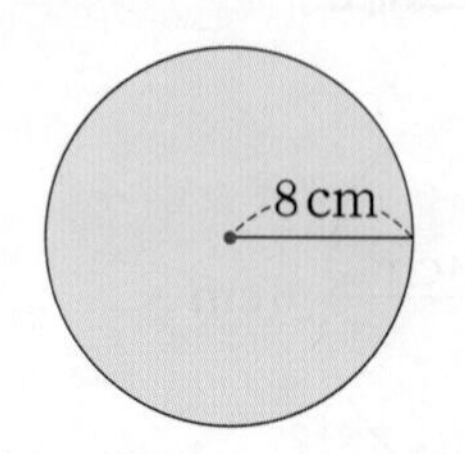

(원의 넓이)

=(원주율)×(반지름)×(반지름)

=□×□×□=□(cm^2)

3 원의 넓이는 몇 cm^2인지 구하세요.

(원주율: 3.14)

(1) (2)

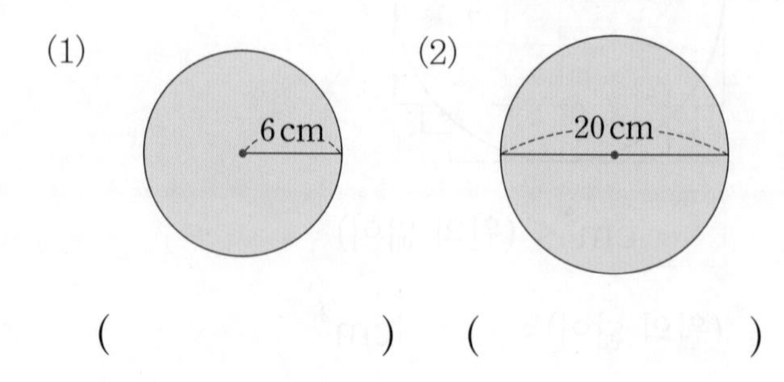

(　　　　　)　(　　　　　)

기본 유형

4 오른쪽 그림에서 색칠한 부분의 넓이를 구하려고 합니다. 물음에 답하세요. (원주율: 3.1)

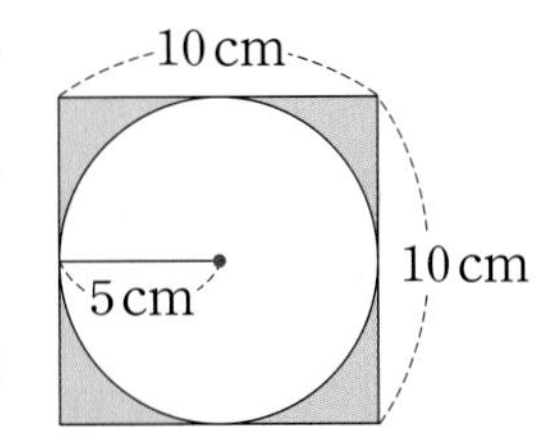

(1) 한 변의 길이가 10 cm인 정사각형의 넓이를 구하세요.

(정사각형의 넓이)

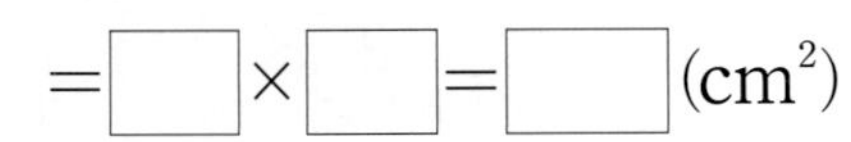
$=\square\times\square=\square(cm^2)$

(2) 반지름이 5 cm인 원의 넓이를 구하세요.

(원의 넓이)

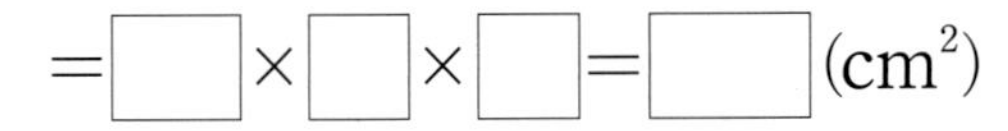
$=\square\times\square\times\square=\square(cm^2)$

(3) 색칠한 부분의 넓이를 구하세요.

(색칠한 부분의 넓이)

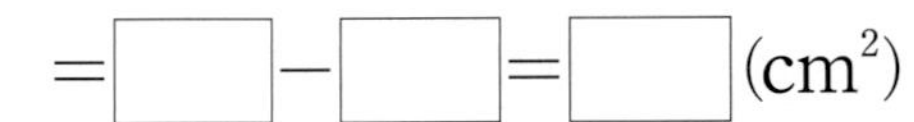
$=\square-\square=\square(cm^2)$

5 반지름과 원의 넓이의 관계를 알아보려고 합니다. 물음에 답하세요. (원주율: 3)

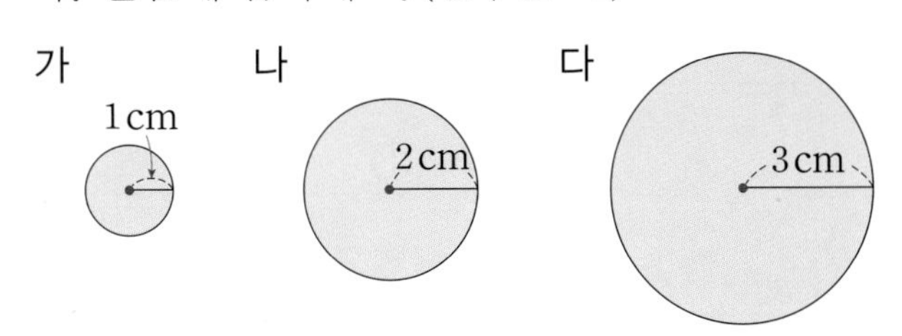

(1) 원의 넓이는 몇 cm^2인지 각각 구하세요.

가	나	다

(2) □ 안에 알맞은 수를 써넣으세요.

반지름이 2배, 3배가 되면 원의 넓이는 □배, □배가 됩니다.

6 원의 지름을 이용하여 원의 넓이를 구하려고 합니다. 빈칸에 알맞게 써넣으세요. (원주율: 3.1)

지름 (cm)	반지름 (cm)	원의 넓이를 구하는 식	원의 넓이 (cm^2)
6			
18			

7 원 모양의 정원이 있습니다. 정원의 반지름이 15 m일 때 정원의 넓이는 몇 m^2인가요? (원주율: 3.14)

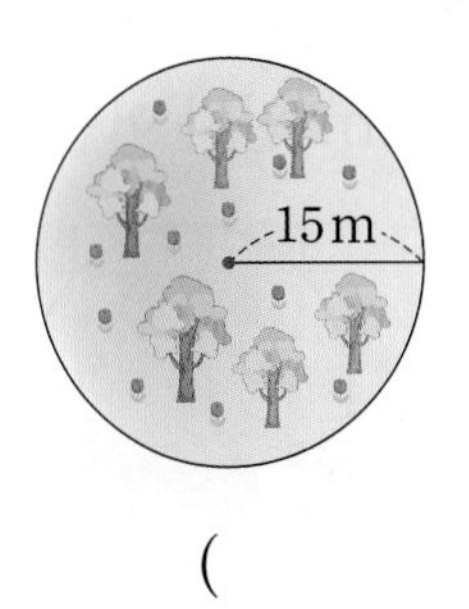

(　　　　　　　　)

8 색칠한 부분의 넓이는 몇 cm^2인가요? (원주율: 3)

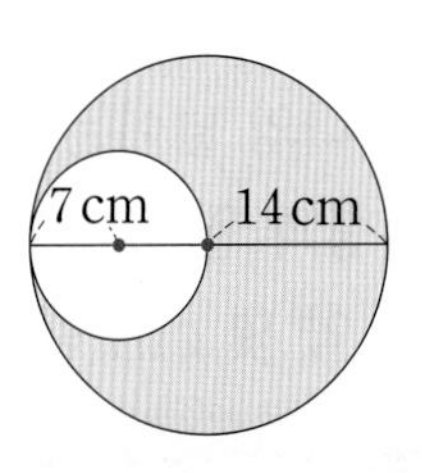

(색칠한 부분의 넓이)

=(반지름이 14 cm인 원의 넓이)

－(반지름이 7 cm인 원의 넓이)

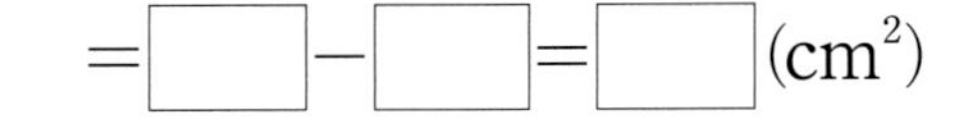
$=\square-\square=\square(cm^2)$

5 단원

STEP 2 실력 다지기

원의 넓이 어림하기

유형 **01** 그림을 보고 지름이 30 cm인 원의 넓이는 약 몇 cm^2인지 어림하세요.

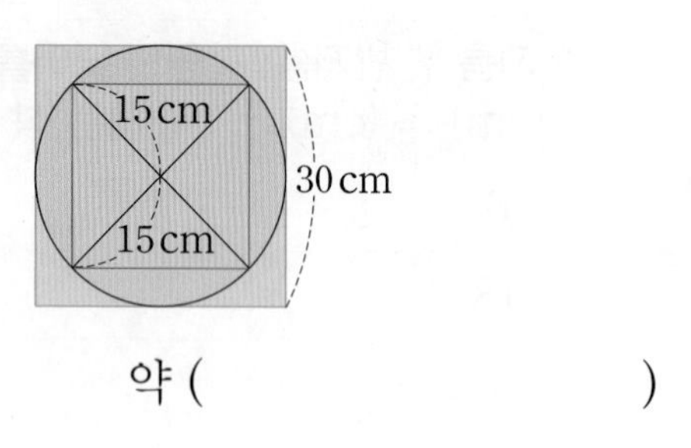

약 (　　　　　　　　)

확인 **02** 모눈종이를 이용하여 지름이 7 cm인 원의 넓이는 약 몇 cm^2인지 어림하세요.

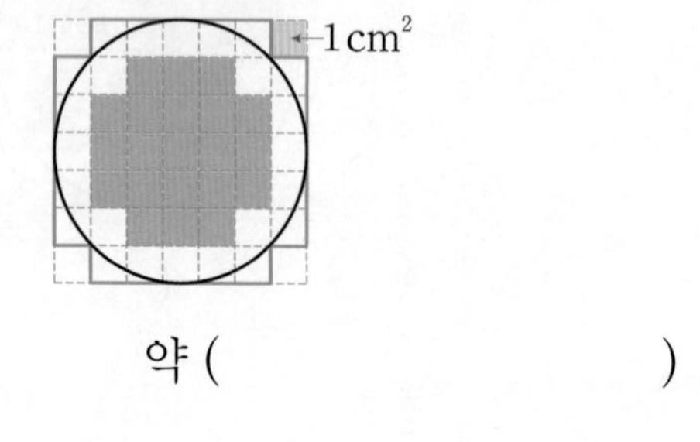

약 (　　　　　　　　)

강화 **03** 삼각형 가와 나의 넓이는 다음과 같습니다. 원 안의 정육각형과 원 밖의 정육각형을 이용하여 원의 넓이는 약 몇 cm^2인지 어림하세요.

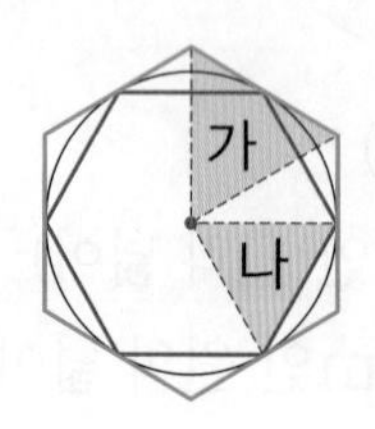

• 가의 넓이: 16 cm^2
• 나의 넓이: 12 cm^2

약 (　　　　　　　　)

반지름(지름)을 이용하여 원의 넓이 구하기

04 길이가 15 cm인 끈을 사용하여 그릴 수 있는 가장 큰 원을 칠판에 그렸습니다. 그린 원의 넓이는 몇 cm^2인가요? (원주율: 3.1)

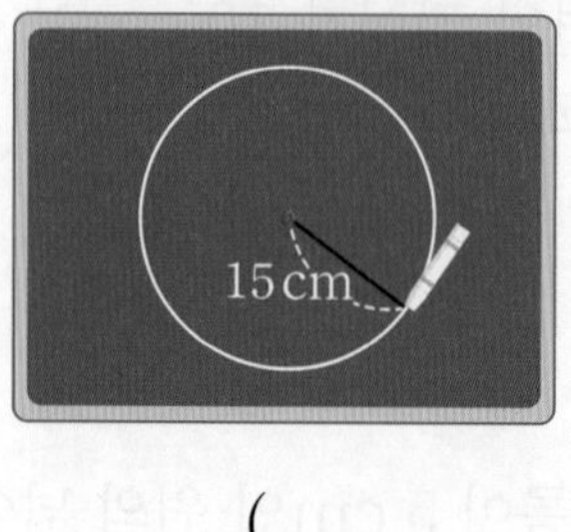

(　　　　　　　　)

서술형

05 오른쪽 그림은 크기가 다른 두 원을 겹쳐 놓은 것입니다. 분홍색 원의 넓이는 몇 cm^2인지 풀이 과정을 쓰고, 답을 구하세요. (원주율: 3)

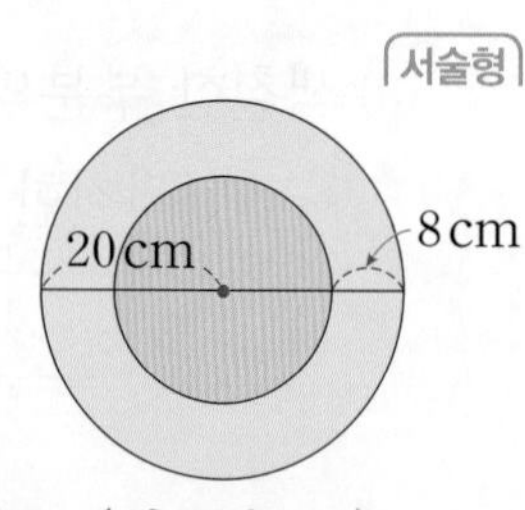

풀이

답

06 두 원의 넓이의 합은 몇 cm^2인가요? (원주율: 3.14)

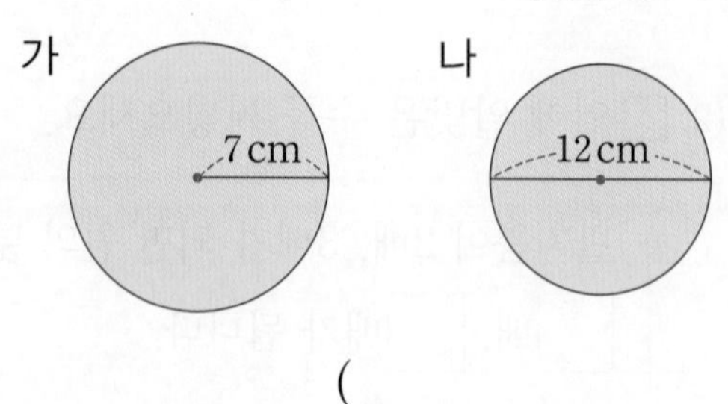

(　　　　　　　　)

원의 넓이 비교하기

07 원의 넓이를 비교하여 ○ 안에 >, =, <를 알맞게 써넣으세요. (원주율: 3)

반지름이 8 cm인 원 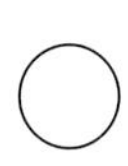 넓이가 243 cm^2인 원

서술형

08 더 큰 원의 기호를 쓰려고 합니다. 풀이 과정을 쓰고, 답을 구하세요. (원주율: 3.1)

㉠ 넓이가 77.5 cm^2인 원
㉡ 지름이 8 cm인 원

풀이

답

09 넓이가 서로 다른 원 모양의 쟁반이 있습니다. 넓이가 작은 쟁반부터 차례로 □ 안에 번호를 써넣으세요. (원주율: 3.14)

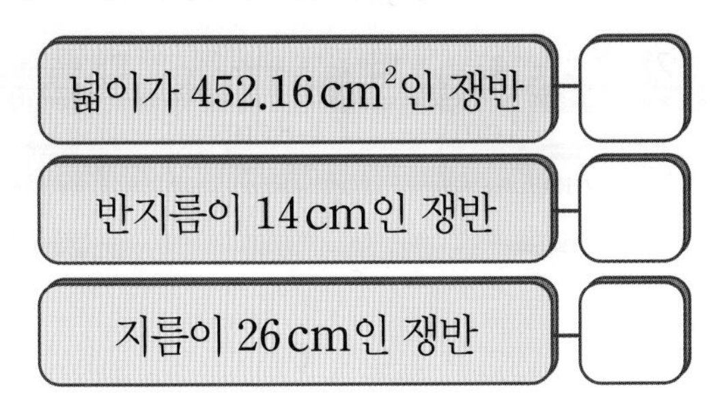

넓이가 452.16 cm²인 쟁반
반지름이 14 cm인 쟁반
지름이 26 cm인 쟁반

원의 반지름과 넓이의 관계 활용

10 가의 넓이는 나의 넓이의 몇 배인가요? (원주율: 3)

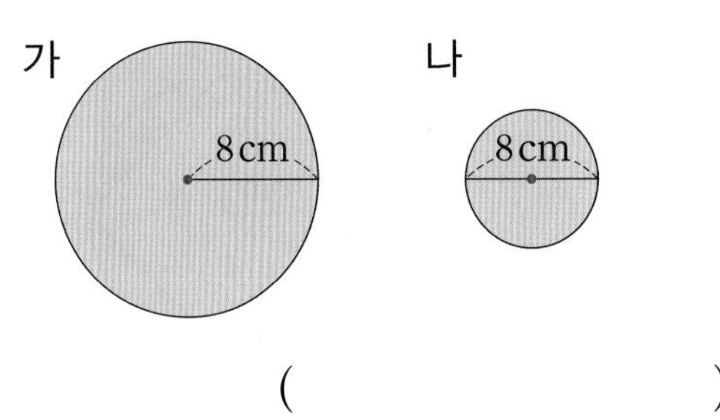

( )

11 대화를 읽고 주은이가 그린 원의 넓이는 성수가 그린 원의 넓이의 몇 배인지 구하세요. (원주율: 3.1)

나는 지름이 24 cm인 원을 그렸어.

난 반지름이 3 cm인 원을 그렸어.

주은

성수

( )

12 그림자가 원 모양인 물건의 그림자의 크기를 비교하는 실험을 하였습니다. 가 그림자의 넓이는 28.26 cm^2입니다. 나 그림자의 반지름은 가 그림자의 반지름의 3배일 때 나 그림자의 넓이는 몇 cm^2인가요? (원주율: 3.14)

교과 역량

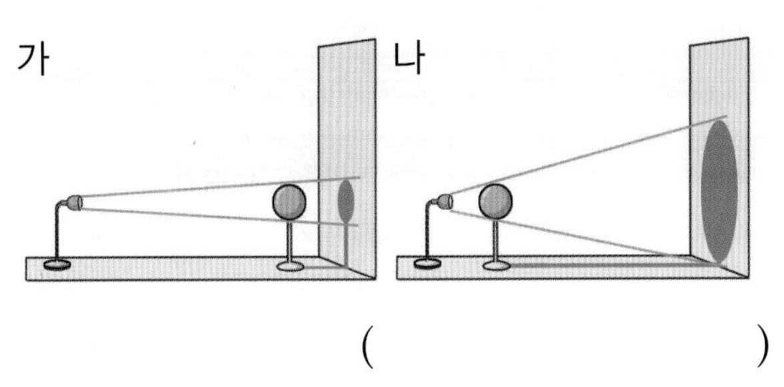

( )

여러 가지 도형의 넓이 구하기

유형 **13** 색칠한 부분의 넓이는 몇 cm^2인가요?
(원주율: 3.14)

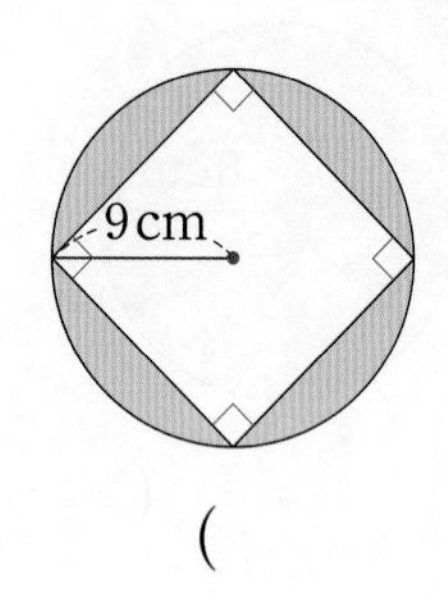

( )

확인 **14** 큰 원 안에 크기가 같은 작은 원 2개를 그린 것입니다. 색칠한 부분의 넓이는 몇 cm^2인가요?(원주율: 3)

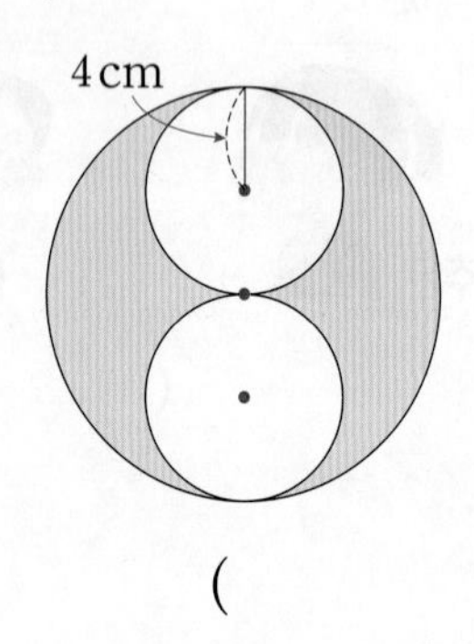

( )

강화 **15** 도형의 넓이는 몇 cm^2인가요?(원주율: 3.1)

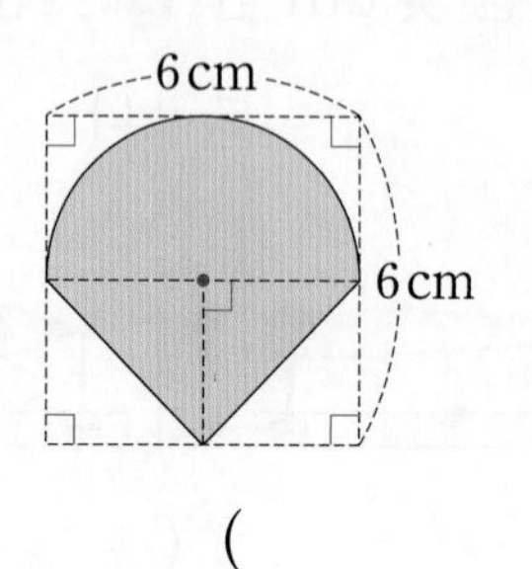

( )

도형의 일부분을 옮겨 넓이 구하기

16 색칠한 부분의 넓이는 몇 cm^2인가요?
(원주율: 3.1)

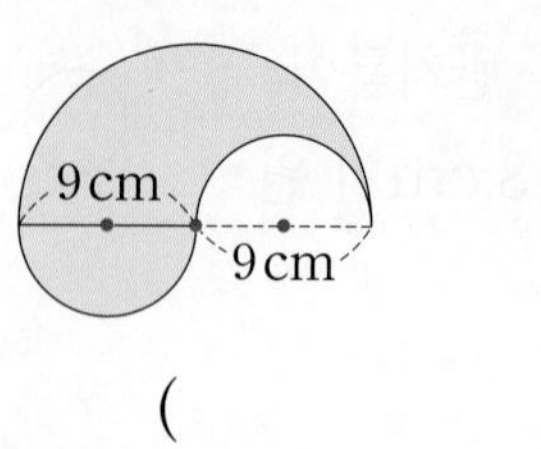

( )

17 한 변의 길이가 12 cm인 정사각형 모양의 색종이에서 일부분을 잘라 낸 것입니다. 남은 부분의 넓이는 몇 cm^2인가요?(원주율: 3.14)

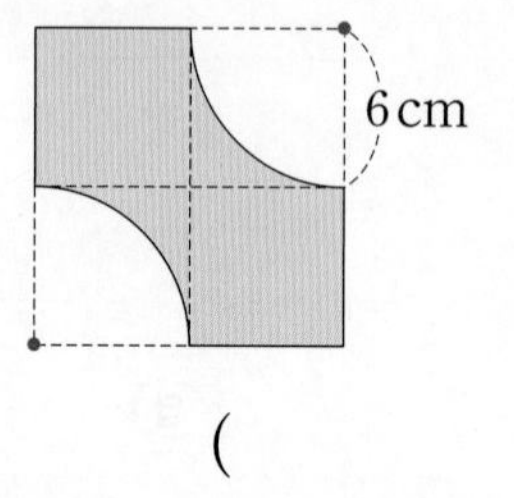

( )

18 색칠한 부분의 넓이가 다른 하나를 찾아 기호를 쓰세요. (원주율: 3)

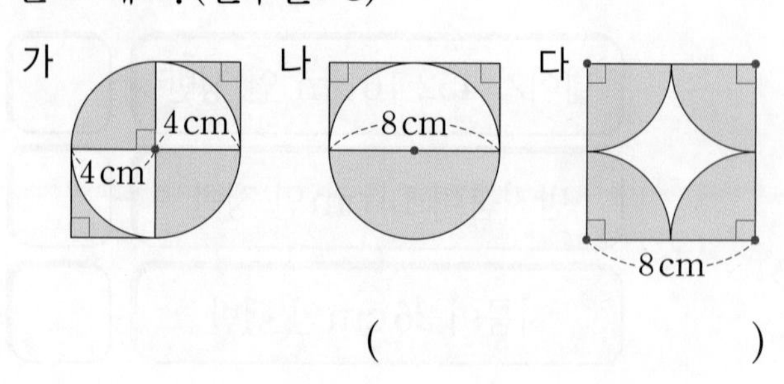

( )

약점 체크 **여러 가지 방법으로 원의 넓이 구하기**

19 고대 이집트의 수학자 아메스는 그림과 같이 원과 겹쳐서 그린 팔각형을 이용하여 원의 넓이를 구했습니다. 원의 넓이와 팔각형의 넓이의 차는 몇 cm^2인지 구하세요. (원주율: 3.1)

교과 역량

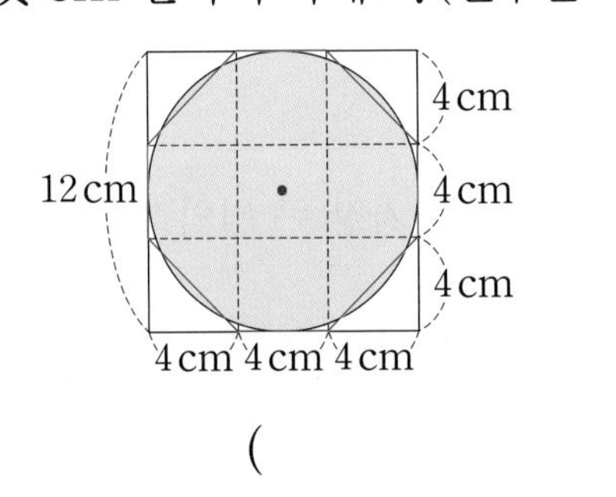

(   )

해결 팔각형을 삼각형과 정사각형으로 나누어 넓이를 구합니다.

서술형

20 왼쪽과 같이 두꺼운 끈으로 원을 만든 후 빨간색 점선으로 표시한 부분을 잘라 오른쪽과 같은 삼각형 모양을 만들었습니다. 삼각형의 밑변의 길이와 높이는 각각 원의 무엇과 같은지 쓰고, 삼각형의 넓이 구하는 방법을 이용하여 원의 넓이 구하는 방법을 설명하세요.

교과 역량

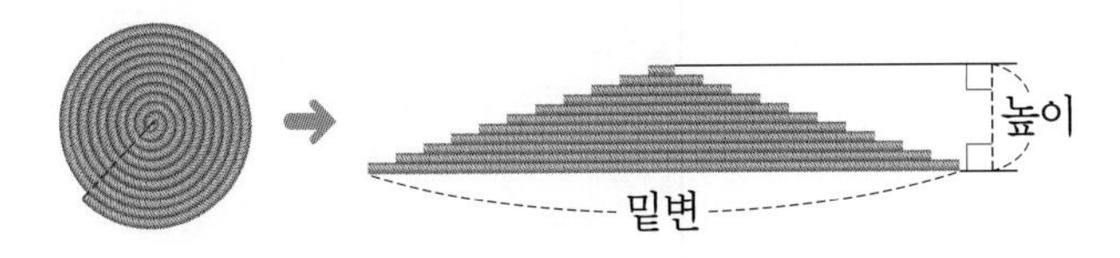

- 삼각형의 밑변의 길이: 원의 ☐
- 삼각형의 높이: 원의 ☐

설명

약점 체크 **원의 넓이를 이용하여 지름 구하기**

21 넓이가 151.9 cm^2인 원입니다. 원의 지름은 몇 cm인가요? (원주율: 3.1)

(   )

해결 반지름을 ☐cm라 하고 넓이 구하는 식을 세워 반지름을 구합니다.

22 넓이가 48 m^2인 원 모양의 연못이 있습니다. 이 연못의 둘레는 몇 m인가요? (원주율: 3)

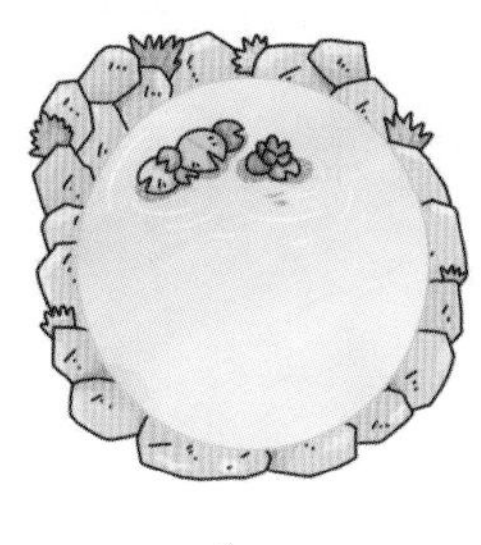

(   )

5 단원

STEP 3 연습 단계 실전

서술형 해결하기

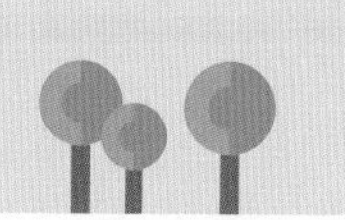

연습

01 **정사각형 모양의 색종이를 잘라 원을 만들려고 합니다. 만들 수 있는 가장 큰 원의 원주는 몇 cm인지 풀이 과정을 쓰고, 답을 구하세요.**

(원주율: 3.1)

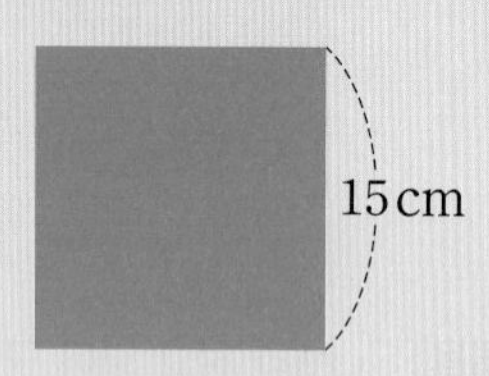

서술형 포인트 원의 지름이 커질수록 원이 커집니다.
➜ 지름을 최대한 크게 하여 원을 만듭니다.

풀이를 완성하세요.

❶ 정사각형 모양의 색종이를 잘라 가장 큰 원을 만들려면 정사각형의 □의 길이를 지름으로 해야 합니다.

(만들 수 있는 가장 큰 원의 지름)=□ cm

❷ (만들 수 있는 가장 큰 원의 원주)

=

답

단계

02 직사각형 안에 원을 그리려고 합니다. 그릴 수 있는 **가장 큰 원의 원주는 몇 cm**인지 풀이 과정을 쓰고, 답을 구하세요. (원주율: 3.14)

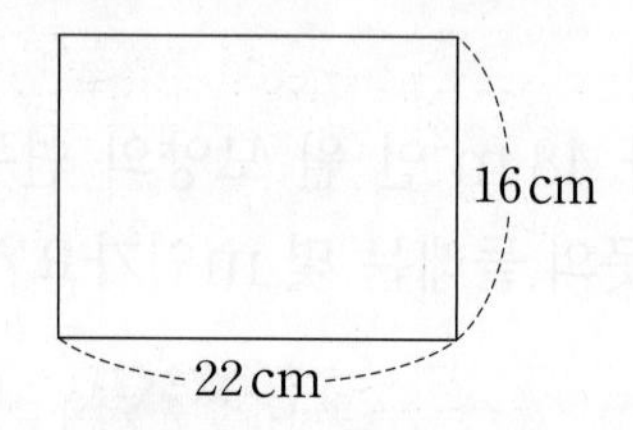

❶ 그릴 수 있는 가장 큰 원의 지름 구하기

풀이

❷ 그릴 수 있는 가장 큰 원의 원주 구하기

풀이

답

실전

03 직사각형 모양의 종이를 잘라 원 모양의 표지판을 만들려고 합니다. **만들 수 있는 가장 큰 원의 넓이는 몇 cm^2**인지 풀이 과정을 쓰고, 답을 구하세요. (원주율: 3)

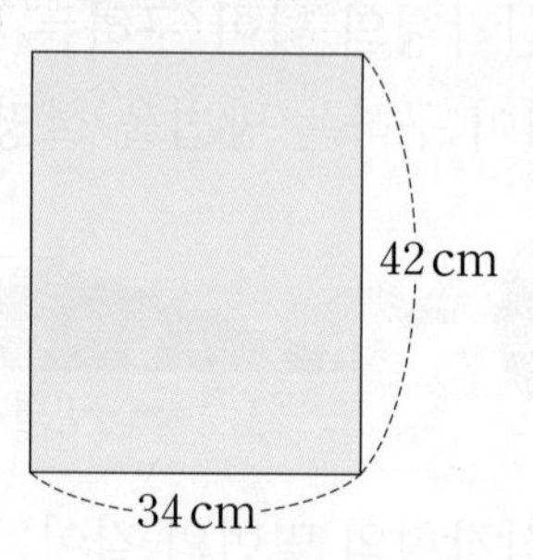

풀이

답

정답 34쪽

연습

04 **과녁에서 빨간색 부분과 노란색 부분의 넓이는 각각 몇 cm^2인지 구하려고 합니다. 풀이 과정을 쓰고, 답을 구하세요. (원주율: 3.1)**

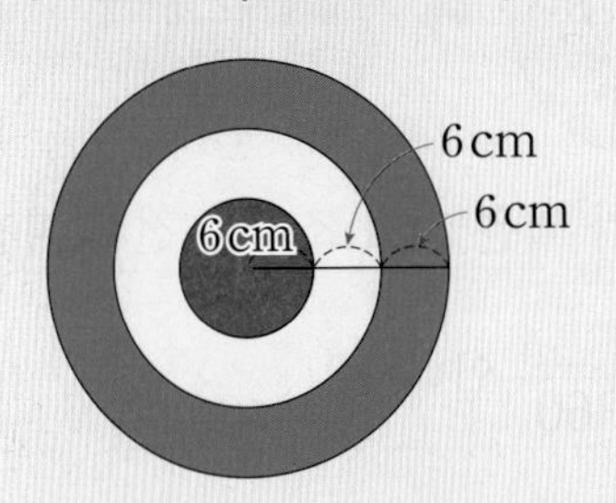

서술형 포인트 각 원의 반지름을 구한 후 넓이를 구합니다.

풀이를 완성하세요.

❶ (빨간색 부분의 반지름)=☐ cm

➡ (빨간색 부분의 넓이)

=

❷ (빨간색과 노란색을 합한 부분의 반지름)

=

➡ (노란색 부분의 넓이)

=(빨간색과 노란색을 합한 부분의 넓이)

−(빨간색 부분의 넓이)

=

답 빨간색: , 노란색:

단계

05 오른쪽과 같이 원의 중심이 같고 반지름이 3 cm씩 커지도록 원을 그렸습니다. 가장 큰 원의 지름이 18 cm일 때 **색칠한 부분의 넓이는 몇 cm^2**인지 풀이 과정을 쓰고, 답을 구하세요. (원주율: 3)

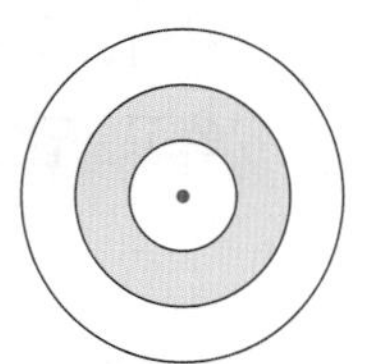

❶ 각 원의 반지름 구하기

풀이

❷ 색칠한 부분의 넓이 구하기

풀이

답

실전

06 오른쪽과 같이 원의 중심이 같고 반지름이 5 cm씩 커지도록 원을 그렸습니다. 가장 작은 원의 지름이 10 cm일 때 **색칠한 부분의 넓이는 몇 cm^2**인지 풀이 과정을 쓰고, 답을 구하세요. (원주율: 3.14)

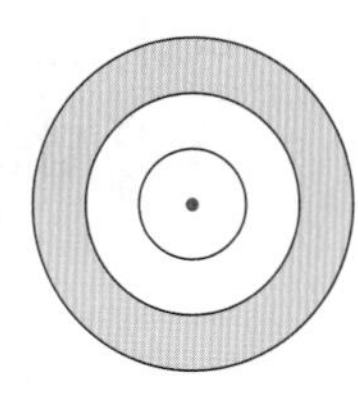

풀이

답

5 단원

STEP 3 서술형 해결하기

연습

07 윤석이는 원 모양의 피자를 나누어 그중 한 조각을 먹었습니다. 윤석이가 먹은 피자 조각이 다음과 같을 때 먹은 피자 조각의 넓이는 몇 cm^2인지 풀이 과정을 쓰고, 답을 구하세요. (원주율: 3)

서술형 포인트 피자 조각의 두 반지름이 이루는 각도를 이용하여 피자 조각의 넓이는 전체 피자의 몇 분의 몇인지 알아봅니다.

풀이를 완성하세요.

❶

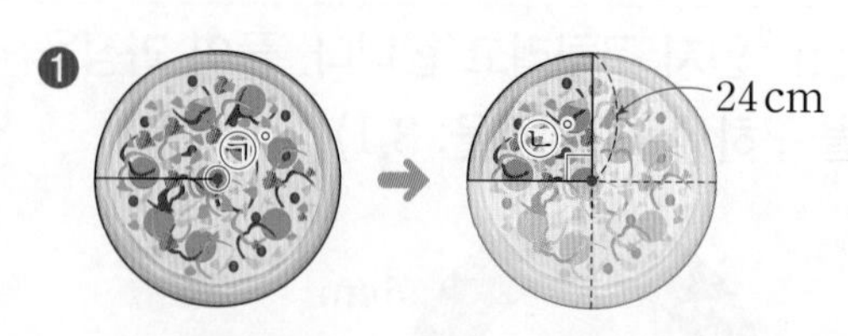

윤석이가 먹은 피자 조각은 전체 피자의 $\frac{㉡}{㉠}=\frac{\square}{360}$입니다.

❷ (윤석이가 먹은 피자 조각의 넓이)

$=$(전체 피자의 넓이)$\times\frac{\square}{\square}$

$=$

답

단계

08 다음 도형은 반지름이 4 cm인 원의 일부분입니다. **도형의 넓이는 몇 cm^2인지** 풀이 과정을 쓰고, 답을 구하세요. (원주율: 3.1)

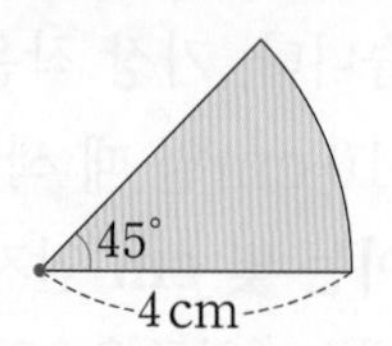

❶ 도형은 전체 원의 몇 분의 몇인지 구하기

풀이

❷ 도형의 넓이 구하기

풀이

답

실전

09 다음 도형은 반지름이 3 cm인 원의 일부분입니다. **도형의 넓이는 몇 cm^2인지** 풀이 과정을 쓰고, 답을 구하세요. (원주율: 3.14)

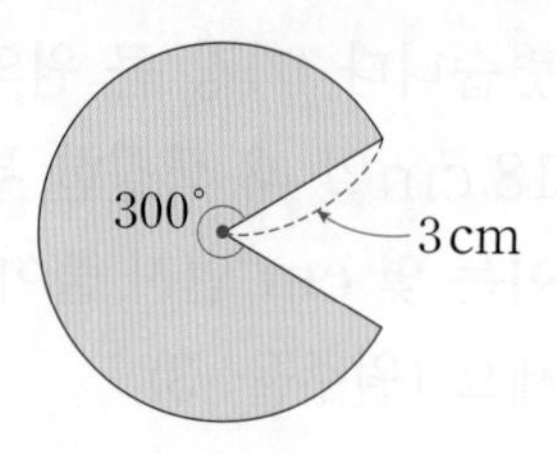

풀이

답

정답 35쪽

연습

10 **원주가 37.68 cm인 원의 넓이는 몇 cm^2인지 풀이 과정을 쓰고, 답을 구하세요. (원주율: 3.14)**

서술형 포인트 원주를 알 때 지름 구하는 식을 세워 지름을 먼저 구합니다.

풀이를 완성하세요.

❶ (지름)=(□)÷(원주율)

=□÷□=□(cm)

❷ (원의 반지름)=

(원의 넓이)

=

답

단계

11 다음 철사를 사용하여 **만들 수 있는 가장 큰 원의 넓이는 몇 cm^2**인지 풀이 과정을 쓰고, 답을 구하세요. (원주율: 3.1)

68.2 cm

❶ 만들 수 있는 가장 큰 원의 지름 구하기

풀이

❷ 만들 수 있는 가장 큰 원의 넓이 구하기

풀이

답

실전

12 희정이는 길이가 96 cm인 털실을 사용하여 원을 만들려고 합니다. **만들 수 있는 가장 큰 원의 넓이는 몇 cm^2**인지 풀이 과정을 쓰고, 답을 구하세요. (원주율: 3)

풀이

답

5 단원

단원 마무리

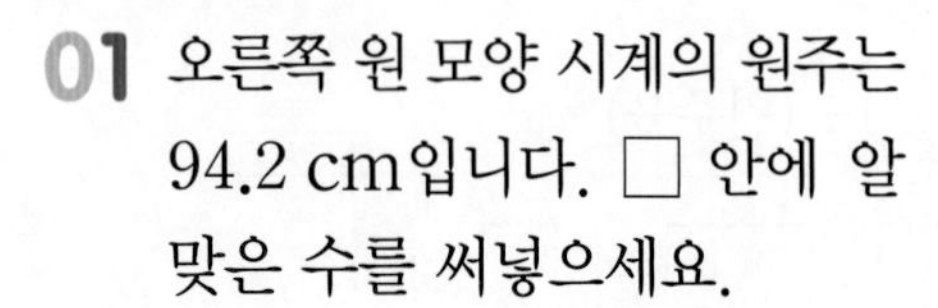

01 오른쪽 원 모양 시계의 원주는 94.2 cm입니다. □ 안에 알맞은 수를 써넣으세요.

(원주) ÷ (지름) = □ ÷ □ = □

02 원주를 구하려고 합니다. □ 안에 알맞은 수를 써넣으세요. (원주율: 3.1)

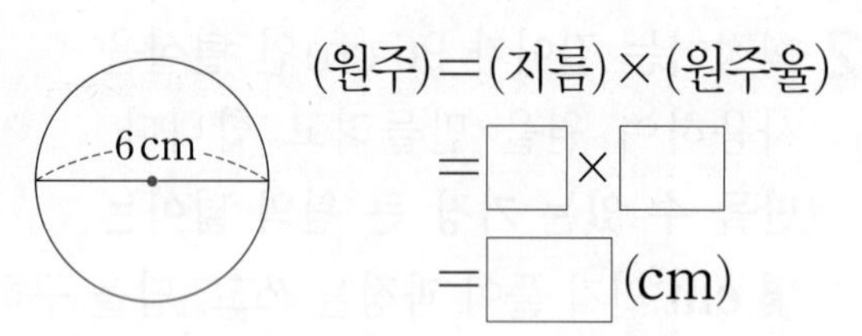

[03~04] 지름이 18 m인 원의 넓이를 어림하려고 합니다. 오른쪽 그림을 보고 물음에 답하세요.

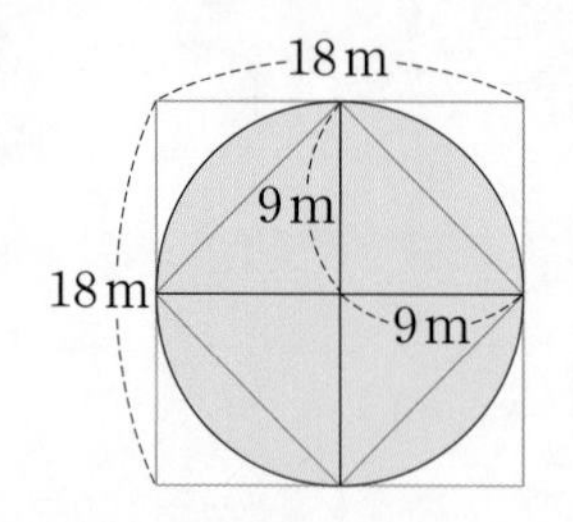

03 원 안의 정사각형과 원 밖의 정사각형의 넓이는 각각 몇 m^2인지 구하세요.

원 안의 정사각형의 넓이: □ m^2

원 밖의 정사각형의 넓이: □ m^2

04 원의 넓이를 약 몇 m^2라고 어림할 수 있나요?

약 (　　　　　)

[05~06] 원을 한없이 잘게 잘라 이어 붙여서 직사각형을 만들었습니다. 물음에 답하세요. (원주율: 3.14)

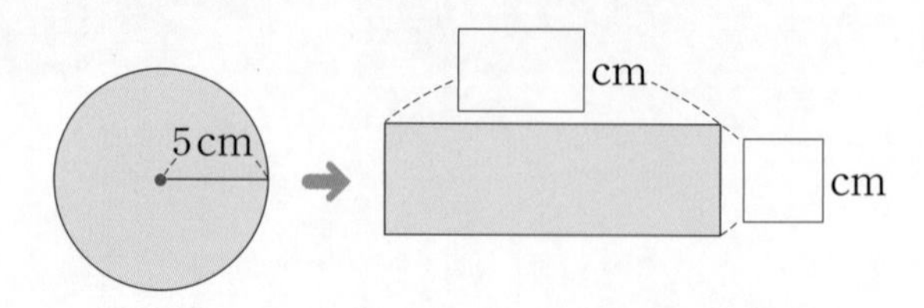

05 그림의 □ 안에 알맞은 수를 써넣으세요.

06 원의 넓이는 몇 cm^2인가요?

(　　　　　)

07 원의 원주가 다음과 같을 때 반지름은 몇 cm인가요? (원주율: 3.14)

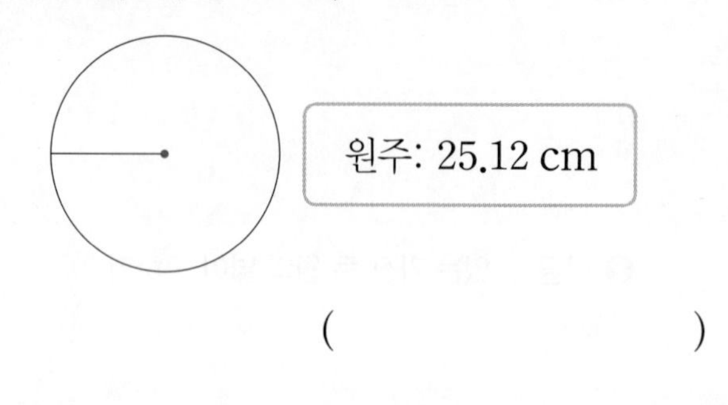

(　　　　　)

08 지름이 8 cm인 원의 넓이는 몇 cm^2인가요? (원주율: 3.1)

(　　　　　)

09 원주가 74.4 cm인 원 모양의 호두파이를 밑면이 정사각형 모양인 직육면체 모양의 상자에 담으려고 합니다. 상자의 밑면의 한 변의 길이는 적어도 몇 cm이어야 하나요?
(원주율: 3.1)

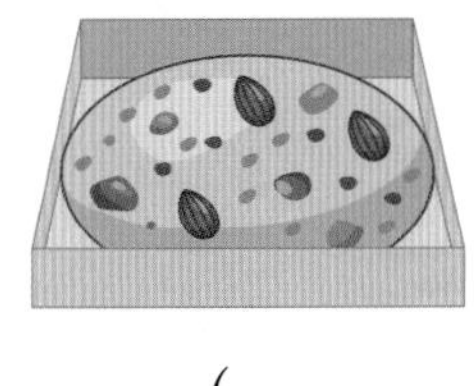

(　　　　　　　　)

10 넓이가 더 큰 원의 기호를 쓰세요.
(원주율: 3.14)

㉠ 반지름이 10 cm인 원
㉡ 넓이가 379.94 cm^2인 원

(　　　　　　　　)

11 큰 원의 원주가 48 cm일 때 작은 원의 지름은 몇 cm인가요? (원주율: 3)

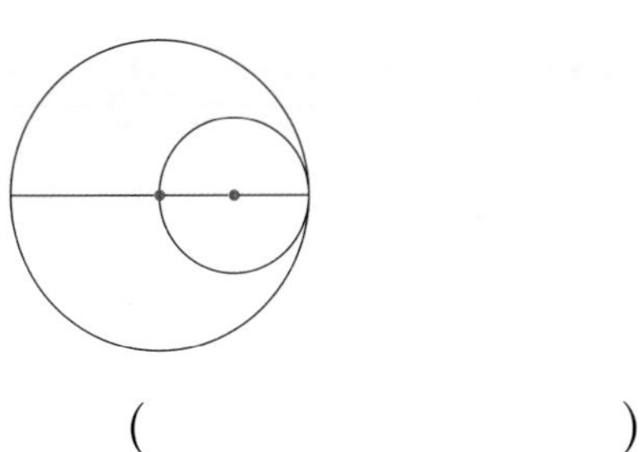
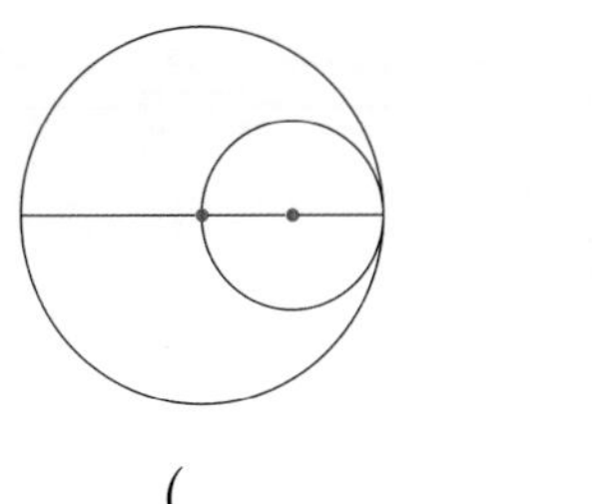

(　　　　　　　　)

12 두 원의 원주의 차는 몇 cm인가요? (원주율: 3)

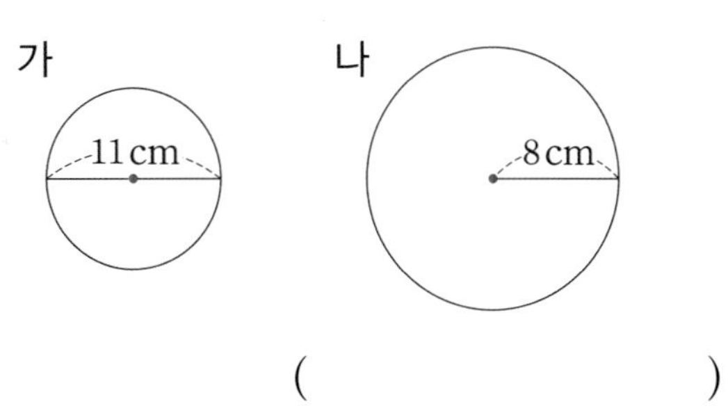

(　　　　　　　　)

13 원 가는 지름이 14 cm이고, 원 나는 지름이 28 cm입니다. 원 나의 원주와 넓이는 각각 원 가의 몇 배인지 구하세요. (원주율: 3.1)

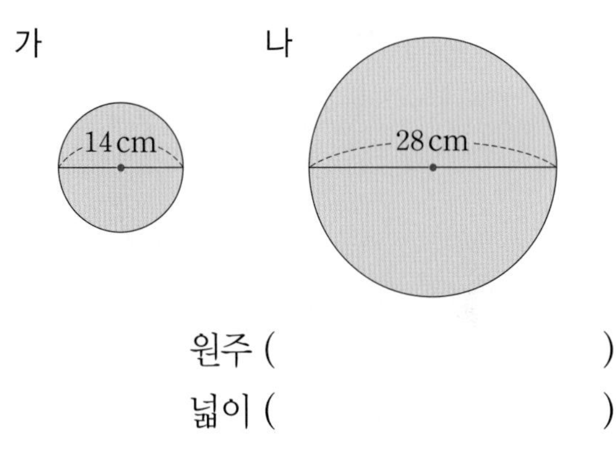

원주 (　　　　　　　　)
넓이 (　　　　　　　　)

14 색칠한 부분의 넓이는 몇 cm^2인가요?
(원주율: 3.14)

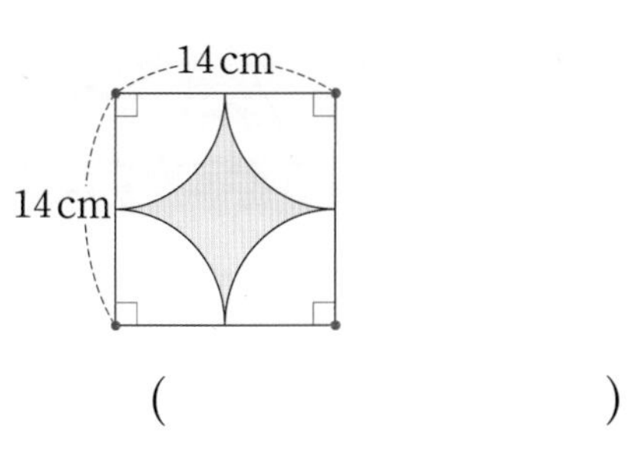

(　　　　　　　　)

단원 마무리

15 다음 도형은 반지름이 12 cm인 원의 일부분입니다. 도형의 넓이는 몇 cm^2인가요?

(원주율: 3.1)

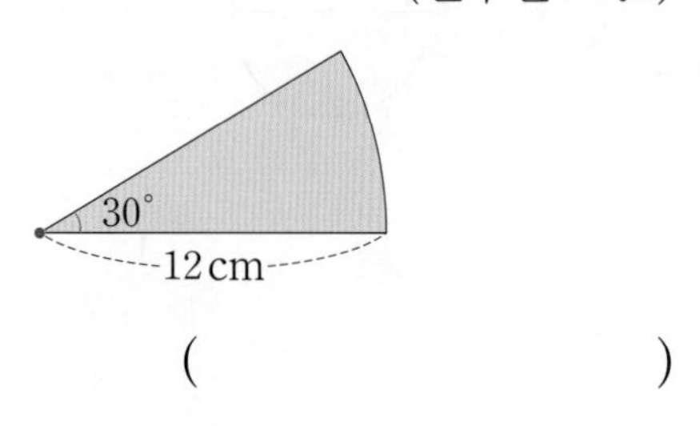

(　　　　　　　　　)

16 다음은 넓이가 243 cm^2인 원입니다. 이 원의 원주는 몇 cm인가요?(원주율: 3)

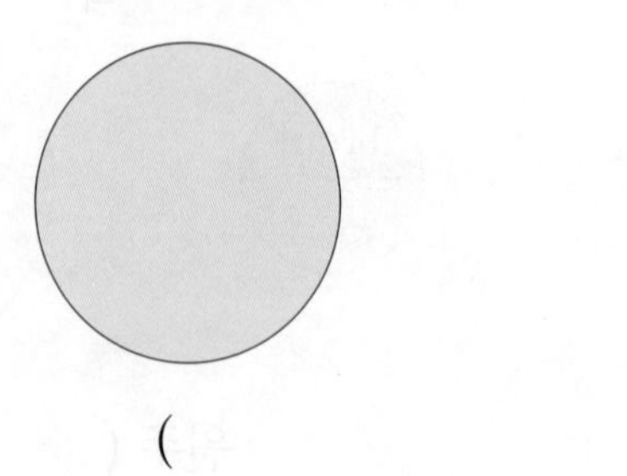

(　　　　　　　　　)

17 색칠한 부분의 둘레와 넓이를 각각 구하세요.

(원주율: 3.14)

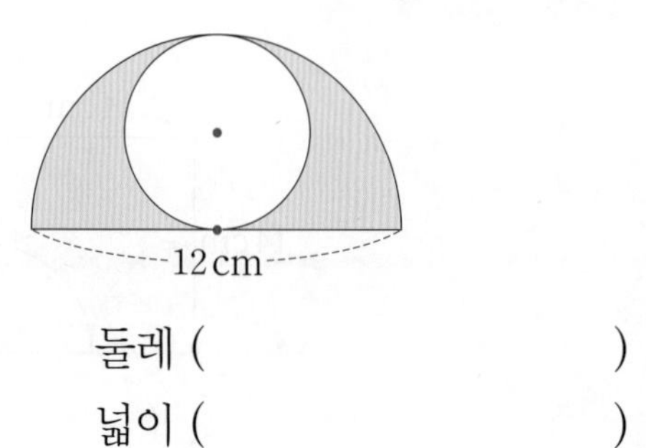

둘레 (　　　　　　　　　)

넓이 (　　　　　　　　　)

서술형 문제

18 잘못 말한 사람의 이름을 쓰고, 바르게 고치세요.

> 슬지: 원주는 지름의 약 3배야.
> 승훈: 원의 크기에 따라 원주율도 달라.

이름

바르게 고치기

19 장난감 기차가 지름이 20 cm인 원 모양의 철로 위를 3바퀴 돌았습니다. 기차가 달린 거리는 몇 cm인지 풀이 과정을 쓰고, 답을 구하세요.(원주율: 3.14)

풀이

답

20 길이가 86.8 cm인 끈을 사용하여 원을 만들려고 합니다. 만들 수 있는 가장 큰 원의 넓이는 몇 cm^2인지 풀이 과정을 쓰고, 답을 구하세요.(원주율: 3.1)

풀이

답

쉬어가기

내 이름은 람 크리슈야.
나는 자연이 매우 아름다운 나라 네팔에 살고 있어. '나마스테'는 인사말로 '안녕하세요'라는 뜻이야.
네팔의 북쪽에는 세계의 지붕이라 불리는 히말라야산맥이 있어. 또한 네팔에는 세계에서 가장 높은 산인 에베레스트산을 비롯하여 높은 산이 많이 있단다.
네팔의 대표적인 축제인 다샤인 축제 때 아이들은 연날리기 놀이를 해. 이 연은 네팔에서 자라는 로크타 나무의 껍질로 만들어서 튼튼하기로 유명해.

히말라야산맥

연날리기

네팔의 '레서판다'

나는 히말라야산맥에 살고 있는 '레서판다'야.
판다는 네팔어로 대나무를 먹는다라는 뜻이야.

특강 여러 가지 도형의 둘레와 넓이

정다각형의 둘레

(정다각형의 둘레)=(한 변)×(변의 수)

예 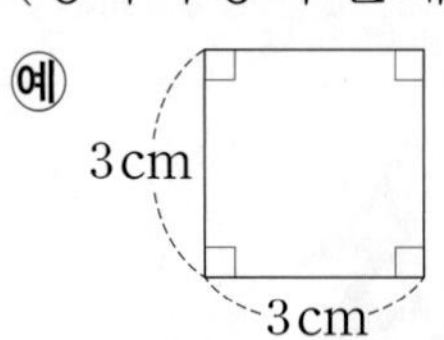

(정사각형의 둘레)
=3×4=12 (cm)

변의 길이가 모두 같고 각의 크기가 모두 같은 다각형을 정다각형이라고 해.

여러 가지 다각형의 둘레

직사각형	평행사변형	마름모
(둘레)=(가로+세로)×2	(둘레)=(한 변+다른 한 변)×2	(둘레)=(한 변)×4
예 2 cm, 4 cm	예 3 cm, 5 cm	예 4 cm
(둘레)=(4+2)×2=12(cm)	(둘레)=(5+3)×2=16(cm)	(둘레)=4×4=16(cm)

여러 가지 다각형의 넓이

직사각형	정사각형	평행사변형
(넓이)=(가로)×(세로)	(넓이)=(한 변)×(한 변)	(넓이)=(밑변)×(높이)
예 3 cm, 5 cm (넓이) =5×3 =15(cm^2)	예 4 cm, 4 cm (넓이) =4×4 =16(cm^2)	예 3 cm, 2 cm (넓이) =2×3 =6(cm^2)

삼각형	마름모	사다리꼴
(넓이)=(밑변)×(높이)÷2	(넓이) =(한 대각선)×(다른 대각선)÷2	(넓이) =(윗변+아랫변)×(높이)÷2
예 4 cm, 3 cm (넓이) =3×4÷2 =6(cm^2)	예 6 cm, 3 cm (넓이) =3×6÷2 =9(cm^2)	예 2 cm, 4 cm, 5 cm (넓이) =(2+5)×4÷2 =14(cm^2)

원주

원주: 원의 둘레

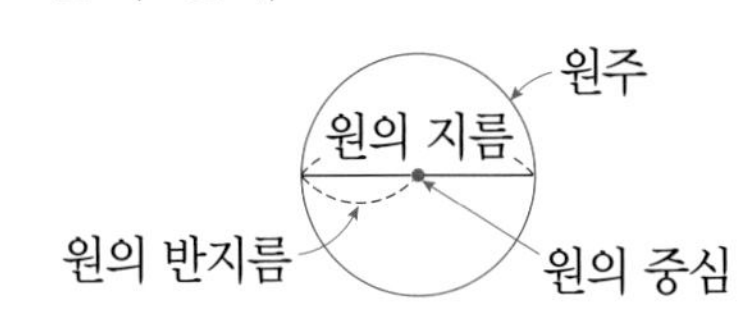

원주율

- 원주율: 원의 지름에 대한 원주의 비율
  (원주율)=(원주)÷(지름)
- 원주율을 소수로 나타내면 3.1415926535897932……와 같이 끝없이 이어집니다. 따라서 필요에 따라 3, 3.1, 3.14 등으로 어림하여 사용하기도 합니다.

원의 지름이 ■배가 되면 원주도 ■배가 돼.

원주 구하기

(원주)÷(지름)=(원주율)

➡ (원주)=(지름)×(원주율)
=(반지름)×2×(원주율)

예 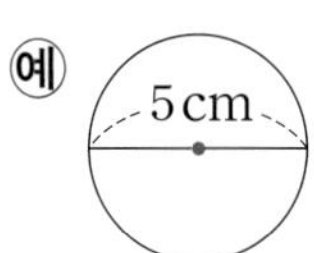

(원주율: 3.1)
(원주)=5×3.1
=15.5(cm)

원의 지름 구하기

(원주)÷(지름)=(원주율)

➡ (지름)=(원주)÷(원주율)
(반지름)=(원주)÷(원주율)÷2

예 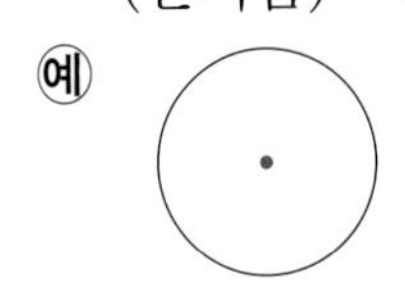

원주: 21 cm

(원주율: 3)
(지름)=21÷3
=7(cm)

원의 넓이 구하기

(원의 넓이)
=(원주율)×(반지름)×(반지름)

예 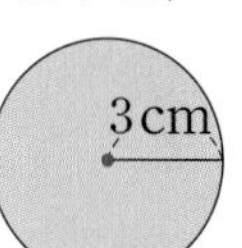

(원주율: 3.14)
(넓이)=3.14×3×3
=28.26(cm^2)

여러 가지 방법으로 넓이 구하기

① 일부분을 옮겨서 다른 도형으로 바꾸어 넓이 구하기

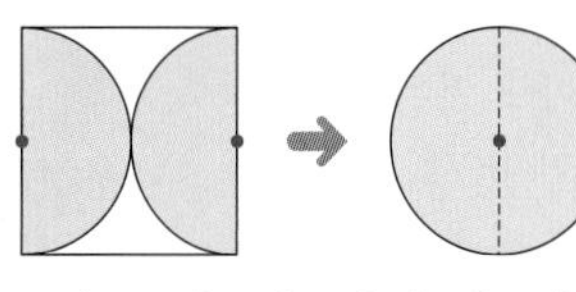

② 도형을 나누어 각 부분의 넓이의 합으로 구하기

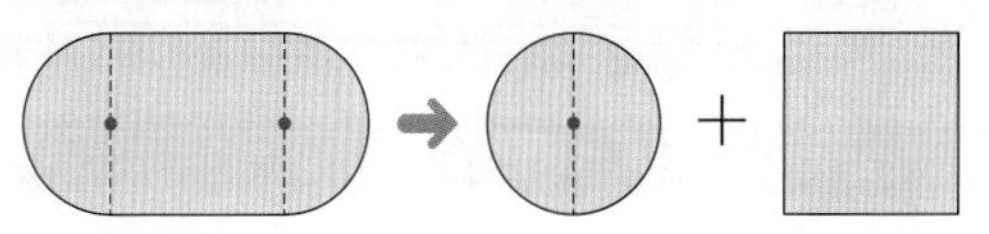

원의 반지름이 ▲배가 되면 원의 넓이는 (▲×▲)배가 돼.

5 단원

6 원기둥, 원뿔, 구

학습 계획표

공부할 날짜를 적고 〈**진도북**〉과 〈**매칭북**〉의 쪽수를 찾아 공부하세요.

학습 내용	계획 및 확인					
	진도북			매칭북		
STEP 1 개념 완성하기	140~145쪽 ➜	월	일	40쪽 ➜	월	일
STEP 2 실력 다지기	146~151쪽 ➜	월	일	41~43쪽 ➜	월	일
STEP 3 서술형 해결하기	152~153쪽 ➜	월	일	44쪽 ➜	월	일
단원 마무리	154~156쪽 ➜	월	일	60~62쪽 ➜	월	일

※ **특강**을 활용하여 이전에 배운 내용과 이번에 배울 내용의 흐름을 이해합니다.

대표 유형

- 이번 단원에서 꼭 공부해야 할 **〈대표 유형〉**입니다.
- 학습한 후에 이해가 부족한 유형은 ▢ 안에 ○표 한 후 반복하여 학습하세요.

- ▢ 원기둥
- ▢ 원기둥과 각기둥의 비교
- ▢ 원기둥의 전개도
- ▢ 원기둥의 전개도 그리기
- ▢ 원뿔
- ▢ 원뿔과 각뿔의 비교
- ▢ 구
- ▢ 만든 모양에서 입체도형의 개수 알아보기
- ▢ 원기둥, 원뿔, 구의 특징
- ▢ 전개도를 보고 구성 요소의 길이 구하기
- ▢ 약점 체크 돌리기 전의 평면도형 알아보기
- ▢ 약점 체크 길이가 주어진 종이로 원기둥 만들기

STEP 1

개념 완성하기

1 원기둥 알아보기

(1) 원기둥: 등과 같은 입체도형

(2) 원기둥의 구성 요소

① 밑면: 서로 평행하고 합동인 두 면

② 옆면: 두 밑면과 만나는 면

③ 높이: 두 밑면에 수직인 선분의 길이

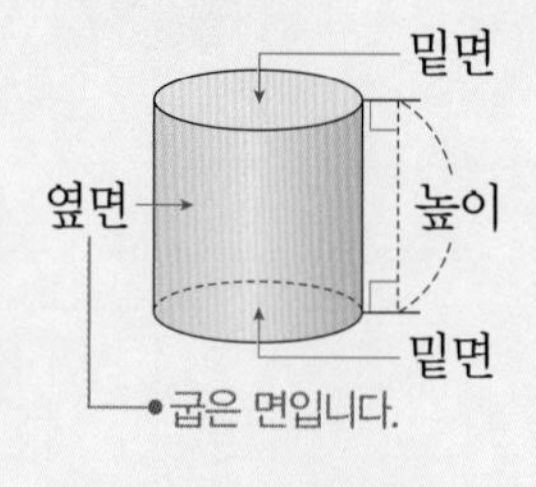

예제 직사각형 모양의 종이를 한 변을 기준으로 한 바퀴 돌렸을 때 만들어지는 입체도형 알아보기

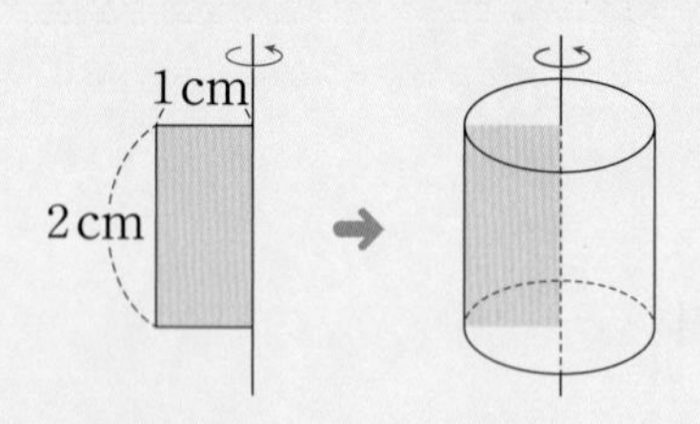

① 입체도형: 원기둥

② (밑면의 지름)$=1\times2=2$ (cm) ← (직사각형의 가로)×2

(높이)$=2$ cm ← 직사각형의 세로

2 원기둥의 전개도 알아보기

• 원기둥의 전개도: 원기둥을 잘라서 펼쳐 놓은 그림

① 밑면: 원 모양

② 옆면: 직사각형 모양

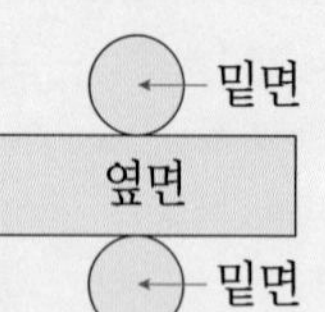

예제 전개도에서 각 부분의 길이 알아보기(원주율: 3)

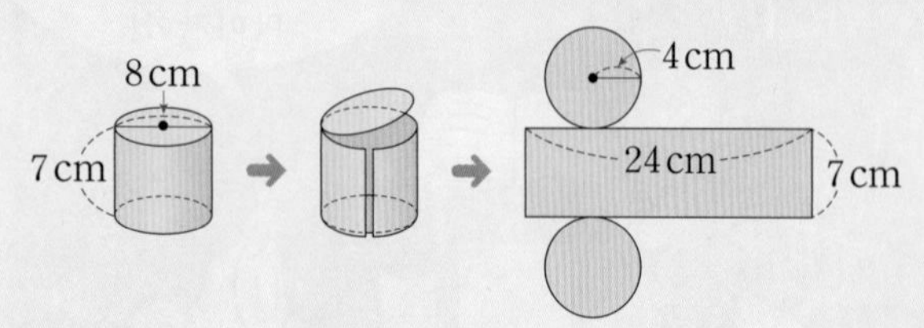

(옆면의 가로)$=$(밑면의 둘레)$=8\times3=24$ (cm)

(옆면의 세로)$=$(원기둥의 높이)$=7$ cm

개념 확인

1 다음 도형 중 원기둥을 모두 찾아 기호를 쓰세요.

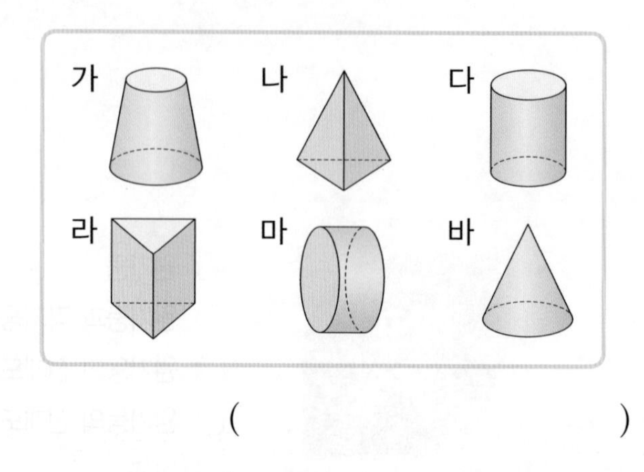

( )

2 원기둥을 잘라서 펼쳐 놓은 그림입니다. 물음에 답하세요.

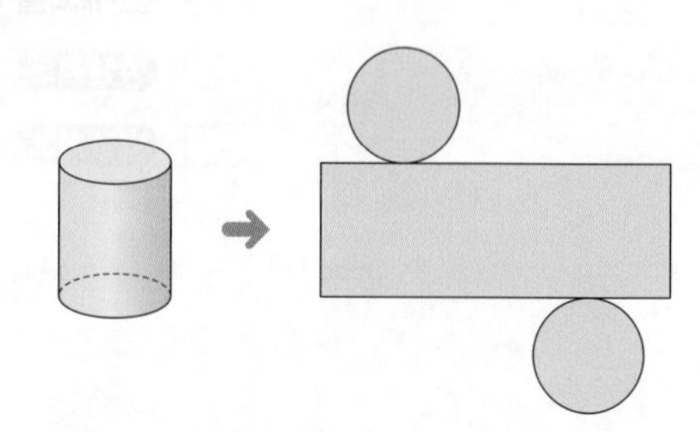

(1) 원기둥을 잘라서 펼쳐 놓은 그림을 원기둥의 무엇이라고 하나요?

( )

(2) 원기둥을 잘라서 펼쳐 놓은 그림에서 밑면의 둘레와 길이가 같은 선분은 파란색으로, 원기둥의 높이와 길이가 같은 선분은 빨간색으로 표시하세요.

정답 37쪽

기본 유형

3 원기둥에서 각 부분의 이름을 □ 안에 써넣으세요.

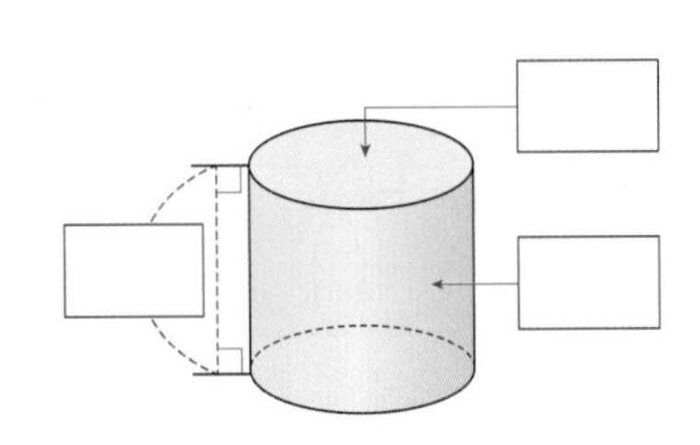

4 다음과 같이 직사각형 모양의 종이를 한 변을 기준으로 한 바퀴 돌렸을 때 만들어지는 입체도형을 그리세요.

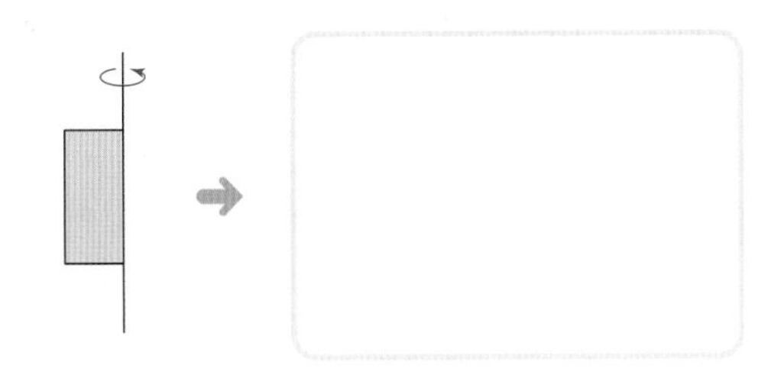

5 원기둥의 전개도를 바르게 그린 것에 ○표 하세요.

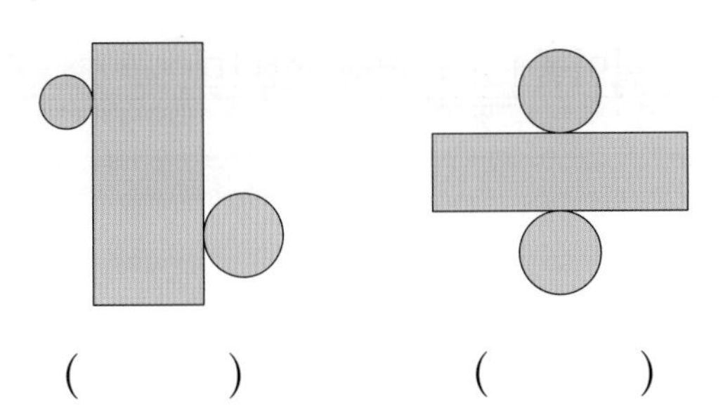

(　　　) (　　　)

6 원기둥의 높이는 몇 cm인지 구하세요.

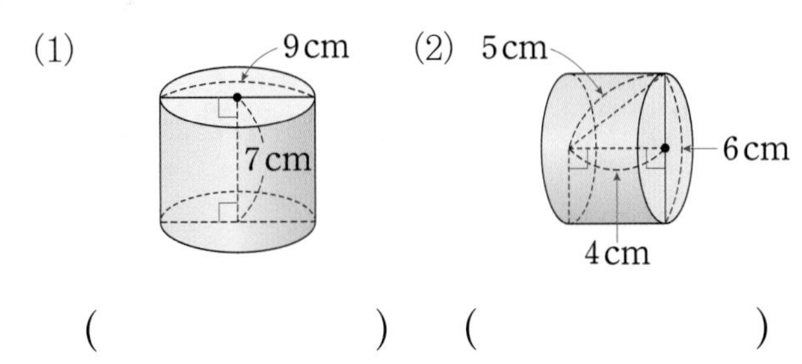

(　　　　　) (　　　　　)

7 다음과 같이 직사각형 모양의 종이를 한 변을 기준으로 한 바퀴 돌려서 원기둥을 만들었습니다. □ 안에 알맞은 수를 써넣으세요.

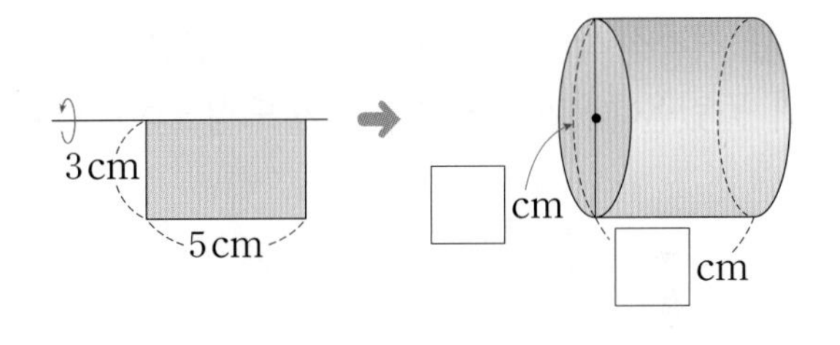

8 원기둥과 원기둥의 전개도를 보고 ㉠과 ㉡에 알맞은 길이를 각각 구하세요. (원주율: 3.1)

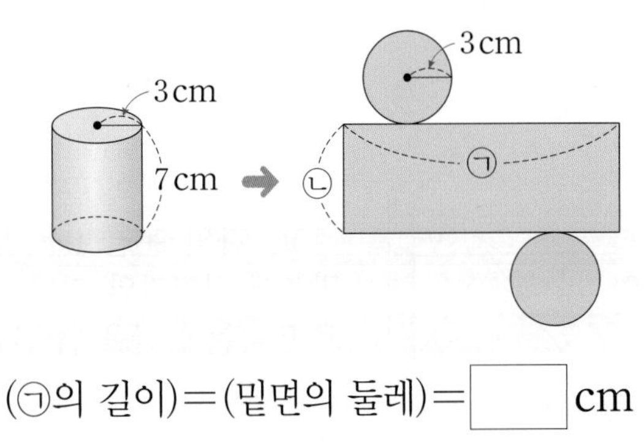

(㉠의 길이)=(밑면의 둘레)=□ cm

(㉡의 길이)=(원기둥의 높이)=□ cm

STEP 1

개념 완성하기

3 원뿔 알아보기

(1) 원뿔: 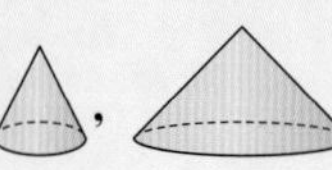 등과 같은 입체도형

(2) **원뿔의 구성 요소**

① 밑면: 평평한 면

② 옆면: 옆을 둘러싼 굽은 면

③ 원뿔의 꼭짓점: 뾰족한 부분의 점

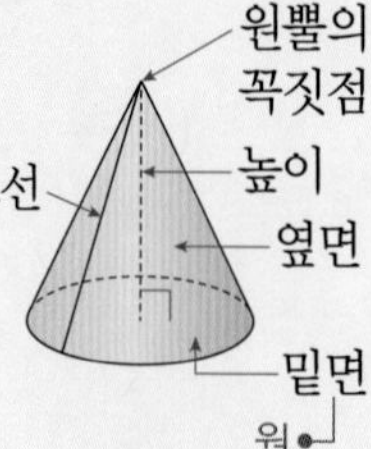

④ 모선: 원뿔의 꼭짓점과 밑면인 원의 둘레의 한 점을 이은 선분

⑤ 높이: 원뿔의 꼭짓점에서 밑면에 수직인 선분의 길이

중요 원뿔에서 모선은 무수히 많습니다.

예제 1 직각삼각형 모양의 종이를 한 변을 기준으로 한 바퀴 돌렸을 때 만들어지는 입체도형 알아보기

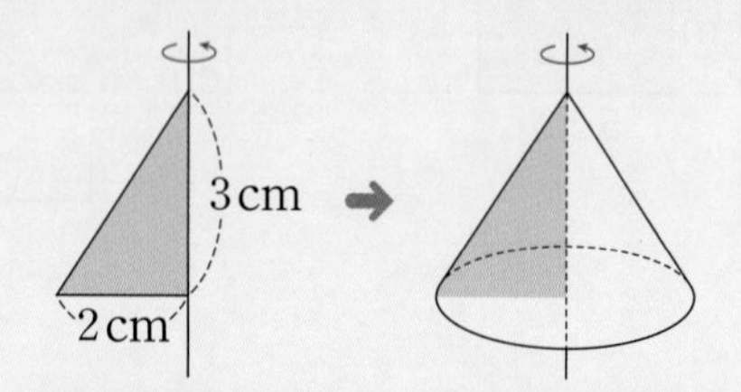

① 입체도형: 원뿔

② (밑면의 지름) $=2\times2=4$ (cm), (높이) $=3$ cm

(2×2: (직각삼각형의 밑변의 길이)×2, 3 cm: 직각삼각형의 높이)

예제 2 원뿔의 모선의 길이와 높이 재기

모선	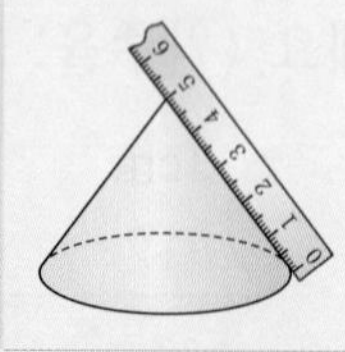	원뿔의 꼭짓점과 밑면인 원의 둘레의 한 점을 이은 선분의 길이를 잽니다. ➡ 5cm
높이	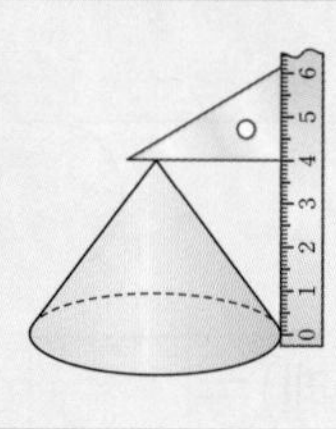	삼각자를 원뿔의 꼭짓점에 맞추고, 자의 눈금 0을 밑면에 맞추어 삼각자와 자가 직각으로 만나는 눈금을 읽습니다. ➡ 4cm

참고 모선의 길이는 항상 높이보다 깁니다.

개념 확인

1 다음 도형 중 원뿔을 모두 찾아 기호를 쓰세요.

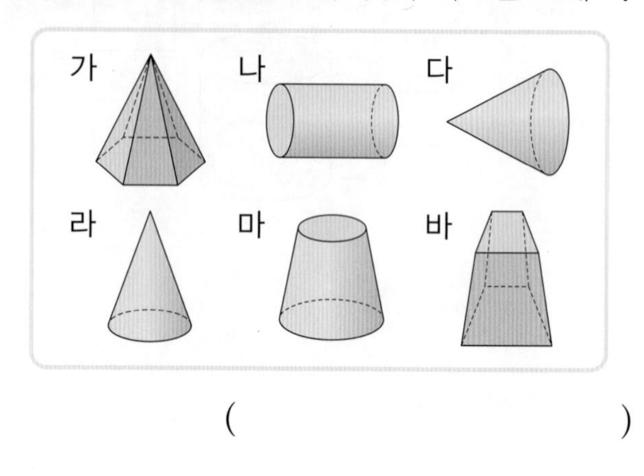

(　　　　　　　　　　)

2 원뿔의 구성 요소를 알아보려고 합니다. □ 안에 알맞은 말을 써넣으세요.

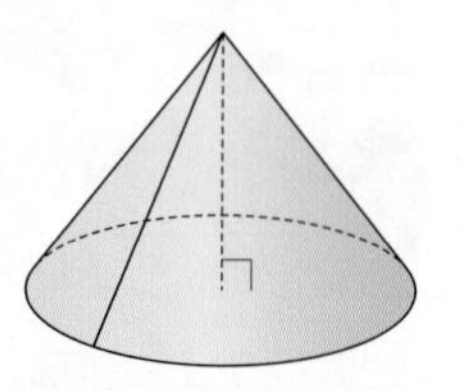

(1) 평평한 면을 □, 옆을 둘러싼 굽은 면을 □, 뾰족한 부분의 점을 □ 이라고 합니다.

(2) 원뿔의 꼭짓점과 밑면인 원의 둘레의 한 점을 이은 선분을 □이라고 합니다.

(3) 원뿔의 꼭짓점에서 밑면에 수직인 선분의 길이를 □라고 합니다.

정답 37쪽

기본 유형

3 원뿔에서 각 부분의 이름을 □ 안에 써넣으세요.

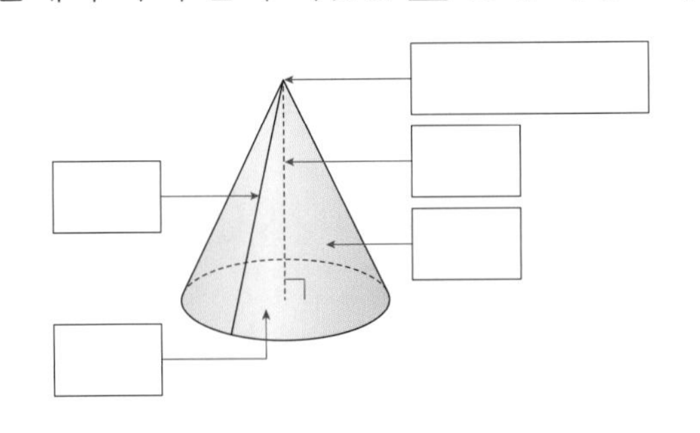

4 오른쪽과 같이 직각삼각형 모양의 종이를 한 변을 기준으로 한 바퀴 돌렸을 때 만들어지는 입체도형을 찾아 기호를 쓰세요.

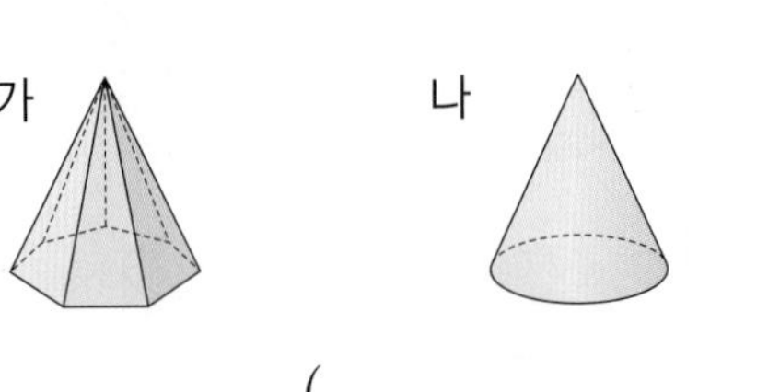

(　　　　　　　)

5 원뿔의 무엇을 재는 것인지 관계있는 것끼리 선으로 이으세요.

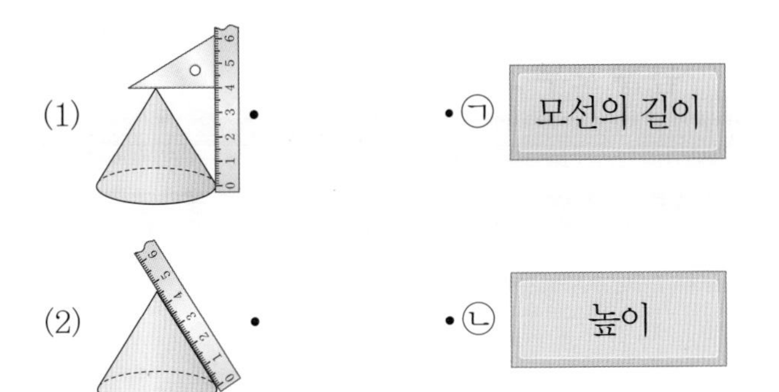

6 원뿔의 높이는 몇 cm인지 구하세요.

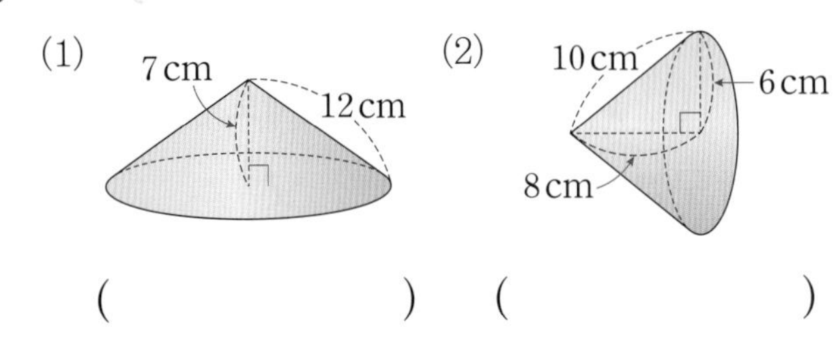

(1) (　　　　　　　)　(2) (　　　　　　　)

7 다음과 같이 직각삼각형 모양의 종이를 한 변을 기준으로 한 바퀴 돌려서 원뿔을 만들었습니다. □ 안에 알맞은 수를 써넣으세요.

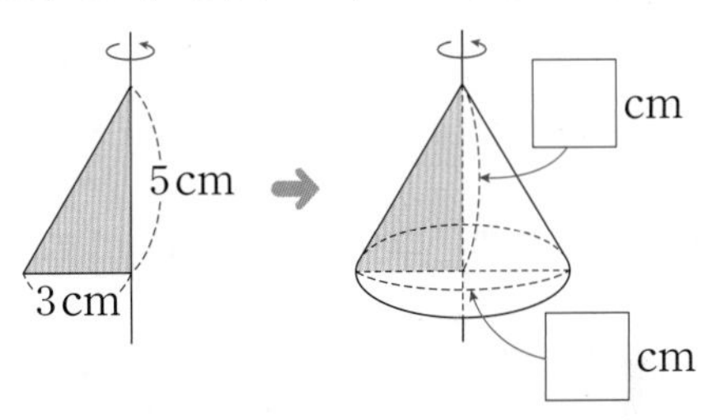

8 원뿔을 보고 물음에 답하세요.

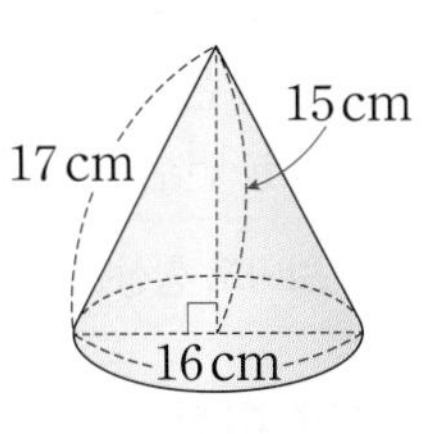

(1) 모선의 길이는 몇 cm인가요?

(　　　　　　　)

(2) 모선과 높이 중 길이가 더 긴 것은 무엇인가요?

(　　　　　　　)

6 단원

STEP 1

개념 완성하기

4 구 알아보기

(1) 구: 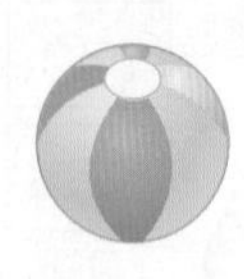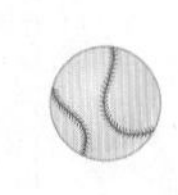 등과 같은 입체도형

(2) **구의 구성 요소**

① 구의 중심:
가장 안쪽에 있는 점

② 구의 반지름:
구의 중심에서 구의 겉면의 한 점을 이은 선분

구의 중심 / 구의 반지름

참고 구의 구성 요소의 성질
- 구의 중심에서 겉면에 있는 어느 점까지의 거리는 모두 같습니다.
- 구의 반지름은 모두 같고 무수히 많습니다.

예제 1 반원 모양의 종이를 지름을 기준으로 한 바퀴 돌렸을 때 만들어지는 입체도형 알아보기

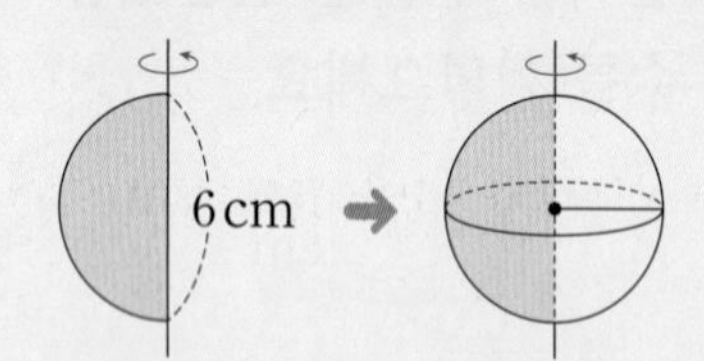

① 입체도형: 구
② (반지름)
$=6\div2=3(\text{cm})$ ← (반원의 지름)÷2

예제 2 원기둥, 원뿔, 구의 같은 점과 다른 점 알아보기

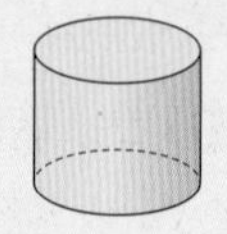 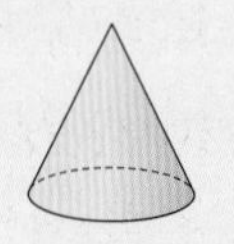 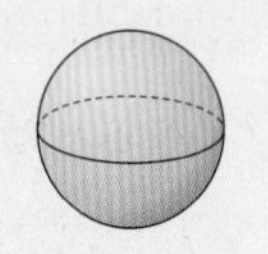

같은 점	• 굽은 면으로 둘러싸여 있습니다. • 위에서 본 모양이 원입니다.
다른 점	• 원기둥은 기둥 모양, 원뿔은 뿔 모양, 구는 공 모양입니다. • 원뿔은 꼭짓점이 있고, 원기둥과 구는 꼭짓점이 없습니다. • 앞과 옆에서 본 모양이 원기둥은 직사각형, 원뿔은 이등변삼각형, 구는 원입니다.

중요 구는 어느 방향에서 보아도 항상 원 모양입니다.

5 여러 가지 모양 만들기

예제 원기둥, 원뿔, 구를 사용하여 모양 만들기

예

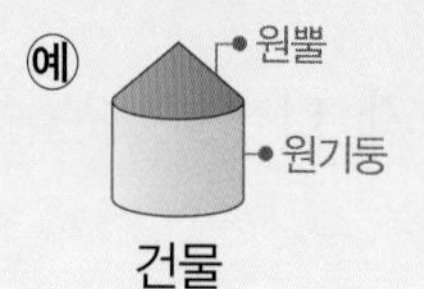

건물

장식품

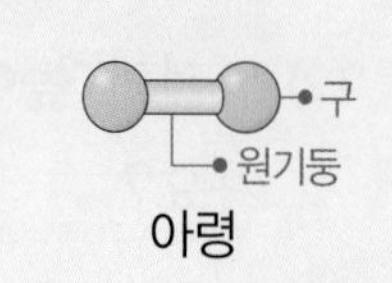

아령

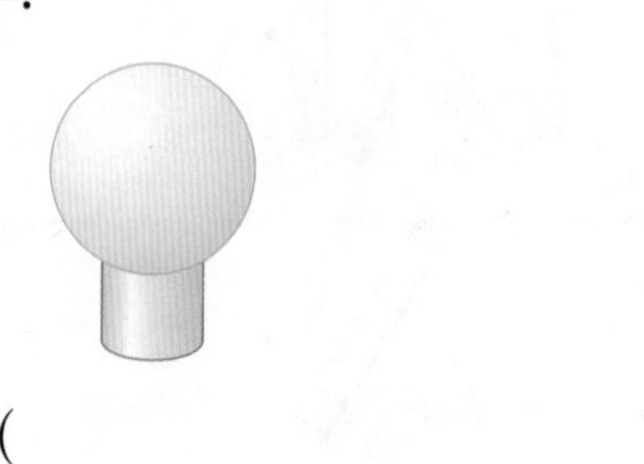

개념 확인

1 그림을 보고 □ 안에 알맞은 말을 써넣으세요.

그림과 같은 입체도형을 □라고 합니다.

2 구를 모두 찾아 기호를 쓰세요.

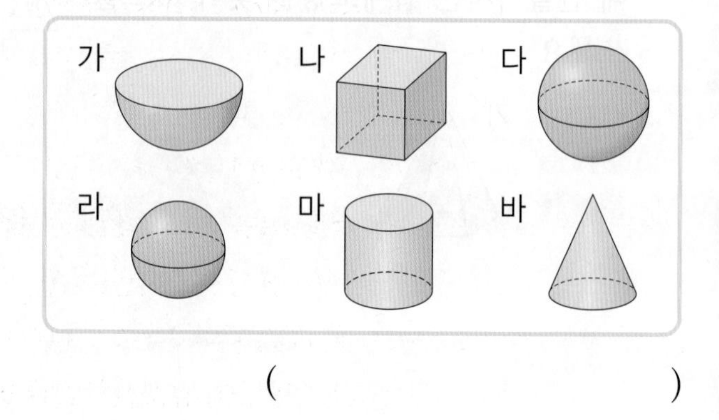

(　　　　　　　　)

3 다음 모양을 만드는 데 사용한 입체도형의 이름을 모두 쓰세요.

(　　　　　　　　)

정답 37쪽

기본 유형

4 구에서 각 부분의 이름을 □ 안에 써넣으세요.

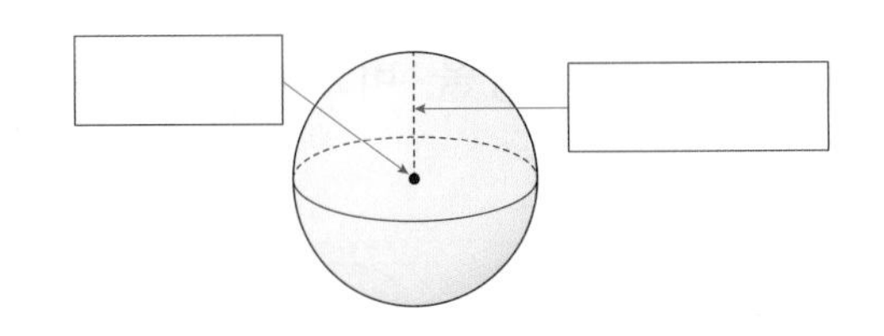

5 다음과 같이 반원 모양의 종이를 지름을 기준으로 한 바퀴 돌렸을 때 만들어지는 입체도형의 이름을 쓰세요.

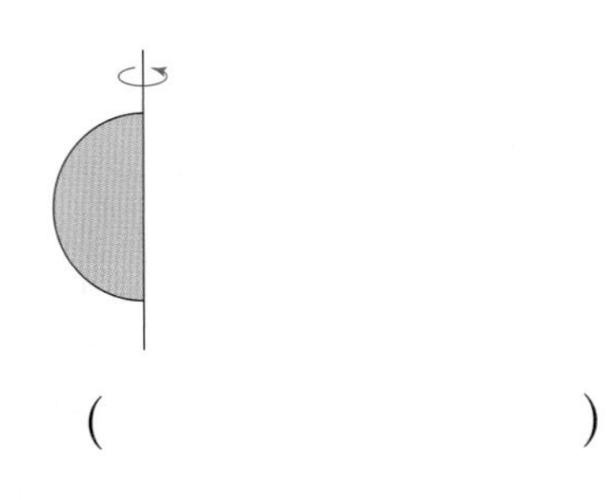

(　　　　　　　　　)

6 모양이 같은 것끼리 선으로 잇고, □ 안에 입체도형의 이름을 써넣으세요.

(1) 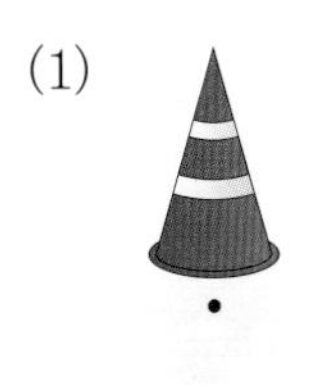 (2)   (3) 

㉠ 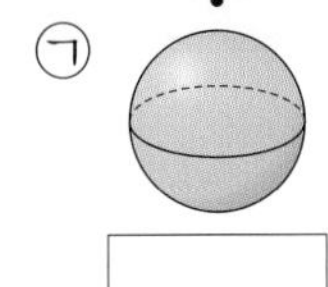  ㉡ 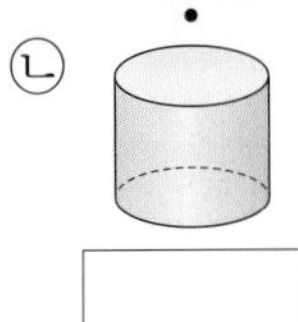 ㉢ 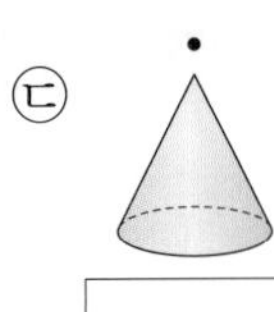

7 구의 반지름은 몇 cm인지 구하세요.

(1) 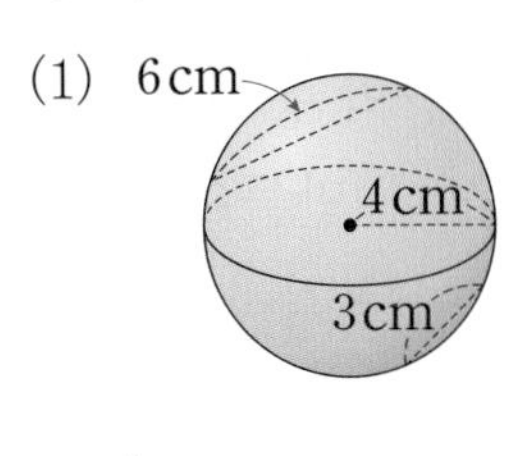

(　　　　　　)

(2) 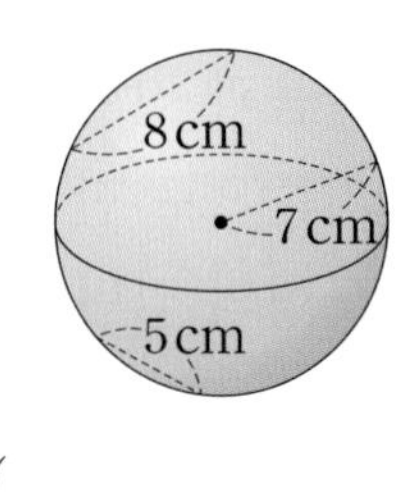

(　　　　　　)

8 입체도형을 사용하여 모양을 만들어 보세요.

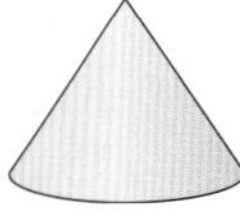 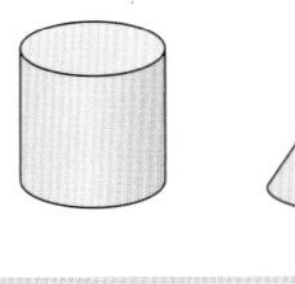 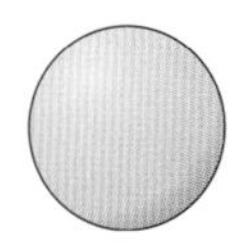

9 원기둥, 원뿔, 구의 특징을 알아보려고 합니다. □ 안에 알맞은 기호를 써넣으세요.

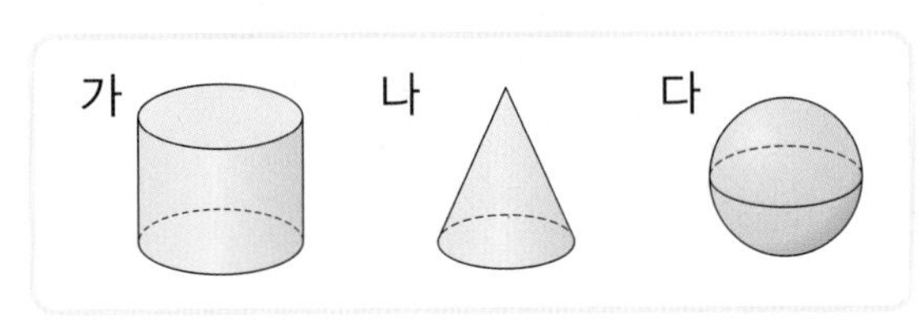

(1) 기둥 모양인 도형은 □입니다.

(2) 꼭짓점이 있는 도형은 □입니다.

(3) 밑면의 모양이 원인 도형은 □, □입니다.

(4) 어느 방향에서 보아도 모양이 같은 도형은 □입니다.

STEP 2 유형 확인 강화

실력 다지기

원기둥

유형 **01** 다음과 같이 직사각형 모양의 종이를 한 변을 기준으로 한 바퀴 돌렸을 때 만들어지는 입체도형의 밑면의 지름과 높이를 각각 구하세요.

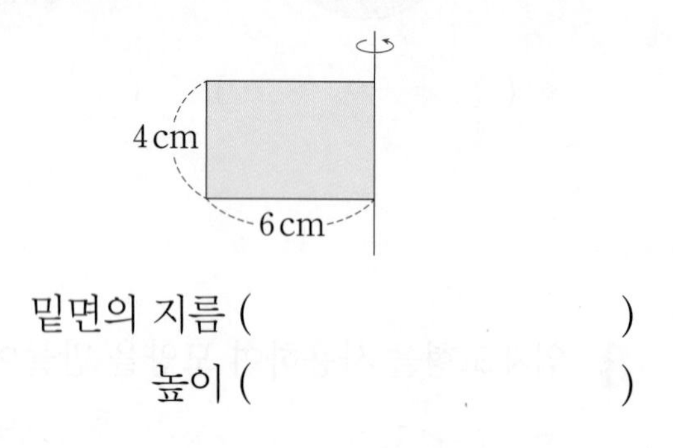

밑면의 지름 (　　　　　　　　　　)
높이 (　　　　　　　　　　)

확인 **02** 오른쪽 원기둥에 대한 설명으로 틀린 것을 찾아 기호를 쓰세요.

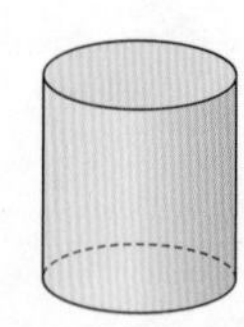

㉠ 두 밑면의 모양은 합동인 원입니다.
㉡ 원기둥에는 굽은 면이 없습니다.
㉢ 한 원기둥에서 높이는 항상 일정합니다.
㉣ 앞에서 본 모양은 직사각형입니다.

(　　　　　　　　　　)

강화 **03** 오른쪽 원기둥을 위에서 본 모양은 지름이 7 cm인 원이고, 앞에서 본 모양은 정사각형입니다. 이 원기둥의 높이는 몇 cm인가요?

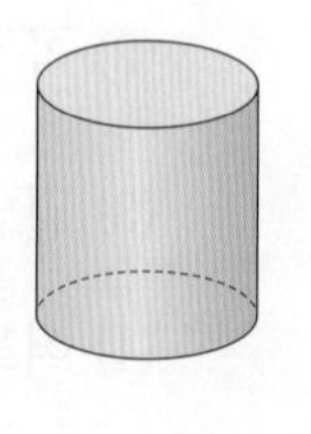

(　　　　　　　　　　)

원기둥과 각기둥의 비교

04 원기둥과 각기둥을 비교하여 빈칸에 알맞게 써넣으세요.

입체도형	(원기둥)	(육각기둥)
밑면의 수		
밑면의 모양		

05 원기둥과 오각기둥의 같은 점을 모두 고르세요.

(　　　　　　)

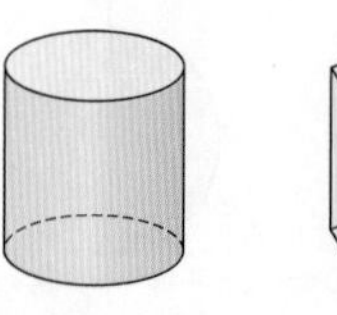

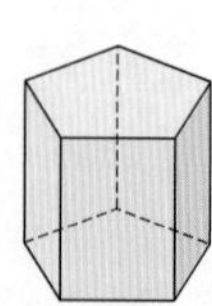

① 꼭짓점이 있습니다.
② 두 밑면이 합동입니다.
③ 밑면의 모양이 원입니다.
④ 굽은 면이 있습니다.
⑤ 앞에서 본 모양이 직사각형입니다.

서술형

06 원기둥과 각기둥의 같은 점과 다른 점을 2가지씩 쓰세요.

같은 점	
다른 점	

원기둥의 전개도

07 오른쪽 원기둥의 전개도를 보고 잘못 설명한 사람의 이름을 쓰세요.

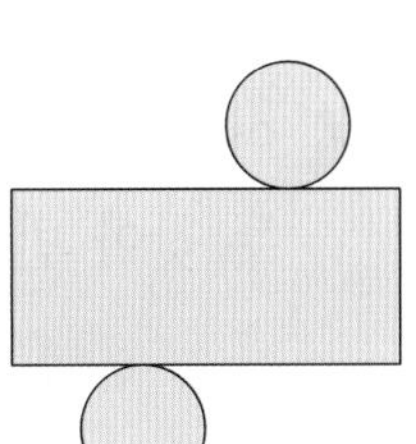

옆면의 가로와 밑면의 둘레는 같아.
현정

밑면의 지름은 전개도를 접었을 때 만들어지는 원기둥의 높이와 같아.
희연

두 밑면의 모양은 합동인 원이야.
재우

( )

08 서술형 교과역량 주현이는 원기둥 모양의 상자를 만들기 위해 종이에 전개도를 그렸습니다. 전개도를 바르게 그렸는지, 잘못 그렸는지 쓰고, 그 이유를 쓰세요.

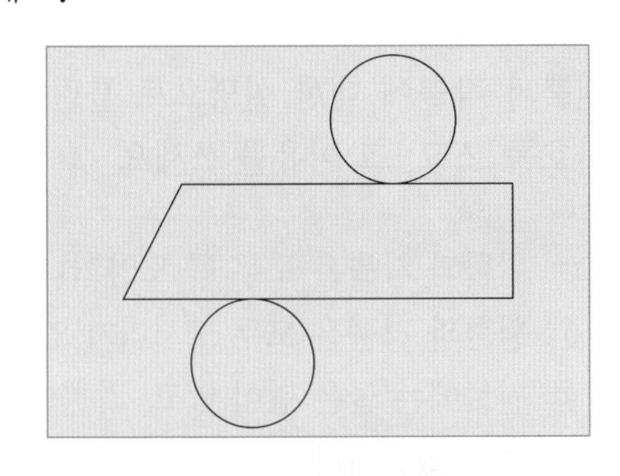

답

이유

원기둥의 전개도 그리기

09 오른쪽 원기둥의 전개도를 그리려고 합니다. 전개도를 완성하고, 옆면의 가로, 세로의 길이를 나타내세요. (원주율: 3.1)

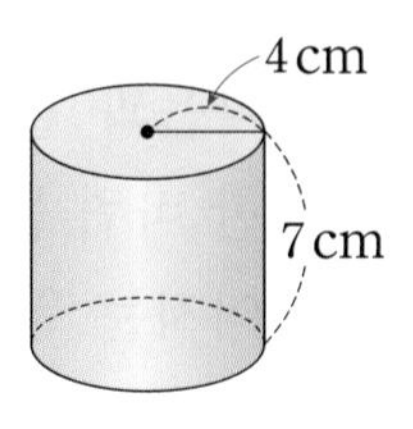

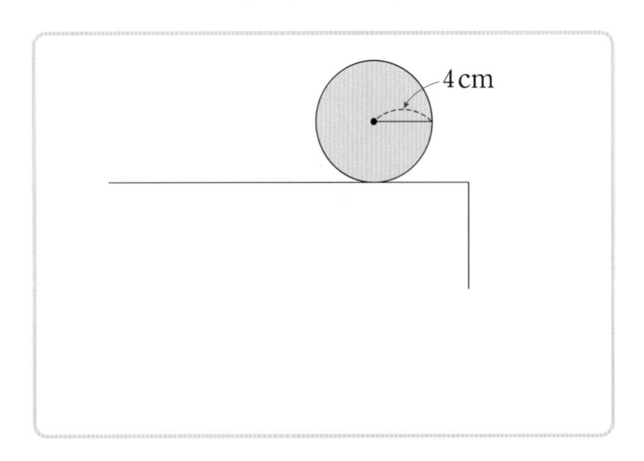

10 오른쪽 원기둥의 전개도를 그리고, 밑면의 지름과 옆면의 가로, 세로의 길이를 나타내세요. (원주율: 3)

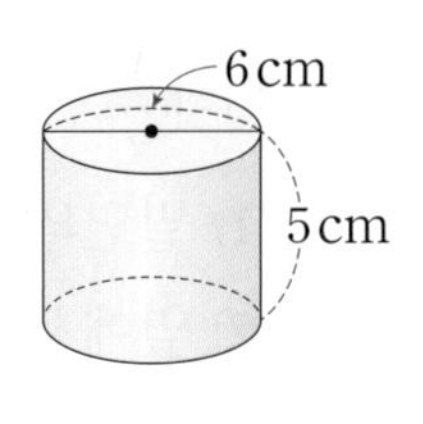

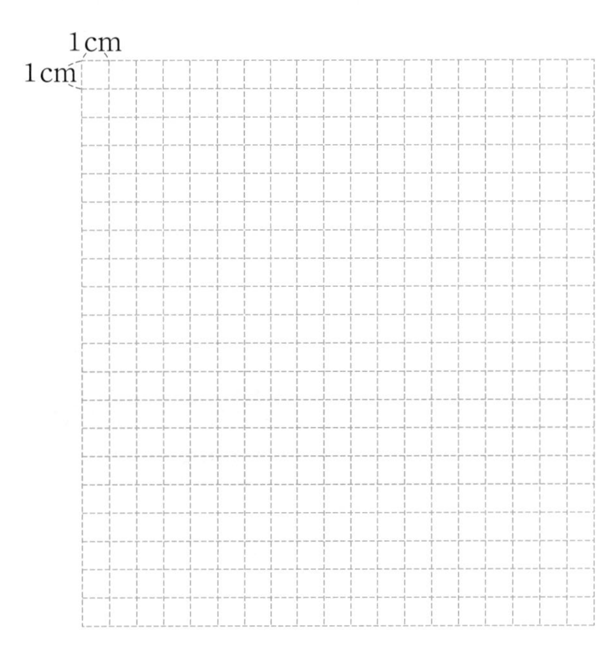

원뿔

유형 **11** 다음과 같이 직각삼각형 모양의 종이를 각각 한 바퀴 돌려서 원뿔을 만들려고 합니다. 만들어지는 원뿔의 밑면의 지름과 높이를 각각 구하세요.

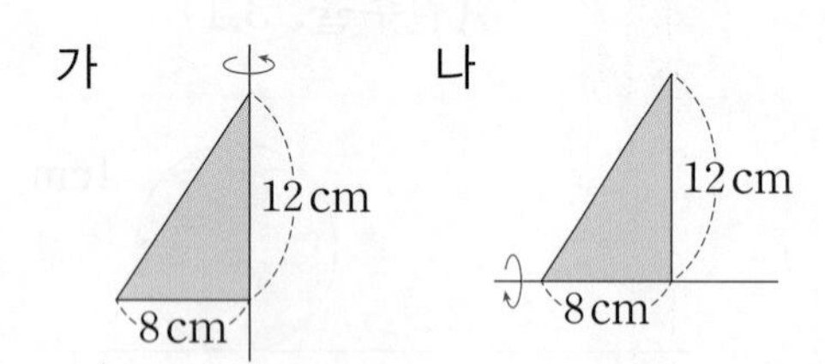

원뿔	가	나
밑면의 지름(cm)		
높이(cm)		

확인 **12** 원뿔에 대하여 바르게 설명한 것에는 ○표, 잘못 설명한 것에는 ×표 하세요.

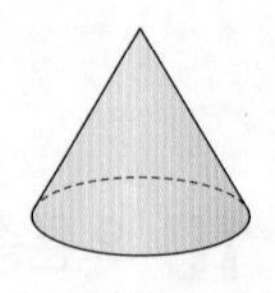

(1) 밑면의 모양은 원입니다. (　　)

(2) 옆에서 본 모양은 원입니다. (　　)

(3) 원뿔의 높이는 항상 모선의 길이보다 깁니다. (　　)

강화 **13** 삼각형 ㄱㄴㄷ의 둘레는 몇 cm인가요?

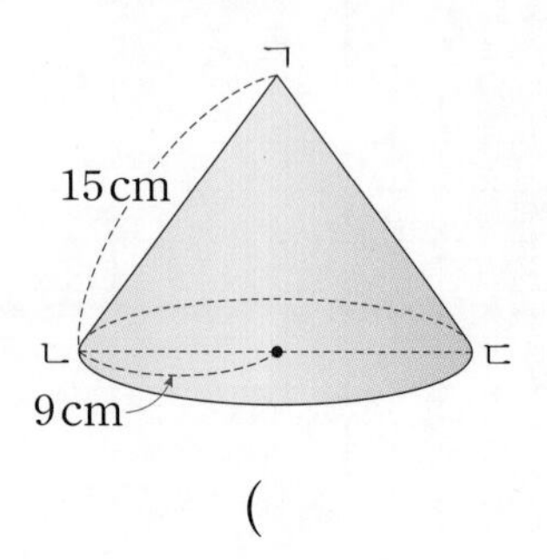

(　　　　)

원뿔과 각뿔의 비교

14 어떤 입체도형에 대한 설명인지 보기 에서 모두 찾아 빈칸에 써넣으세요.

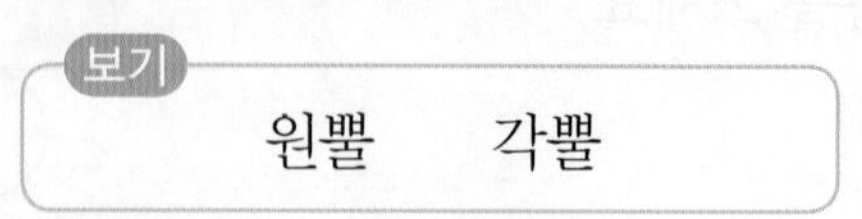

밑면의 모양이 원입니다.	
옆면의 모양이 삼각형입니다.	
꼭짓점이 있습니다.	

15 두 도형의 같은 점을 모두 찾아 기호를 쓰세요.

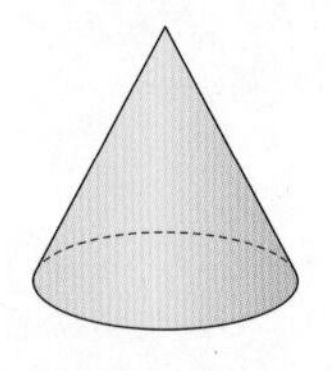
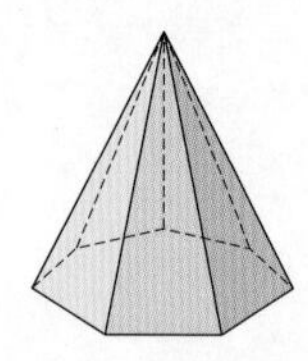

㉠ 밑면의 수　㉡ 위에서 본 모양
㉢ 꼭짓점의 수　㉣ 앞에서 본 모양

(　　　　)

서술형
16 원뿔과 각뿔에 대한 설명으로 틀린 것을 찾아 기호를 쓰고, 그 이유를 쓰세요.

㉠ 원뿔과 각뿔은 모두 뿔 모양입니다.
㉡ 원뿔과 각뿔은 모두 모서리가 있습니다.
㉢ 원뿔에는 굽은 면이 있고, 각뿔에는 굽은 면이 없습니다.

답 ______

이유 ______

정답 38쪽

구

17 오른쪽과 같이 지름이 14 cm인 반원 모양의 종이를 지름을 기준으로 한 바퀴 돌리면 구가 만들어집니다. 만들어지는 구의 반지름은 몇 cm인지 구하고, 구의 중심을 반원 모양에 표시하세요.

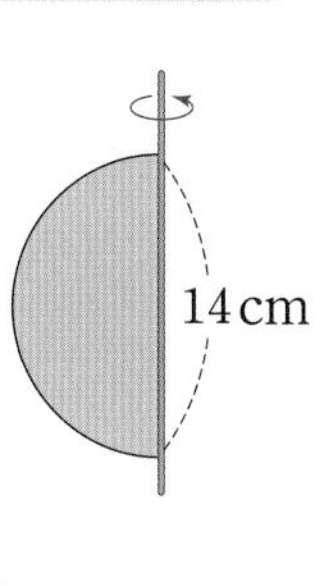

(   )

18 서술형 구에 대해 잘못 설명한 사람의 이름을 쓰고, 바르게 고치세요.

은영: 구를 앞에서 본 모양은 원 모양이야.
현미: 구의 중심은 무수히 많아.
상준: 구에는 꼭짓점이 없어.

이름

바르게 고치기

19 구의 겉면에 그릴 수 있는 가장 큰 원의 지름은 몇 cm인가요?

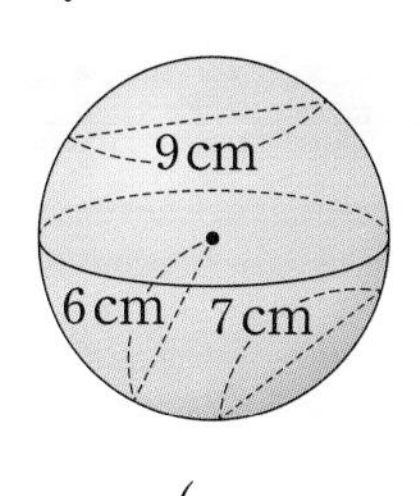

(   )

만든 모양에서 입체도형의 개수 알아보기

20 다음은 연준이가 원기둥, 원뿔, 구를 사용하여 만든 성벽입니다. 성벽을 만드는 데 사용한 원기둥, 원뿔, 구의 개수를 각각 구하세요.

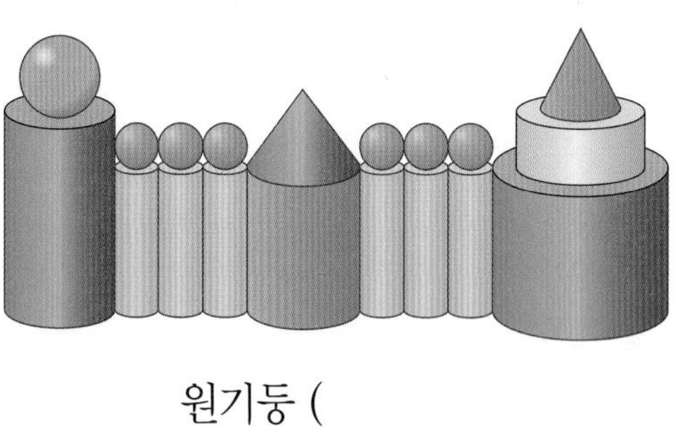

원기둥 (   )
원뿔 (   )
구 (   )

21 교과 역량 소희와 재준이가 태어난 날의 별자리를 원기둥과 구를 사용하여 만든 것입니다. 별자리를 만드는 데 사용한 구가 더 많은 사람의 이름을 쓰세요.

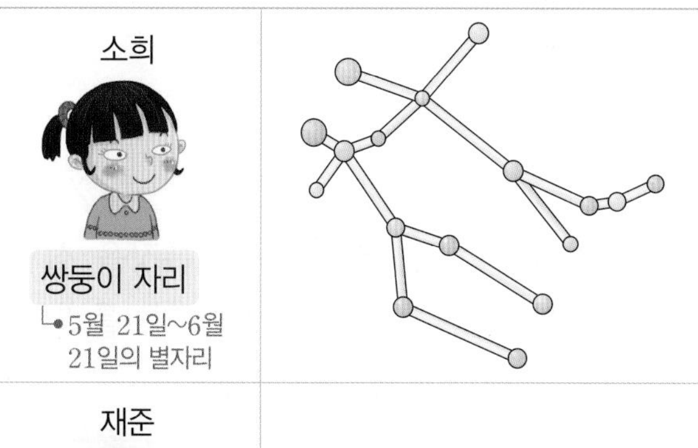

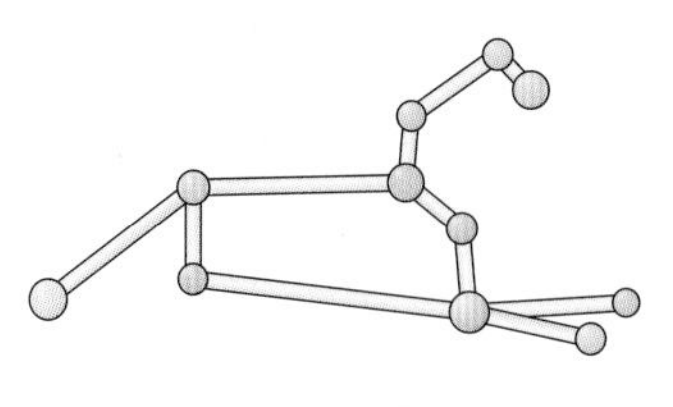

사자 자리
7월 23일~8월 22일의 별자리

(   )

6 단원

실력 다지기

원기둥, 원뿔, 구의 특징

유형 **22** 원기둥, 원뿔, 구를 위, 앞, 옆에서 본 모양을 각각 그리고, 어느 방향에서 보아도 모양이 모두 같은 입체도형의 이름을 쓰세요.

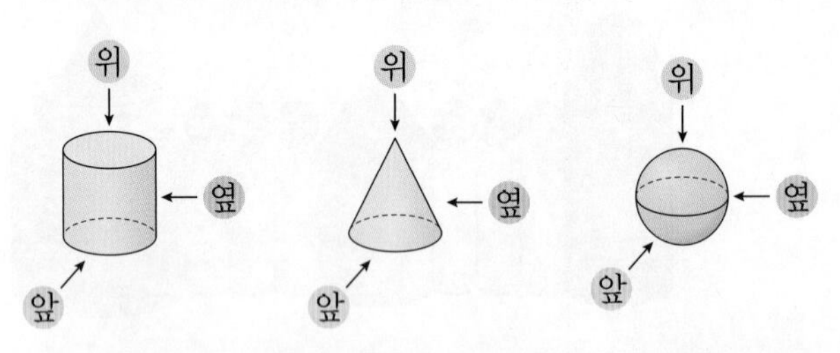

입체도형	위에서 본 모양	앞에서 본 모양	옆에서 본 모양
원기둥			
원뿔			
구			

( )

서술형

확인 **23** 준기가 원기둥, 원뿔, 구의 특징을 설명한 것입니다. 준기가 한 말이 맞는지, 틀린지 쓰고, 그렇게 생각한 이유를 쓰세요.

준기: 원기둥과 원뿔에는 뾰족한 부분이 있지만 구에는 뾰족한 부분이 없어.

답

이유

전개도를 보고 구성 요소의 길이 구하기

24 원기둥의 전개도에서 ㉠의 길이는 몇 cm인가요?(원주율: 3.1)

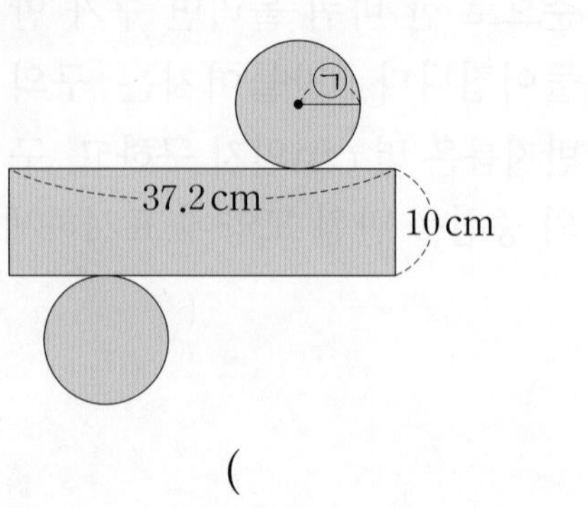

( )

25 다음은 옆면의 넓이가 131.88 cm^2인 원기둥의 전개도입니다. 전개도를 접었을 때 만들어지는 원기둥의 높이는 몇 cm인가요?

(원주율: 3.14)

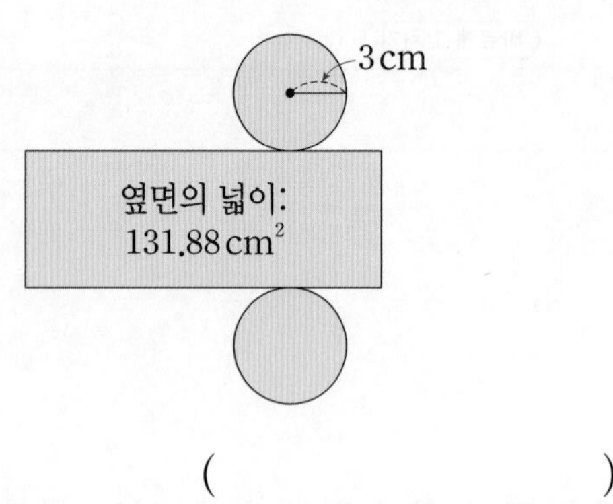

( )

약점 체크 돌리기 전의 평면도형 알아보기

26 어떤 평면도형을 한 변을 기준으로 한 바퀴 돌려서 만든 원기둥입니다. 돌리기 전의 평면도형의 둘레는 몇 cm인가요?

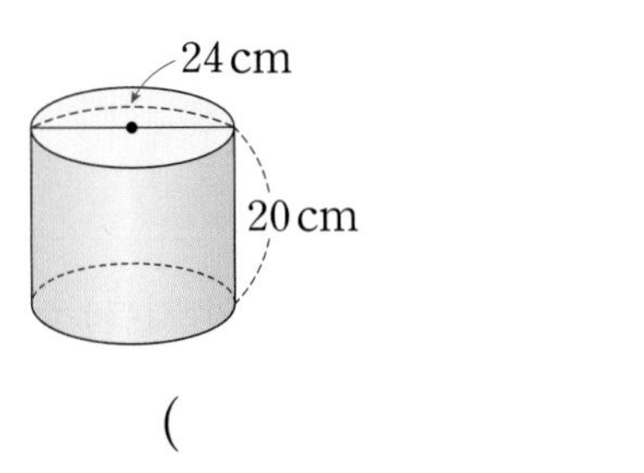

(　　　　　　　　)

해결 원기둥을 만들려면 어떤 평면도형을 한 변을 기준으로 한 바퀴 돌려야 하는지 그려 보고 그린 평면도형의 각 변의 길이를 표시해 봅니다.

27 어떤 평면도형을 한 변을 기준으로 한 바퀴 돌려서 만든 원뿔입니다. 돌리기 전의 평면도형의 넓이는 몇 cm^2인가요?

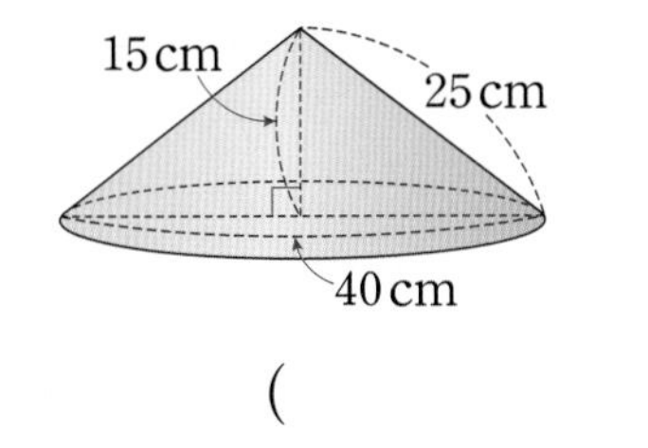

(　　　　　　　　)

약점 체크 길이가 주어진 종이로 원기둥 만들기

28 도전 수학 가로가 18 cm, 세로가 15 cm인 두꺼운 종이에 원기둥의 전개도를 그리고 오려 붙여 원기둥을 만들려고 합니다. 밑면의 지름을 6 cm로 하여 높이가 최대한 높은 원기둥을 만들 때 원기둥의 높이는 몇 cm가 되나요?

(원주율: 3)

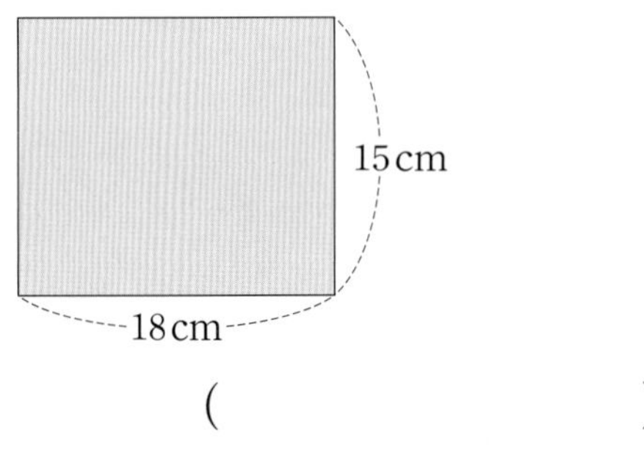

(　　　　　　　　)

해결 먼저 원기둥의 밑면의 지름이 6 cm임을 이용하여 전개도의 옆면의 가로를 구합니다.

29 교과 역량 **28**과 같은 방법으로 가로가 34 cm이고 세로가 30 cm인 두꺼운 종이를 이용하여 만들 수 없는 원기둥의 기호를 쓰세요. (원주율: 3.1)

원기둥	가	나
밑면의 반지름(cm)	5	4
높이(cm)	12	18

(　　　　　　　　)

STEP 3 연습 단계 실전

서술형 해결하기

연습

01 구를 위에서 본 모양의 넓이는 몇 cm^2인지 풀이 과정을 쓰고, 답을 구하세요.(원주율: 3.14)

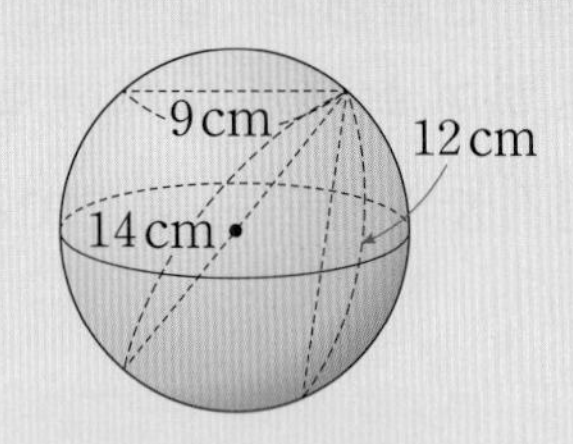

서술형 포인트 먼저 구를 위에서 본 모양을 알아본 후 위에서 본 모양의 각 부분의 길이를 구합니다.

풀이를 완성하세요.

❶ 구를 위에서 본 모양은 ☐입니다.

구를 위에서 본 모양의 지름은 구의 ☐과 같습니다.

➜ (위에서 본 모양의 지름)=☐ cm

❷ (위에서 본 모양의 넓이)

=

답

단계

02 다음은 원기둥 모양의 통조림통입니다. **통조림통을 앞에서 본 모양의 넓이는 몇 cm^2인지** 풀이 과정을 쓰고, 답을 구하세요.

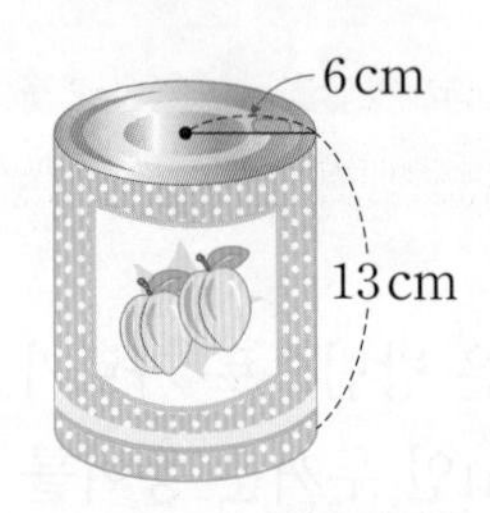

❶ 통조림통을 앞에서 본 모양 알아보기

풀이

❷ 통조림통을 앞에서 본 모양의 넓이 구하기

풀이

답

실전

03 다음은 원뿔 모양의 삿갓입니다. **삿갓을 앞에서 본 모양의 넓이는 몇 cm^2인지** 풀이 과정을 쓰고, 답을 구하세요.

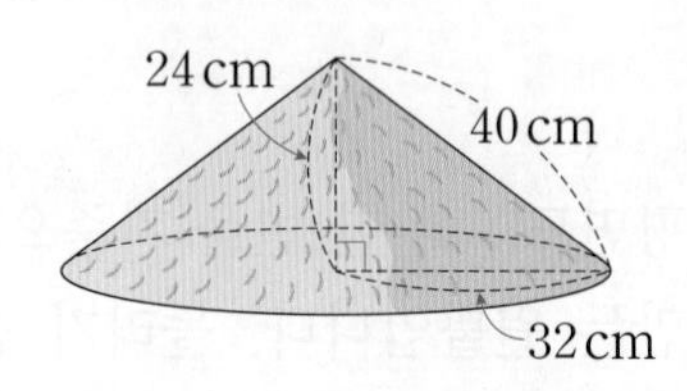

풀이

답

정답 39쪽

연습

04 **밑면의 반지름이 6 cm인 원기둥의 전개도입니다. 전개도의 옆면의 둘레가 93.36 cm일 때 옆면의 세로는 몇 cm인지 풀이 과정을 쓰고, 답을 구하세요.(원주율: 3.14)**

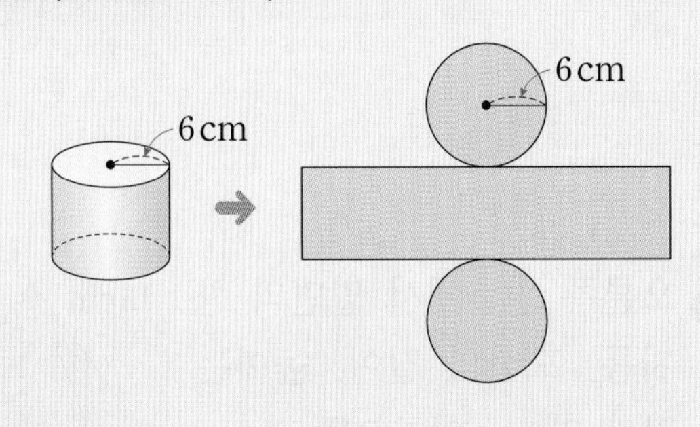

서술형 포인트 밑면의 반지름을 이용하여 옆면의 가로를 구한 후 옆면의 세로를 구합니다.

풀이를 완성하세요.

❶ 원기둥의 전개도에서

(옆면의 가로)=(밑면의 둘레)

=

❷ 옆면의 세로를 ■ cm라 하면

(전개도의 옆면의 둘레)

=(옆면의 가로)+■+(옆면의 가로)+■

=☐+■+☐+■

=93.36 (cm) ➜ ■=☐

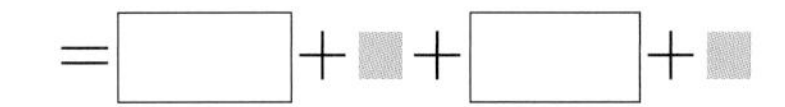

따라서 옆면의 세로는 ☐ cm입니다.

답

단계

05 전개도에서 밑면의 지름과 옆면의 세로는 같습니다. 전개도의 옆면의 둘레가 64 cm일 때 **밑면의 지름은 몇 cm**인지 풀이 과정을 쓰고, 답을 구하세요.(원주율: 3)

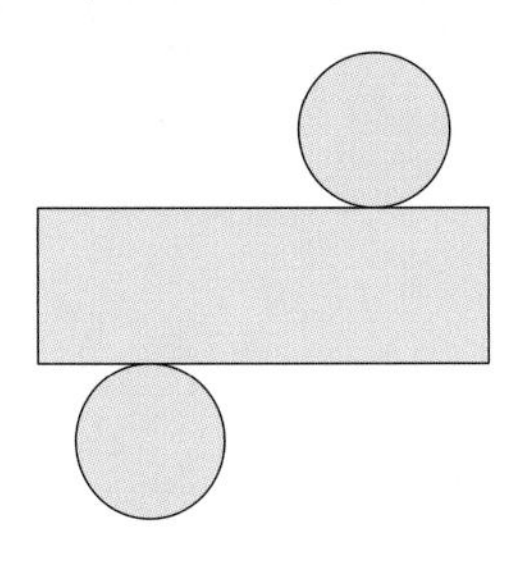

❶ 밑면의 지름을 ▲cm라 하고 옆면의 가로와 세로 알아보기

풀이

❷ 밑면의 지름 구하기

풀이

답

실전

06 조건을 모두 만족하는 원기둥의 **밑면의 지름은 몇 cm**인지 풀이 과정을 쓰고, 답을 구하세요.(원주율: 3)

조건
- 전개도에서 옆면의 둘레는 96 cm입니다.
- 원기둥의 밑면의 지름과 높이는 같습니다.

풀이

답

6 단원

단원 마무리

01 다음 중 원기둥 모양의 물건은 어느 것인가요? (　　　)

① 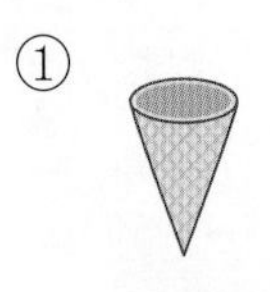
② 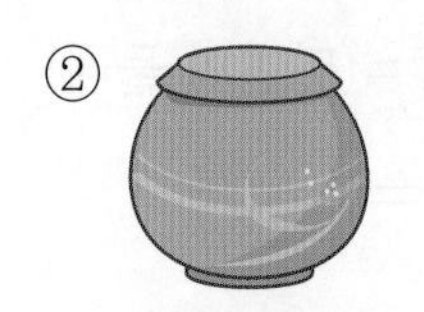
③ 
④ 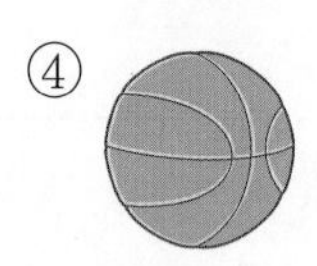
⑤ 

02 원뿔을 모두 찾아 기호를 쓰세요.

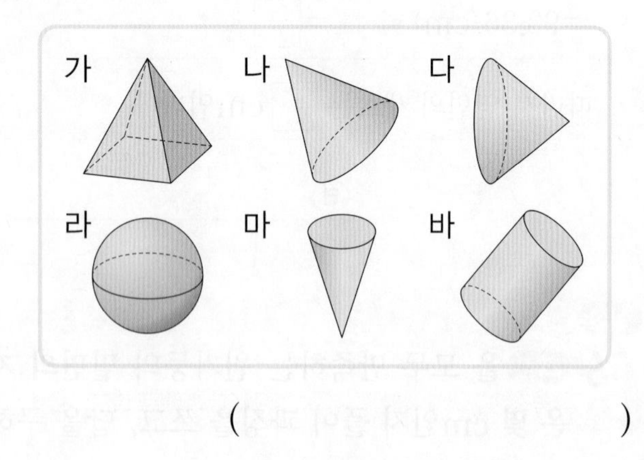

(　　　　　　　　)

03 오른쪽과 같이 반원 모양의 종이를 지름을 기준으로 한 바퀴 돌렸을 때 만들어지는 입체도형의 이름을 쓰세요.

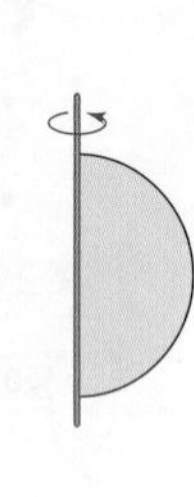

(　　　　　　　　)

04 □ 안에 각 부분의 이름을 써넣으세요.

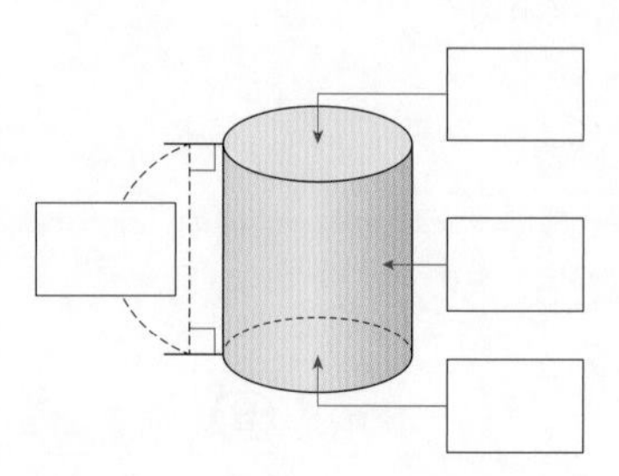

05 오른쪽 구의 반지름은 몇 cm인가요?

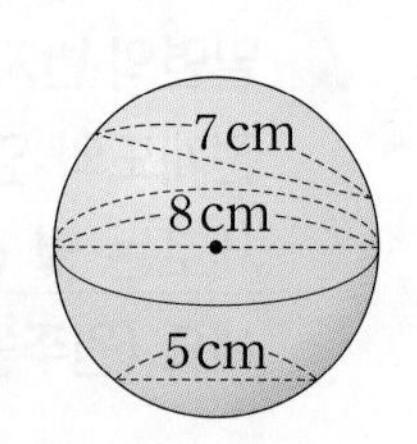

(　　　　　　　　)

06 오른쪽 원뿔에서 밑면의 반지름, 모선의 길이, 높이는 각각 몇 cm인가요?

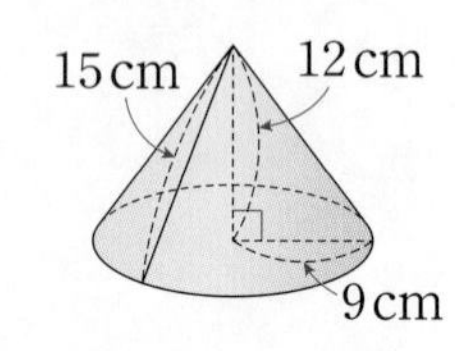

밑면의 반지름 (　　　　　　　　)
모선의 길이 (　　　　　　　　)
높이 (　　　　　　　　)

07 원기둥과 원뿔의 높이의 합은 몇 cm인가요?

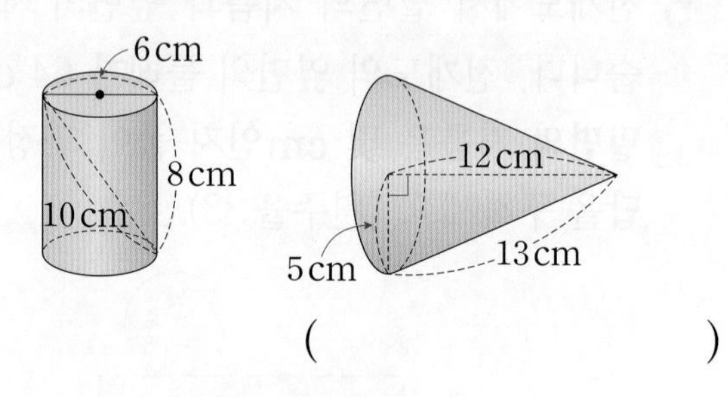

(　　　　　　　　)

08 원기둥과 원기둥의 전개도를 보고 □ 안에 알맞은 수를 써넣으세요. (원주율: 3.1)

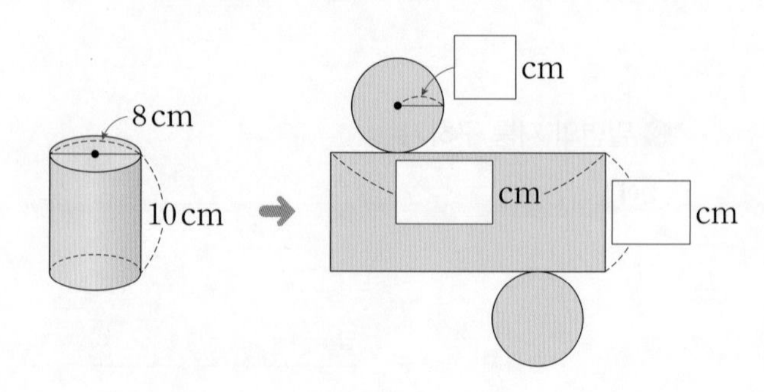

09 준호가 원기둥, 원뿔, 구를 사용하여 만든 우주선입니다. 우주선을 만드는 데 사용한 원기둥, 원뿔, 구의 개수를 각각 구하세요.

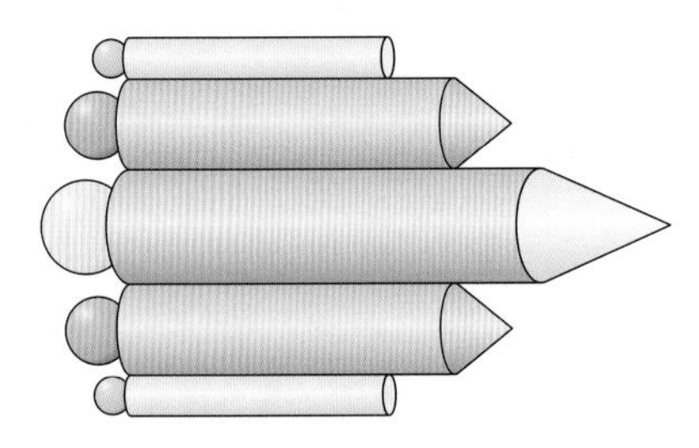

원기둥	원뿔	구

10 오른쪽과 같이 직사각형 모양의 종이를 한 변을 기준으로 한 바퀴 돌렸을 때 만들어지는 원기둥의 밑면의 반지름과 높이를 각각 구하세요.

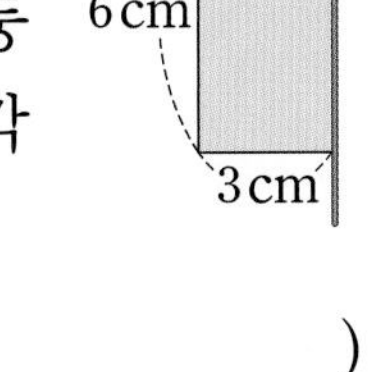

밑면의 반지름 (　　　　　)

높이 (　　　　　)

11 원뿔과 구의 같은 점을 찾아 기호를 쓰세요.

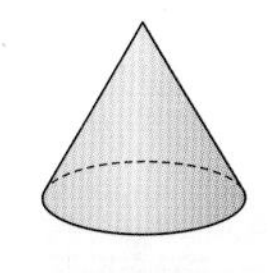 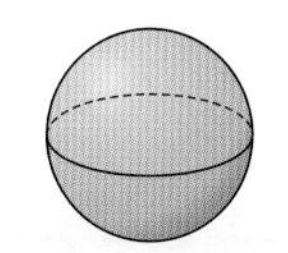

㉠ 밑면의 수　㉡ 꼭짓점의 수
㉢ 위에서 본 모양　㉣ 앞에서 본 모양

(　　　　　)

12 오른쪽 원기둥의 전개도를 그리고, 밑면의 반지름과 옆면의 가로, 세로의 길이를 나타내세요. (원주율: 3)

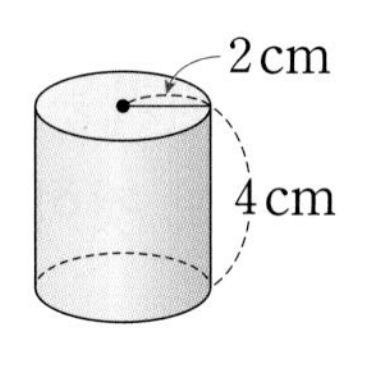

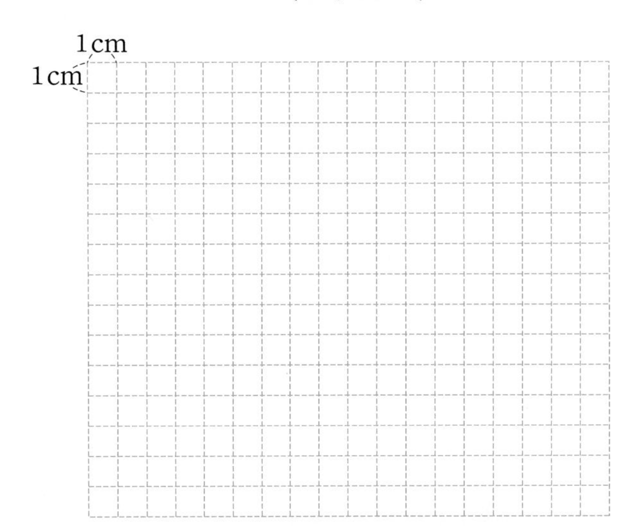

13 다음 중 잘못 설명한 것을 찾아 기호를 쓰세요.

㉠ 원기둥, 원뿔, 구에는 굽은 면이 있습니다.
㉡ 원뿔은 꼭짓점이 있고, 원기둥과 구에는 꼭짓점이 없습니다.
㉢ 원기둥과 구는 어느 방향에서 보아도 모양이 모두 같지만 원뿔은 보는 방향에 따라 모양이 다릅니다.

(　　　　　)

14 원기둥을 앞에서 본 모양의 둘레가 32 cm일 때 밑면의 지름은 몇 cm인가요?

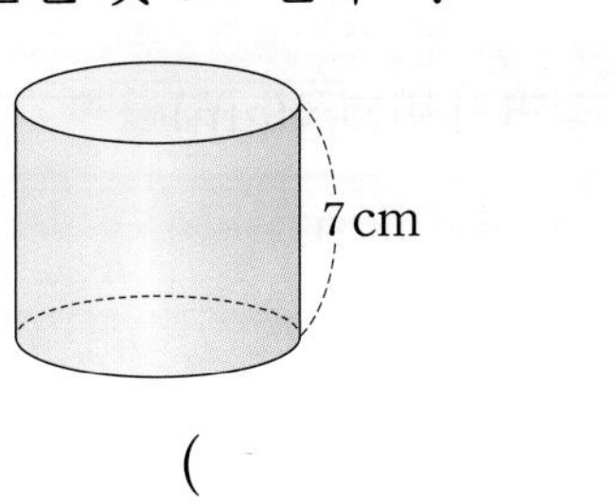

(　　　　　)

단원 마무리

15 원기둥과 원뿔 중 앞에서 본 모양의 넓이는 어느 것이 몇 cm^2 더 넓나요?

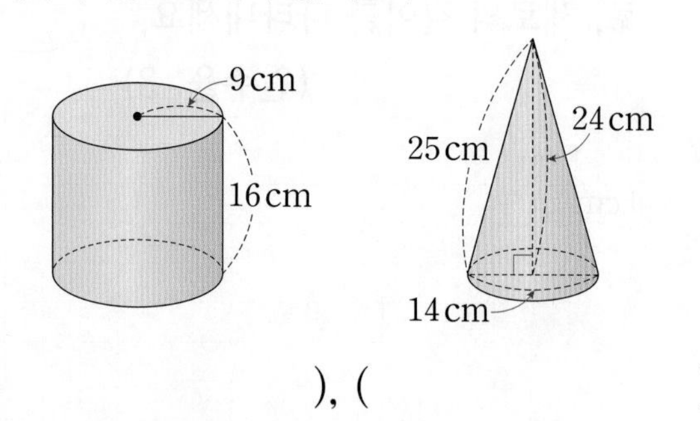

( ), ( )

16 어떤 평면도형을 한 변을 기준으로 한 바퀴 돌려서 만든 원기둥입니다. 돌리기 전의 평면도형의 넓이는 몇 cm^2인가요?

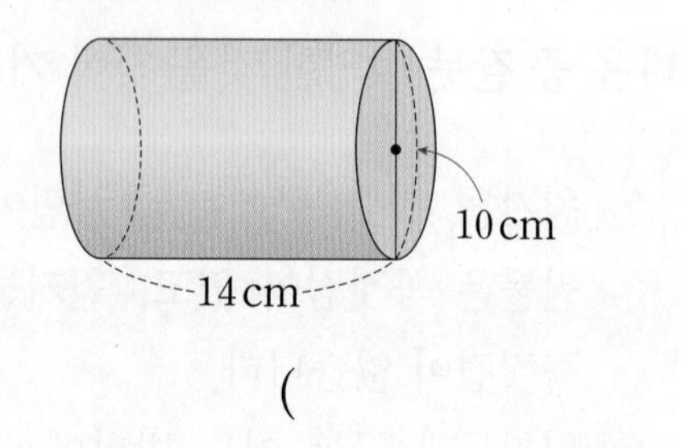

( )

17 가로가 52 cm, 세로가 45 cm인 두꺼운 종이를 이용하여 만들 수 없는 원기둥의 기호를 쓰세요. (원주율: 3)

원기둥	가	나
밑면의 반지름(cm)	7	8
높이(cm)	18	14

( )

서술형 문제

18 오른쪽 입체도형이 원뿔인지, 아닌지 쓰고, 그렇게 생각한 이유를 쓰세요.

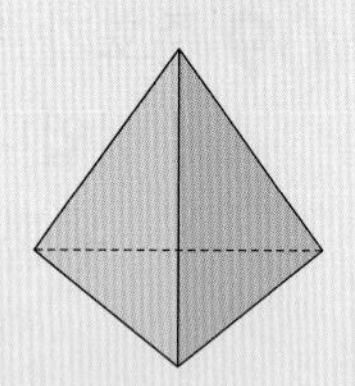

답

이유

19 원기둥과 원뿔의 같은 점과 다른 점을 한 가지씩 쓰세요.

같은 점	
다른 점	

20 조건 을 모두 만족하는 원기둥의 높이는 몇 cm인지 풀이 과정을 쓰고, 답을 구하세요.
(원주율: 3.1)

조건
- 원기둥의 밑면의 반지름은 3 cm입니다.
- 전개도에서 옆면의 둘레는 51.2 cm입니다.

풀이

답

쉬어가기

살리. 내 이름은 안드레아야.
나는 스위스에 살고 있어. '살리'는 스위스의 인사말로 '안녕'이라는 뜻이야.

스위스의 수도는 베른이야.
베른은 중세의 모습이 남아 있는 아름다운 도시로 도시 전체가 세계 문화유산으로 지정되어 있어.
알프스산맥으로 둘러싸인 스위스는 기차를 타면서 알프스산맥의 풍경을 감상할 수 있어. 광활한 알프스산맥의 풍경을 보기 위해 세계 각지에서 많은 관광객들이 스위스를 방문하기도 해.

베른

알프스산맥

스위스는 '치즈'로 유명한 나라야.
스위스를 대표하는 에멘탈치즈는 큰 구멍이 뚫려 있는 치즈로 샌드위치, 퐁뒤, 피자 등 다양한 요리에 사용돼.

특강 입체도형

각기둥

(1) 각기둥: 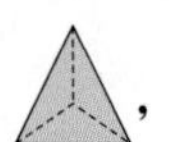, 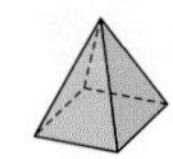, 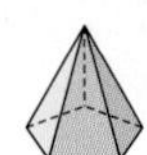 등과 같은 입체도형

(2) 각기둥의 이름

밑면의 모양이 ■각형인 각기둥의 이름 ➜ ■각기둥

각기둥의 전개도

• 각기둥의 전개도: 각기둥의 모서리를 잘라서 평면 위에 펼쳐 놓은 그림

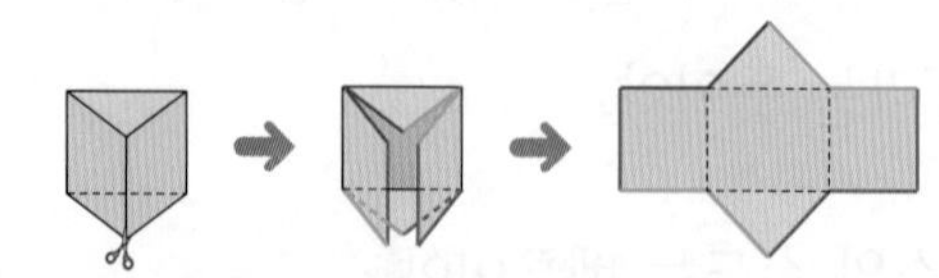

각기둥과 각뿔은 밑면의 모양에 따라 이름이 정해져.

각뿔

(1) 각뿔: ▲, ▲, ▲ 등과 같은 입체도형

(2) 각뿔의 이름

밑면의 모양이 ▲각형인 각뿔의 이름 ➜ ▲각뿔

각기둥과 각뿔의 비교

도형	각기둥	각뿔
같은 점	• 밑면과 옆면이 다각형입니다. • 한 밑면의 변의 수와 옆면의 수가 같습니다.	
다른 점	• 밑면이 2개입니다. • 옆면이 사각형입니다.	• 밑면이 1개입니다. • 옆면이 삼각형입니다.

원기둥

• 원기둥: 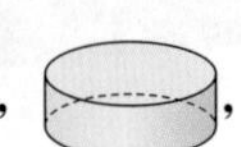,  등과 같은 입체도형

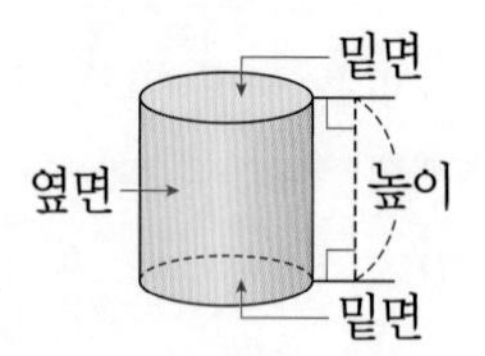

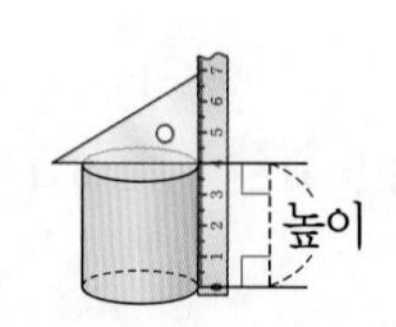

원기둥의 전개도

• 원기둥의 전개도: 원기둥을 잘라서 펼쳐 놓은 그림

(원주율: 3.14)

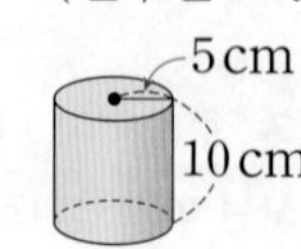

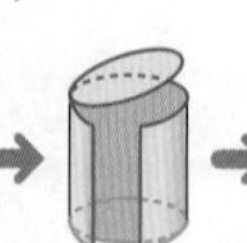

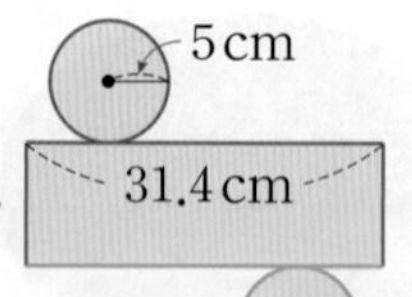

- 원뿔: △, △, △ 등과 같은 입체도형

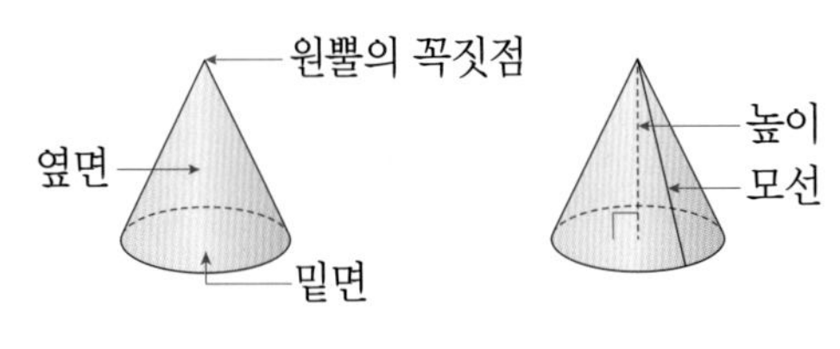

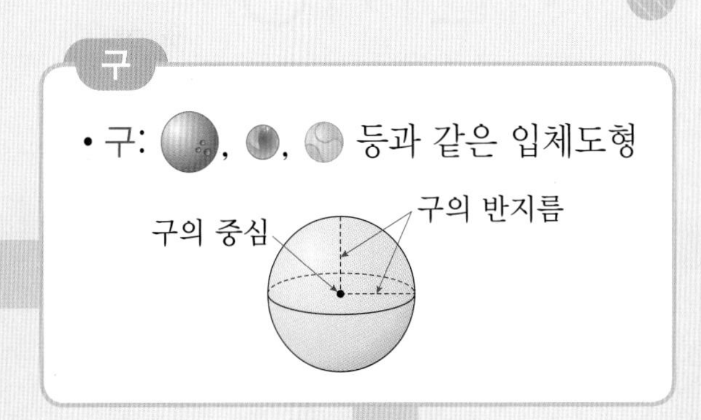

각 입체도형의 모양과 입체도형을 위, 앞, 옆에서 본 모양을 비교해 봐.

같은 점	• 원기둥, 원뿔, 구는 굽은 면으로 둘러싸여 있습니다. • 원기둥, 원뿔, 구를 위에서 본 모양은 모두 원입니다.
다른 점	• 원기둥과 원뿔은 밑면이 있고, 구는 밑면이 없습니다. • 원기둥은 기둥 모양, 원뿔은 뿔 모양, 구는 공 모양입니다. • 원뿔은 뾰족한 부분이 있고, 원기둥과 구는 뾰족한 부분이 없습니다. • 구는 어느 방향에서 보아도 모양이 모두 같고, 원기둥과 원뿔은 보는 방향에 따라 모양이 다릅니다.

각기둥과 원기둥, 각뿔과 원뿔의 비교

[각기둥과 원기둥의 같은 점과 다른 점]

도형	각기둥	원기둥
같은 점	• 기둥 모양입니다. • 밑면이 2개입니다.	
다른 점	• 밑면이 다각형입니다. • 옆면이 사각형입니다. • 꼭짓점이 있습니다.	• 밑면이 원입니다. • 옆면이 굽은 면입니다. • 꼭짓점이 없습니다.

[각뿔과 원뿔의 같은 점과 다른 점]

도형	각뿔	원뿔
같은 점	• 뿔 모양입니다. • 밑면이 1개입니다. • 꼭짓점이 있습니다.	
다른 점	• 밑면이 다각형입니다. • 옆면이 삼각형입니다.	• 밑면이 원입니다. • 옆면이 굽은 면입니다.

MEMO

큐브 수학 실력

매칭북

6·2

◆ 1:1 매칭 학습 ▸ 매칭북으로 진도북의 문제를 한 번 더 복습 | 단원 평가지 제공

동아출판

매칭북

차례

6·2

STEP 1 한 번 더 **개념 완성하기**

정답 42쪽

1 계산 결과를 찾아 선으로 이으세요.

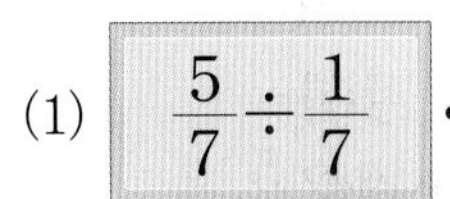
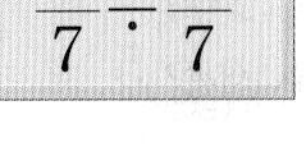

(1) $\frac{5}{7} \div \frac{1}{7}$ •

(2) $\frac{12}{13} \div \frac{3}{13}$ •

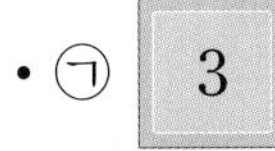

• ㉠ 3

• ㉡ 4

• ㉢ 5

2 계산 결과가 1보다 큰 것에 ○표 하세요.

$\frac{11}{18} \div \frac{4}{9}$	$\frac{3}{4} \div \frac{15}{16}$
(　　)	(　　)

3 귤이 $\frac{14}{15}$ kg 있습니다. 이 귤을 하루에 $\frac{7}{30}$ kg씩 먹는다면 며칠 동안 먹을 수 있나요?

(귤을 먹을 수 있는 날수)

$=\frac{14}{15} \div \frac{\square}{\square} = \square$(일)

4 빈 곳에 알맞은 수를 써넣으세요.

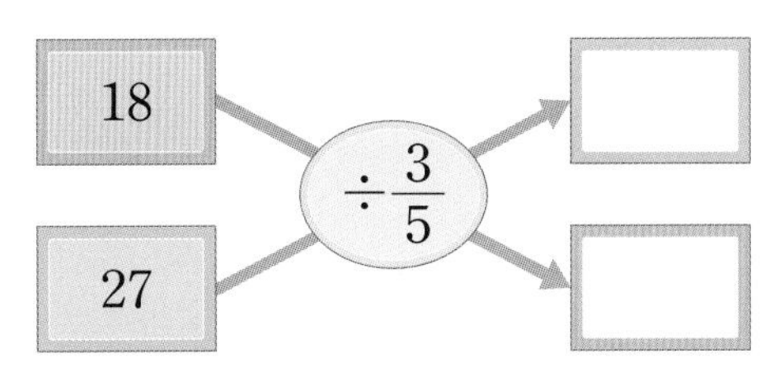

5 크기를 비교하여 ○ 안에 >, =, <를 알맞게 써넣으세요.

(1) $6 \div \frac{2}{3}$ ○ 8

(2) $21 \div \frac{7}{9}$ ○ 28

6 경주는 털실 15 m를 한 사람에게 $\frac{5}{8}$ m씩 나누어 주려고 합니다. 털실을 모두 몇 명에게 나누어 줄 수 있나요?

(나누어 줄 수 있는 사람 수)

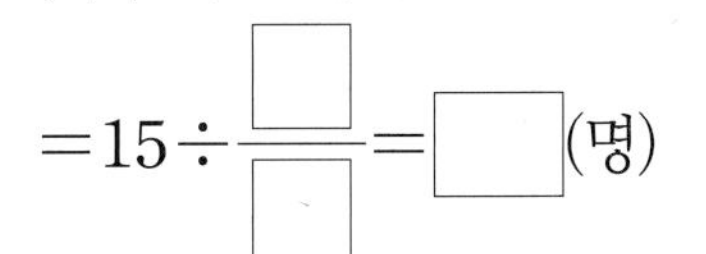

$=15 \div \frac{\square}{\square} = \square$(명)

1 단원

서술형

01 $\frac{6}{7} \div \frac{3}{7}$을 $6 \div 3$으로 바꾸어 계산할 수 있습니다. 그 이유를 쓰세요.

02 유사

이유

02 조건을 만족하는 분수의 나눗셈식을 모두 쓰세요.

03 유사

조건
- $8 \div 2$를 이용하여 풀 수 있습니다.
- 분모가 11보다 작은 진분수의 나눗셈입니다.
- 두 분수의 분모는 같습니다.

식

03 그림에 알맞은 진분수끼리의 나눗셈식을 만들고, 답을 구하세요.

05 유사

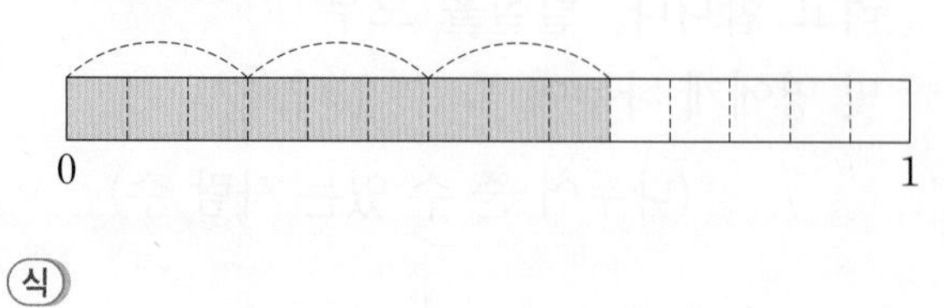

식

답

04 분수 카드의 수 중에서 가장 큰 수를 가장 작은 수로 나눈 몫을 구하세요.

06 유사

$\frac{7}{8}$ $\frac{5}{6}$ $\frac{5}{12}$

(　　　　　　)

05 현지와 유미가 만든 나눗셈식입니다. $9 \div \frac{3}{4}$과 몫이 같은 식을 만든 사람의 이름을 쓰세요.

08 유사

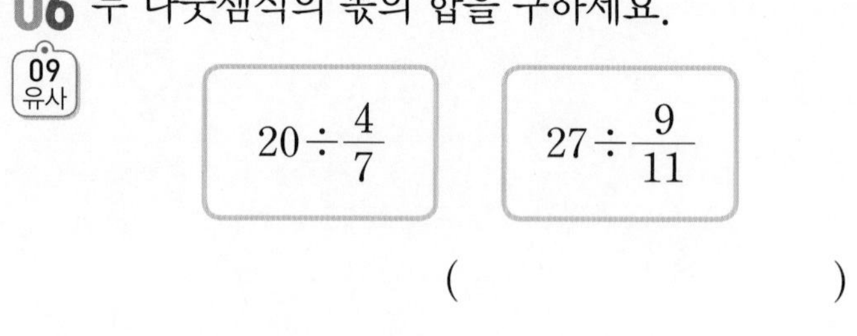

(　　　　　　)

06 두 나눗셈식의 몫의 합을 구하세요.

09 유사

$20 \div \frac{4}{7}$　　$27 \div \frac{9}{11}$

(　　　　　　)

07 계산 결과가 가장 큰 식에 ○표, 가장 작은 식에 △표 하세요.

11 유사

$12 \div \frac{2}{3}$　　$16 \div \frac{4}{9}$　　$21 \div \frac{7}{8}$

08 계산 결과가 큰 식부터 차례로 기호를 쓰세요.
12 유사

㉠ $\frac{5}{12} \div \frac{5}{6}$　㉡ $\frac{3}{4} \div \frac{5}{9}$　㉢ $\frac{2}{3} \div \frac{3}{10}$

(　　　　　　　　　　)

교과 역량

09 다음 전동 자동차의 배터리를 전체의 $\frac{4}{5}$만큼 충전하는 데 56분이 걸립니다. 배터리 충전량이 없는 상태에서 완전히 충전하는 데 걸리는 시간은 몇 분인지 구하세요. (단, 매 시간마다 충전되는 배터리의 양은 일정합니다.)
14 유사

(　　　　　　　　　　)

10 식용유 1 L 중에서 $\frac{1}{5}$ L를 사용하고, 남은 식용유를 병 한 개에 $\frac{4}{15}$ L씩 나누어 담으려고 합니다. 병은 몇 개 필요한가요?
15 유사

(　　　　　　　　　　)

11 ♥에 알맞은 수를 구하세요.
17 유사

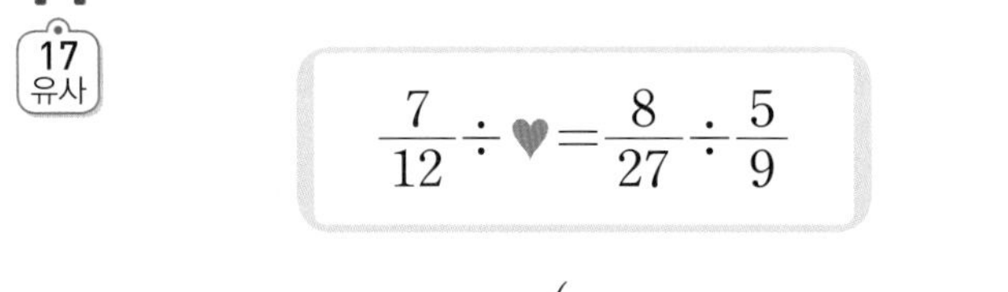

$\frac{7}{12} \div ♥ = \frac{8}{27} \div \frac{5}{9}$

(　　　　　　　　　　)

12 두 곱셈식에서 □ 안에 알맞은 수의 차를 구하세요.
18 유사

$\square \times \frac{2}{3} = 20$　　$\square \times \frac{9}{10} = 36$

(　　　　　　　　　　)

13 어느 가게에서 검정콩은 $\frac{1}{3}$ kg당 4000원에 팔고, 완두콩은 $\frac{1}{5}$ kg당 3000원에 팝니다. 검정콩 $1\frac{1}{4}$ kg과 완두콩 1 kg을 살 때 내야 하는 돈은 모두 얼마인가요?
20 유사

(　　　　　　　　　　)

14 □ 안에 들어갈 수 있는 자연수를 모두 구하세요.
22 유사

$20 < 6 \div \frac{1}{\square} < 40$

(　　　　　　　　　　)

1 단원

STEP 1 한번더 개념 완성하기

정답 43쪽

1 나눗셈식의 몫을 바르게 구한 것을 찾아 기호를 쓰세요.

㉠ $\frac{6}{13} \div \frac{1}{9} = \frac{13}{54}$　㉡ $\frac{3}{4} \div \frac{5}{7} = 1\frac{1}{20}$

(　　　　　　　)

2 작은 수를 큰 수로 나눈 몫을 구하세요.

$\frac{2}{11}$　$\frac{2}{3}$

(　　　　　　　)

3 소희가 가지고 있는 철사는 $\frac{6}{7}$ m이고, 진수가 가지고 있는 철사는 $\frac{5}{8}$ m입니다. 소희의 철사의 길이는 진수의 철사의 길이의 몇 배인가요?

(소희의 철사의 길이) ÷ (진수의 철사의 길이)

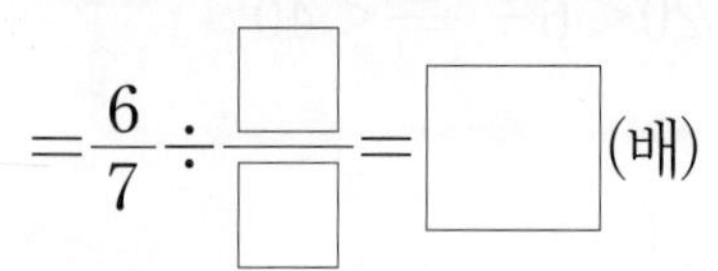

$= \frac{6}{7} \div \frac{\square}{\square} = \square$(배)

4 $\frac{9}{4} \div \frac{5}{7}$를 2가지 방법으로 계산하세요.

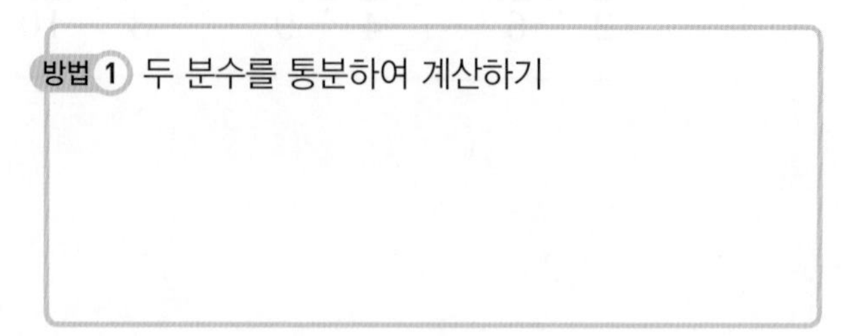

방법 1 두 분수를 통분하여 계산하기

방법 2 곱셈으로 바꾸어 계산하기

5 계산 결과가 1보다 큰 식의 기호를 쓰세요.

㉠ $\frac{1}{2} \div \frac{3}{7}$　㉡ $\frac{2}{9} \div \frac{6}{7}$

(　　　　　　　)

6 식빵 한 개를 만드는 데 밀가루 $\frac{3}{4}$ kg이 필요합니다. 밀가루 $5\frac{1}{4}$ kg으로 만들 수 있는 식빵은 모두 몇 개인가요?

(만들 수 있는 식빵 수)

$= 5\frac{1}{4} \div \frac{\square}{\square} = \square$(개)

STEP 2 한번더 실력 다지기

01 $\frac{2}{9} \div \frac{3}{8}$을 2가지 방법으로 계산하세요.

02 유사

방법 1

방법 2

02 분수의 나눗셈을 잘못 계산한 것입니다. 계산이 잘못된 이유를 쓰고, 바르게 계산하세요. 서술형

03 유사

$$1\frac{3}{4} \div \frac{2}{7} = \frac{7}{4} \div \frac{2}{7} = \frac{4}{7} \times \frac{2}{7} = \frac{8}{49}$$

이유

$1\frac{3}{4} \div \frac{2}{7}$

03 ♥−●의 값을 구하세요.

05 유사

$5 \div \frac{3}{10} =$ ♥　　$8 \div \frac{4}{7} =$ ●

(　　　　　　　)

04 계산 결과가 큰 식부터 차례로 (　) 안에 번호를 써넣으세요.

06 유사

$\frac{1}{2} \div \frac{5}{9}$	$\frac{1}{12} \div \frac{3}{4}$	$\frac{7}{20} \div \frac{2}{7}$
(　　)	(　　)	(　　)

05 계산 결과를 비교하여 ○ 안에 >, =, <를 알맞게 써넣으세요.

08 유사

$\frac{13}{5} \div \frac{2}{3}$ 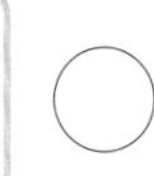 $\frac{7}{4} \div \frac{9}{11}$

06 ㉠의 몫은 ㉡의 몫의 몇 배인가요?

09 유사

㉠ $4\frac{1}{2} \div 1\frac{5}{6}$　　㉡ $1\frac{3}{5} \div 1\frac{1}{3}$

(　　　　　　　)

07 다람쥐의 몸길이는 꼬리 길이의 몇 배인가요?

11 유사

몸길이: $12\frac{1}{2}$ cm

꼬리 길이: $11\frac{2}{3}$ cm

(　　　　　　　)

1 단원

08 딸기잼 한 병을 만드는 데 딸기가 $\frac{3}{4}$ kg 필요합니다. 순아는 딸기 6 kg으로 딸기잼을 만들고, 하은이는 딸기 9 kg으로 딸기잼을 만든다면 하은이는 순아보다 딸기잼을 몇 병 더 많이 만들 수 있나요?

12 유사

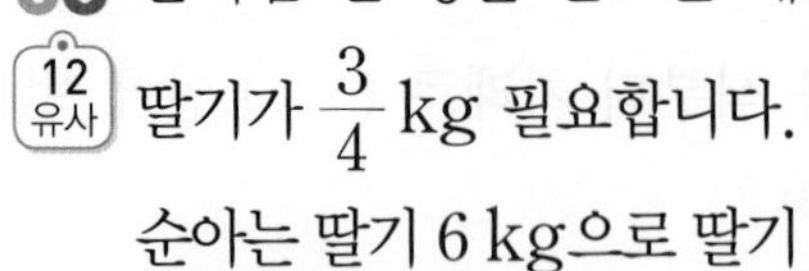

(　　　　　　　　)

09 계산 결과가 $1\frac{1}{9}$인 식을 찾아 기호를 쓰세요.

14 유사

㉠ $\frac{5}{6} \div 1\frac{1}{8} \div \frac{2}{3}$　　㉡ $1\frac{2}{5} \div \frac{5}{9} \times \frac{1}{2}$

(　　　　　　　　)

10 계산 결과가 더 큰 것에 ○표 하세요.

15 유사

$\frac{3}{10} \times 1\frac{1}{9} \div \frac{2}{5}$	$\frac{1}{6} \div \frac{3}{8} \div \frac{2}{7}$
(　　)	(　　)

서술형

11 다음 나눗셈식과 관련된 문제를 만들고, 만든 문제의 답을 구하세요.

17 유사

$$1\frac{5}{8} \div \frac{6}{7}$$

문제

답

12 넓이가 3 cm^2인 직사각형이 있습니다. 이 직사각형의 가로가 $\frac{1}{6}$ cm라면 세로는 몇 cm인가요?

19 유사

(　　　　　　　　)

13 진명이네 밭은 넓이가 $\frac{5}{13}$ km^2인 삼각형 모양입니다. 진명이네 밭의 높이가 $\frac{4}{7}$ km라면 밑변의 길이는 몇 km인가요?

20 유사

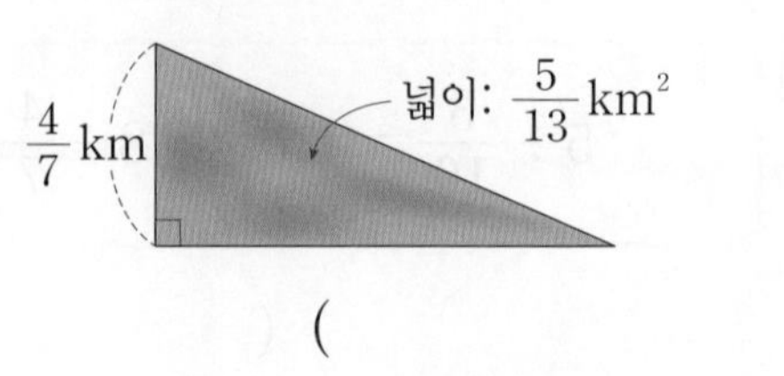

(　　　　　　　　)

정답 43쪽

14 □ 안에 들어갈 수 있는 자연수를 모두 구하세요.

22 유사

$$\frac{5}{16} \div \frac{3}{8} < \square < 3\frac{1}{6} \div \frac{4}{5}$$

(　　　　　　　　　　)

15 ★에 공통으로 들어갈 수 있는 수를 모두 찾아 ○표 하세요.

23 유사

$2 \div \frac{5}{7} < ★$　　　　$★ < 6\frac{3}{4} \div 1\frac{1}{8}$

$5\frac{8}{9}$　　7　　$1\frac{1}{4}$　　3

16 수도를 틀어 90 L들이 물탱크에 물을 가득 채우는 데 9분 20초가 걸렸습니다. 이 수도에서 나오는 물의 양이 일정할 때 1분 동안 나오는 물의 양은 몇 L인가요?

25 유사

(　　　　　　　　　　)

17 어떤 수를 $\frac{2}{5}$로 나누어야 할 것을 잘못하여 $\frac{2}{5}$를 곱했더니 $\frac{3}{8}$이 되었습니다. 바르게 계산한 값을 구하세요.

27 유사

(　　　　　　　　　　)

18 떨어진 높이의 $\frac{1}{3}$만큼 튀어 오르는 공이 있습니다. 이 공을 떨어뜨렸을 때 2번째로 튀어 오른 높이가 2 m였다면 처음 공을 떨어뜨린 높이는 몇 m인지 구하세요.

29 유사

(　　　　　　　　　　)

19 다음 4장의 수 카드를 □ 안에 한 번씩 써넣어 (자연수)÷(대분수)의 식을 만들려고 합니다. 몫이 가장 작을 때의 나눗셈식을 만들고, 몫을 구하세요.

31 유사

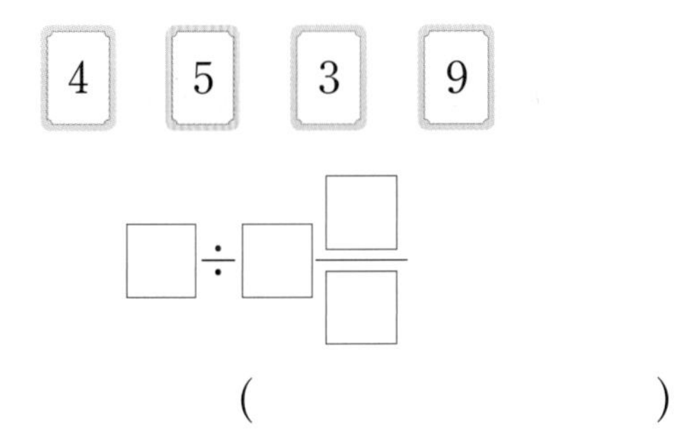

(　　　　　　　　　　)

1 단원

01 01 유사

현수는 수확한 밤 $3\frac{3}{5}$ kg을 한 봉지에 $\frac{2}{5}$ kg씩 담았고, 민지는 수확한 밤 $3\frac{1}{8}$ kg을 한 봉지에 $\frac{5}{8}$ kg씩 담았습니다. 현수와 민지 중 **밤을 담은 봉지 수가 더 많은 사람은 누구**인지 풀이 과정을 쓰고, 답을 구하세요.

❶ 현수와 민지가 밤을 담은 봉지 수 각각 구하기

풀이

❷ 밤을 담은 봉지 수가 더 많은 사람의 이름 쓰기

풀이

답

02 03 유사

다음과 같이 가와 나 끈이 있습니다. 가 끈은 $\frac{7}{8}$ m씩 자르고, 나 끈은 $\frac{13}{14}$ m씩 자를 때 **가 끈과 나 끈을 자른 도막 수의 차는 몇 도막**인지 구하려고 합니다. 풀이 과정을 쓰고, 답을 구하세요.

가 $\frac{35}{4}$ m

나 $\frac{26}{7}$ m

풀이

답

03 04 유사

경진이네 반 학생의 $\frac{4}{9}$는 동생이 있습니다. 동생이 있는 학생이 8명일 때 **경진이네 반 학생은 모두 몇 명**인지 풀이 과정을 쓰고, 답을 구하세요.

❶ 경진이네 반 전체 학생 수를 ■명이라 하고 식 세우기

풀이

❷ 경진이네 반 전체 학생 수 구하기

풀이

답

04 06 유사

소율이는 가지고 있던 밀가루의 $\frac{5}{7}$를 사용하여 팬케이크를 만들었습니다.

팬케이크를 만들고 남은 밀가루의 무게가 130 g일 때 **처음 가지고 있던 밀가루의 무게는 몇 g**인지 풀이 과정을 쓰고, 답을 구하세요.

풀이

답

05 07 유사 다음 나눗셈식의 몫은 자연수입니다. **♥에 들어갈 수 있는 수 중 가장 큰 수는 얼마**인지 풀이 과정을 쓰고, 답을 구하세요.

$$\frac{4}{9} \div \frac{♥}{18}$$

❶ ♥에 들어갈 수 있는 수의 조건 알아보기

풀이

❷ ♥에 들어갈 수 있는 수 중 가장 큰 수 구하기

풀이

답

06 09 유사 나눗셈식이 쓰여 있는 종이가 찢어져서 일부가 보이지 않습니다. 나눗셈식의 몫이 자연수일 때 **보이지 않는 부분에 들어갈 수 있는 수 중 가장 작은 수는 얼마**인지 풀이 과정을 쓰고, 답을 구하세요.

$$\frac{\quad}{8} \div \frac{9}{32}$$

풀이

답

07 10 유사 수족관에 들어 있는 300 L의 물을 빼고 있습니다. 물을 빼기 시작하고 $11\frac{1}{4}$분 후 남은 물이 120 L일 때 **1분 동안 빠지는 물은 몇 L**인지 풀이 과정을 쓰고, 답을 구하세요.(단, 물이 빠지는 양은 일정합니다.)

❶ $11\frac{1}{4}$분 동안 빠진 물의 양 구하기

풀이

❷ 1분 동안 빠지는 물의 양 구하기

풀이

답

08 12 유사 굵기가 일정한 18 cm 길이의 양초에 불을 붙이고 6분 15초가 지난 후 양초의 길이를 재었더니 $12\frac{2}{3}$ cm였습니다. 양초가 일정한 빠르기로 탈 때 **1분 동안 타는 양초의 길이는 몇 cm**인지 풀이 과정을 쓰고, 답을 구하세요.

풀이

답

1 단원

정답 46쪽

1 12.6÷0.9를 2가지 방법으로 계산하세요.

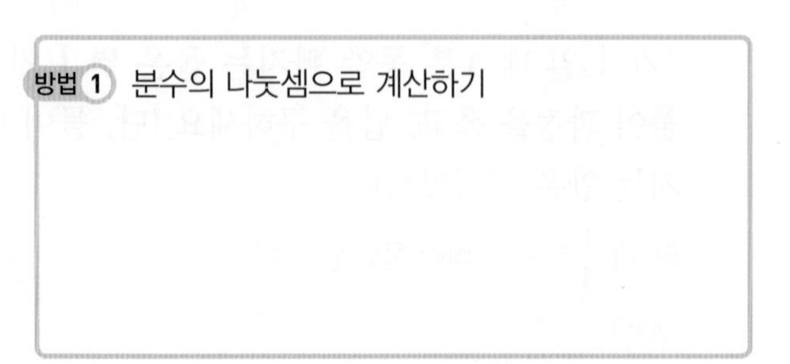

방법 2 소수점을 옮겨 세로로 계산하기

2 큰 수를 작은 수로 나눈 몫을 빈 곳에 써넣으세요.

0.39	3.51

3 길이가 1.62 m인 나무 막대가 있습니다. 이 나무 막대를 한 도막에 0.54 m씩 자른다면 모두 몇 도막이 되나요?

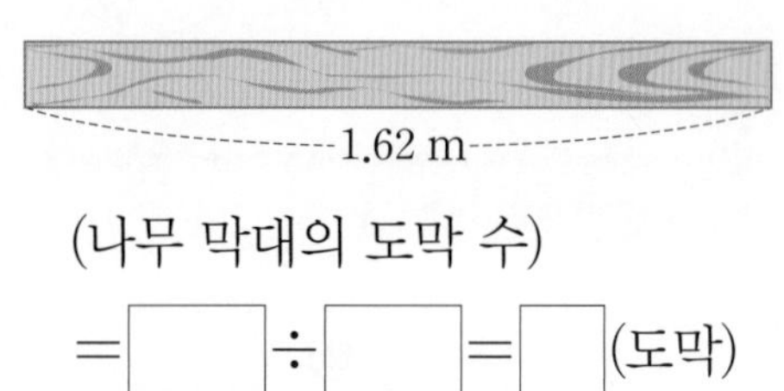

(나무 막대의 도막 수)

=□÷□=□(도막)

4 계산 결과를 찾아 선으로 이으세요.

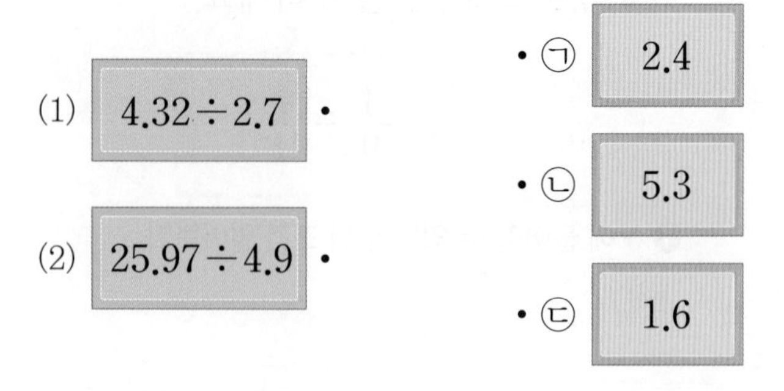

5 크기를 비교하여 ○ 안에 >, =, <를 알맞게 써넣으세요.

(1) 6.08÷1.9 ○ 4

(2) 21.16÷2.3 ○ 9

6 1분에 2.8 L의 과일 주스를 만들 수 있는 믹서기가 있습니다. 이 믹서기로 과일 주스 14.56 L를 만드는 데 걸리는 시간은 몇 분인가요?

(걸리는 시간)

=□÷2.8=□(분)

정답 46쪽

01 조건 을 모두 만족하는 나눗셈식을 쓰고, 몫을 구하세요.
02 유사

- 246÷82를 이용하여 풀 수 있습니다.
- 나누는 수와 나누어지는 수를 각각 10배 하면 246÷82가 됩니다.

식 ______

답 ______

02 39.78÷3.06을 계산하고, 계산 방법을 쓰세요. 서술형

3.06)39.78

방법 ______

03 소수의 나눗셈을 분수의 나눗셈으로 계산한 것입니다. 계산이 잘못된 부분을 찾아 바르게 계산하세요.
05 유사

$$2.88 \div 0.9 = \frac{288}{10} \div \frac{9}{10} = 288 \div 9 = 32$$

2.88÷0.9

04 계산이 잘못된 부분을 찾아 바르게 계산하세요.
06 유사

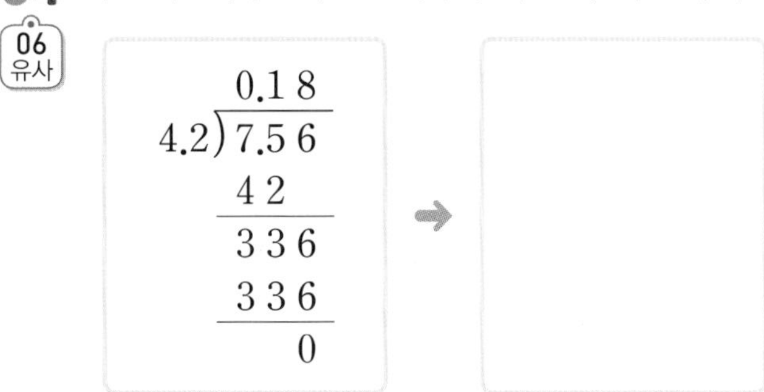

05 가장 큰 수를 가장 작은 수로 나눈 몫을 구하세요.
08 유사

( )

06 몫이 다른 하나를 찾아 기호를 쓰세요.
09 유사

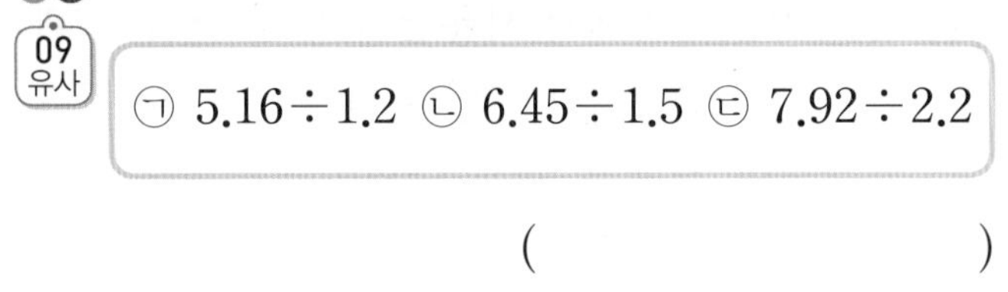

( )

07 계산 결과가 가장 작은 나눗셈식을 찾아 ○표 하세요.
11 유사

2.9)17.4　　0.57)2.28　　0.7)2.45

08 계산 결과가 큰 나눗셈식부터 차례로 글자를 썼을 때 만들어지는 단어를 쓰세요.
12 유사

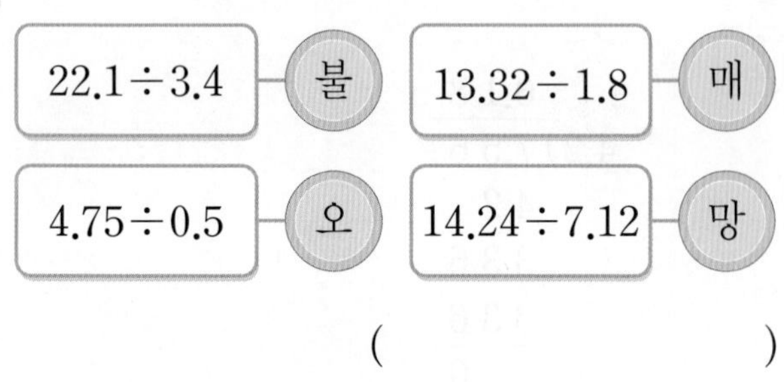

( )

09 집에서 병원을 거쳐 공원까지 가는 거리는 집에서 공원까지 바로 가는 거리의 몇 배인가요?
14 유사

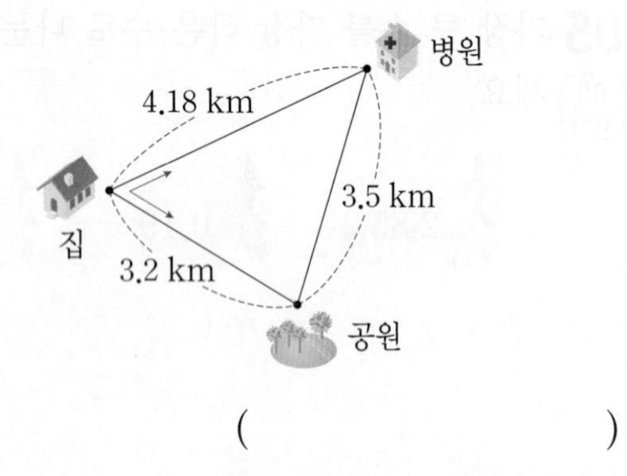

( )

교과 역량

10 옛날 우리나라에서 사용했던 무게 단위로 '관'과 '근'이 있습니다. '관'은 감자, 고구마 등의 채소류의 무게를 재는 단위이고, '근'은 소고기, 돼지고기 등의 육류의 무게를 재는 단위입니다. 감자 33.75 kg은 몇 관이고, 소고기 11.4 kg은 몇 근인지 각각 나타내세요.
15 유사

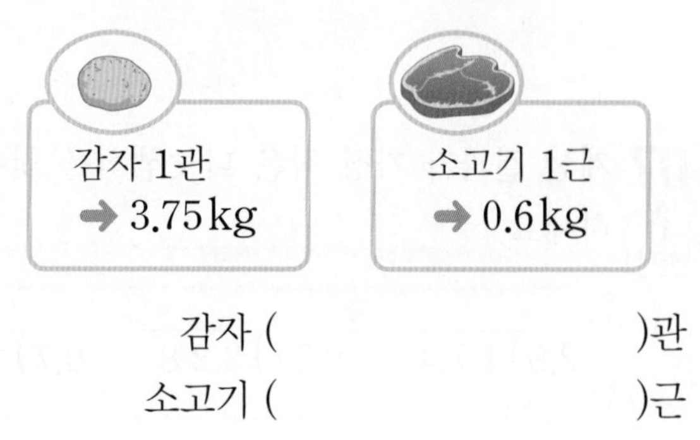

감자 ( )관

소고기 ( )근

서술형

11 □ 안에 들어갈 수 있는 자연수는 모두 몇 개인지 풀이 과정을 쓰고, 답을 구하세요.
17 유사

$4.64 \div 1.16 < \square < 2.97 \div 0.33$

풀이

답

12 ㉠보다 크고 ㉡보다 작은 소수 한 자리 수를 모두 구하세요.
18 유사

㉠ $2.16 \div 0.3$

㉡ $65.25 \div 8.7$

( )

13 나눗셈식에서 ㉠, ㉡, ㉢에 알맞은 수가 잘못 짝 지어진 것을 찾아 기호를 쓰세요.
20 유사

```
       ㉠. 4
1.6)5. 4 4
    4 8
      6 ㉡
      ㉢ 4
         0
```

㉠ 3

㉡ 8

㉢ 6

( )

14 ♥에 알맞은 수를 구하세요.(단, ♥는 모두 같은 수입니다.)
21 유사

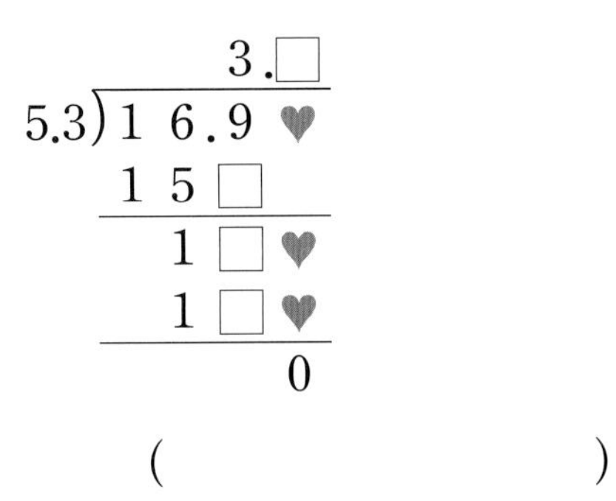

(　　　　　　　　　)

서술형
15 나눗셈식이 적힌 종이에 얼룩이 묻어 나누는 수가 보이지 않습니다. 나누는 수는 얼마인지 풀이 과정을 쓰고, 답을 구하세요.
23 유사

6.44÷(얼룩)=1.4

풀이

답

16 □ 안에 알맞은 수가 더 큰 것의 기호를 쓰세요.
24 유사

㉠ □×1.84=7.36
㉡ 15.54÷□=3.7

(　　　　　　　　　)

17 계산 결과가 더 큰 것의 기호를 쓰세요.
26 유사

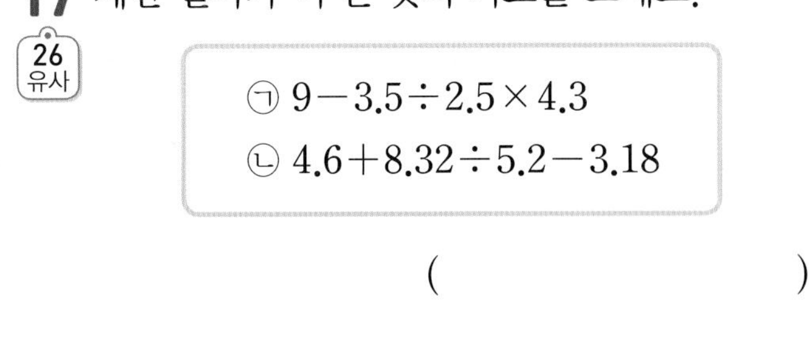
㉠ 9−3.5÷2.5×4.3
㉡ 4.6+8.32÷5.2−3.18

(　　　　　　　　　)

18 가로가 3 cm, 세로가 4.8 cm인 직사각형이 있습니다. 이 직사각형과 넓이가 같은 평행사변형의 밑변의 길이가 3.6 cm일 때 높이는 몇 cm인가요?
28 유사

(　　　　　　　　　)

19 다음과 같이 약속할 때 0.2♠(2.9♠3.48)의 값을 구하세요.
30 유사

㉠♠㉡=㉡÷㉠

(　　　　　　　　　)

20 주어진 수 카드를 □ 안에 한 번씩 써넣어 나눗셈식을 만들려고 합니다. 만든 나눗셈식의 몫이 가장 클 때의 몫을 구하세요.
32 유사

5　1　3　6

0.□□÷0.□□

(　　　　　　　　　)

2 단원

정답 47쪽

1 30÷1.25를 2가지 방법으로 계산하세요.

방법 1 분수의 나눗셈으로 계산하기

방법 2 소수점을 옮겨 세로로 계산하기

2 자연수를 소수로 나눈 몫을 구하세요.

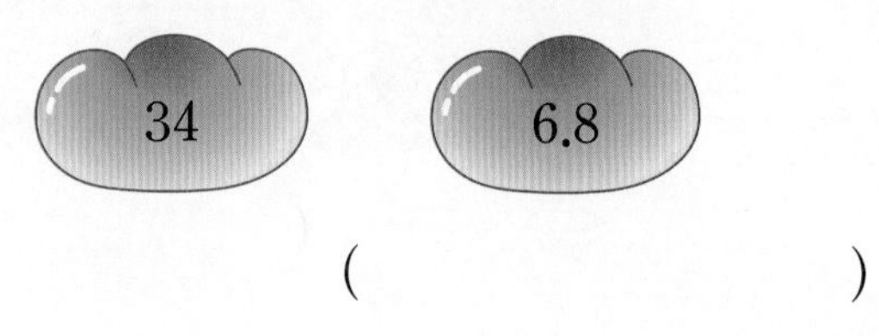

(　　　　　　　)

3 교실의 벽 한 면을 칠하는 데 페인트가 18.6 L 필요합니다. 페인트 93 L로 칠할 수 있는 벽은 몇 면인가요?

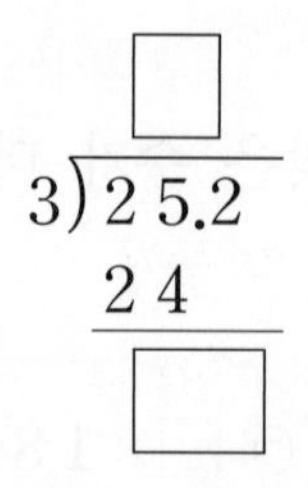

(칠할 수 있는 벽의 수)

=□÷18.6=□(면)

4 15.7÷6의 몫을 반올림하여 주어진 자리까지 나타내려고 합니다. 빈칸에 알맞은 수를 써넣으세요.

소수 첫째 자리까지	
소수 둘째 자리까지	
소수 셋째 자리까지	

5 몫을 반올림하여 자연수까지 나타낸 수가 8인 나눗셈식을 찾아 기호를 쓰세요.

㉠ 50÷7　　㉡ 47.5÷6

(　　　　　　　)

6 설탕 25.2 kg을 한 사람에게 3 kg씩 나누어 주려고 합니다. 나누어 줄 수 있는 사람 수와 남는 설탕의 무게를 구하세요.

나누어 줄 수 있는 사람 수: □명

남는 설탕의 무게: □kg

진도북[050~051쪽]의 확인, 강화 문제 복습

정답 47쪽

01 □ 안에 알맞은 수를 써넣으세요.

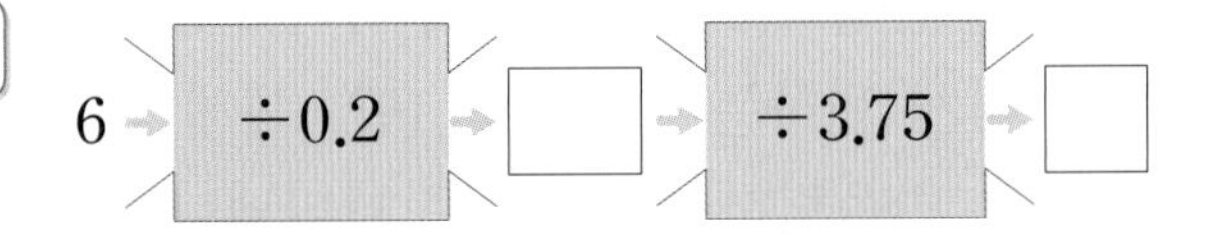

02 사다리를 타고 내려간 곳에 나눗셈의 몫을 써넣으세요.

03 유사

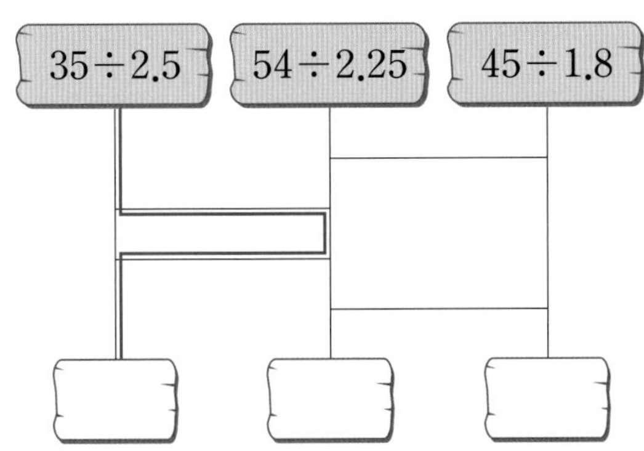

03 몫이 작은 나눗셈식부터 차례로 기호를 쓰세요.

05 유사

㉠ 21÷3.5
㉡ 14÷1.75
㉢ 27÷2.25

(　　　　　　　　)

04 몫이 가장 큰 나눗셈식과 가장 작은 나눗셈식의 몫의 차를 구하세요.

06 유사

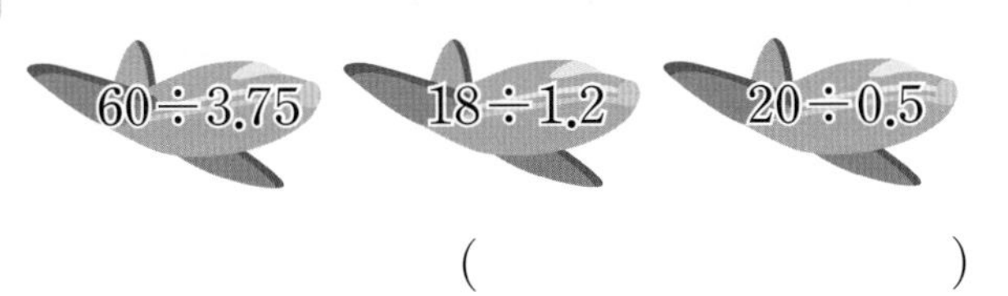

(　　　　　　　　)

서술형

05 1분에 1.65 km를 가는 자동차가 있습니다. 같은 빠르기로 이 자동차가 33 km를 가는 데 걸리는 시간은 몇 분인지 2가지 방법으로 구하세요.

08 유사

방법 1

방법 2

06 금 한 돈의 무게는 3.75 g입니다. 목걸이 한 개를 만드는 데 금 2.2돈이 필요할 때 금 330 g으로 만들 수 있는 목걸이는 모두 몇 개인가요?

09 유사

(　　　　　　　　)

07 계산 결과를 비교하여 ○ 안에 >, =, <를 알맞게 써넣으세요.

11 유사

6.5÷0.3의 몫을 반올림하여 소수 둘째 자리까지 나타낸 수 ○

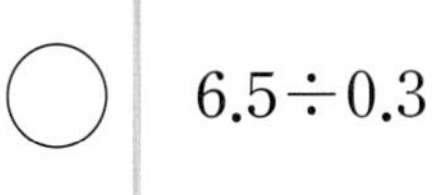

2 단원

교과 역량

08 북한산 둘레길은 북한산 자락에 있는 산책로입니다. 그중 송추마을길의 거리는 5 km입니다. 현지가 송추마을길을 걷는 데 3시간이 걸렸다면 한 시간 동안 평균 몇 km를 걸었는지 반올림하여 소수 둘째 자리까지 나타내세요.

12 유사

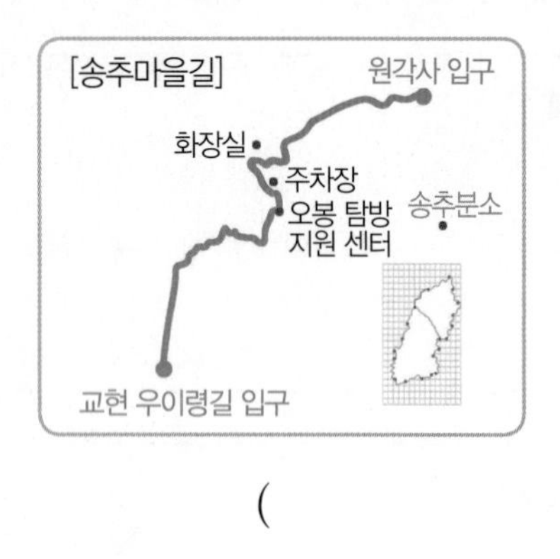

(　　　　　　　　)

서술형

09 상자 한 개에 포도를 3 kg씩 담아 포장하려고 합니다. 포도 8.1 kg을 포장할 때 포장할 수 있는 상자 수와 남는 포도의 무게를 2가지 방법으로 구하세요.

14 유사

방법 1

방법 2

10 경수는 철사 12.2 m를 한 사람에게 3 m씩 나누어 주고, 해미는 철사 16.5 m를 한 사람에게 4 m씩 나누어 주었습니다. 남는 철사의 길이가 더 긴 사람은 누구인가요? (단, 철사를 최대한 많은 사람에게 나누어 줍니다.)

15 유사

(　　　　　　　　)

교과 역량 서술형

11 어느 마트에서 판매하는 세제의 가격은 다음과 같습니다. 세제 1 L의 가격을 각각 구하여 표를 완성하고, 세제 양에 따라 1 L의 가격이 어떻게 변하는지 쓰세요. (단, 세제 1 L의 가격은 반올림하여 자연수로 나타냅니다.)

17 유사

세제의 양	가격	1 L의 가격
1.2L	4400원	
1.5L	4900원	
2.4L	7300원	

12 상자에 들어 있는 체리를 한 사람에게 3 kg씩 나누어 주면 7명에게 나누어 줄 수 있고, 1.3 kg이 남습니다. 이 체리를 한 사람에게 5 kg씩 나누어 줄 때 나누어 줄 수 있는 사람은 몇 명이고, 남는 체리는 몇 kg인지 구하세요.

19 유사

사람 수 (　　　　　　　　)

남는 체리의 무게 (　　　　　　　　)

13 두 나눗셈식 중 몫의 소수 41째 자리 숫자가 2인 식을 찾아 쓰세요.

21 유사

$25 \div 11$　　　$80 \div 27$

(　　　　　　　　)

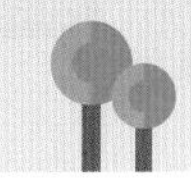
정답 48쪽

01 (01 유사) 5분 30초 동안 7.7 km를 달린 버스가 있습니다. 이 버스가 일정한 빠르기로 달렸다면 **1분 동안 달린 거리는 몇 km**인지 풀이 과정을 쓰고, 답을 구하세요.

❶ 5분 30초는 몇 분인지 소수로 나타내기

풀이

❷ 1분 동안 달린 거리 구하기

풀이

답

02 (03 유사) 진호가 자전거를 타고 일정한 빠르기로 다음과 같이 달렸습니다. 진호가 같은 빠르기로 달릴 때 **9분 동안 갈 수 있는 거리는 몇 km**인지 풀이 과정을 쓰고, 답을 구하세요.

달린 시간	달린 거리
6분 15초	4.25 km

풀이

답

03 (04 유사) 둘레가 58 m인 원 모양 연못의 둘레를 따라 1.45 m 간격으로 화분을 놓으려고 합니다. **필요한 화분은 모두 몇 개**인지 풀이 과정을 쓰고, 답을 구하세요.(단, 화분의 두께는 생각하지 않습니다.)

❶ 화분과 화분 사이의 간격 수 구하기

풀이

❷ 필요한 화분 수 구하기

풀이

답

04 (06 유사) 길이가 147.2 m인 산책로의 한쪽에 4.6 m 간격으로 가로등을 세우려고 합니다. 산책로의 처음과 끝에 모두 가로등을 세울 때 **필요한 가로등은 몇 개**인지 풀이 과정을 쓰고, 답을 구하세요.(단, 가로등의 두께는 생각하지 않습니다.)

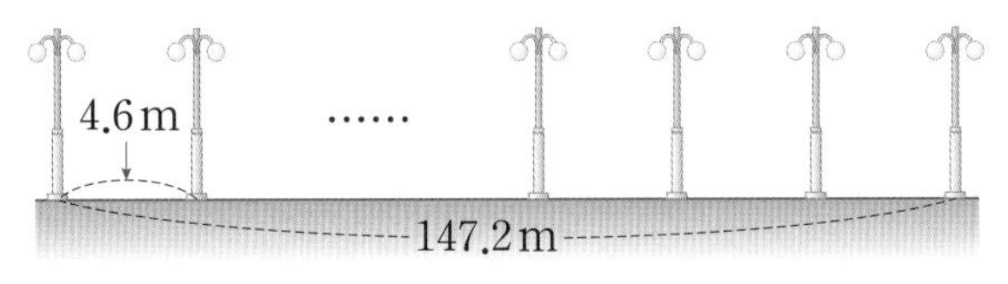

풀이

답

진도북[056~057쪽]의 연습, 실전 문제 복습

정답 48쪽

05 (07 유사) **■를 7로 나눈 몫을 반올림하여 소수 첫째 자리까지** 나타내려고 합니다. 풀이 과정을 쓰고, 답을 구하세요.

■에 2.8을 곱했더니 44.8이 되었어.

❶ ■ 구하기

풀이

❷ ■를 7로 나눈 몫을 반올림하여 소수 첫째 자리까지 나타내기

풀이

답

06 (09 유사) 어떤 수를 3.5로 나누어야 할 것을 잘못하여 3.5를 곱했더니 22.54가 되었습니다. **바르게 계산했을 때의 몫**은 얼마인지 풀이 과정을 쓰고, 답을 구하세요.

풀이

답

07 (10 유사) 오늘 박물관에 입장한 학생 중 전체의 55 %는 여학생이고, 여학생은 132명입니다. 오늘 **박물관에 입장한 남학생은 몇 명**인지 풀이 과정을 쓰고, 답을 구하세요.

❶ 박물관에 입장한 전체 학생 수 구하기

풀이

❷ 남학생 수 구하기

풀이

답

08 (12 유사) 봉지에 들어 있는 사탕의 맛을 조사하였더니 전체의 50 %는 딸기 맛, 전체의 25 %는 포도 맛, 나머지는 모두 사과 맛이었습니다. 사과 맛 사탕이 40개일 때 **봉지에 들어 있는 사탕은 모두 몇 개**인지 풀이 과정을 쓰고, 답을 구하세요.

풀이

답

정답 49쪽

1 어느 방향에서 사진을 찍은 것인지 □ 안에 알맞은 기호를 써넣으세요.

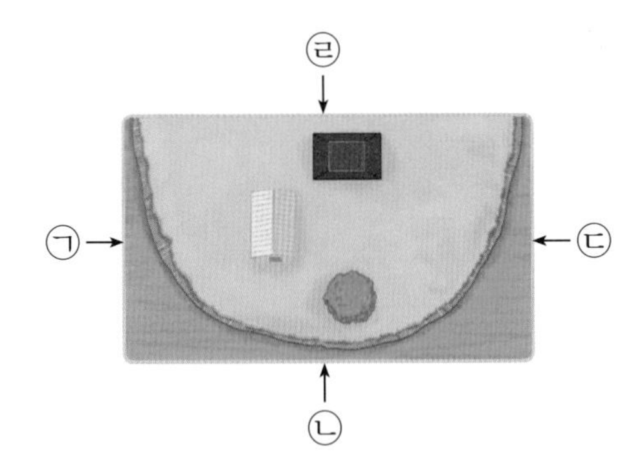

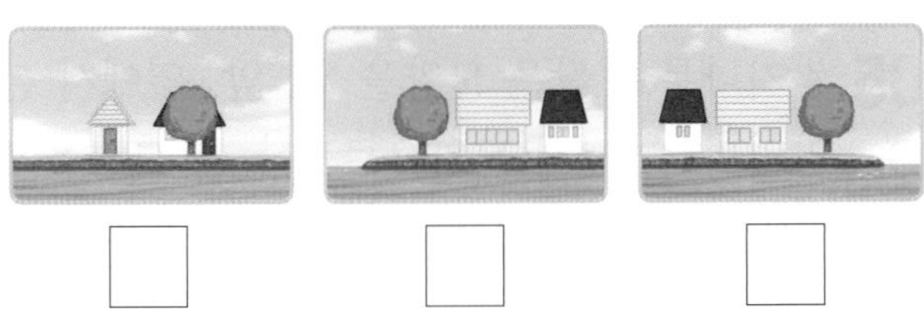

2 주어진 모양과 똑같이 쌓는 데 필요한 쌓기나무의 개수를 구하세요.

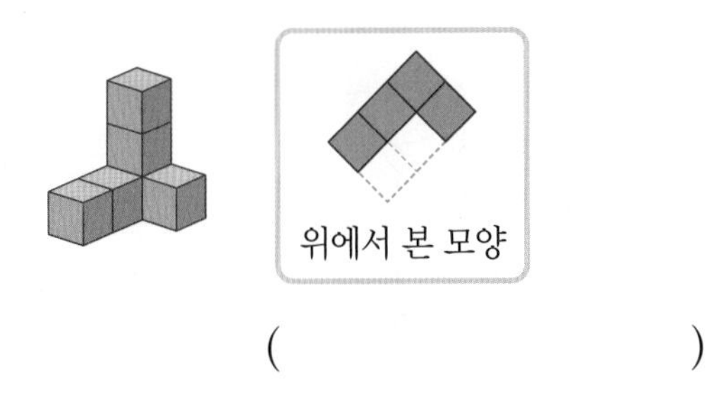

(　　　　　)

3 오른쪽 모양을 위에서 내려다보면 어떤 모양인지 찾아 기호를 쓰세요.

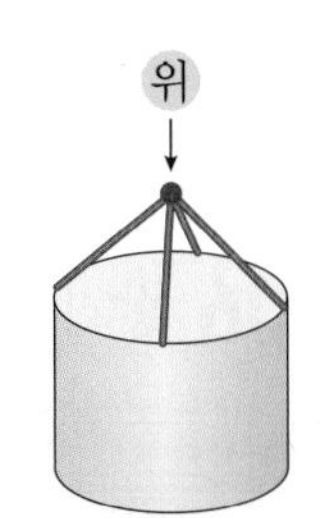

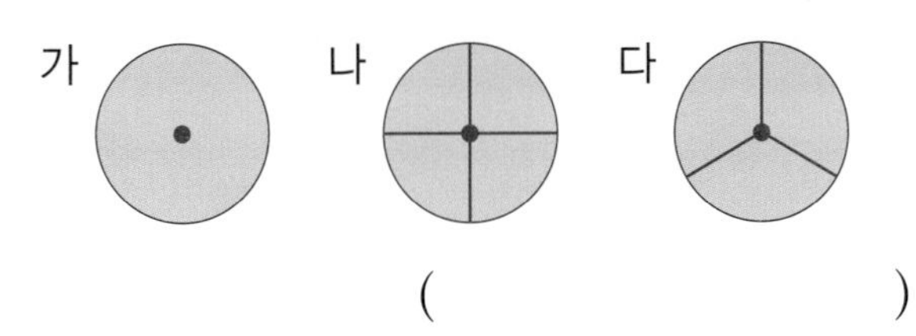

(　　　　　)

4 쌓기나무로 쌓은 모양을 보고 위에서 본 모양에 수를 쓴 것입니다. 쌓은 모양으로 알맞은 것을 찾아 기호를 쓰세요.

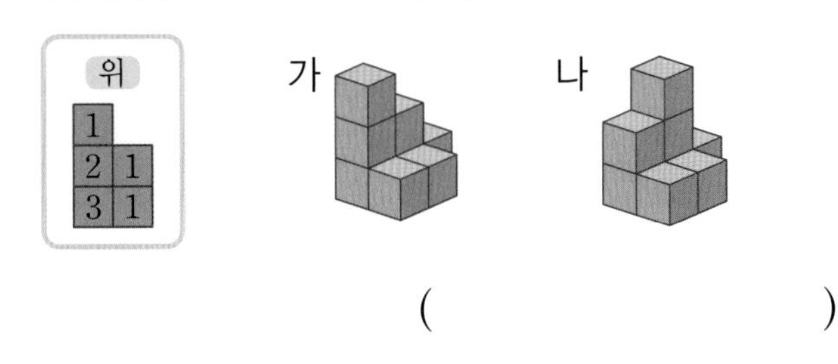

(　　　　　)

5 쌓기나무로 쌓은 모양을 보고 위에서 본 모양에 수를 썼습니다. 쌓은 모양을 앞에서 본 모양에는 '앞', 옆에서 본 모양에는 '옆'을 쓰세요.

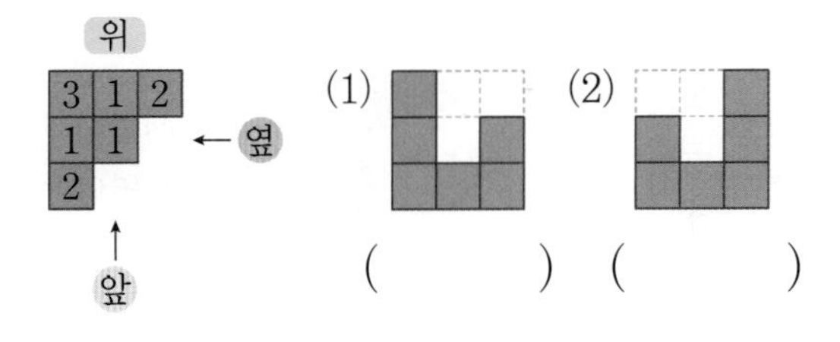

(　　　) (　　　)

6 쌓기나무로 쌓은 모양을 층별로 나타낸 모양입니다. 쌓은 모양을 위에서 본 모양을 그리고, 각 자리에 쌓은 쌓기나무의 개수를 쓰세요.

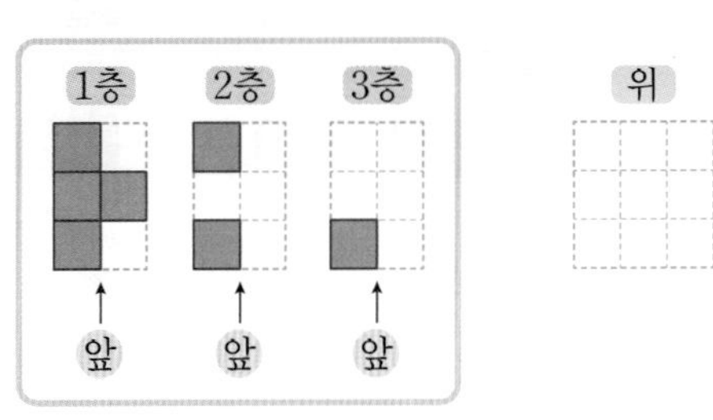

01 태권도 품새를 촬영하고 있습니다. 각 장면을 촬영한 카메라의 번호를 □ 안에 써넣으세요.
(02 유사)

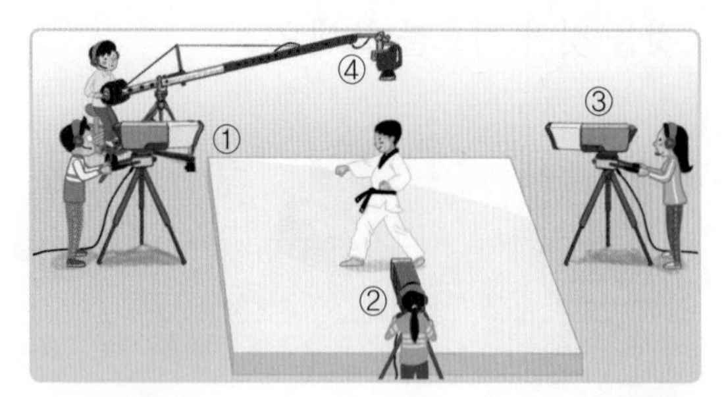

□번 카메라 □번 카메라 □번 카메라

서술형

02 **01**에서 촬영한 장면을 보고 은지가 말한 것입니다. 틀린 이유를 쓰세요.
(03 유사)

2번 카메라에서 촬영한 장면이야.
은지

(이유)

03 쌓기나무로 쌓은 모양을 층별로 나타낸 모양입니다. 똑같은 모양으로 쌓는 데 필요한 쌓기나무의 개수를 구하세요.
(05 유사)

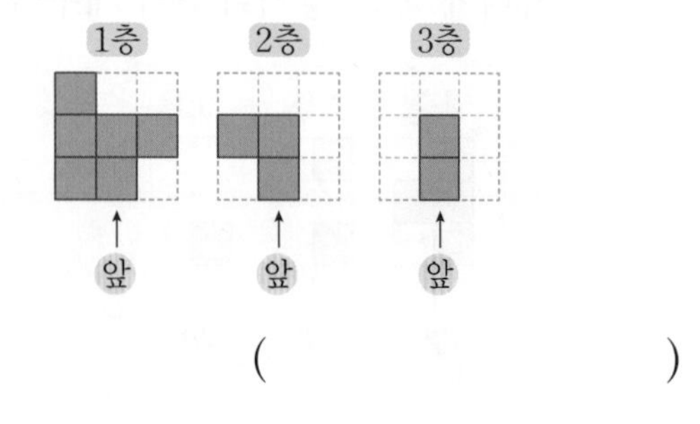

(   )

04 똑같은 모양으로 쌓는 데 필요한 쌓기나무의 개수를 구하세요.
(06 유사)

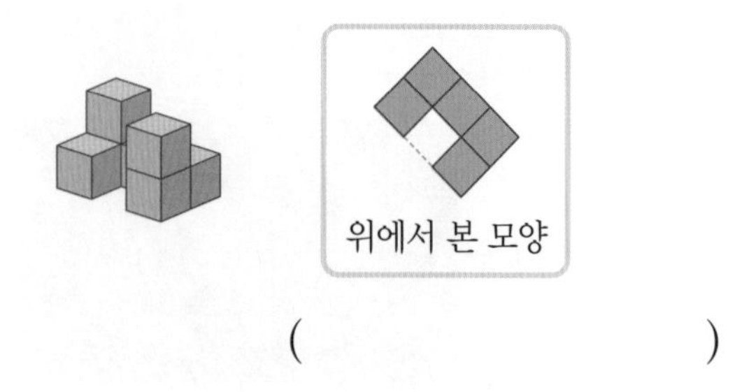

(   )

05 쌓기나무로 쌓은 모양을 위, 앞, 옆에서 본 모양입니다. 전체 모양으로 가능한 모양을 모두 찾아 기호를 쓰세요.
(08 유사)

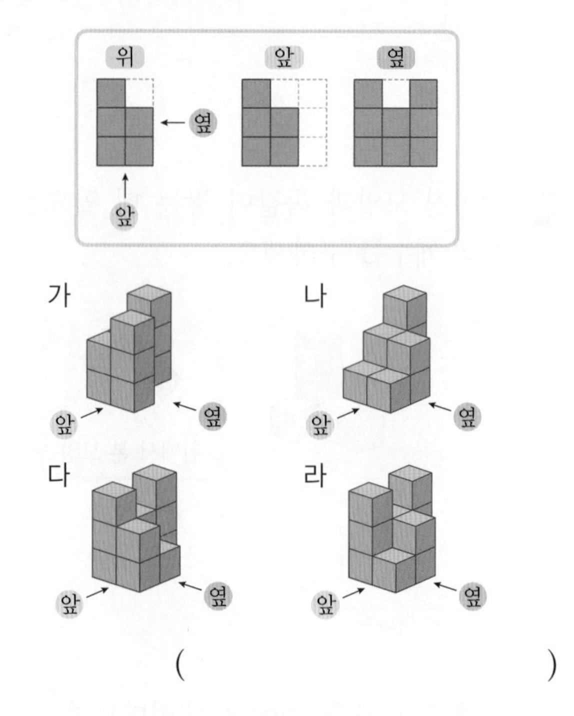

(   )

06 쌓기나무 8개로 쌓은 모양입니다. 옆에서 본 모양이 서로 같은 것의 기호를 쓰세요.
(10 유사)

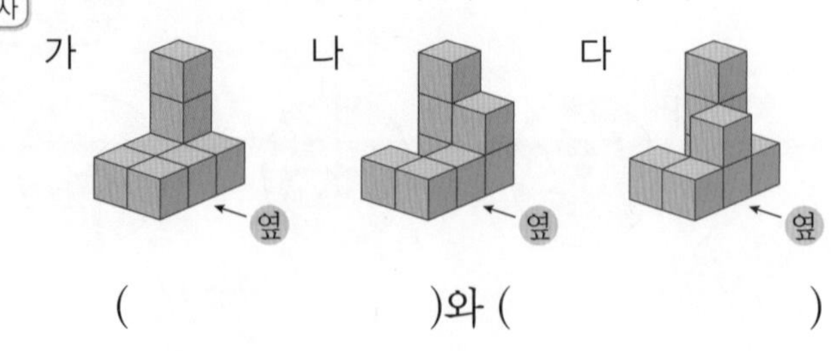

(   )와 (   )

07 (11 유사) 오른쪽과 같은 구멍이 있는 상자에 쌓기나무를 붙여서 만든 모양을 넣으려고 합니다. 넣을 수 없는 모양을 찾아 기호를 쓰세요.

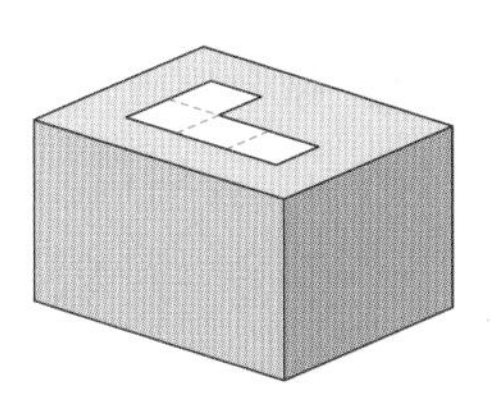

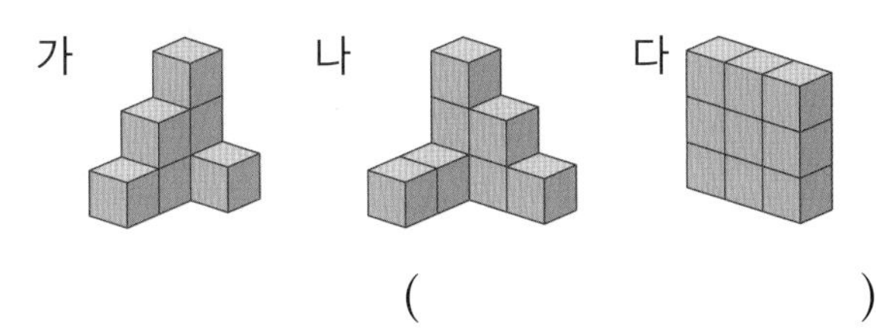

(　　　　　　　)

08 (13 유사) 쌓기나무 3개를 붙여서 만들 수 있는 서로 다른 모양은 모두 몇 가지인가요?

(　　　　　　　)

09 (14 유사) 쌓기나무를 각각 4개씩 붙여서 만든 2가지 모양을 사용하여 만들 수 있는 모양을 모두 찾아 각각 구분하여 색칠하세요.

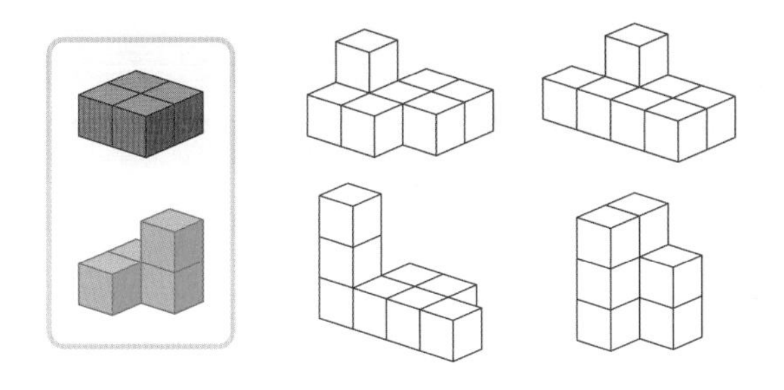

10 (16 유사) 쌓기나무 11개로 쌓은 모양을 보고 위에서 본 모양에 수를 쓰는 방법으로 나타낸 것입니다. 위에서 본 모양의 빈 곳에 알맞은 수를 써넣고, 쌓은 모양을 앞, 옆에서 본 모양을 각각 그리세요.

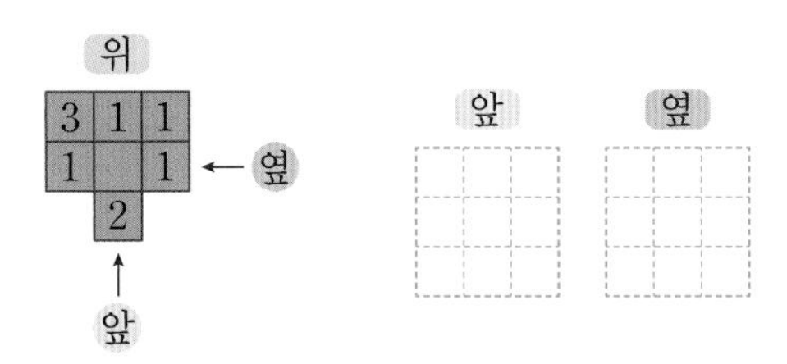

11 (17 유사) 쌓기나무로 쌓은 모양을 층별로 나타낸 모양입니다. 쌓은 모양을 위, 앞, 옆에서 본 모양을 각각 그리세요.

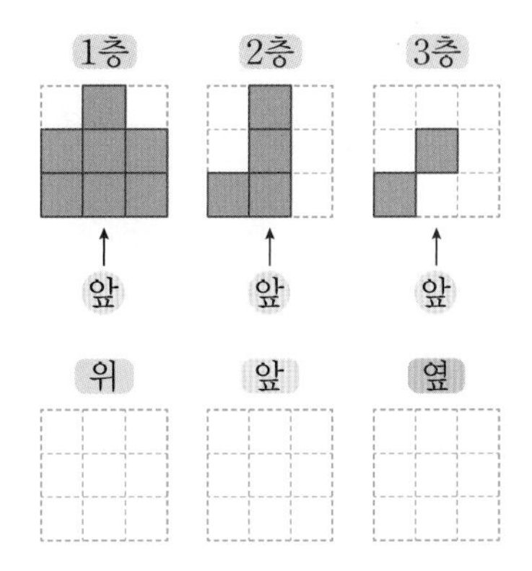

12 (19 유사) 쌓기나무로 쌓은 모양을 위와 앞에서 본 모양입니다. 쌓은 모양을 옆에서 본 모양을 그리세요.

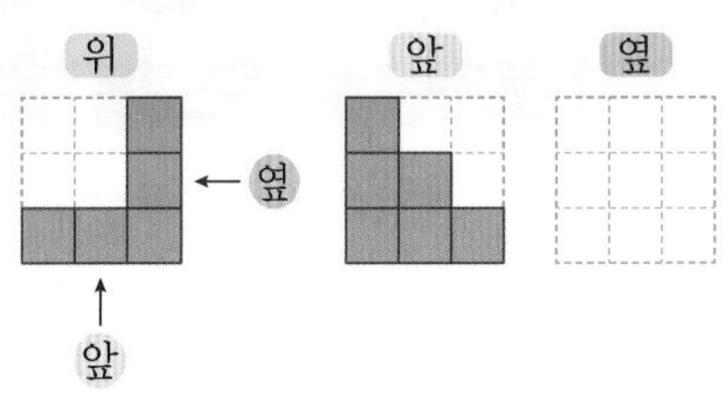

13 쌓기나무 10개로 쌓은 모양을 위, 앞, 옆에서 본 모양입니다. ★에 쌓인 쌓기나무의 개수를 구하세요.
20 유사

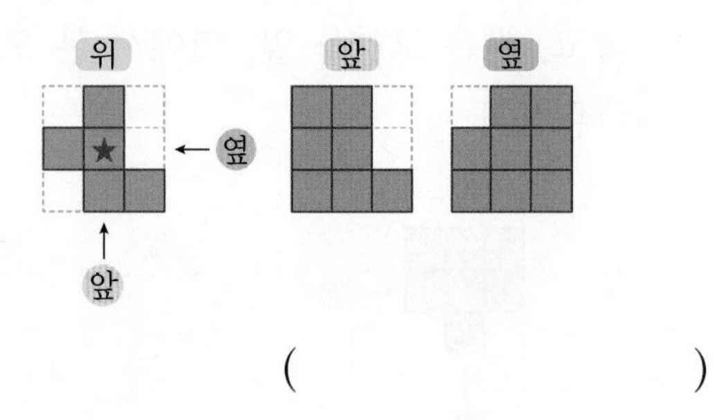

(　　　　　　　　)

14 오른쪽은 쌓기나무로 3층까지 쌓은 모양을 보고 1층과 3층의 모양을 그린 것입니다. 2층의 모양으로 가능한 경우를 모두 그리세요.
22 유사
교과 역량

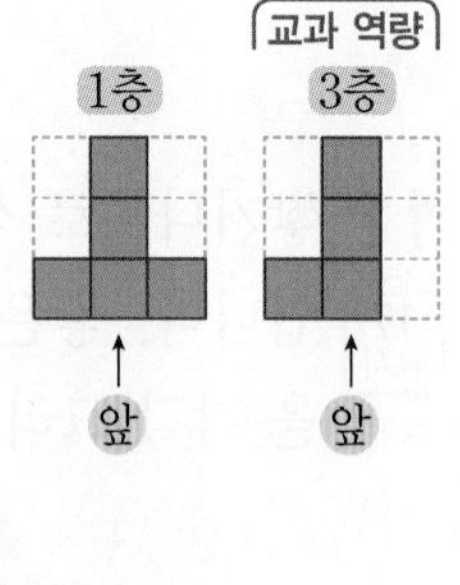

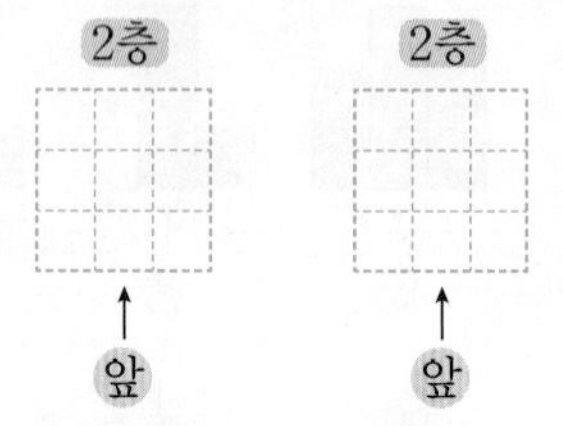

15 쌓기나무로 쌓은 모양을 위, 앞, 옆에서 본 모양입니다. 이와 같은 방법으로 쌓기나무를 쌓으면 여러 가지 모양이 나올 수 있습니다. 나올 수 있는 모양은 모두 몇 가지인지 구하세요.
26 유사

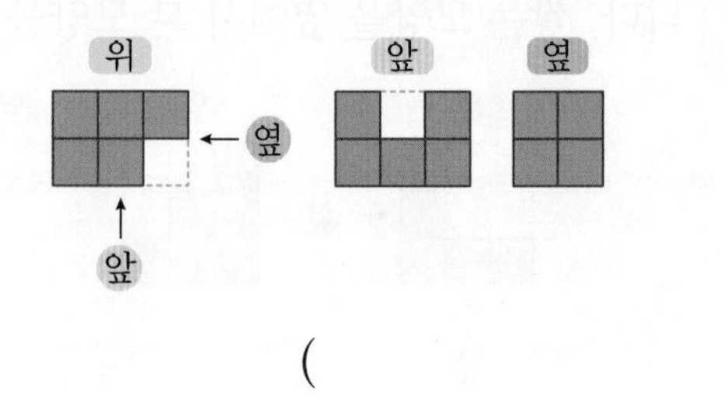

(　　　　　　　　)

16 쌓기나무를 7개씩 사용하여 **가**와 **나**를 쌓으려고 합니다. **가**와 **나**가 조건을 모두 만족할 때 쌓을 수 있는 모양을 위에서 본 모양에 수를 쓰는 방법으로 나타내세요.
28 유사

조건
- 쌓은 모양은 서로 다릅니다.
- 2층으로 쌓은 모양입니다.
- 위에서 본 모양이 서로 같습니다.
- 앞에서 본 모양이 서로 같습니다.
- 옆에서 본 모양이 서로 같습니다.

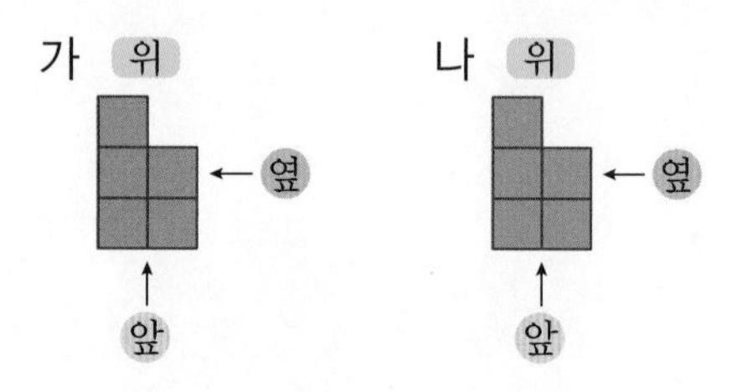

17 쌓기나무로 쌓은 모양을 위, 앞, 옆에서 본 모양입니다. 쌓기나무가 가장 많은 경우의 쌓기나무의 개수를 구하세요.
30 유사

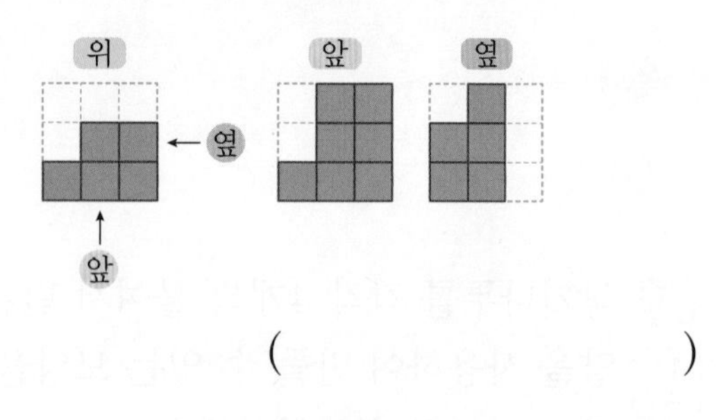

(　　　　　　　　)

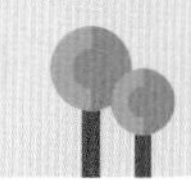

정답 50쪽

01 (01 유사) 주어진 모양과 똑같이 쌓는 데 **필요한 쌓기나무가 더 많은 것**의 기호를 쓰려고 합니다. 풀이 과정을 쓰고, 답을 구하세요.

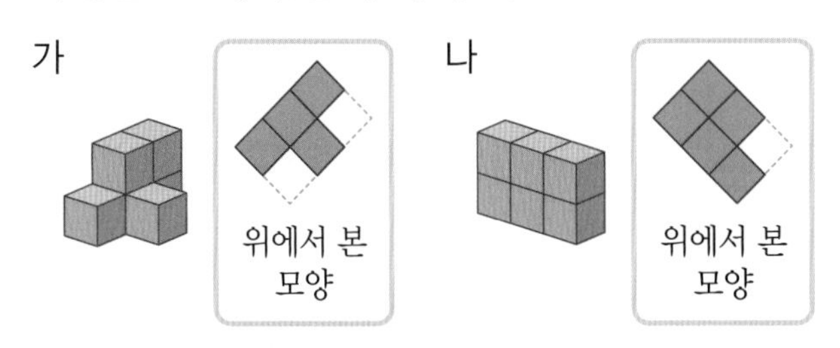

❶ 필요한 쌓기나무의 개수 각각 구하기

풀이

❷ 필요한 쌓기나무가 더 많은 것의 기호 쓰기

풀이

답

02 (03 유사) 쌓기나무로 쌓은 모양을 위, 앞, 옆에서 본 모양입니다. **사용한 쌓기나무가 더 많은 것**의 기호를 쓰려고 합니다. 풀이 과정을 쓰고, 답을 구하세요.

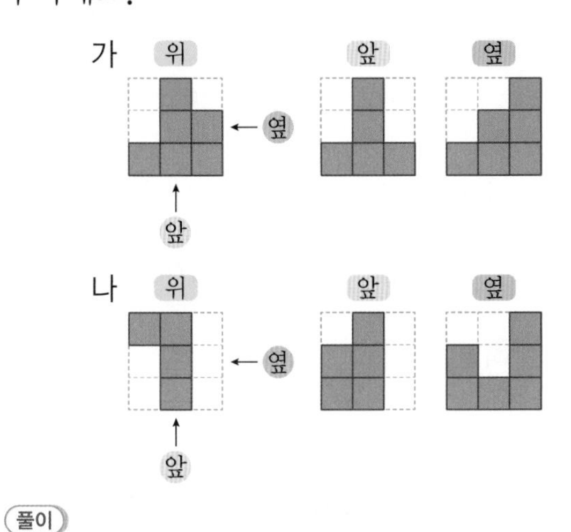

풀이

답

03 (04 유사) 왼쪽 정육면체 모양에서 쌓기나무 몇 개를 빼냈더니 오른쪽과 같은 모양이 되었습니다. **빼낸 쌓기나무는 몇 개**인지 풀이 과정을 쓰고, 답을 구하세요.

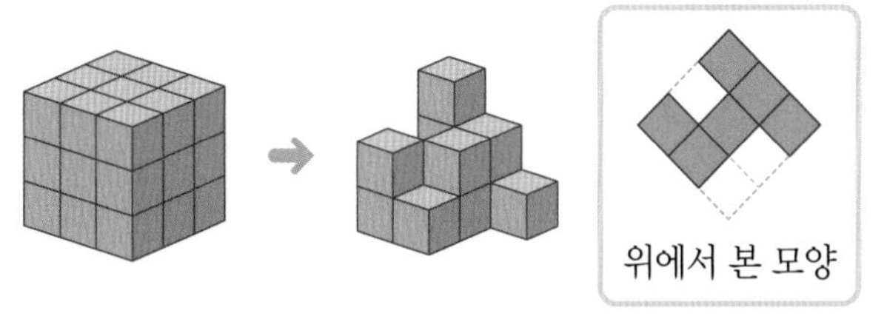

❶ 정육면체 모양과 빼낸 후 모양의 쌓기나무의 개수 각각 구하기

풀이

❷ 빼낸 쌓기나무의 개수 구하기

풀이

답

04 (06 유사) 다음과 같은 모양에 쌓기나무 몇 개를 더 쌓아 가장 작은 직육면체 모양을 만들려고 합니다. **필요한 쌓기나무는 몇 개**인지 풀이 과정을 쓰고, 답을 구하세요.

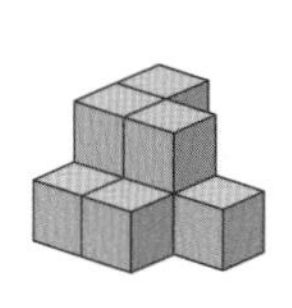

풀이

답

3 단원

정답 51쪽

1 비의 성질을 이용하여 □ 안에 알맞은 수를 써넣으세요.

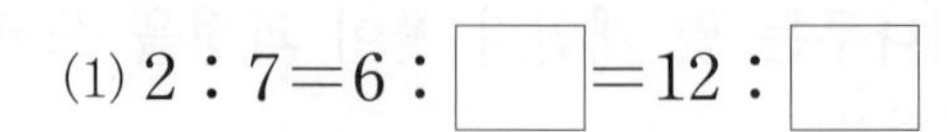

(1) 2 : 7=6 : □=12 : □

(2) 20 : 16=10 : □=5 : □

2 간단한 자연수의 비로 나타내세요.

(1) 2.8 : 1.2

(2) $\frac{2}{3}$: $\frac{3}{5}$

(3) 27 : 63

(4) $\frac{1}{4}$: 0.6

3 경미가 가지고 있는 지점토의 무게는 3.8 kg이고, 윤정이가 가지고 있는 지점토의 무게는 2.7 kg입니다. 경미와 윤정이가 가지고 있는 지점토의 무게의 비를 간단한 자연수의 비로 나타내세요.

3.8 : □=□ : □

4 직사각형 가와 나를 보고 물음에 답하세요.

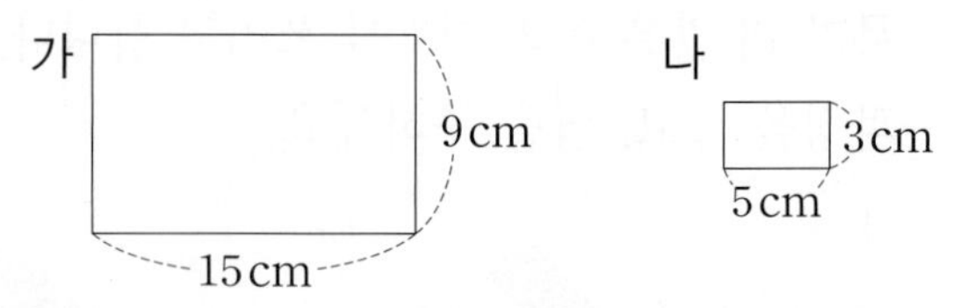

(1) 직사각형 가와 나의 가로와 세로의 비를 각각 구하세요.

직사각형 가 (　　　　　　)

직사각형 나 (　　　　　　)

(2) (1)에서 구한 두 비의 비율을 각각 분수로 나타내세요.

직사각형 가 (　　　　　　)

직사각형 나 (　　　　　　)

(3) (1), (2)에서 구한 비율이 같은 두 비를 비례식으로 나타내세요.

15 : □=□ : □

5 비 5 : 6과 비율이 같은 비를 찾아 비례식으로 나타내려고 합니다. 물음에 답하세요.

10 : 13　　25 : 30

(1) 비율을 각각 분수로 나타내세요.

비	5 : 6	10 : 13	25 : 30
비율(분수)	$\frac{5}{6}$		

(2) 비 5 : 6과 비율이 같은 비를 찾아 비례식으로 나타내세요.

5 : □=□ : □

정답 51쪽

01 비의 성질을 이용하여 비율이 $\frac{54}{30}$인 비를 2개 쓰세요. (02 유사)

( )

02 가로와 세로의 비가 4 : 5가 아닌 색종이를 찾아 기호를 쓰세요. (03 유사)

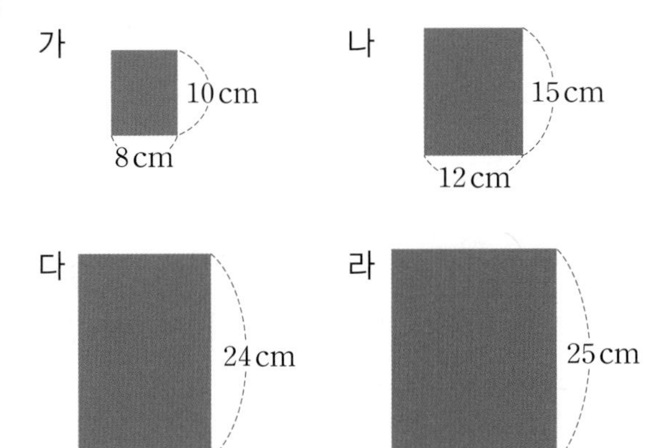

( )

03 비를 가장 간단한 자연수의 비로 바르게 나타낸 사람은 누구인가요? (05 유사)

[미애] $1\frac{1}{8} : \frac{3}{7}$ ➜ 21 : 5

[석준] 4.9 : 0.42 ➜ 35 : 3

( )

04 다음 2가지 방법을 이용하여 $3\frac{1}{5}$: 1.4를 가장 간단한 자연수의 비로 나타내세요. (06 유사)

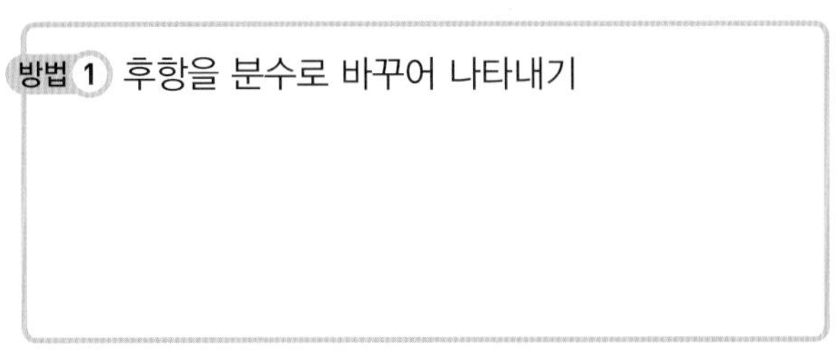

방법 1 후항을 분수로 바꾸어 나타내기

방법 2 전항을 소수로 바꾸어 나타내기

서술형

05 다음 식이 비례식이 아닌 이유를 쓰세요. (08 유사)

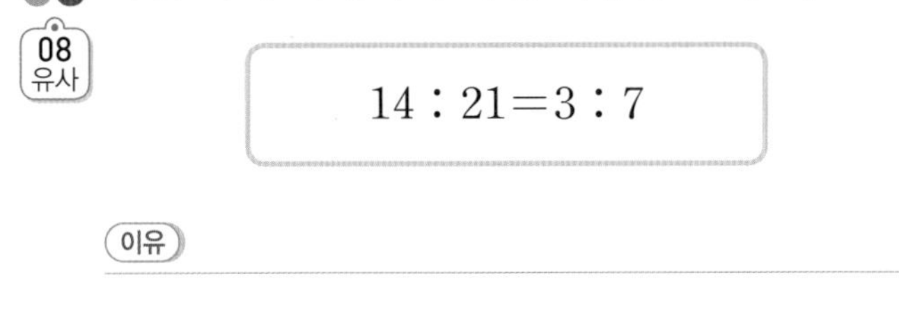

교과 역량

06 진우가 비례식이 바르게 적힌 표지판을 따라가면 집을 찾아갈 수 있습니다. 진우네 집을 찾아 ○표 하세요. (09 유사)

4 단원

07 (11 유사) 비례식 4 : 9=20 : 45에서 내항도 되고 후항도 되는 수는 얼마인가요?

(　　　　　　　　)

08 (12 유사) 외항이 5와 6이고 내항이 2와 15인 비례식을 만들어 쓰세요.

(　　　　　　　　)

09 (14 유사) 같은 양의 일을 일정한 빠르기로 하는 데 영희는 6시간, 준우는 7시간이 걸렸습니다. 영희와 준우가 한 시간 동안 한 일의 양의 비를 가장 간단한 자연수의 비로 나타내세요.

(　　　　　　　　)

10 (15 유사) 교과 역량 서술형

가와 나 컵에 각각 다음과 같이 물과 망고 원액을 섞어 망고 주스를 만들었습니다. 망고 주스를 만들 때 사용한 물 양과 망고 원액 양의 비를 각각 가장 간단한 자연수의 비로 나타내고, 두 망고 주스의 진하기를 비교하세요.

가 컵	나 컵
물 90 mL 망고 원액 30 mL	물 150 mL 망고 원액 50 mL

컵	가	나
비		
진하기		

11 (17 유사) 가로와 세로의 비가 9 : 4인 직사각형의 가로가 81 m일 때 세로는 몇 m인지 구하세요.

(　　　　　　　　)

12 (18 유사) ㉠은 같은 수일 때 □ 안에 알맞은 수를 구하세요.

- 5 : ㉠=35 : 56
- 40 : 15=㉠ : □

(　　　　　　　　)

13 (20 유사) 직사각형 가와 나의 가로는 서로 같습니다. 직사각형 가와 나의 넓이의 비를 가장 간단한 자연수의 비로 나타내세요.

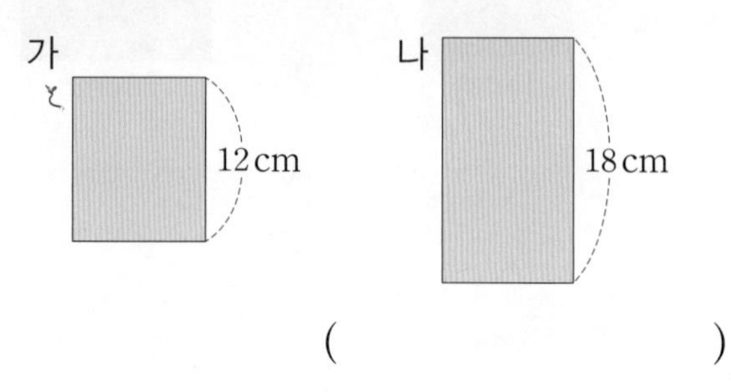

(　　　　　　　　)

14 (22 유사) 조건 에 맞게 비례식을 완성하세요.

조건
- 비율은 $\frac{4}{5}$입니다.
- 외항의 곱은 40입니다.

8 : □=□ : □

정답 52쪽

1 비례식의 성질을 이용하여 □ 안에 알맞은 수를 써넣으세요.

(1) □ : 2=18 : 4

(2) 5 : 8=35 : □

(3) 20 : □=2 : 3

(4) 39 : 13=□ : 1

2 비례식의 성질을 이용하여 ▲를 구하세요.

$$\frac{1}{4} : 0.4=20 : ▲$$

(　　　　　　)

3 젤리가 3봉지에 2100원입니다. 똑같은 젤리 8봉지를 사려면 얼마가 필요한지 구하려고 합니다. 물음에 답하세요.

(1) 젤리 8봉지를 살 때 필요한 금액을 ■원이라 하고 비례식을 세워 보세요.

3 : □=□ : ■

(2) 젤리 8봉지를 사려면 얼마가 필요한가요?

(　　　　　　)

4 □ 안의 수를 주어진 비로 비례배분하여 [　,　] 안에 쓰세요.

(1) 33　　4 : 7

→ [　　　,　　　]

(2) 42　　5 : 9

→ [　　　,　　　]

5 생수 400 mL를 수희와 진아가 3 : 5의 비로 나누어 마실 때 수희가 마시는 생수 양을 비례식을 세워 구하려고 합니다. 물음에 답하세요.

(1) 수희가 마시는 생수 양을 ★ mL라 하고 비례식을 세워 보세요.

(전체 생수 양) : (수희가 마시는 생수 양)

→ □ : 3=400 : ★

(2) 수희가 마시는 생수는 몇 mL인가요?

(　　　　　　)

6 색 테이프 40 m를 가 모둠과 나 모둠에 4 : 1로 나누어 주려고 합니다. 두 모둠이 각각 가지게 되는 색 테이프의 길이를 구하세요.

가 모둠 (　　　　　　)

나 모둠 (　　　　　　)

01 비례식에서 외항의 곱을 구하세요.

02 유사

□ : 2.5 = 4 : 5

( )

02 수 카드 중에서 4장을 골라 한 번씩 사용하여 비례식을 만들어 보세요.

03 유사

1	2	7	9	10	18

비례식

03 ㉠과 ㉡에 알맞은 수 중 더 작은 수의 기호를 쓰세요.

05 유사

- ㉠ : 3 = 9 : 4.5
- 6 : 20 = $1\frac{1}{2}$: ㉡

( )

04 □ 안에 알맞은 수가 다른 하나를 찾아 기호를 쓰세요.

06 유사

㉠ 21 : 27 = □ : 9

㉡ □ : 8 = 1.6 : 6.4

㉢ 50 : □ = 5 : $\frac{1}{5}$

( )

05 140을 가 : 나 = 78 : 104로 비례배분하세요.

08 유사

[가, 나] ➜ [,]

06 □ 안의 수를 주어진 비로 비례배분하여 [,] 안에 나타내었습니다. 비례배분한 값을 보기에서 찾아 낱말을 완성하세요.

09 유사

135	0.28 : 0.8	➜ [㉠ , ㉡]
200	0.6 : 1.4	➜ [㉢ , ㉣]

보기

35	바	140	린	60	올
120	루	45	플	100	이

㉠	㉡	㉢	㉣

07 어느 염전에서 소금물 14 L를 증발시켜 소금 70 g을 얻을 수 있다고 합니다. 이 염전에서 소금물 84 L를 증발시켰을 때 얻을 수 있는 소금은 몇 g인가요?

11 유사

( )

서술형

08 (12 유사) 똑같은 종이배 3개를 만들려면 색종이 2장이 필요합니다. 주아는 똑같은 종이배 9개를 만드는 데 필요한 색종이 수를 다음과 같이 구했습니다. 틀린 이유를 쓰고, 필요한 색종이 수를 바르게 구하세요.

주아: 종이배 3개를 만드는 데 필요한 색종이 수는 종이배 수보다 1 작아. 그래서 종이배 9개를 만드는 데 필요한 색종이는 8장이야.

이유

필요한 색종이 수

09 (14 유사) 공책 180권을 학생 수의 비에 따라 1반과 2반에 나누어 주려고 합니다. 1반과 2반에 각각 공책을 몇 권 주어야 하나요?

반	1	2
학생 수(명)	22	23

1반 (　　　　　　)
2반 (　　　　　　)

10 (15 유사) 희주와 상미가 수확한 포도를 5 : 3으로 나누어 가졌더니 희주가 15 kg을 가지게 되었습니다. 수확한 포도는 모두 몇 kg인가요?

(　　　　　　)

교과 역량

11 (17 유사) 지도상의 거리와 실제 거리의 비를 축척이라고 합니다. 다음은 지도상의 거리를 나타낸 것입니다. 지도의 축척이 1 : 20000일 때 학교에서 공원을 거쳐 병원까지 가는 거리는 실제로 몇 m인지 구하세요.

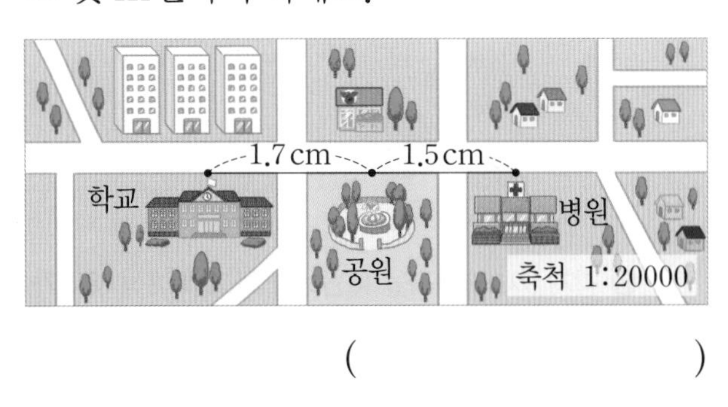

(　　　　　　)

12 (19 유사) 가$\times\frac{5}{9}$와 나$\times\frac{1}{2}$의 값이 같을 때 가와 나의 비를 간단한 자연수의 비로 나타내세요.

(　　　　　　)

교과 역량

13 (21 유사) 노트북을 개발하는 데 가 회사는 5억 원, 나 회사는 7억 원을 투자하였습니다. 이 노트북으로 벌어들인 돈 36억 원을 가 회사와 나 회사가 투자한 돈의 비로 나누어 가지려고 합니다. 가 회사와 나 회사는 각각 얼마를 가지면 되는지 구하세요.

가 회사 (　　　　　　)
나 회사 (　　　　　　)

4 단원

01 (01 유사) 어느 가게에서 감자를 다음과 같이 팔고 있습니다. 미호는 감자 9개를 사고 10000원을 냈습니다. **미호가 받아야 하는 거스름돈은 얼마**인지 풀이 과정을 쓰고, 답을 구하세요.

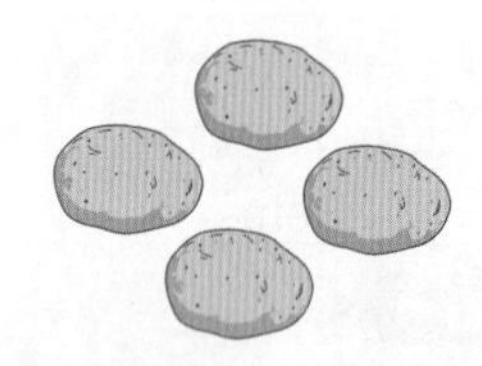

감자 4개: 3200원

❶ 감자 9개의 가격을 ■원이라 하고 비례식 세우기

풀이

❷ 받아야 하는 거스름돈 구하기

풀이

답

02 (03 유사) 어느 정육점에서 소고기 600 g을 30000원에 팔고 있습니다. 영미 어머니께서 소고기 0.9 kg을 사고 50000원을 내셨습니다. **영미 어머니께서 받아야 하는 거스름돈은 얼마**인지 풀이 과정을 쓰고, 답을 구하세요.

풀이

답

03 (04 유사) 밭을 그림과 같이 나누어 고구마, 감자, 상추를 심었습니다. 고구마를 심은 밭은 전체의 16 %이고, 넓이는 84 m^2입니다. **밭의 전체 넓이는 몇 m^2**인지 풀이 과정을 쓰고, 답을 구하세요.

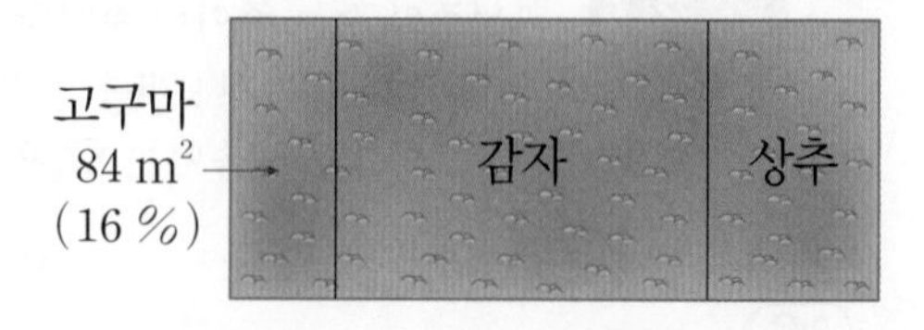

❶ 밭의 전체 넓이를 ▲ m^2라 하고 비례식 세우기

풀이

❷ 밭의 전체 넓이 구하기

풀이

답

04 (06 유사) 박물관에 입장한 학생 중 35 %는 남학생입니다. 박물관에 입장한 여학생이 208명이라면 **박물관에 입장한 학생은 모두 몇 명**인지 풀이 과정을 쓰고, 답을 구하세요.

풀이

답

05 07 유사

가로와 세로의 비가 9 : 7이고, 둘레가 128 cm인 직사각형이 있습니다. 이 **직사각형의 가로와 세로는 각각 몇 cm**인지 풀이 과정을 쓰고, 답을 구하세요.

❶ (가로)+(세로)의 값 구하기

풀이

❷ 직사각형의 가로와 세로 각각 구하기

풀이

답 가로: , 세로:

06 09 유사

직사각형 모양 천의 가로와 세로를 같은 비율로 축소하여 나타낸 것입니다. 실제 천의 둘레가 16 m일 때 **실제 천의 가로와 세로는 각각 몇 m**인지 풀이 과정을 쓰고, 답을 구하세요.

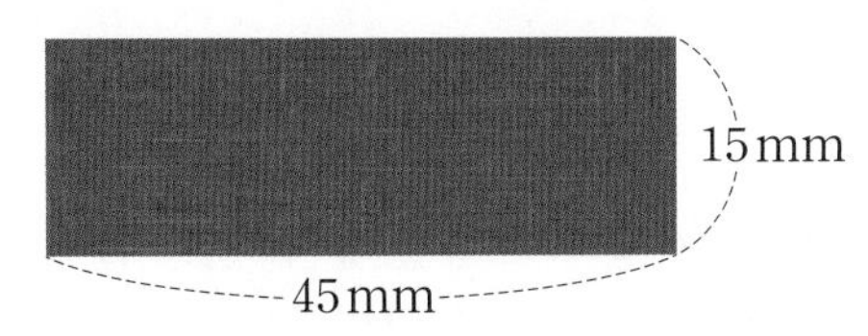

풀이

답 가로: , 세로:

07 10 유사

서로 맞물려 돌아가는 두 톱니바퀴 ㉮와 ㉯가 있습니다. ㉮의 톱니 수는 25개, ㉯의 톱니 수는 30개일 때 **톱니바퀴 ㉮와 ㉯의 회전수의 비를 가장 간단한 자연수의 비**로 나타내려고 합니다. 풀이 과정을 쓰고, 답을 구하세요.

❶ 톱니바퀴 ㉮와 ㉯에서 톱니 수와 회전수의 관계 알아보기

풀이

❷ 톱니바퀴 ㉮와 ㉯의 회전수의 비를 가장 간단한 자연수의 비로 나타내기

풀이

답

08 12 유사

서로 맞물려 돌아가는 두 톱니바퀴 가와 나가 있습니다. 가의 톱니 수는 65개이고, 나의 톱니 수는 26개입니다. **톱니바퀴** 가**가 14바퀴 도는 동안 톱니바퀴** 나**는 몇 바퀴 도는지** 풀이 과정을 쓰고, 답을 구하세요.

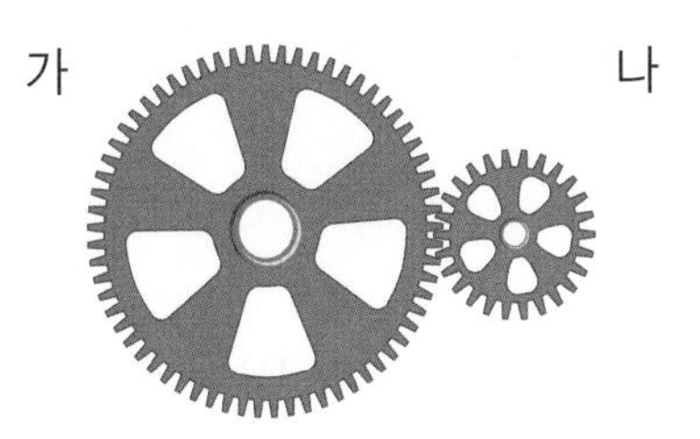

풀이

답

정답 55쪽

1 오른쪽 원 모양의 피자를 보고 설명이 맞으면 ○표, 틀리면 ×표 하세요.

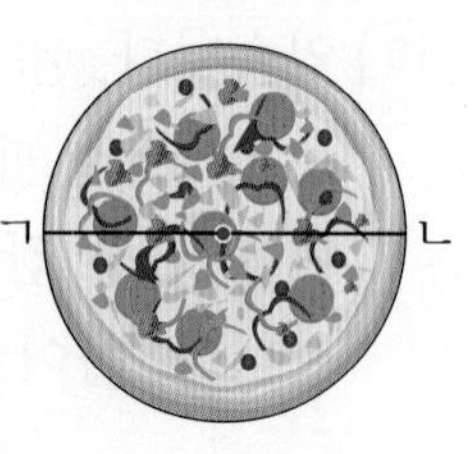

선분 ㄱㄴ은 원의 지름입니다.	( )
원의 지름이 커지면 원주도 커집니다.	( )
원주율은 선분 ㄱㄴ을 피자의 둘레로 나눈 값입니다.	( )

2 그림을 보고 지름이 4 cm인 원의 원주와 가장 비슷한 길이를 찾아 기호를 쓰세요.

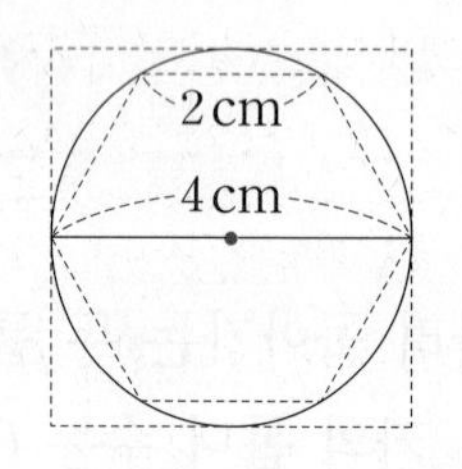

㉠ 8 cm　㉡ 14 cm　㉢ 20 cm

(　　　　　　)

3 원의 원주가 18.85 cm일 때 원주율을 반올림하여 소수 둘째 자리까지 나타내세요.

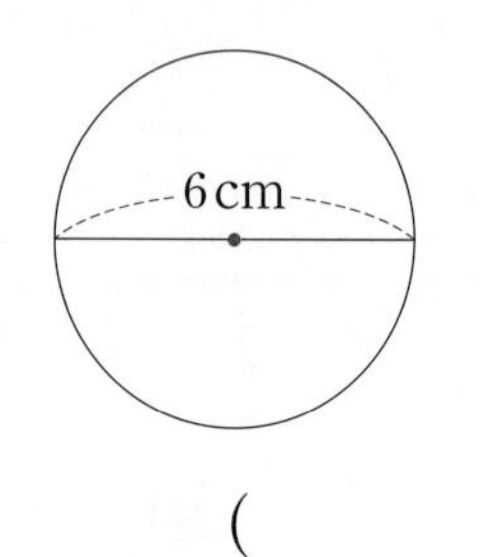

(　　　　　　)

4 고리의 원주를 구하려고 합니다. 물음에 답하세요. (원주율: 3.1)

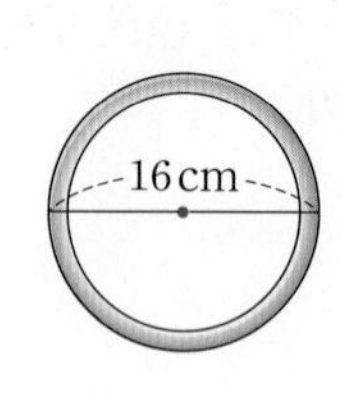

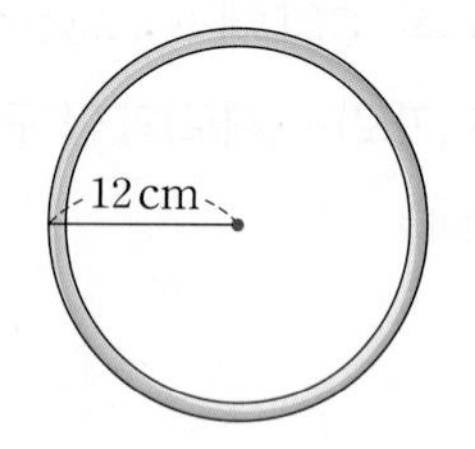

(1) 바깥쪽 지름이 16 cm인 왼쪽 고리의 원주는 몇 cm인가요?

(　　　　　　)

(2) 바깥쪽 반지름이 12 cm인 오른쪽 고리의 원주는 몇 cm인가요?

(　　　　　　)

5 원 모양인 오른쪽 거울의 둘레는 62.8 cm입니다. 거울의 지름은 몇 cm인가요? (원주율: 3.14)

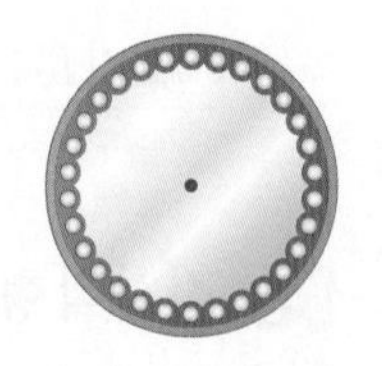

(　　　　　　)

6 길이가 24 cm인 색 테이프를 겹치지 않게 붙여서 원을 만들었습니다. 물음에 답하세요. (원주율: 3)

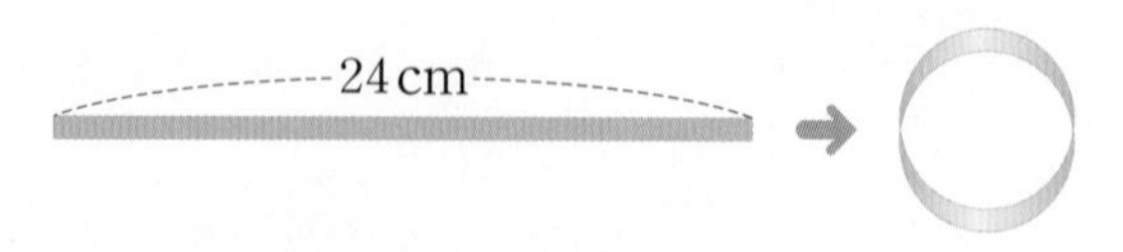

(1) 만들어진 원의 원주는 몇 cm인가요?

(　　　　　　)

(2) 만들어진 원의 지름은 몇 cm인가요?

(　　　　　　)

정답 55쪽

01 (02 유사) 오른쪽 원의 원주는 43.98 cm입니다. 원주율을 반올림하여 주어진 자리까지 나타내세요.

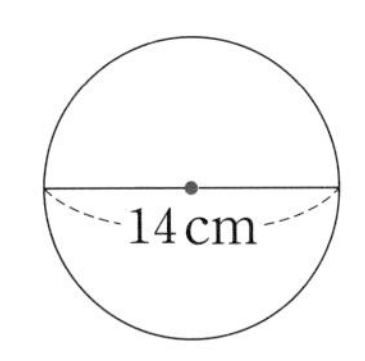

소수 첫째 자리까지	소수 둘째 자리까지

02 (05 유사) 크기가 다른 두 원의 중심을 겹쳐 놓은 것입니다. 큰 원의 원주는 몇 cm인가요?

(원주율: 3.14)

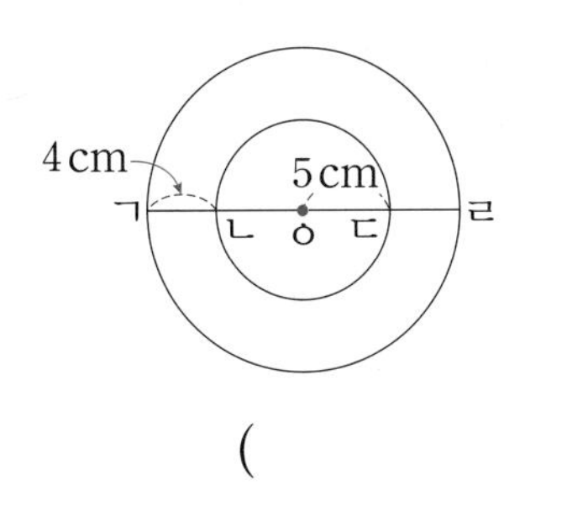

(　　　　　　　　)

03 (06 유사) 오른쪽 원 모양의 물놀이 튜브에서 바깥쪽 원의 지름은 60 cm, 안쪽 원의 지름은 35 cm입니다. 바깥쪽 원의 원주와 안쪽 원의 원주의 차는 몇 cm인가요?(원주율: 3)

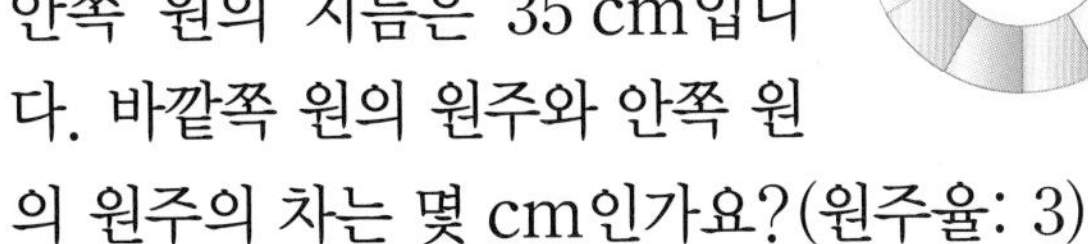

(　　　　　　　　)

04 (08 유사) 원주가 36 cm인 원 모양의 시계를 밑면이 정사각형 모양인 직육면체 모양의 상자에 담으려고 합니다. 상자의 밑면의 한 변의 길이는 적어도 몇 cm이어야 하나요?

(원주율: 3)

(　　　　　　　　)

05 (09 유사) 원주가 다음과 같은 원 가, 나, 다가 있습니다. 지름이 가장 긴 원과 가장 짧은 원의 지름의 차는 몇 cm인가요?(원주율: 3.1)

원	가	나	다
원주(cm)	18.6 cm	27.9 cm	24.8 cm

(　　　　　　　　)

06 (11 유사) 하은이와 상희가 원 모양의 훌라후프를 돌리고 있습니다. 하은이와 상희 중 더 큰 훌라후프를 돌리고 있는 사람은 누구인가요?

(원주율: 3.14)

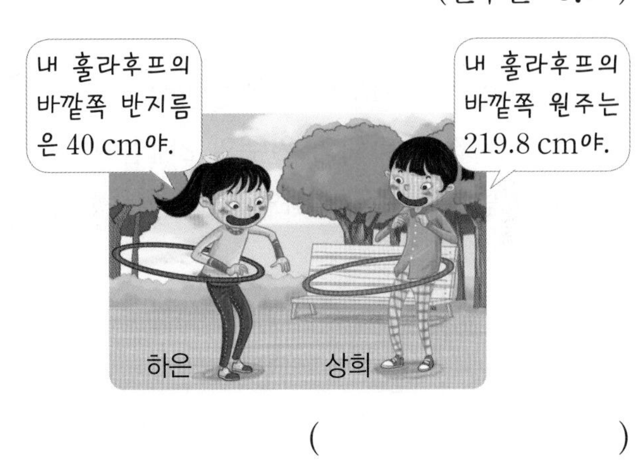

내 훌라후프의 바깥쪽 반지름은 40 cm야.
내 훌라후프의 바깥쪽 원주는 219.8 cm야.
하은
상희

(　　　　　　　　)

07 (12 유사) 큰 원부터 차례로 기호를 쓰세요.(원주율: 3.1)

㉠ 반지름이 2.5 cm인 원
㉡ 원주가 18.6 cm인 원
㉢ 지름이 4 cm인 원

(　　　　　　　　)

5 단원

서술형

08 오른쪽 그림에서 큰 원의 지름은 작은 원의 지름의 3배입니다. 큰 원의 원주가 65.94 cm일 때 작은 원의 원주는 몇 cm인지 풀이 과정을 쓰고, 답을 구하세요. (원주율: 3.14)

14 유사

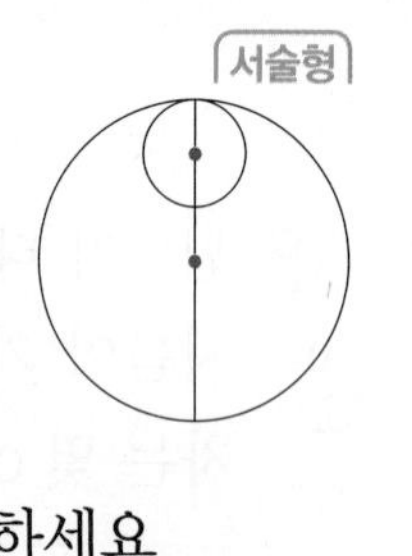

풀이

답

09 작은 바퀴의 원주는 37.2 cm이고, 큰 바퀴의 원주는 작은 바퀴의 원주의 2배입니다. 큰 바퀴의 반지름은 몇 cm인가요? (원주율: 3.1)

15 유사

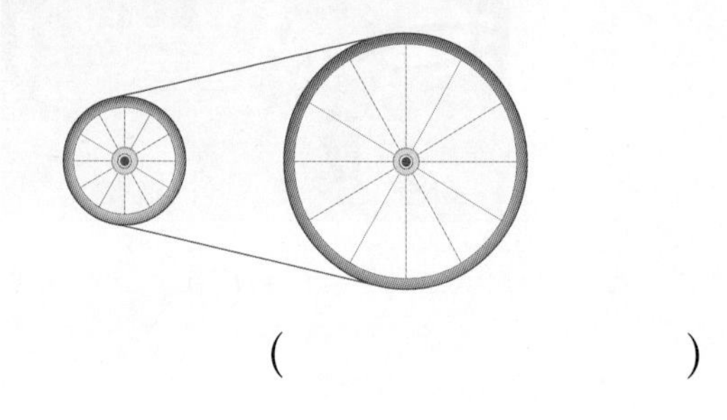

(　　　　　　　　)

10 진아가 지름이 80 m인 원 모양 호수의 둘레를 몇 바퀴 달렸습니다. 진아가 달린 거리가 502.4 m일 때 진아는 호수의 둘레를 몇 바퀴 달렸나요? (원주율: 3.14)

17 유사

(　　　　　　　　)

11 그림과 같이 반지름이 7 m인 원 모양의 땅 둘레에 1.5 m 간격으로 말뚝을 세워 울타리를 만들려고 합니다. 필요한 말뚝은 모두 몇 개인가요? (원주율: 3) (단, 말뚝의 두께는 생각하지 않습니다.)

18 유사

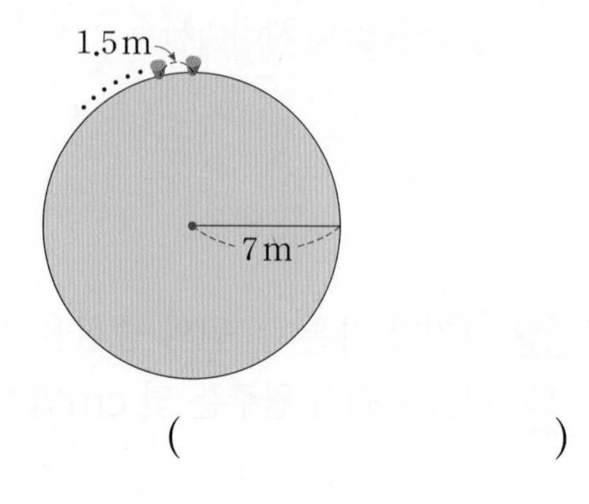

(　　　　　　　　)

12 기주와 윤희는 운동장에서 200 m 달리기 경기를 하려고 합니다. 공정한 경기를 하려면 1번 경주로의 출발점을 기준으로 했을 때 2번 경주로에서 달리는 사람은 몇 m 더 앞에서 출발하면 되는지 구하세요. (원주율: 3.14) (단, 경주로의 안쪽 길이를 기준으로 거리를 구합니다.)

20 유사

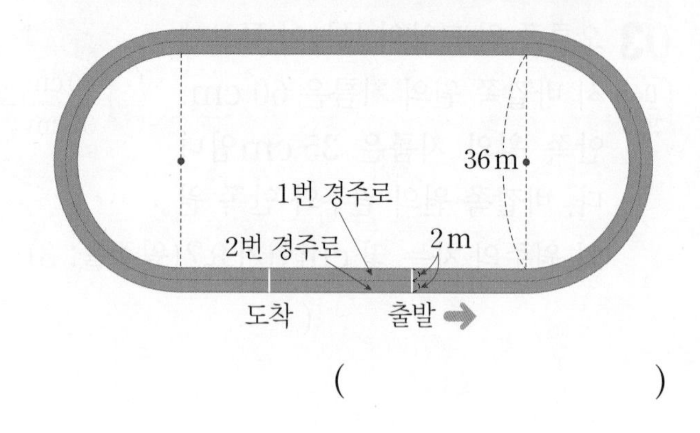

(　　　　　　　　)

13 색칠한 부분의 둘레를 구하세요. (원주율: 3)

22 유사

6 cm 16 cm

(　　　　　　　　)

정답 55쪽

1 원 안의 정육각형과 원 밖의 정육각형의 넓이를 이용하여 원의 넓이를 어림하려고 합니다. 물음에 답하세요.

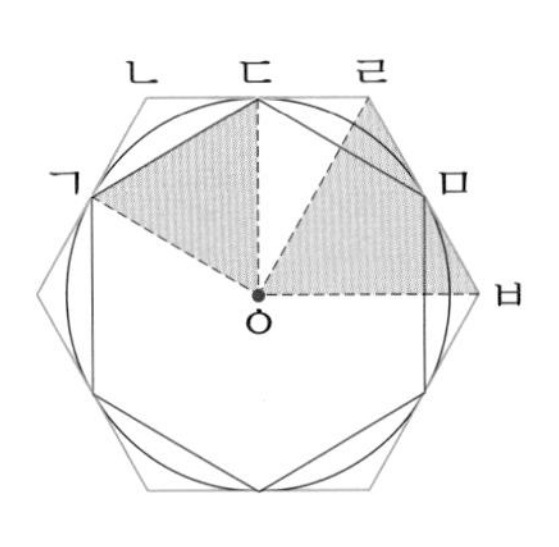

(1) 삼각형 ㄱㅇㄷ의 넓이가 6 cm^2일 때 원 안의 정육각형의 넓이는 몇 cm^2인가요?

(원 안의 정육각형의 넓이)
=(삼각형 ㄱㅇㄷ의 넓이)×□
=□×□=□(cm^2)

(2) 삼각형 ㄹㅇㅂ의 넓이가 8 cm^2일 때 원 밖의 정육각형의 넓이는 몇 cm^2인가요?

(원 밖의 정육각형의 넓이)
=(삼각형 ㄹㅇㅂ의 넓이)×□
=□×□=□(cm^2)

(3) 원의 넓이를 어림해 보세요.

□ cm^2 <(원의 넓이)
(원의 넓이)< □ cm^2

2 반지름이 8 cm인 원의 넓이를 어림하려고 합니다. □ 안에 알맞은 수를 써넣으세요.

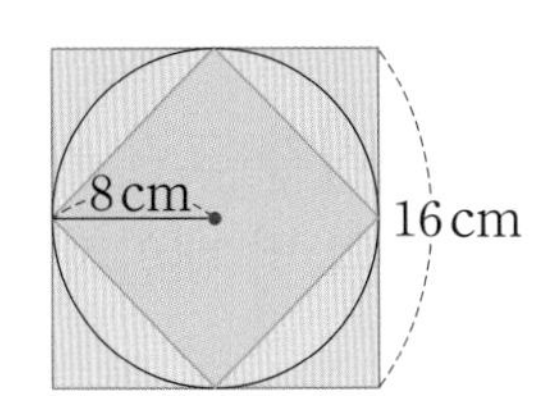

원 안의 정사각형의 넓이는 □ cm^2이고, 원 밖의 정사각형의 넓이는 □ cm^2이므로 원의 넓이를 약 □ cm^2라고 어림할 수 있습니다.

3 원의 지름을 이용하여 원의 넓이를 구하려고 합니다. 빈칸에 알맞게 써넣으세요.

(원주율: 3.1)

지름 (cm)	반지름 (cm)	원의 넓이를 구하는 식	원의 넓이 (cm^2)
8			
12			

4 원 모양의 쟁반이 있습니다. 쟁반의 반지름이 16 cm일 때 쟁반의 넓이는 몇 cm^2인가요?

(원주율: 3.14)

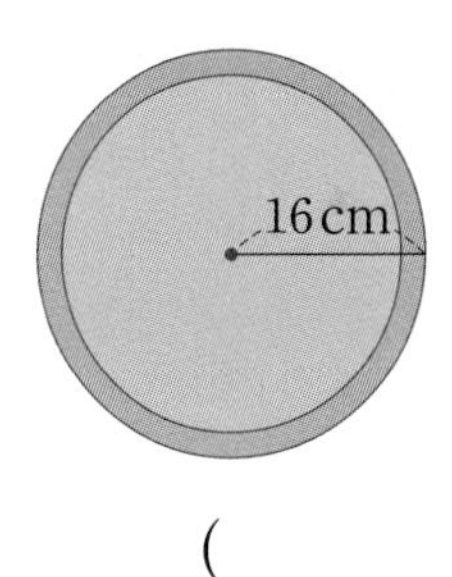

(   )

5 색칠한 부분의 넓이는 몇 cm^2인가요?

(원주율: 3)

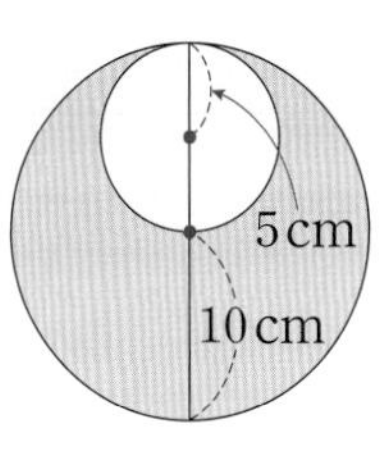

(   )

01 (02 유사) 모눈종이를 이용하여 지름이 8 cm인 원의 넓이는 약 몇 cm^2인지 어림하세요.

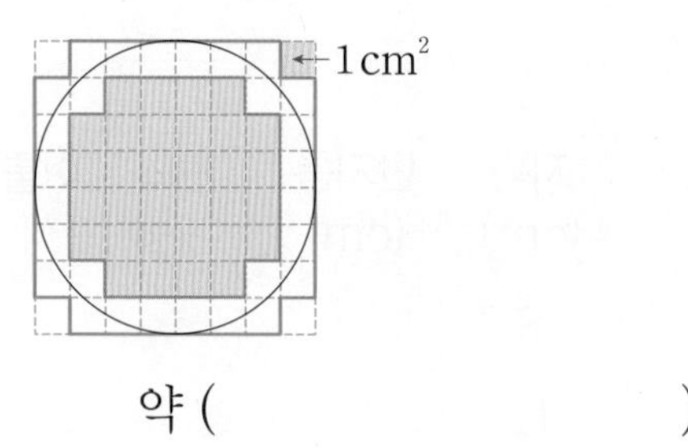

약 (   )

02 (03 유사) 삼각형 가와 나의 넓이는 다음과 같습니다. 원 안의 정육각형과 원 밖의 정육각형을 이용하여 원의 넓이는 약 몇 cm^2인지 어림하세요.

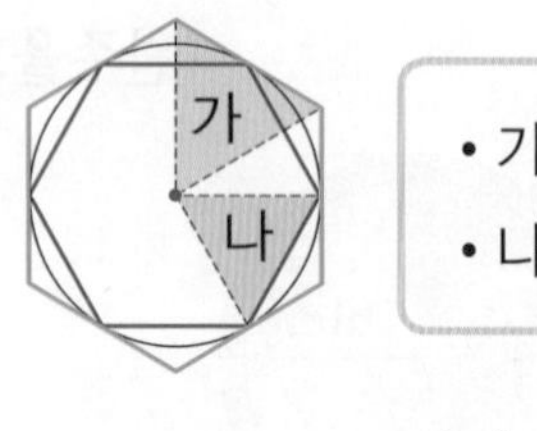

- 가의 넓이: $36\,cm^2$
- 나의 넓이: $27\,cm^2$

약 (   )

03 (05 유사) [서술형] 오른쪽은 크기가 다른 두 원을 겹쳐 놓은 것입니다. 초록색 원의 넓이는 몇 cm^2인지 풀이 과정을 쓰고, 답을 구하세요. (원주율: 3)

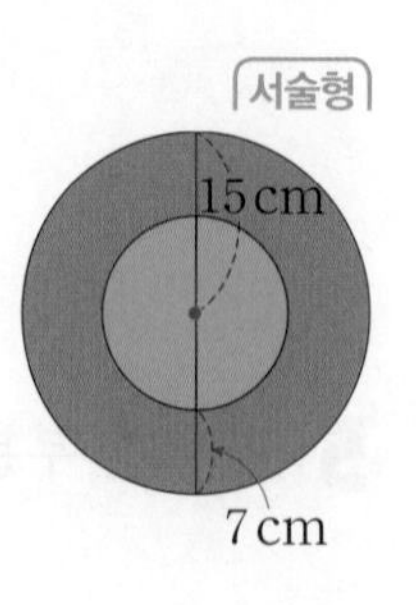

풀이

답

04 (08 유사) 더 큰 원의 기호를 쓰세요. (원주율: 3.1)

㉠ 넓이가 $111.6\,cm^2$인 원

㉡ 지름이 14 cm인 원

(   )

05 (09 유사) 넓이가 서로 다른 원반이 있습니다. 넓이가 큰 원반부터 차례로 ☐ 안에 번호를 써넣으세요. (원주율: 3.14)

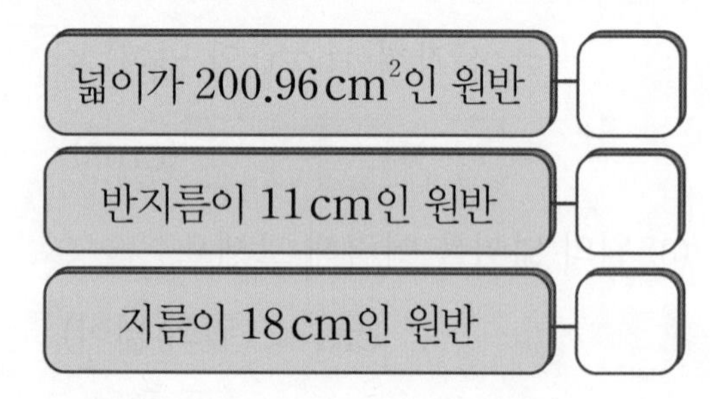

넓이가 200.96 cm²인 원반
반지름이 11 cm인 원반
지름이 18 cm인 원반

06 (11 유사) 대화를 읽고 민지가 그린 원의 넓이는 상호가 그린 원의 넓이의 몇 배인지 구하세요.

(원주율: 3.1)

나는 반지름이 4 cm인 원을 그렸어.

나는 지름이 40 cm인 원을 그렸어.

(   )

교과 역량

07 12 유사

그림자가 원 모양인 물건의 그림자의 크기를 비교하는 실험을 하였습니다. 가 그림자의 넓이는 78.5 cm^2입니다. 나 그림자의 반지름은 가 그림자의 반지름의 2배일 때 나 그림자의 넓이는 몇 cm^2인가요?(원주율: 3.14)

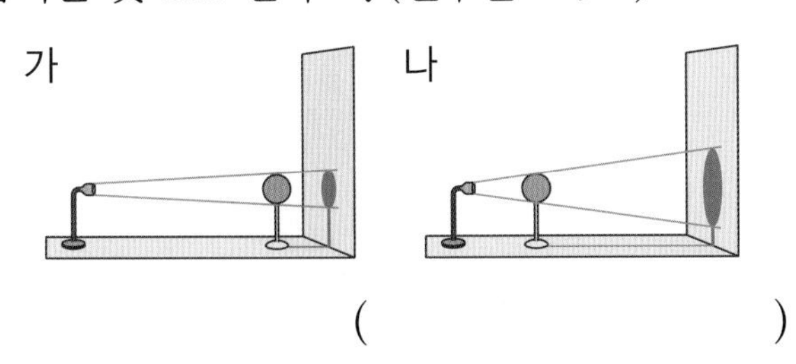

( )

08 14 유사

색칠한 부분의 넓이는 몇 cm^2인가요?

(원주율: 3)

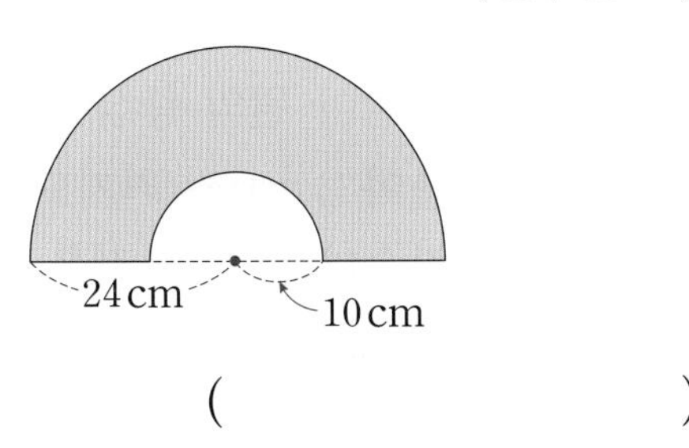

( )

09 15 유사

도형의 넓이는 몇 cm^2인가요?(원주율: 3.1)

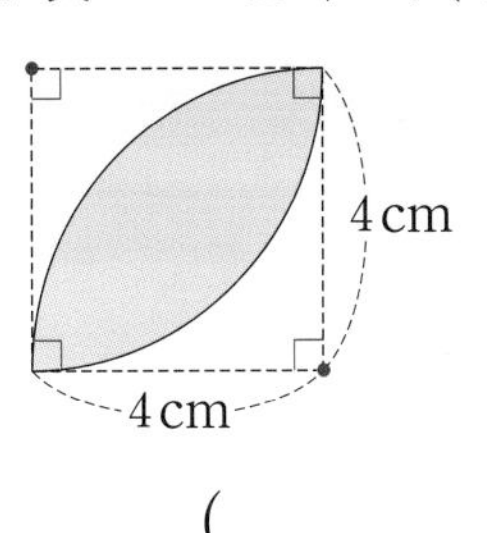

( )

10 17 유사

한 변의 길이가 16 cm인 정사각형 안에 다음과 같이 그림을 그렸습니다. 색칠한 부분의 넓이는 몇 cm^2인가요?(원주율: 3.14)

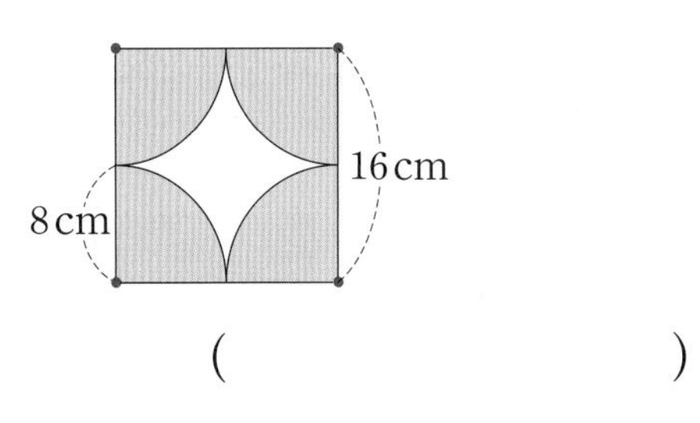

( )

11 18 유사

색칠한 부분의 넓이가 다른 하나를 찾아 기호를 쓰세요.(원주율: 3)

가

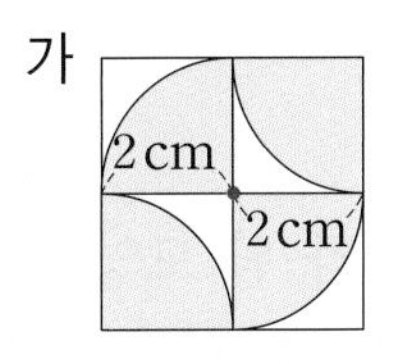

나 4 cm

다

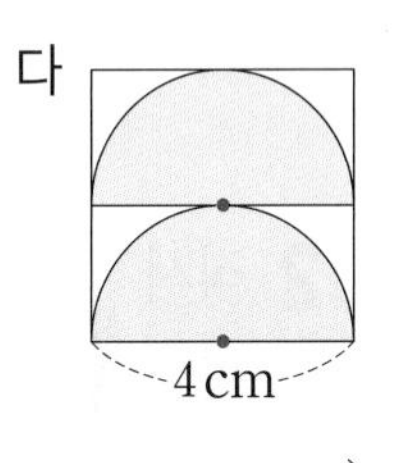

( )

12 22 유사

넓이가 75 m^2인 원 모양의 씨름판입니다. 이 씨름판의 둘레는 몇 m인가요?(원주율: 3)

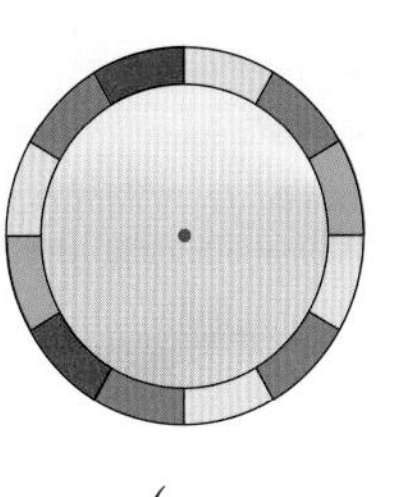

( )

5 단원

01 (01 유사) 정사각형 모양의 색종이를 잘라 원을 만들려고 합니다. **만들 수 있는 가장 큰 원의 원주는 몇 cm인지** 풀이 과정을 쓰고, 답을 구하세요. (원주율: 3.1)

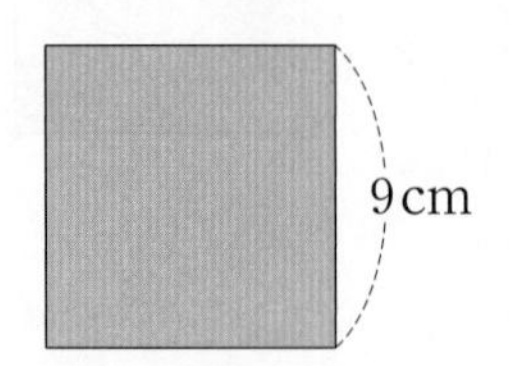

❶ 만들 수 있는 가장 큰 원의 지름 구하기

풀이

❷ 만들 수 있는 가장 큰 원의 원주 구하기

풀이

답

02 (03 유사) 직사각형 모양의 종이를 잘라 원 모양의 표지판을 만들려고 합니다. **만들 수 있는 가장 큰 원의 넓이는 몇 cm^2인지** 풀이 과정을 쓰고, 답을 구하세요. (원주율: 3)

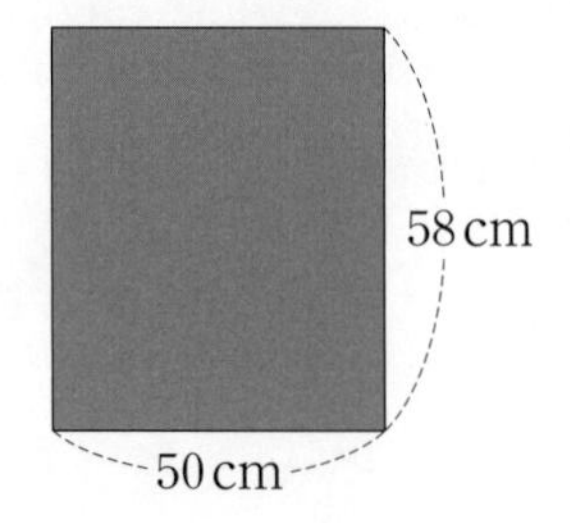

풀이

답

03 (04 유사) **초록색 부분의 넓이와 보라색 부분의 넓이는 각각 몇 cm^2인지** 구하려고 합니다. 풀이 과정을 쓰고, 답을 구하세요. (원주율: 3.1)

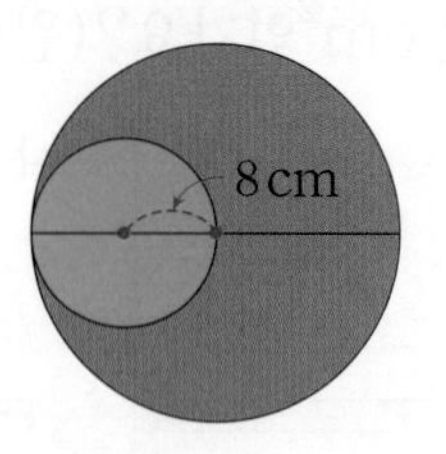

❶ 초록색 부분의 넓이 구하기

풀이

❷ 보라색 부분의 넓이 구하기

풀이

답 초록색: , 보라색:

04 (06 유사) 오른쪽과 같이 원의 중심이 같고 반지름이 2 cm씩 커지도록 원을 그렸습니다. 가장 작은 원의 지름이 6 cm일 때 **색칠한 부분의 넓이는 몇 cm^2인지** 풀이 과정을 쓰고, 답을 구하세요. (원주율: 3.14)

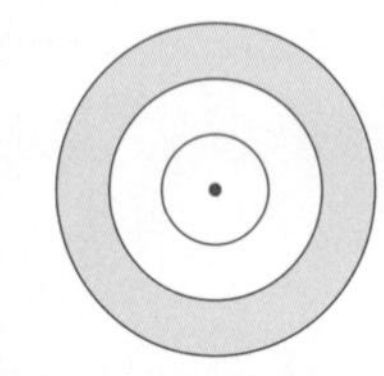

풀이

답

05 07 유사 선영이는 원 모양의 감자전을 나누어 그중 한 조각을 먹었습니다. 선영이가 먹은 감자전 조각이 오른쪽과 같을 때 **먹은 감자전 조각의 넓이는 몇 cm²인지** 풀이 과정을 쓰고, 답을 구하세요. (원주율: 3)

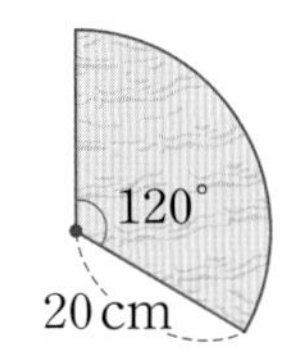

❶ 선영이가 먹은 감자전 조각의 넓이는 전체 감자전 넓이의 몇 분의 몇인지 구하기

풀이

❷ 선영이가 먹은 감자전 조각의 넓이 구하기

풀이

답

06 09 유사 다음 도형은 반지름이 4 cm인 원의 일부분입니다. **도형의 넓이는 몇 cm²인지** 풀이 과정을 쓰고, 답을 구하세요. (원주율: 3)

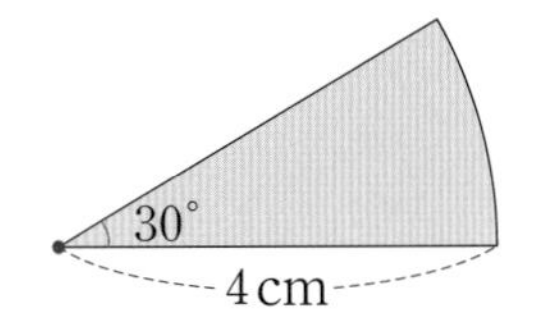

풀이

답

07 10 유사 원주가 18.84 cm인 **원의 넓이는 몇 cm²인지** 풀이 과정을 쓰고, 답을 구하세요.

(원주율: 3.14)

❶ 원의 지름 구하기

풀이

❷ 원의 넓이 구하기

풀이

답

08 12 유사 연희는 길이가 36 cm인 철사를 사용하여 원을 만들려고 합니다. **만들 수 있는 가장 큰 원의 넓이는 몇 cm²인지** 풀이 과정을 쓰고, 답을 구하세요. (원주율: 3)

풀이

답

5 단원

정답 57쪽

1 원기둥의 높이는 몇 cm인지 구하세요.

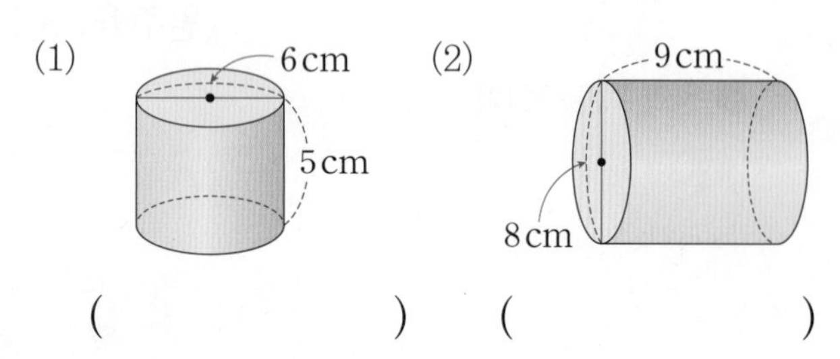

( ) ( )

2 원기둥과 원기둥의 전개도를 보고 ㉠과 ㉡에 알맞은 길이를 각각 구하세요. (원주율: 3.1)

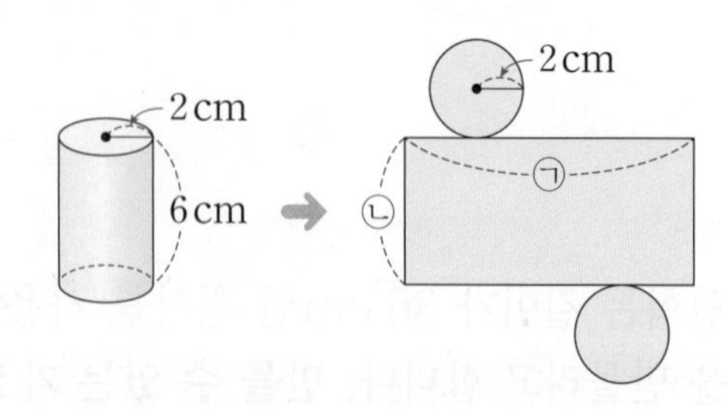

(㉠의 길이)=(밑면의 둘레)=□ cm

(㉡의 길이)=(원기둥의 높이)=□ cm

3 원뿔의 높이는 몇 cm인지 구하세요.

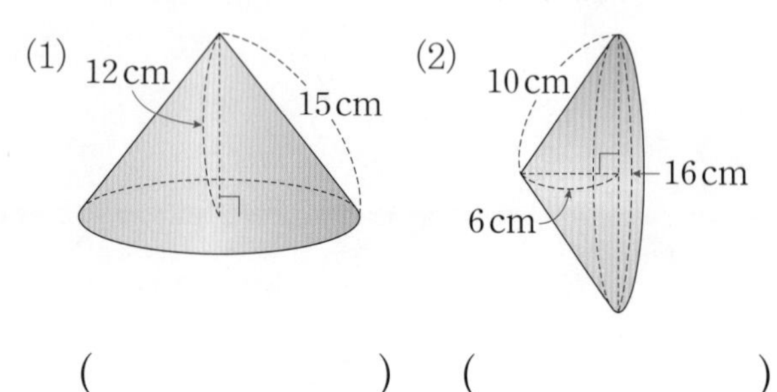

( ) ( )

4 직각삼각형 모양의 종이를 다음과 같이 한 변을 기준으로 한 바퀴 돌려서 원뿔을 만들었습니다. □ 안에 알맞은 수를 써넣으세요.

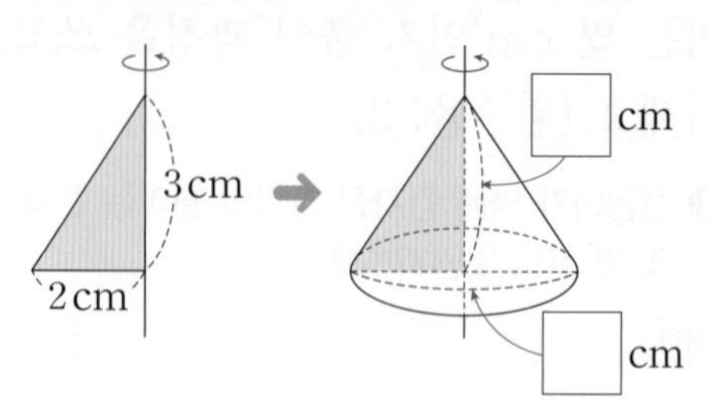

5 오른쪽 원뿔의 모선의 길이는 몇 cm인가요?

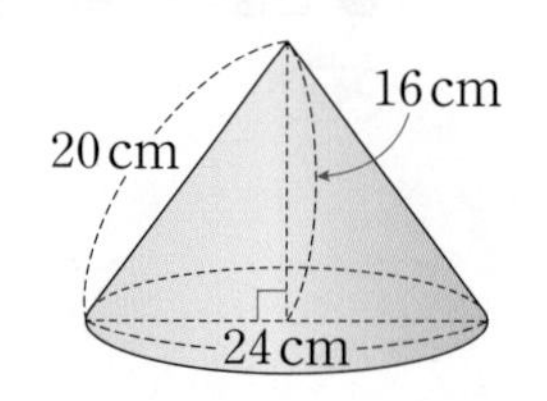

( )

6 오른쪽 구의 반지름은 몇 cm인가요?

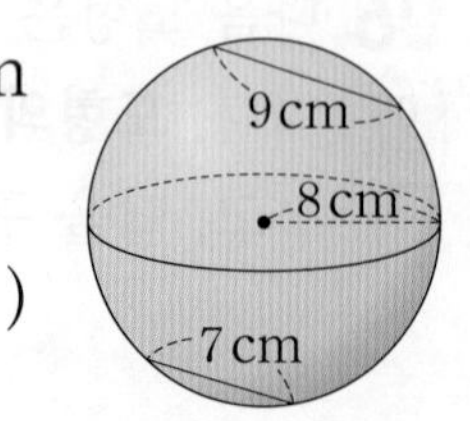

( )

7 특징에 알맞은 도형을 찾아 선으로 이으세요.

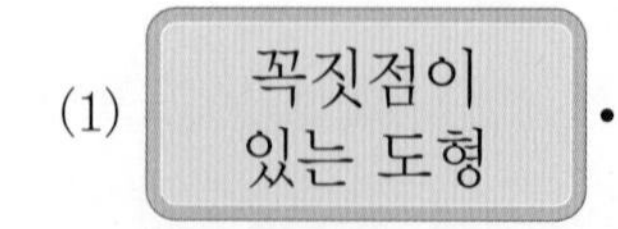

(1) 꼭짓점이 있는 도형 • • ㉠

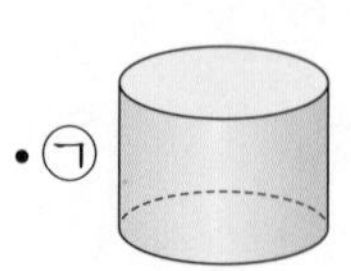

(2) 어느 방향에서 보아도 모양이 같은 도형 • • ㉡

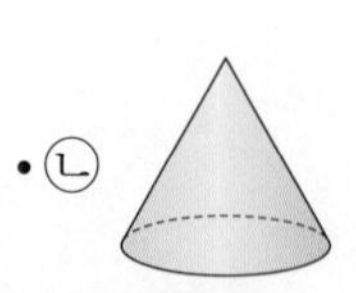

(3) 기둥 모양인 도형 • • ㉢

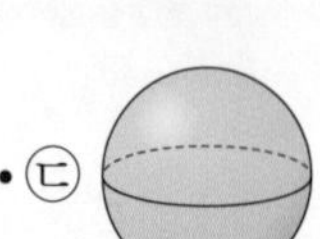

STEP 2 한번 더 실력 다지기

정답 57쪽

01 (02 유사) 오른쪽 원기둥에 대한 설명으로 틀린 것을 찾아 기호를 쓰세요.

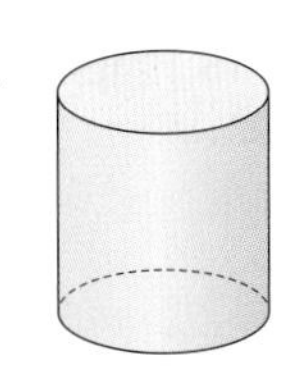

㉠ 밑면의 모양은 직사각형입니다.
㉡ 옆면은 두 밑면과 만나는 면입니다.

(　　　　　　　　)

02 (03 유사) 원기둥을 위에서 본 모양은 지름이 4 cm인 원이고, 앞에서 본 모양은 정사각형입니다. 이 원기둥의 높이는 몇 cm인가요?

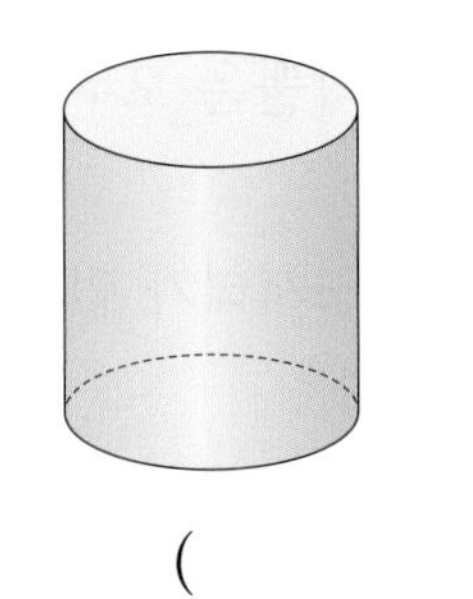

(　　　　　　　　)

03 (05 유사) 원기둥과 사각기둥의 같은 점이 아닌 것에 ×표 하세요.

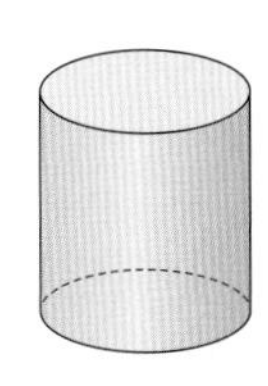
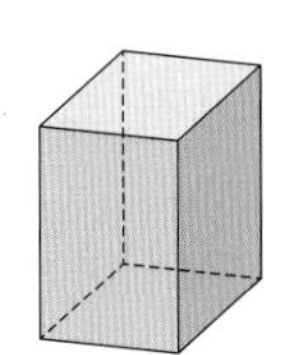

기둥 모양입니다.	(　　)
옆면의 모양은 원입니다.	(　　)
두 밑면은 합동입니다.	(　　)

04 (06 유사) 원기둥과 각기둥의 같은 점과 다른 점을 잘못 말한 사람은 누구인가요?

선재
밑면의 모양이 원기둥은 다각형이고, 각기둥은 원이야.

상은
원기둥과 각기둥은 모두 밑면이 2개야.

동민
옆면의 모양이 원기둥은 굽은 면이고, 각기둥은 직사각형이야.

(　　　　　　　　)

05 (08 유사) 서술형 은호가 원기둥의 전개도를 그렸습니다. 전개도를 바르게 그렸는지, 잘못 그렸는지 쓰고, 그 이유를 쓰세요.

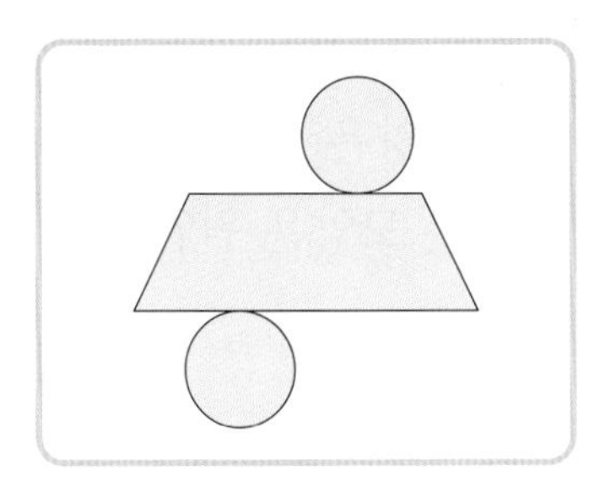

답 ______________

이유 ______________

6 단원

STEP 2 한번더 실력 다지기

06 오른쪽 원기둥의 전개도를 그리고, 밑면의 지름과 옆면의 가로, 세로의 길이를 나타내세요.
10 유사
(원주율: 3)

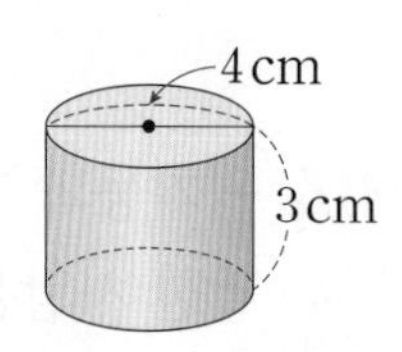

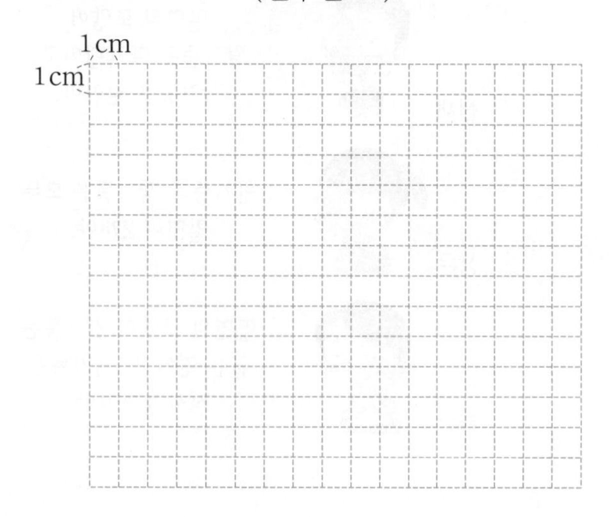

07 오른쪽 원뿔에 대하여 바르게 설명한 것에는 ○표, 잘못 설명한 것에는 ×표 하세요.
12 유사

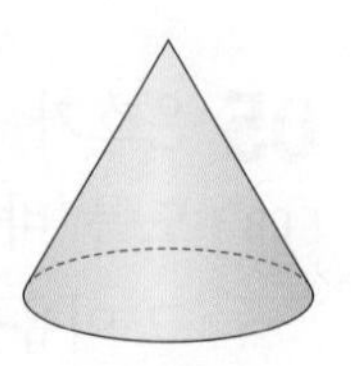

(1) 꼭짓점이 있습니다. ( )

(2) 밑면의 모양은 삼각형입니다. ( )

(3) 위에서 본 모양은 원입니다. ( )

08 삼각형 ㄱㄴㄷ의 둘레는 몇 cm인가요?

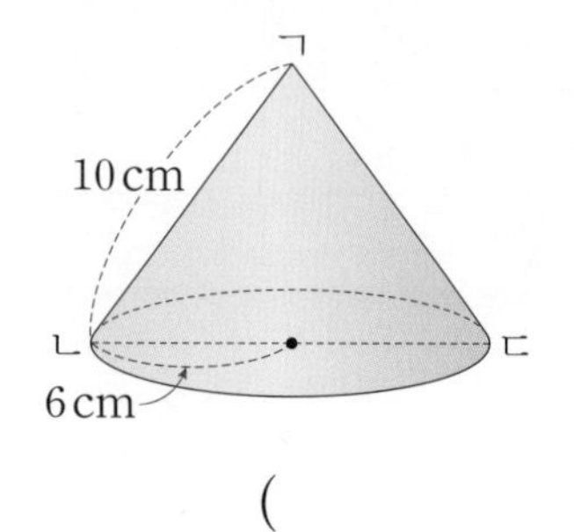

( )

09 두 입체도형의 다른 점을 모두 찾아 기호를 쓰세요.
15 유사

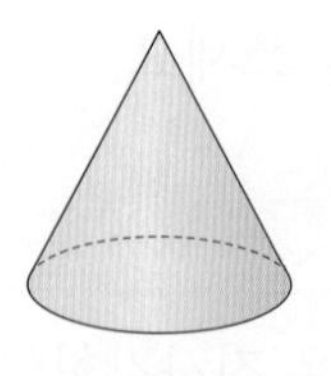

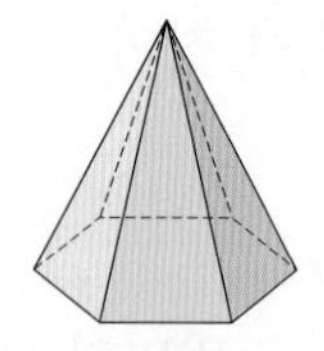

㉠ 밑면의 수 ㉡ 위에서 본 모양
㉢ 꼭짓점의 수 ㉣ 앞에서 본 모양

( )

10 원뿔과 각뿔에 대한 설명으로 틀린 것을 찾아 기호를 쓰세요.
16 유사

㉠ 원뿔과 각뿔은 모두 뾰족한 부분이 있습니다.
㉡ 원뿔은 모서리가 없고, 각뿔은 모서리가 있습니다.
㉢ 원뿔과 각뿔은 위에서 본 모양이 모두 원입니다.

( )

서술형

11 구에 대해 잘못 설명한 사람의 이름을 쓰고, 바르게 고쳐 보세요.
18 유사

규민: 구의 반지름의 길이는 모두 같습니다.
현지: 구를 위, 앞, 옆에서 본 모양은 모두 삼각형입니다.

이름

바르게 고치기

12 19 유사 오른쪽 구의 겉면에 그릴 수 있는 원 중에서 가장 큰 원의 지름은 몇 cm인가요?

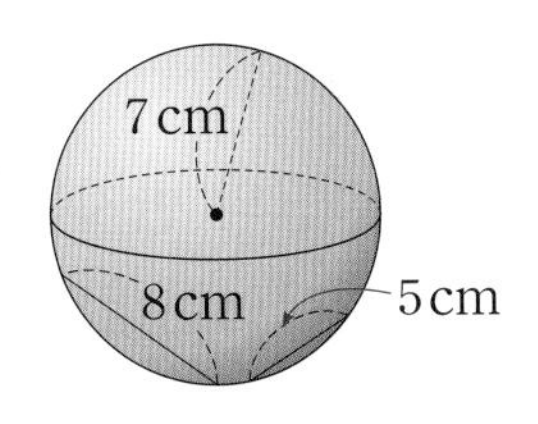

(　　　　　　　　)

교과 역량

13 21 유사 준하와 미주가 성 모양을 만든 것입니다. 성 모양을 만드는 데 사용한 원기둥이 더 많은 사람의 이름을 쓰세요.

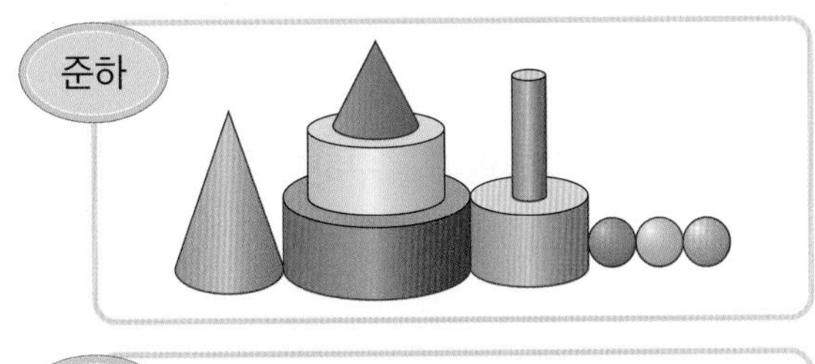

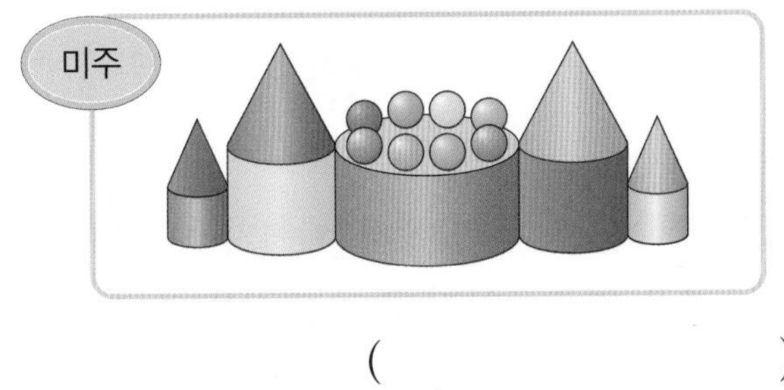

(　　　　　　　　)

서술형

14 23 유사 다음 설명이 맞는지, 틀린지 쓰고, 그렇게 생각한 이유를 쓰세요.

> 원기둥과 구는 위에서 본 모양이 원이지만 원뿔은 위에서 본 모양이 삼각형입니다.

답 ____________________

이유 ____________________

15 25 유사 다음은 옆면의 넓이가 226.08 cm^2인 원기둥의 전개도입니다. 전개도를 접었을 때 만들어지는 원기둥의 높이는 몇 cm인가요?

(원주율: 3.14)

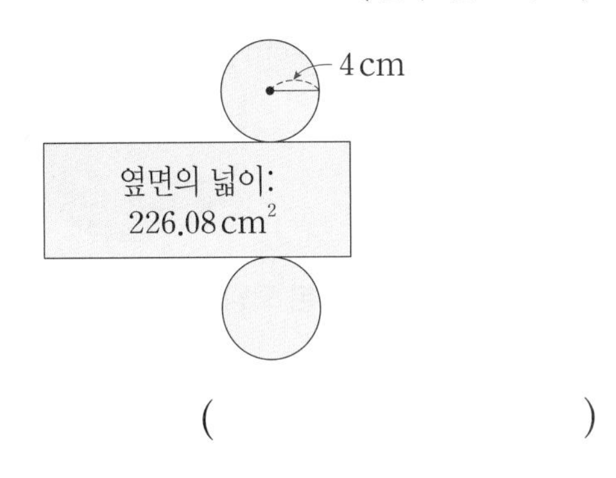

(　　　　　　　　)

16 27 유사 어떤 평면도형을 한 변을 기준으로 한 바퀴 돌려서 만든 원뿔입니다. 돌리기 전의 평면도형의 넓이는 몇 cm^2인가요?

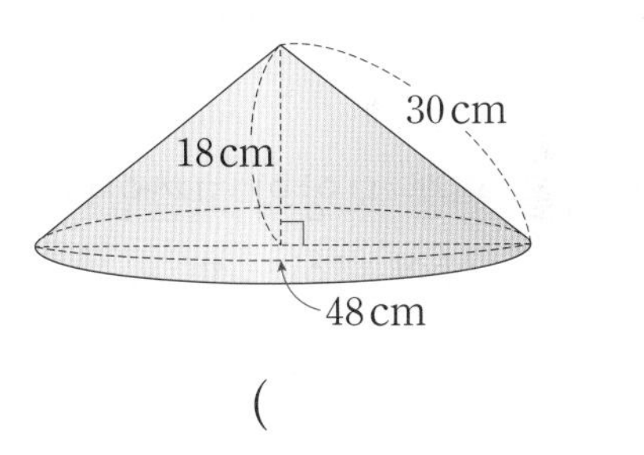

(　　　　　　　　)

17 29 유사 가로가 32 cm, 세로가 22 cm인 두꺼운 종이를 이용하여 만들 수 없는 원기둥의 기호를 쓰세요. (원주율: 3.1)

원기둥	가	나
밑면의 반지름(cm)	4	5
높이(cm)	7	2

(　　　　　　　　)

정답 58쪽

01 (01 유사) **구를 위에서 본 모양의 넓이는 몇 cm^2인지** 풀이 과정을 쓰고, 답을 구하세요. (원주율: 3.14)

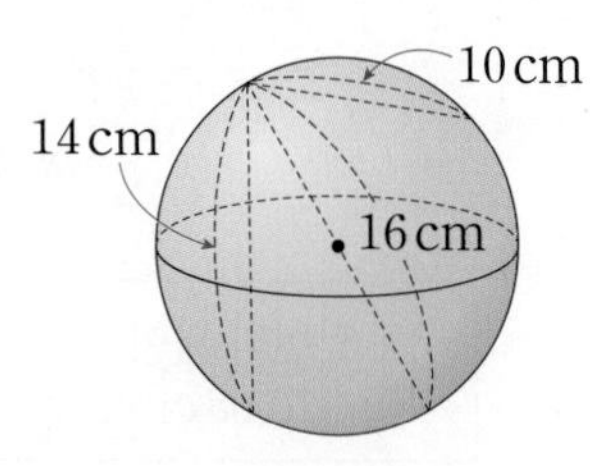

❶ 구를 위에서 본 모양 알아보기

풀이

❷ 구를 위에서 본 모양의 넓이 구하기

풀이

답

02 (03 유사) 다음은 원뿔 모양의 고깔입니다. **고깔을 앞에서 본 모양의 넓이는 몇 cm^2**인지 풀이 과정을 쓰고, 답을 구하세요.

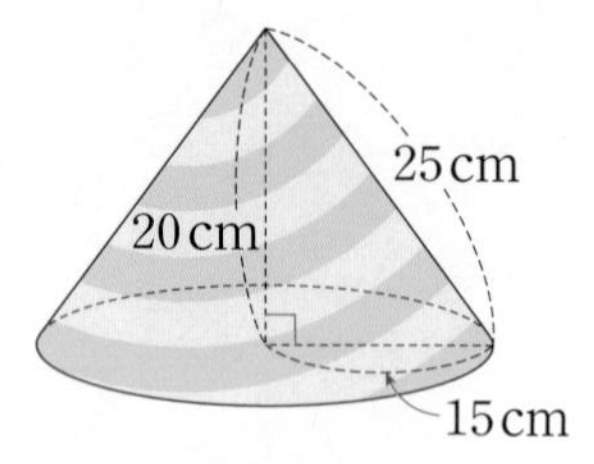

풀이

답

03 (04 유사) 밑면의 반지름이 3 cm인 원기둥의 전개도입니다. 전개도의 옆면의 둘레가 51.68 cm일 때 **옆면의 세로는 몇 cm**인지 풀이 과정을 쓰고, 답을 구하세요. (원주율: 3.14)

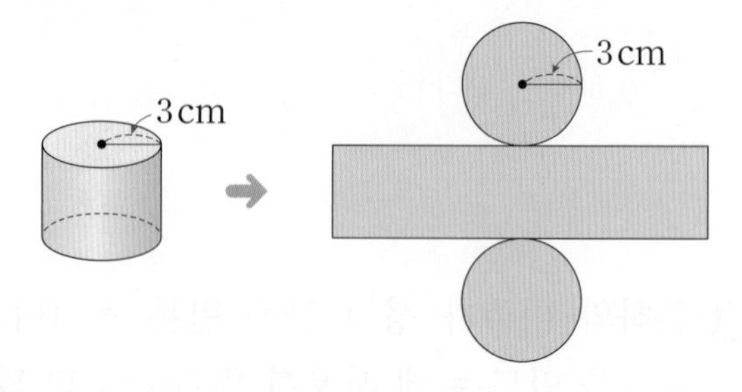

❶ 전개도의 옆면의 가로 구하기

풀이

❷ 전개도의 옆면의 세로 구하기

풀이

답

04 (06 유사) 조건을 모두 만족하는 원기둥의 **밑면의 반지름은 몇 cm**인지 풀이 과정을 쓰고, 답을 구하세요. (원주율: 3)

조건
- 전개도에서 옆면의 둘레는 128 cm입니다.
- 원기둥의 밑면의 지름과 높이는 같습니다.

풀이

답

단원 평가

정답 59쪽

01 수직선을 보고 □ 안에 알맞은 수를 써넣으세요.

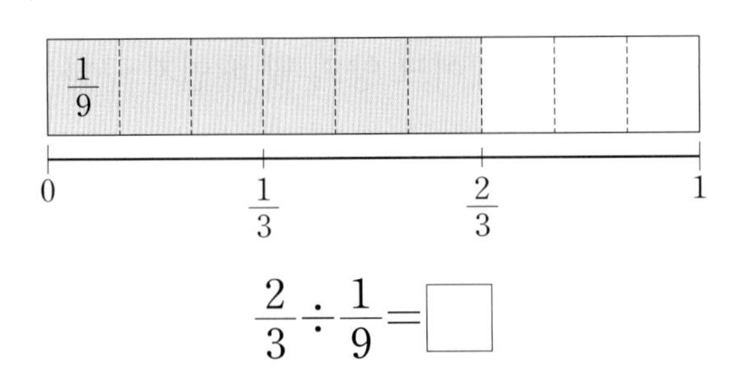

$\frac{2}{3} \div \frac{1}{9} = \square$

02 □ 안에 알맞은 수를 써넣으세요.

> $\frac{6}{7}$은 $\frac{1}{7}$이 □개이고, $\frac{2}{7}$는 $\frac{1}{7}$이 □개이므로 $\frac{6}{7} \div \frac{2}{7} = \square$입니다.

03 □ 안에 알맞은 수를 써넣으세요.

$8 \div \frac{4}{5} = (\square \div \square) \times \square = \square$

04 $\frac{1}{4} \div \frac{2}{5}$를 2가지 방법으로 계산하세요.

방법 1 $\frac{1}{4} \div \frac{2}{5} = \frac{\square}{20} \div \frac{\square}{20}$

$= \square \div \square = \square$

방법 2 $\frac{1}{4} \div \frac{2}{5} = \frac{1}{4} \times \frac{\square}{\square} = \square$

05 보기 와 같이 계산하세요.

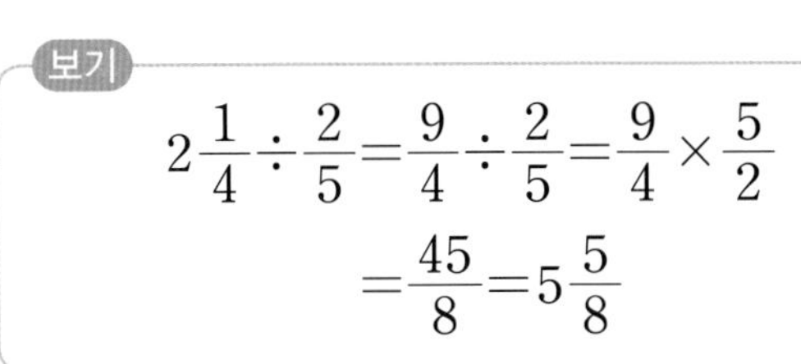
보기

$2\frac{1}{4} \div \frac{2}{5} = \frac{9}{4} \div \frac{2}{5} = \frac{9}{4} \times \frac{5}{2}$

$= \frac{45}{8} = 5\frac{5}{8}$

$2\frac{1}{7} \div \frac{4}{5}$

06 계산하세요.

(1) $\frac{8}{3} \div \frac{5}{11}$

(2) $2\frac{1}{2} \div 1\frac{1}{3}$

07 □ 안에 알맞은 수를 써넣으세요.

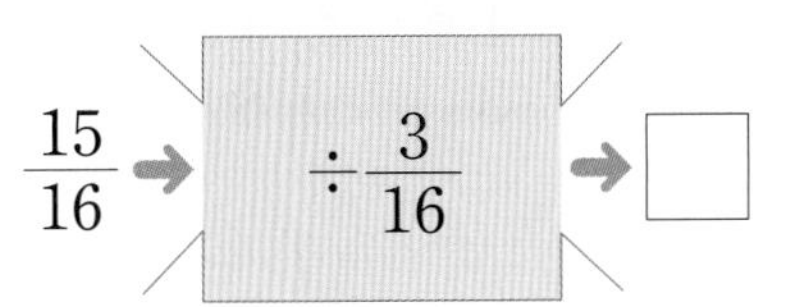

단원 평가지

단원 평가

08 그림에 알맞은 진분수끼리의 나눗셈식을 만들고, 답을 구하세요.

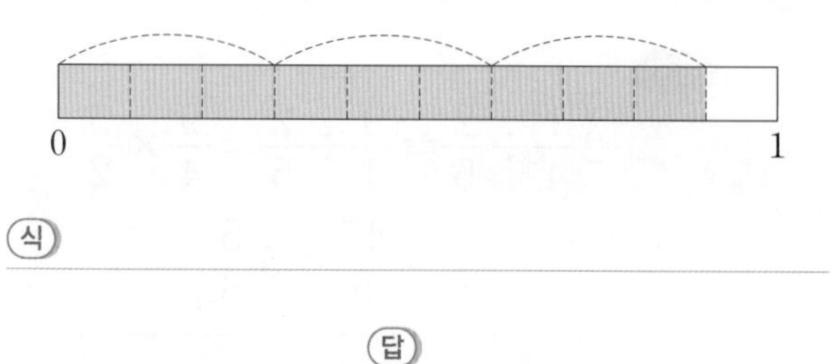

식

답

09 분수의 나눗셈을 잘못 계산한 것입니다. 바르게 계산하세요.

$$3\frac{1}{4}\div\frac{5}{9}=3\frac{1}{4}\times\frac{9}{5}=3\frac{9}{20}$$

$3\frac{1}{4}\div\frac{5}{9}$

10 자연수를 분수로 나눈 몫을 구하세요.

15 $\frac{5}{13}$

( )

11 가장 큰 수를 가장 작은 수로 나눈 몫을 구하세요.

$1\frac{1}{3}$ $3\frac{1}{8}$ $2\frac{5}{7}$

( )

12 생일 잔치에서 규민이는 케이크 한 개의 $\frac{1}{7}$을 먹었고, 현주는 $\frac{2}{9}$를 먹었습니다. 현주가 먹은 케이크 양은 규민이가 먹은 케이크 양의 몇 배인지 구하세요.

식

답

13 □ 안에 알맞은 수를 구하세요.

$$\square\times\frac{7}{15}=2\frac{4}{5}$$

( )

14 굵기가 일정한 쇠막대 $\frac{5}{11}$ m의 무게가 10 kg입니다. 똑같은 쇠막대 $1\frac{1}{2}$ m의 무게는 몇 kg인가요?

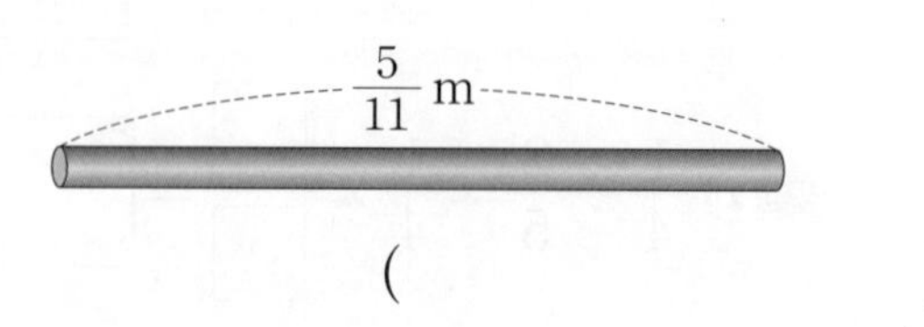

( )

15 조건 을 만족하는 분수의 나눗셈식을 모두 쓰세요.

조건
- $12 \div 7$을 이용하여 계산할 수 있습니다.
- 분모가 15보다 작은 진분수의 나눗셈입니다.
- 두 분수의 분모는 같습니다.

식

16 □ 안에 들어갈 수 있는 자연수는 모두 몇 개인가요?

$$12 \div \frac{2}{\square} < 20$$

(　　　　　　　)

17 수 카드 [2], [3], [4], [7]을 □ 안에 한 번씩 써넣어 (자연수)÷(대분수)의 식을 만들려고 합니다. 몫이 가장 클 때의 나눗셈식을 만들고, 몫을 구하세요.

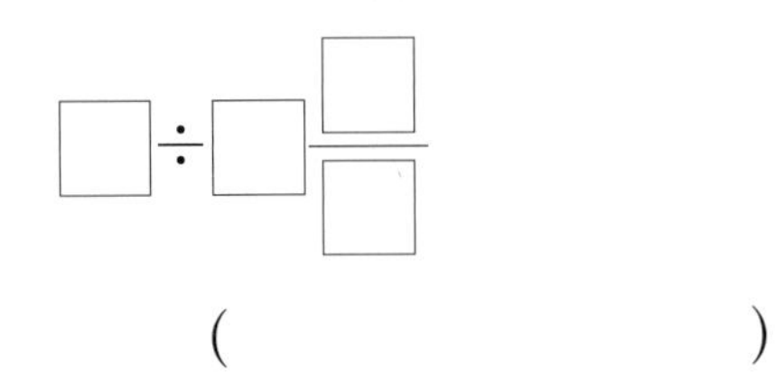

(　　　　　　　)

서술형 문제

18 어느 가게에서 땅콩 $\frac{5}{7}$ kg을 4000원에 팔고 있습니다. 이 땅콩 1 kg의 가격은 얼마인지 풀이 과정을 쓰고, 답을 구하세요.

풀이

답

19 넓이가 $6\frac{3}{5}$ cm²인 평행사변형입니다. 이 평행사변형의 높이가 $1\frac{4}{9}$ cm일 때 밑변의 길이는 몇 cm인지 풀이 과정을 쓰고, 답을 구하세요.

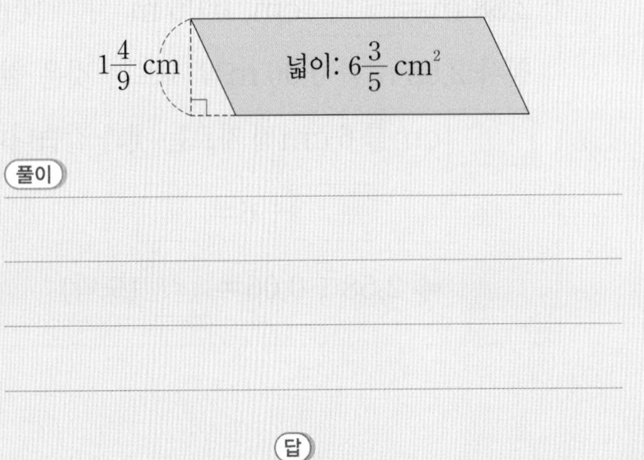

풀이

답

20 어떤 수에 $\frac{7}{8}$을 곱했더니 $2\frac{2}{5}$가 되었습니다. 어떤 수를 $\frac{1}{2}$로 나눈 몫은 얼마인지 풀이 과정을 쓰고, 답을 구하세요.

풀이

답

단원 평가지

단원 평가

01 분수의 나눗셈으로 바꾸어 계산하세요.

$12.6 \div 0.9 = \frac{\square}{10} \div \frac{\square}{10}$

$= \square \div \square = \square$

02 길이가 2.58 m인 철사를 0.06 m씩 자르면 몇 도막이 되는지 알아보려고 합니다. □ 안에 알맞은 수를 써넣으세요.

2.58 m=□ cm, 0.06 m=□ cm

철사 2.58 m를 0.06 m씩 자르는 것은 철사 □ cm를 6 cm씩 자르는 것과 같습니다.

□÷6=□

➔ 2.58÷0.06=□(도막)

03 14.4÷0.3을 자연수의 나눗셈을 이용하여 계산하려고 합니다. □ 안에 알맞은 수를 써넣으세요.

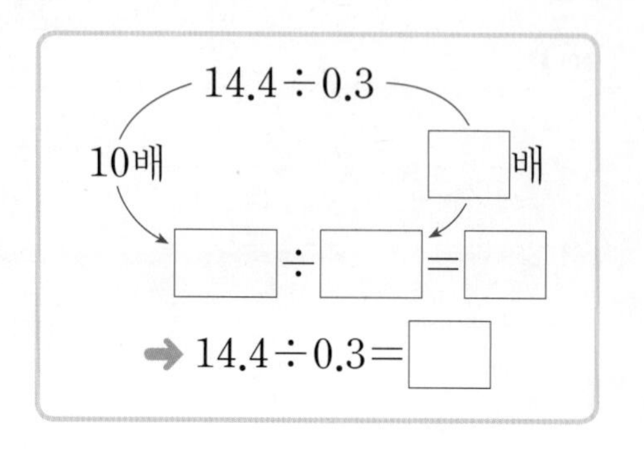

04 □ 안에 알맞은 수를 써넣으세요.

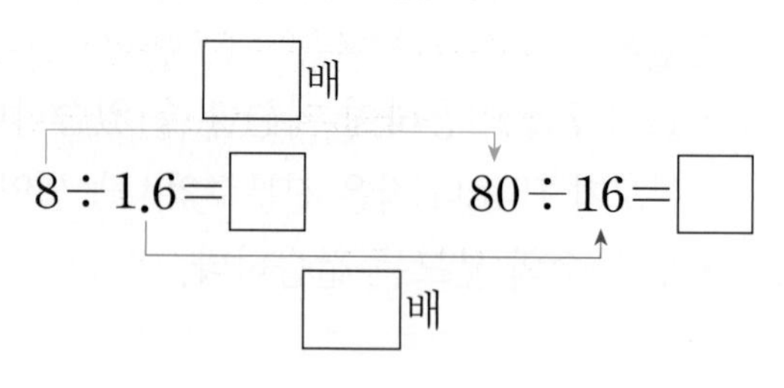

05 계산하세요.

(1) $0.26\overline{)1.82}$ (2) $2.3\overline{)3.22}$

06 빈 곳에 알맞은 수를 써넣으세요.

÷

0.78	0.4	

07 40.7÷3의 몫을 반올림하여 소수 둘째 자리까지 나타내세요.

40.7÷3=13.566……

( )

08 □ 안에 알맞은 수를 써넣으세요.

$56 \div 7 = \square$

$56 \div 0.7 = \square$

$56 \div 0.07 = \square$

09 36÷4.5를 다음과 같이 계산했습니다. 잘못 계산한 곳을 찾아 바르게 계산하세요.

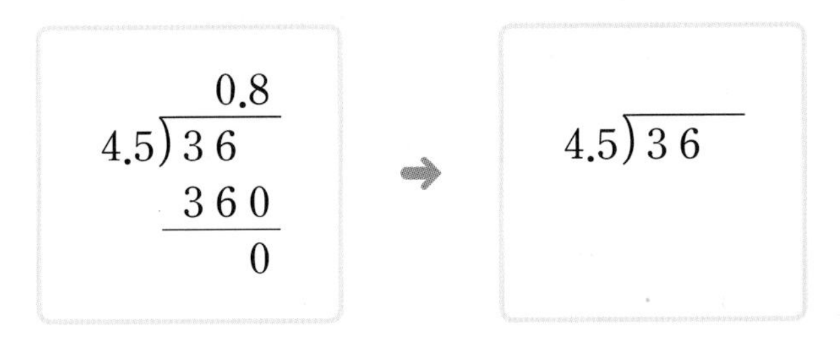

10 계산 결과를 찾아 선으로 이으세요.

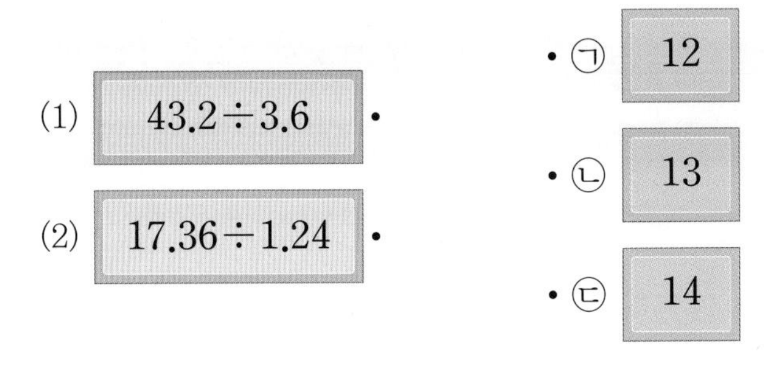

11 계산 결과가 더 큰 것의 기호를 쓰세요.

㉠ 85÷6의 몫을 반올림하여 소수 첫째 자리까지 나타낸 수
㉡ 85÷6

( )

12 휘발유 0.07 L로 1 km를 갈 수 있는 자동차가 있습니다. 이 자동차는 휘발유 6.58 L로 몇 km를 갈 수 있나요?

( )

13 □ 안에 알맞은 수를 써넣으세요.

1.□) 1 4.4 = 9
1□4
0

14 장거리 달리기 선수가 40.2 km를 2시간 18분 만에 완주했습니다. 이 선수가 일정한 빠르기로 달렸다면 1시간 동안 달린 거리는 몇 km인지 반올림하여 자연수로 나타내세요.

( )

단원 평가지

15 상자에 들어 있는 토마토를 한 사람에게 2 kg씩 나누어 주면 8명에게 나누어 줄 수 있고, 0.9 kg이 남습니다. 이 토마토를 한 사람에게 3 kg씩 나누어 줄 때 나누어 줄 수 있는 사람 수와 남는 토마토는 몇 kg인지 구하세요.

사람 수 ( )
남는 토마토의 양 ( )

16 가★나를 다음과 같이 약속할 때 10.8★8.1의 값을 구하세요.

가★나=가÷(가−나)

( )

17 다음 3장의 수 카드를 □ 안에 한 번씩 써넣어 (자연수)÷(소수)의 식을 만들려고 합니다. 몫이 가장 크게 되도록 나눗셈식을 완성하고, 몫을 구하세요.

6 4 7

□□÷0.□

( )

서술형 문제

18 조건 을 만족하는 나눗셈식을 찾아 계산하고, 이유를 쓰세요.

조건
- 369÷3을 이용하여 풀 수 있습니다.
- 나누는 수와 나누어지는 수를 각각 10배 하면 369÷3이 됩니다.

식

이유

19 큰 수를 작은 수로 나눈 몫의 소수 일곱째 자리 숫자는 얼마인지 풀이 과정을 쓰고, 답을 구하세요.

9.8 1.1

풀이

답

20 어떤 수를 2.9로 나누어야 할 것을 잘못하여 2.9를 곱했더니 33.64가 되었습니다. 바르게 계산했을 때의 몫은 얼마인지 풀이 과정을 쓰고, 답을 구하세요.

풀이

답

단원 평가

5점 × ( ) 개 = ( ) 점

정답 61쪽

01 오른쪽 사진은 보기 를 어느 방향에서 찍은 것인지 ○표 하세요.

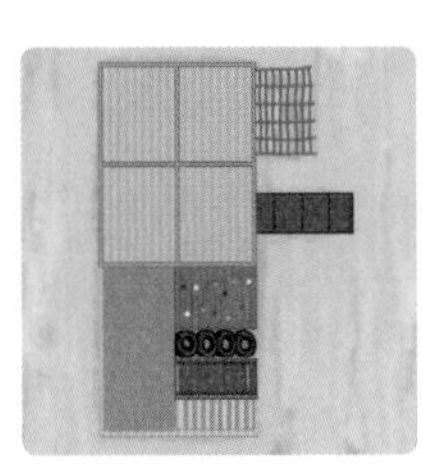

(위 , 앞 , 오른쪽)

02 보기 와 같이 컵을 놓았을 때 가능하지 않은 사진을 찾아 기호를 쓰세요.

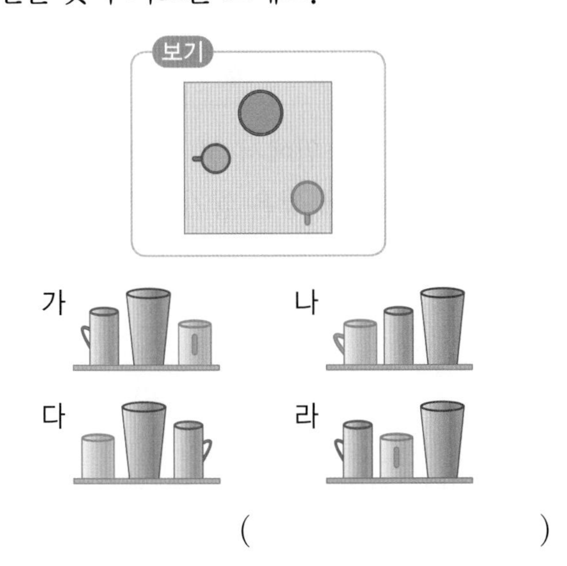

( )

03 모양에 쌓기나무 1개를 더 붙여서 만들 수 있는 모양을 찾아 기호를 쓰세요.

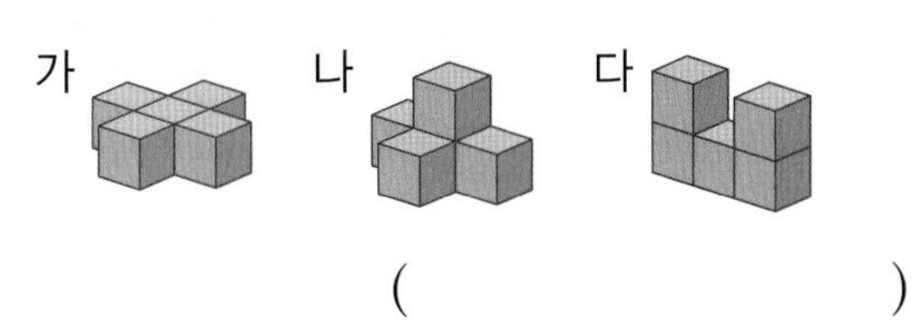

( )

04 왼쪽 모양을 위에서 내려다보면 어떤 모양인지 찾아 기호를 쓰세요.

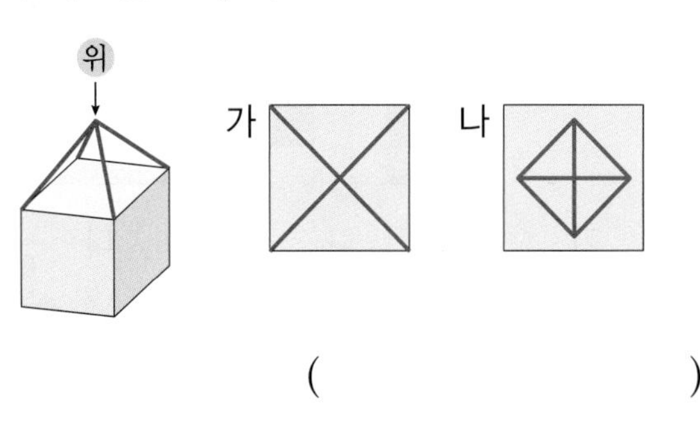

( )

05 주어진 모양과 똑같이 쌓는 데 필요한 쌓기나무의 개수를 구하세요.

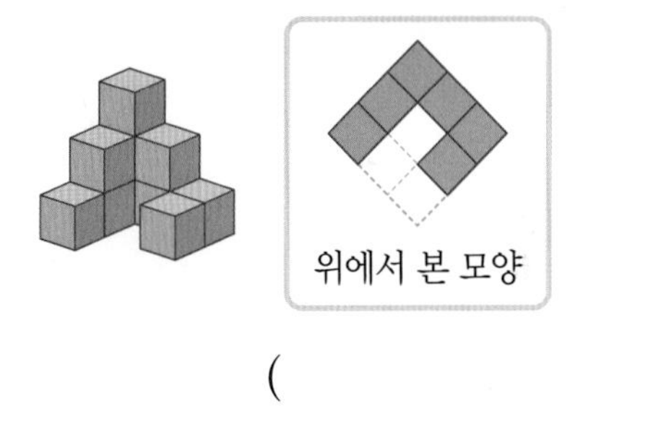

( )

06 오른쪽 쌓기나무로 쌓은 모양을 위에서 본 모양입니다. 쌓은 모양을 앞과 옆에서 본 모양을 각각 그리세요.

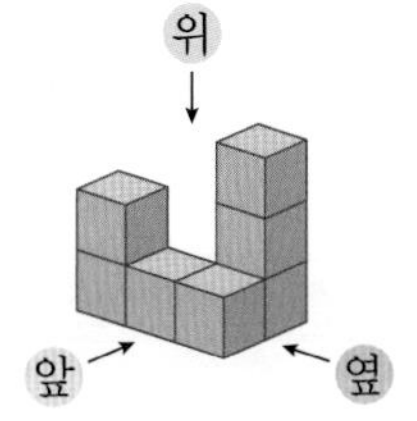

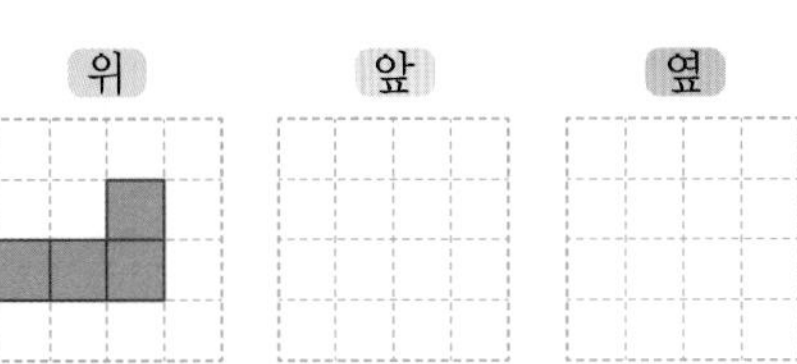

단원 평가지

단원 평가

07 쌓기나무로 쌓은 모양을 위, 앞, 옆에서 본 모양입니다. 가능한 모양을 모두 찾아 기호를 쓰세요.

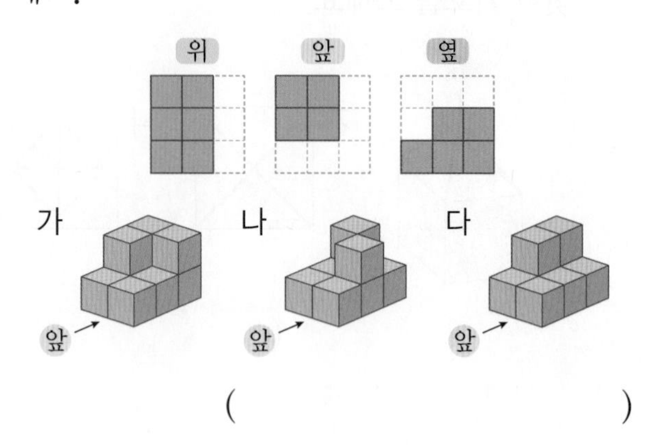

( )

08 쌓기나무로 쌓은 모양과 1층 모양을 보고 2층과 3층 모양을 각각 그리세요.

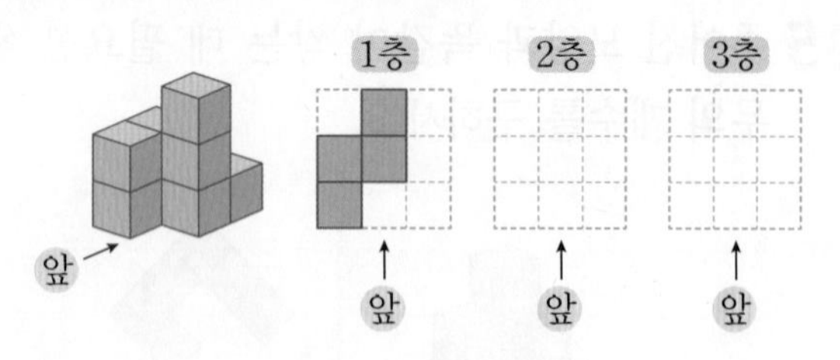

[09~10] 쌓기나무로 쌓은 모양을 위, 앞, 옆에서 본 모양입니다. 물음에 답하세요.

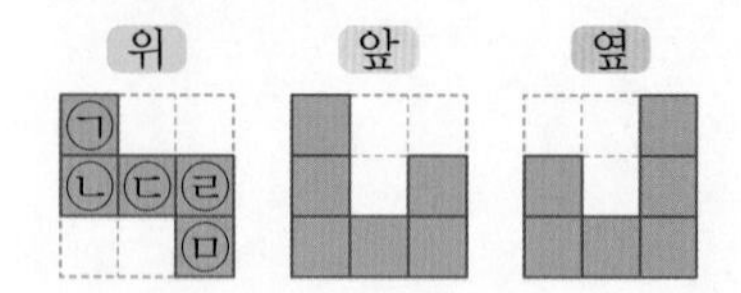

09 ㉠~㉤에 쌓인 쌓기나무는 각각 몇 개인지 빈칸에 알맞은 수를 써넣으세요.

㉠	㉡	㉢	㉣	㉤

10 똑같은 모양으로 쌓는 데 필요한 쌓기나무는 몇 개인가요?

( )

11 쌓기나무 4개를 붙여서 만든 오른쪽 2가지 모양을 사용하여 만들 수 있는 모양을 찾아 기호를 쓰세요.

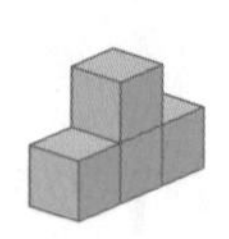

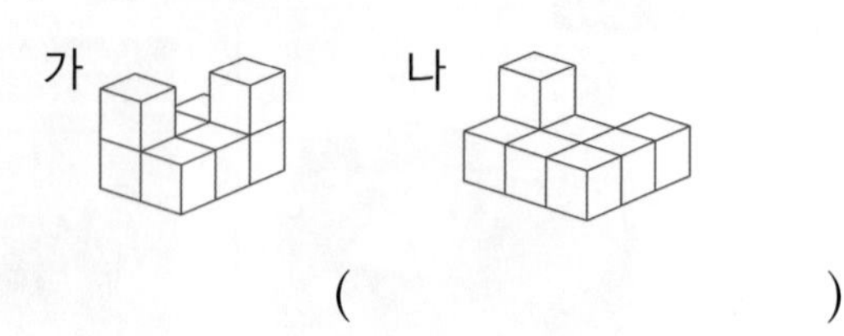

( )

[12~13] 쌓기나무로 쌓은 모양을 층별로 나타낸 모양입니다. 물음에 답하세요.

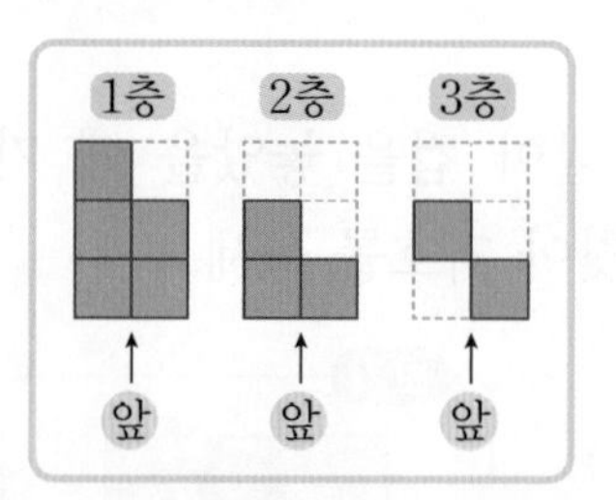

12 쌓은 모양을 위에서 본 모양을 그리고, 각 자리에 쌓은 쌓기나무의 개수를 쓰세요.

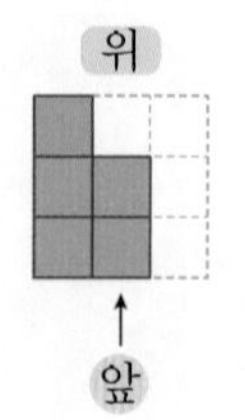

13 똑같은 모양으로 쌓는 데 필요한 쌓기나무의 개수를 구하세요.

( )

14 쌓기나무로 쌓은 모양을 위와 앞에서 본 모양입니다. 옆에서 본 모양을 그리세요.

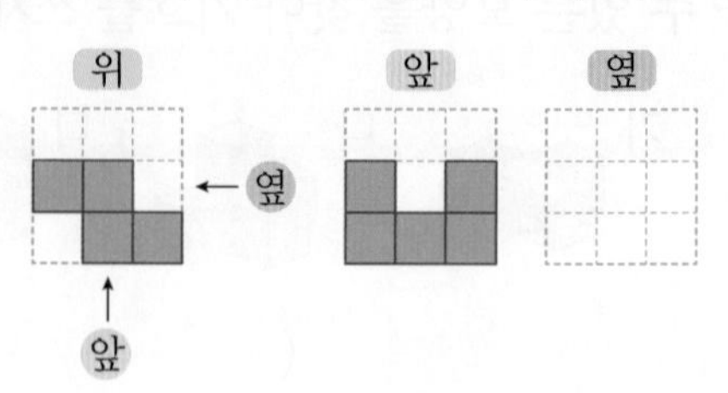

서술형 문제

15 쌓기나무를 붙여서 만든 모양을 구멍이 있는 상자 ㉠, ㉡에 넣으려고 합니다. 각 모양을 넣을 수 있는 상자를 모두 찾아 기호를 쓰세요.

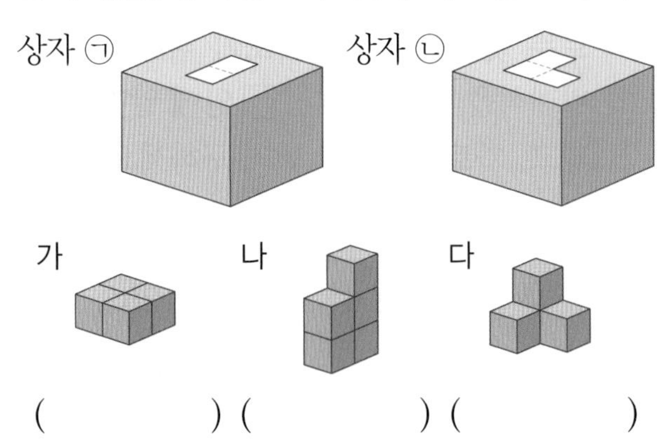

( ) ( ) ( )

16 쌓기나무로 쌓은 모양을 위, 앞, 옆에서 본 모양입니다. 이와 같은 방법으로 쌓기나무를 쌓으면 여러 가지 모양이 나올 수 있습니다. 나올 수 있는 모양은 모두 몇 가지인지 구하세요.

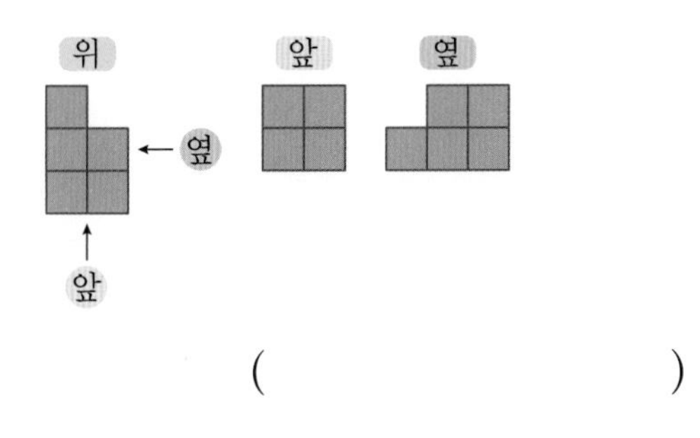

( )

17 쌓기나무로 쌓은 모양을 위, 앞, 옆에서 본 모양입니다. 쌓기나무가 가장 많은 경우의 쌓기나무의 개수를 구하세요.

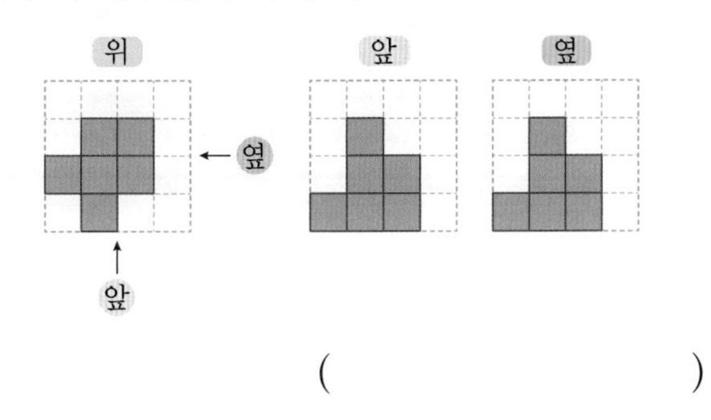

( )

18 쌓기나무로 쌓은 모양을 보고 위에서 본 모양에 수를 쓴 것입니다. 2층에 쌓인 쌓기나무는 몇 개인지 풀이 과정을 쓰고, 답을 구하세요.

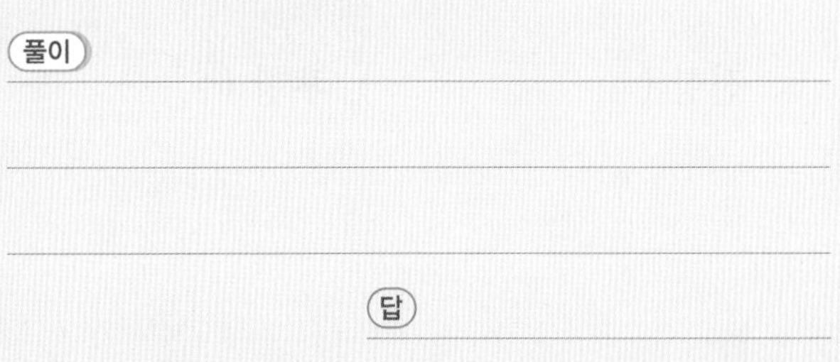

풀이

답

19 쌓기나무로 쌓은 모양을 위, 앞, 옆에서 본 모양입니다. ㉤에 쌓인 쌓기나무는 몇 개인지 풀이 과정을 쓰고, 답을 구하세요.

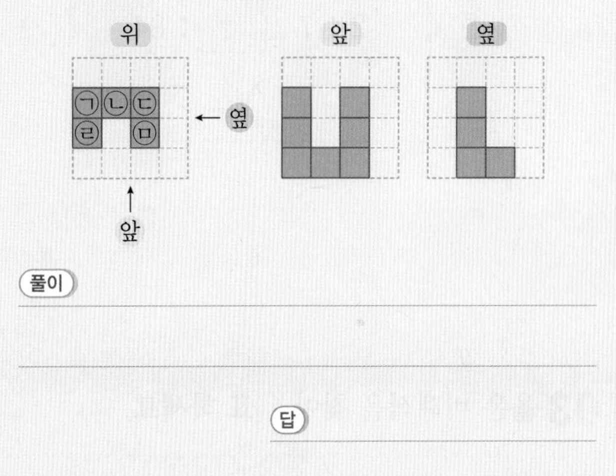

풀이

답

20 왼쪽 정육면체 모양에서 쌓기나무 몇 개를 빼내어 오른쪽과 같은 새로운 모양을 만들었습니다. 빼낸 쌓기나무는 몇 개인지 풀이 과정을 쓰고, 답을 구하세요.

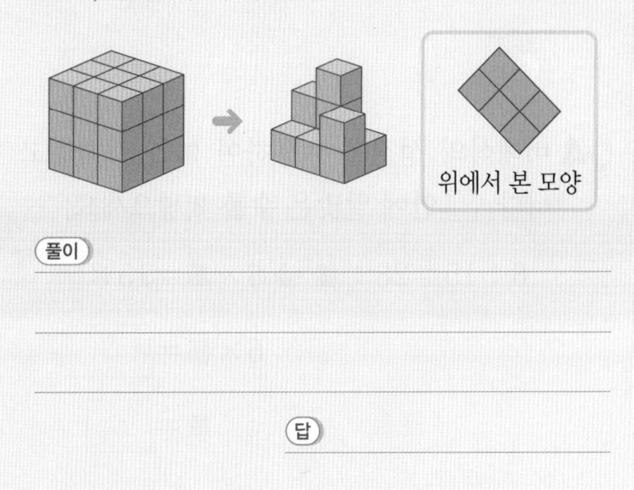

풀이

답

단원 평가지

01 비를 보고 전항과 후항을 각각 찾아 쓰세요.

5 : 8

전항 (　　　　), 후항 (　　　　)

02 □ 안에 알맞은 수를 써넣으세요.

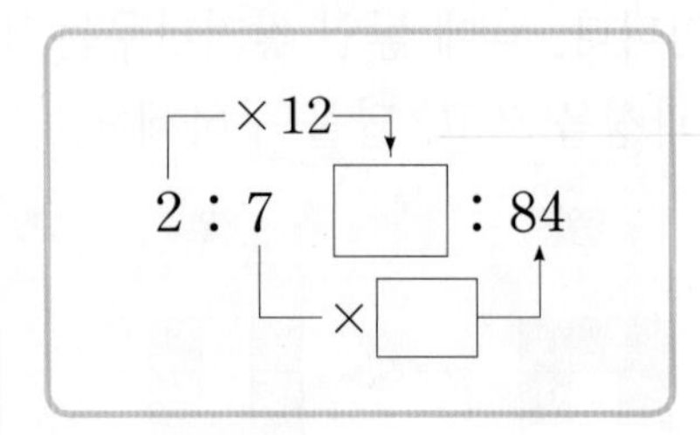

03 옳은 비례식을 찾아 ○표 하세요.

8 : 3 = 16 : 6 (　　)　　1 : 9 = 8 : 63 (　　)

04 비례식의 성질을 이용하여 ■를 구하려고 합니다. □ 안에 알맞은 수를 써넣으세요.

6 : 15 = 28 : ■ ➔ 6 × ■ = 15 × □

6 × ■ = □

■ = □

05 가로와 세로의 비가 5 : 6인 직사각형이 있습니다. 이 직사각형의 세로가 120 cm일 때 가로는 몇 cm인지 알아보기 위해 다음과 같이 비례식을 세웠습니다. □ 안에 알맞은 수를 써넣고, 가로는 몇 cm인지 구하세요.

5 : 6 = □ : 120 (×□, ×□)

(　　　　)

06 $1.7 : 1\frac{1}{2}$을 가장 간단한 자연수의 비로 나타내려고 합니다. 2가지 방법으로 나타내세요.

방법 1 후항을 소수로 바꾸어 나타내기

방법 2 전항을 분수로 바꾸어 나타내기

07 300을 5 : 1로 비례배분하려고 합니다. □ 안에 알맞은 수를 써넣으세요.

300

$300 \times \frac{5}{□} = □$, $300 \times \frac{□}{□} = □$

08 비율이 같은 두 비를 찾아 비례식으로 나타내세요.

7 : 4	18 : 12	28 : 16

( )

09 180을 주어진 비로 비례배분하여 [,] 안에 쓰세요.

$\frac{1}{2} : 1.3$

➜ [,]

10 같은 책을 호연이는 전체의 $\frac{1}{3}$, 상민이는 전체의 $\frac{1}{5}$을 읽었습니다. 호연이와 상민이가 읽은 책의 양의 비를 간단한 자연수의 비로 나타내세요.

( )

11 비의 성질을 이용하여 5 : 9와 비율이 같은 비를 2개 쓰세요.

( )

12 고춧가루와 새우젓을 8 : 3으로 섞어 김치 양념을 만들려고 합니다. 고춧가루를 24컵 넣었다면 새우젓은 몇 컵을 넣어야 하는지 구하세요.

( )

13 ㉠과 ㉡에 알맞은 수의 합을 구하세요.

12 : 80 = ㉠ : 40 = 3 : ㉡

( )

14 □ 안에 알맞은 수가 더 큰 비례식의 기호를 쓰세요.

㉠ □ : 1 = 3 : 0.2
㉡ 100 : 150 = 4 : □

( )

단원 평가지

서술형 문제

15 ▢ 안의 수를 주어진 비로 비례배분하여 [,] 안에 나타냈습니다. 아래에서 결과를 찾아 해당하는 자음과 모음을 빈칸에 써넣어 낱말을 완성하세요.

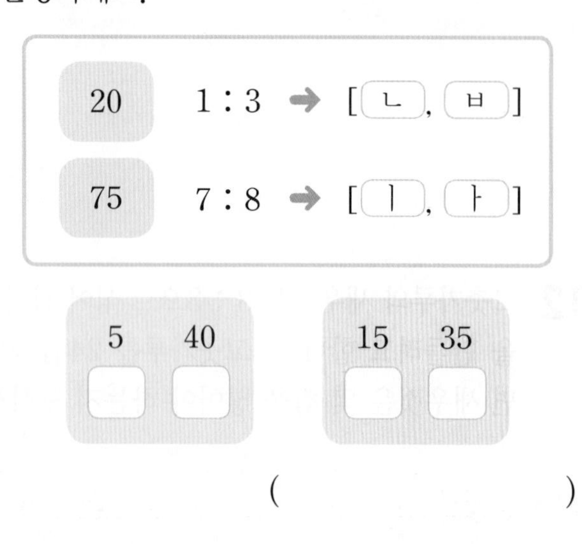

( )

16 다음 식을 보고 가 : 나를 가장 간단한 자연수의 비로 나타내세요.

$$가\times1\frac{1}{2}=나\times2\frac{2}{3}$$

( )

17 우빈이네 가족 5명과 현아네 가족 3명이 함께 여행하면서 쓴 비용입니다. 가족 구성원 수의 비에 따라 비용을 부담하려고 합니다. 현아네 가족이 내야 할 금액은 얼마인가요?

영수증	영수증	영수증
숙박비: 80000원	식비: 45000원	교통비: 19000원

( )

18 민규가 비례식 4 : 3=12 : 9를 보고 말한 것입니다. 잘못 말한 부분을 찾아 바르게 고치세요.

내항은 4와 9이고,
외항은 3과 12야.
민규

바르게 고치기

19 어느 자동차가 일정한 빠르기로 5 km를 달리는 데 4분이 걸렸습니다. 이 자동차가 같은 빠르기로 200 km를 달리는 데 몇 시간 몇 분이 걸리는지 비례식을 세워 구하려고 합니다. 풀이 과정을 쓰고, 답을 구하세요.

풀이

답

20 평행사변형 가와 나의 넓이의 합은 168 cm^2입니다. 평행사변형 가의 넓이는 몇 cm^2인지 풀이 과정을 쓰고, 답을 구하세요.

가 나
12 cm 9 cm

풀이

답

01 □ 안에 알맞은 말을 써넣으세요.

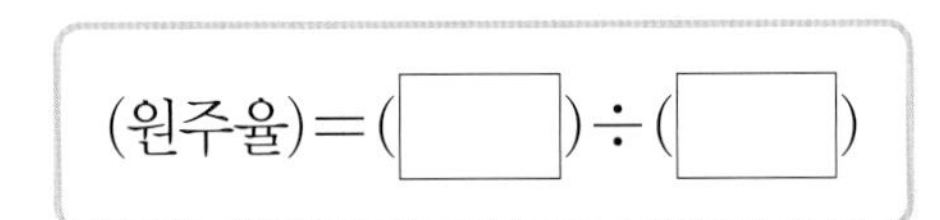

02 한 변의 길이가 2 cm인 정육각형, 지름이 4 cm 인 원, 한 변의 길이가 4 cm인 정사각형을 보고 □ 안에 알맞은 수를 써넣으세요.

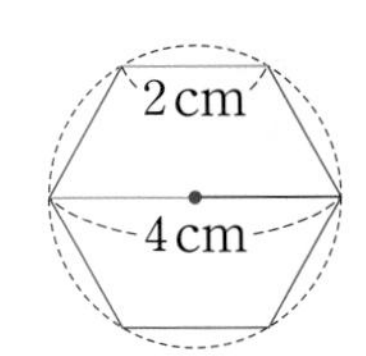

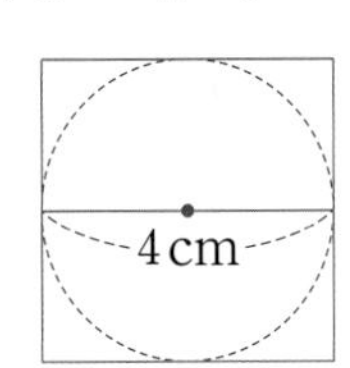

(정육각형의 둘레)=(원의 지름)×□

(정사각형의 둘레)=(원의 지름)×□

➜ (원의 지름)×□<(원주)

(원주)<(원의 지름)×□

03 원주가 12 cm인 원의 지름을 구하려고 합니다. □ 안에 알맞은 수를 써넣으세요.

(원주율: 3)

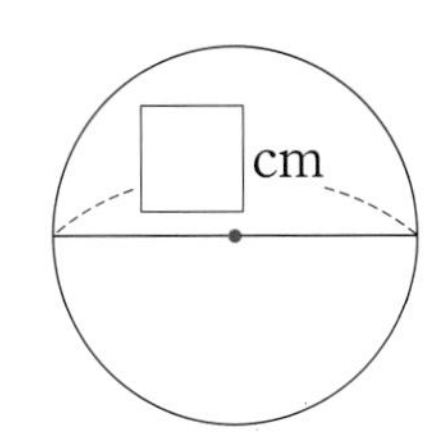

(지름)=□÷□

=□(cm)

04 원주는 몇 cm인지 구하세요. (원주율: 3.1)

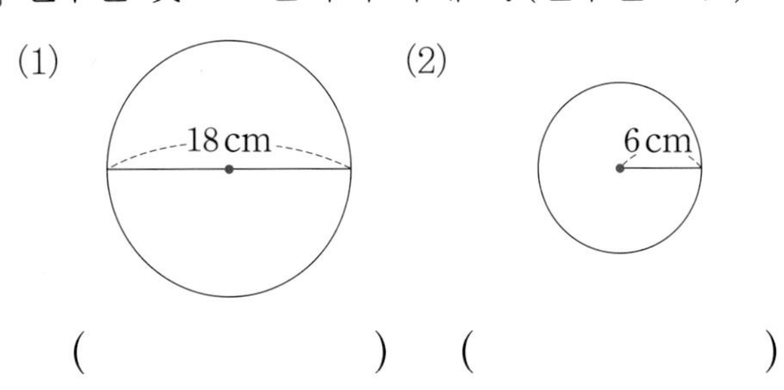

(1) (　　　　　)　(2) (　　　　　)

05 원 모양의 접시와 거울입니다. (원주)÷(지름)을 계산하고, □ 안에 알맞은 말을 써넣으세요.

물건	원주(cm)	지름(cm)	(원주)÷(지름)
접시	69.08	22	
거울	47.1	15	

원의 크기가 달라도 원주율은 □.

06 정육각형의 넓이를 이용하여 원의 넓이를 어림하려고 합니다. 삼각형 ㄱㅇㄷ의 넓이는 15 cm^2, 삼각형 ㄹㅇㅂ의 넓이는 20 cm^2일 때 원의 넓이를 어림하세요.

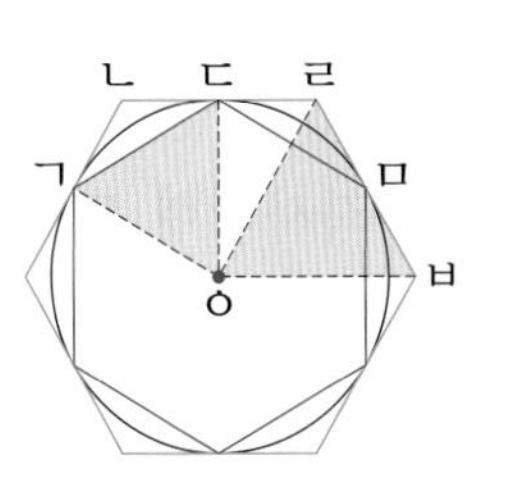

(원 안의 정육각형의 넓이)=□ cm^2

(원 밖의 정육각형의 넓이)=□ cm^2

➜ □ cm^2<(원의 넓이)

(원의 넓이)<□ cm^2

단원 평가지

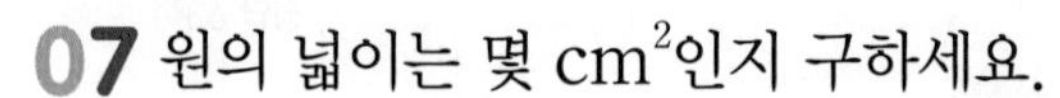

07 원의 넓이는 몇 cm^2인지 구하세요. (원주율: 3.14)

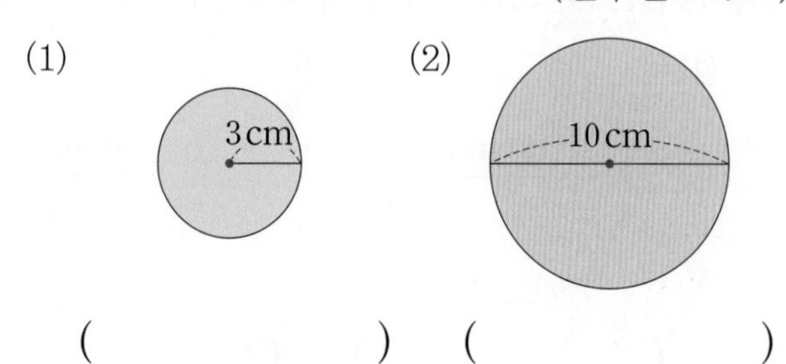

(1) (　　　　) (2) (　　　　)

08 길이가 93 cm인 종이 띠를 겹치지 않게 붙여서 원을 만들었습니다. 원의 지름은 몇 cm인지 구하세요. (원주율: 3.1)

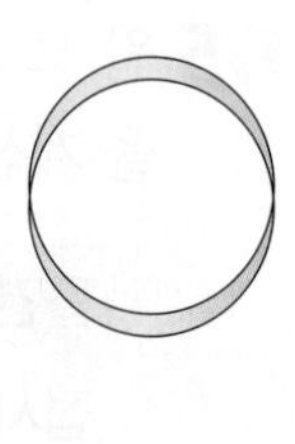

(　　　　)

09 원주가 86.8 cm인 원 모양 피자의 반지름은 몇 cm인가요? (원주율: 3.1)

(　　　　)

10 다음과 같은 직사각형 모양의 종이를 잘라 만들 수 있는 가장 큰 원의 넓이는 몇 cm^2인지 구하세요. (원주율: 3)

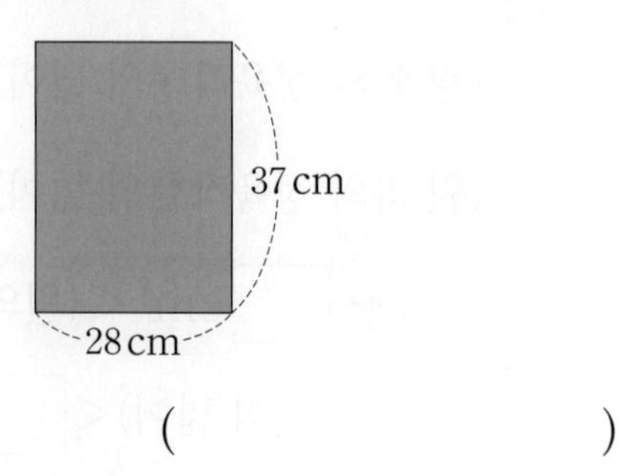

(　　　　)

11 지름이 50 cm인 원 모양의 바퀴자를 사용하여 집에서 놀이터까지의 거리를 재었습니다. 바퀴가 40바퀴 돌았다면 집에서 놀이터까지의 거리는 몇 cm인지 구하세요. (원주율: 3.14)

(　　　　)

12 저금통에 500원짜리 동전을 넣을 수 있도록 구멍을 내려고 합니다. 저금통 구멍의 길이는 몇 cm보다 길어야 하나요? (원주율: 3.14)

둘레: 8.321 cm

(　　　　)

13 오른쪽 그림과 같이 정사각형 안에 가장 큰 원을 그렸습니다. 그린 원의 원주가 65.1 cm일 때 정사각형의 둘레는 몇 cm인가요? (원주율: 3.1)

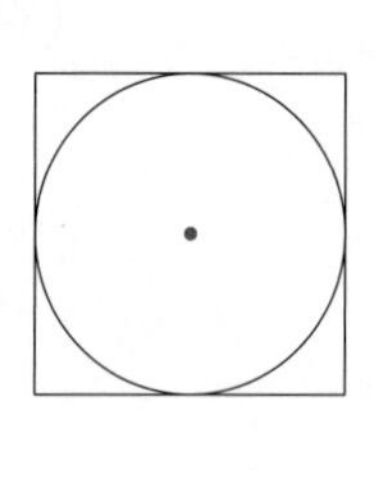

(　　　　)

14 오른쪽 그림에서 색칠한 부분의 넓이는 몇 cm^2인가요? (원주율: 3.14)

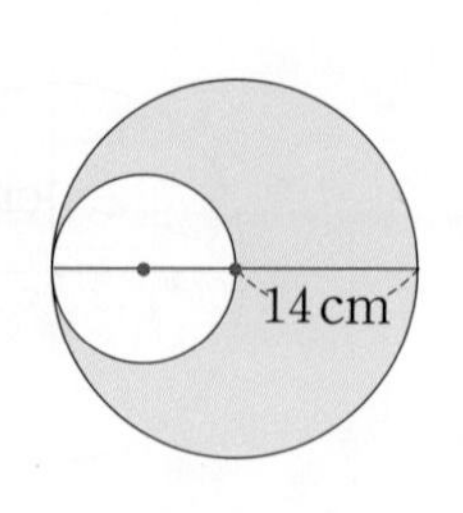

(　　　　)

서술형 문제

15 다음과 같은 원 모양의 프라이팬이 있습니다. 넓이가 큰 프라이팬부터 차례로 기호를 쓰세요. (원주율: 3)

㉠ 반지름이 16 cm인 프라이팬
㉡ 원주가 102 cm인 프라이팬
㉢ 지름이 30 cm인 프라이팬

( )

16 그림과 같은 꽃밭의 둘레와 넓이를 구하세요. (단, 사각형 ㄱㄴㄷㄹ은 정사각형이고, 점 ㄱ, ㄴ, ㄷ, ㄹ은 원의 중심입니다.)(원주율: 3)

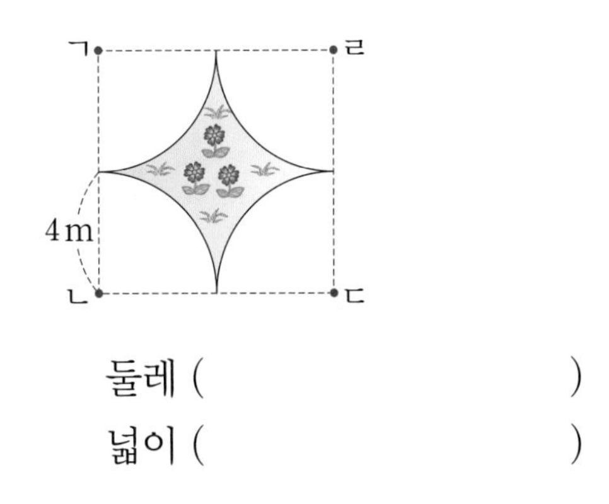

둘레 ( )
넓이 ( )

17 그림과 같은 운동장이 있습니다. 성훈이가 운동장의 둘레를 따라 한 바퀴 달렸다면 성훈이가 달린 거리는 몇 m인가요?(원주율: 3.14)

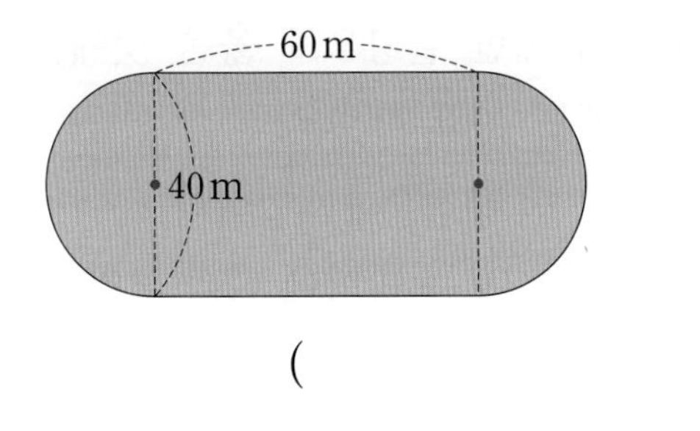

( )

18 잘못 설명한 것의 기호를 쓰고, 바르게 고치세요.

㉠ 원의 크기가 달라도 원주율은 항상 같습니다.
㉡ 원주율을 소수로 나타내면 끝없이 이어지기 때문에 3, 3.1, 3.14 등으로 어림하여 사용합니다.
㉢ 원주는 지름의 약 2배입니다.

답

바르게 고치기

19 윤미는 지름이 12 cm인 원을 그렸고, 지은이는 지름이 6 cm인 원을 그렸습니다. 윤미가 그린 원의 원주는 지은이가 그린 원의 원주의 몇 배인지 풀이 과정을 쓰고, 답을 구하세요.
(원주율: 3.1)

풀이

답

20 오른쪽 도형의 둘레는 몇 cm인지 풀이 과정을 쓰고, 답을 구하세요. (원주율: 3)

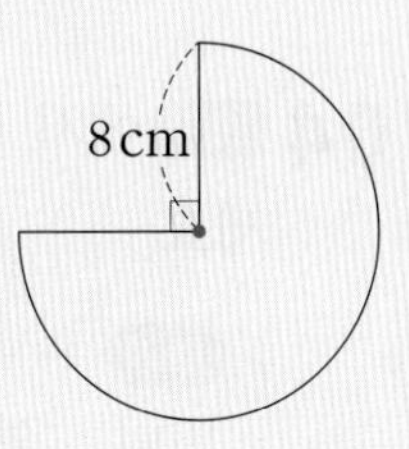

풀이

답

단원 평가지

[01~03] 도형을 보고 물음에 답하세요.

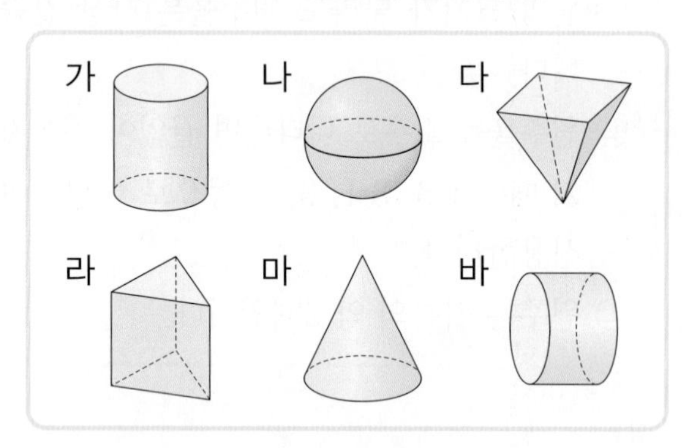

01 원기둥을 모두 찾아 기호를 쓰세요.

( )

02 마 도형의 이름을 쓰세요.

( )

03 나 도형의 이름을 쓰세요.

( )

04 보기 에서 □ 안에 알맞은 말을 찾아 써넣으세요.

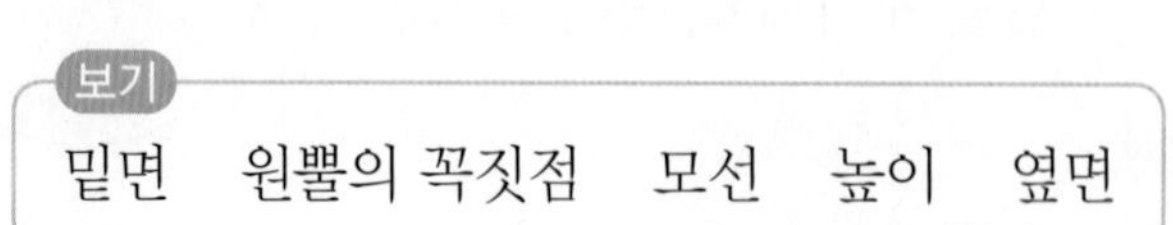

보기
밑면 원뿔의 꼭짓점 모선 높이 옆면

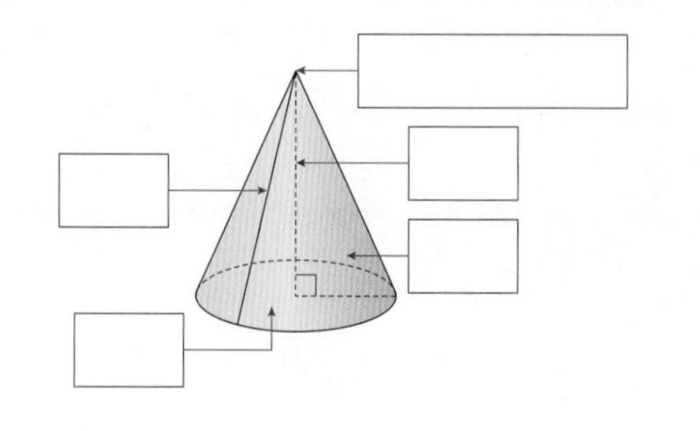

05 반원 모양의 종이를 지름을 기준으로 한 바퀴 돌려 만든 입체도형입니다. 각 부분의 이름을 □ 안에 써넣으세요.

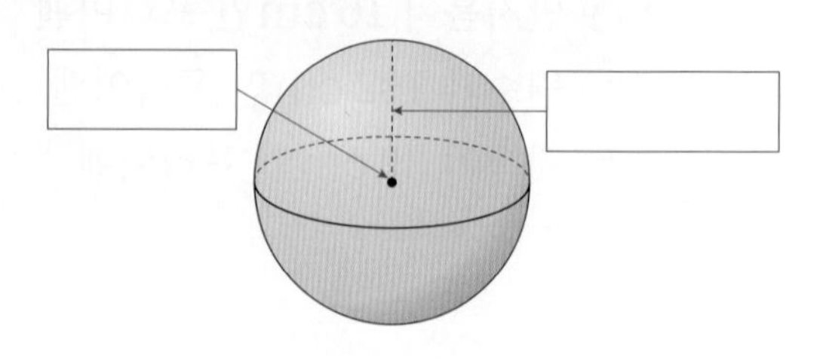

06 원뿔의 높이를 바르게 잰 사람은 누구인가요?

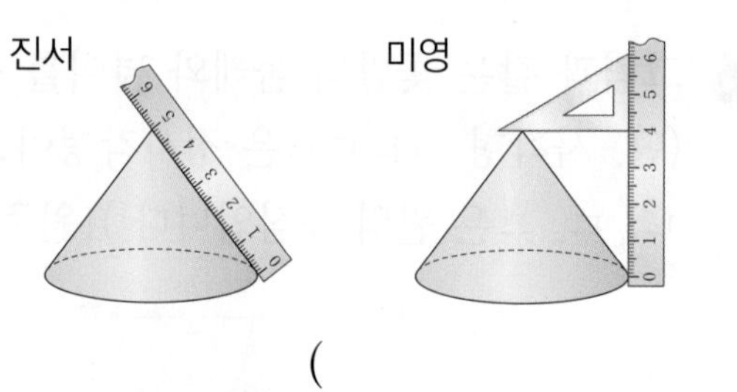

( )

07 다음 모양을 만드는 데 사용한 원기둥, 원뿔, 구는 각각 몇 개인가요?

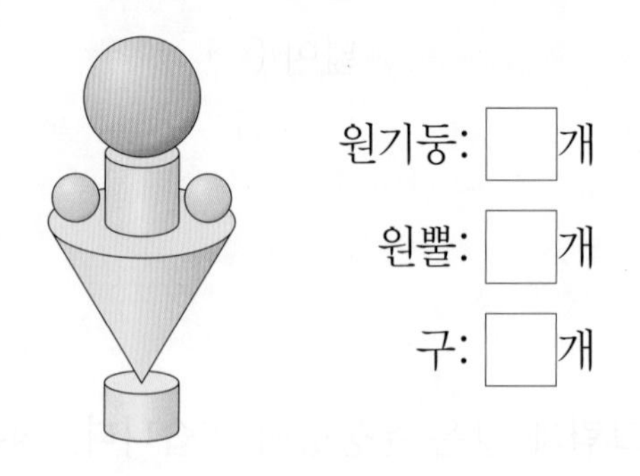

08 구에 대한 설명으로 옳은 것에는 ○표, 틀린 것에는 ×표 하세요.

(1) 구의 중심은 1개입니다. ········· ( )

(2) 구는 보는 방향에 따라 모양이 다릅니다. ··································· ( )

09 원기둥과 원뿔의 높이의 차는 몇 cm인가요?

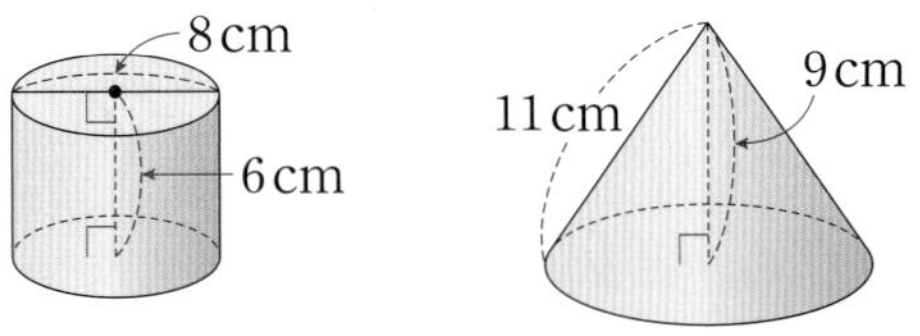

( )

10 두 입체도형을 비교하려고 합니다. 빈칸에 알맞게 써넣으세요.

입체도형	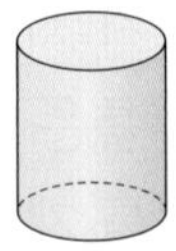	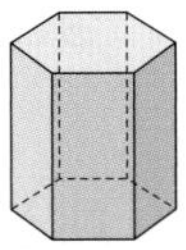
도형의 이름		육각기둥
밑면의 모양		
옆면의 모양	굽은 면	

11 다음과 같이 직사각형 모양의 종이를 한 변을 기준으로 한 바퀴 돌려 만든 입체도형의 높이는 몇 cm인지 구하세요.

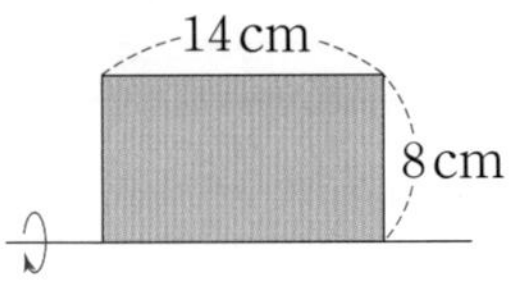

( )

12 다음 중 틀리게 말한 사람은 누구인가요?

> 연우: 원뿔은 꼭짓점이 있지만 구와 원기둥은 꼭짓점이 없어.
> 승희: 원기둥은 어느 방향에서 보아도 모양이 모두 같아.
> 재민: 원기둥과 원뿔은 밑면이 있고, 구는 밑면이 없어.

( )

13 원기둥과 원기둥의 전개도입니다. 직사각형 ㄱㄴㄷㄹ의 넓이는 몇 cm^2인가요?

(원주율: 3)

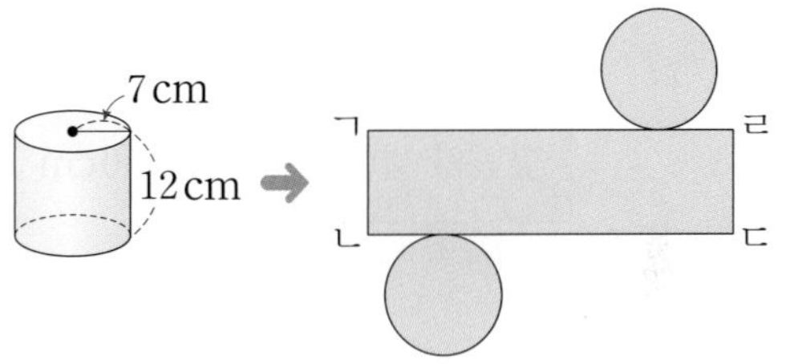

( )

14 원기둥을 앞에서 본 모양은 둘레가 48 cm인 정사각형입니다. 원기둥의 높이는 몇 cm인지 구하세요.

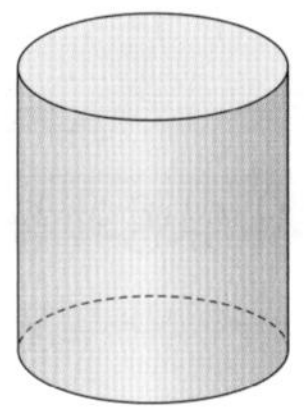

( )

15 원기둥과 구를 앞에서 본 모양의 넓이의 차는 몇 cm^2인지 구하세요. (원주율: 3.1)

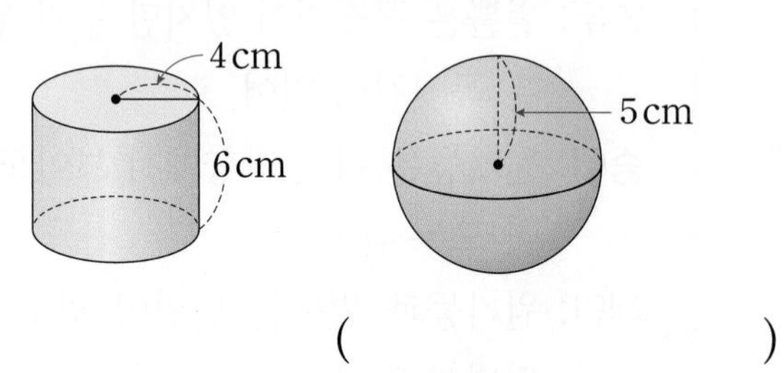

( )

16 원기둥의 전개도에서 옆면의 넓이는 360 cm^2, 세로는 10 cm입니다. 원기둥의 밑면의 반지름은 몇 cm인지 구하세요. (원주율: 3)

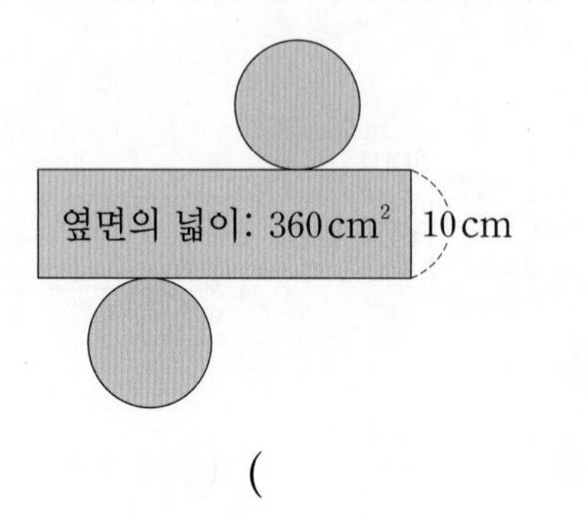

( )

17 다음 조건 을 모두 만족하는 원기둥의 높이는 몇 cm인지 구하세요. (원주율: 3)

조건
- 전개도에서 옆면의 둘레는 72 cm입니다.
- 원기둥의 높이와 밑면의 지름은 같습니다.

( )

서술형 문제

18 오른쪽 그림이 원기둥의 전개도가 아닌 이유를 쓰세요.

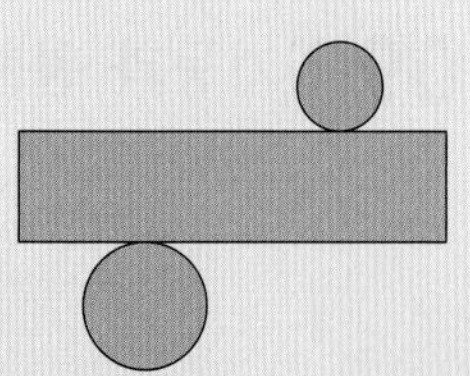

이유

19 모양과 크기가 같은 원뿔입니다. 잘못 말한 사람을 찾아 이름을 쓰고, 그 이유를 쓰세요.

가

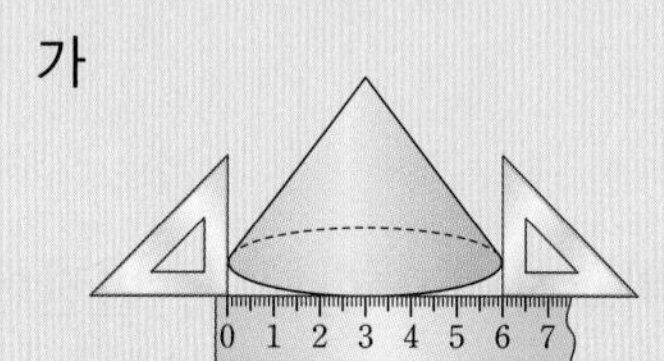

나

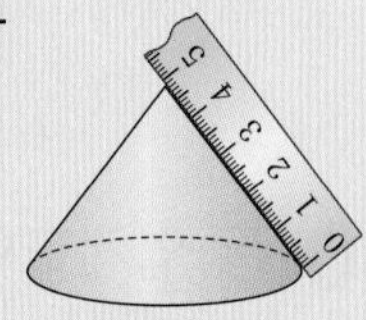

경진: 가는 밑면의 지름을 재는 방법이고, 밑면의 지름은 6 cm야.
해연: 나는 높이를 재는 방법이고, 높이는 항상 모선의 길이보다 길어.

이름

이유

20 오른쪽은 어떤 평면도형을 한 변을 기준으로 한 바퀴 돌려서 만든 입체도형입니다. 돌리기 전의 평면도형의 넓이는 몇 cm^2인지 풀이 과정을 쓰고, 답을 구하세요.

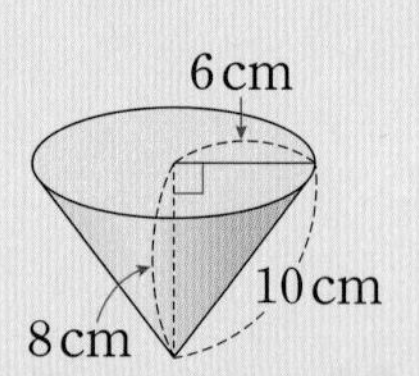

풀이

답

MEMO

MEMO

큐브 수학 실력

매칭북 6·2

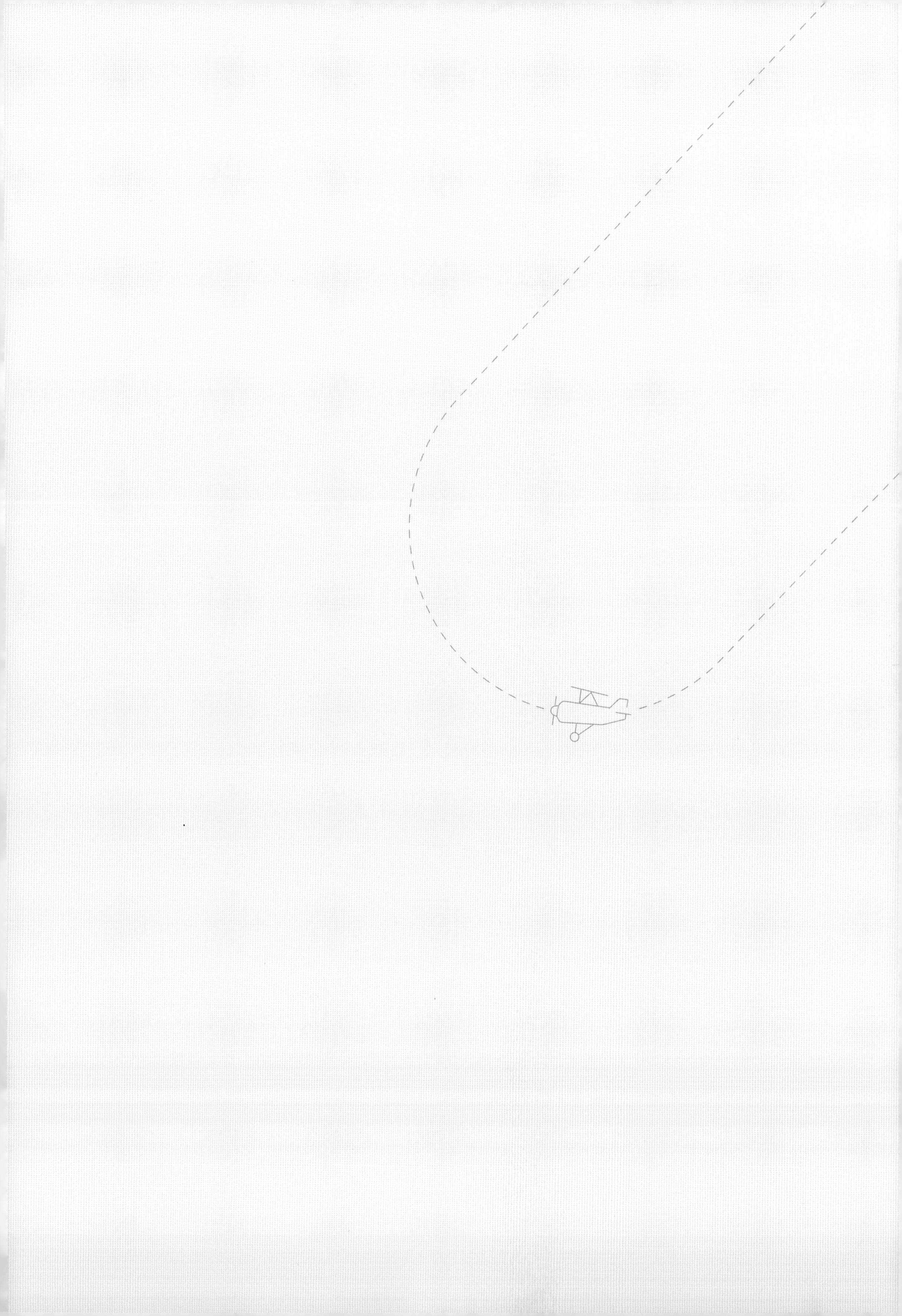

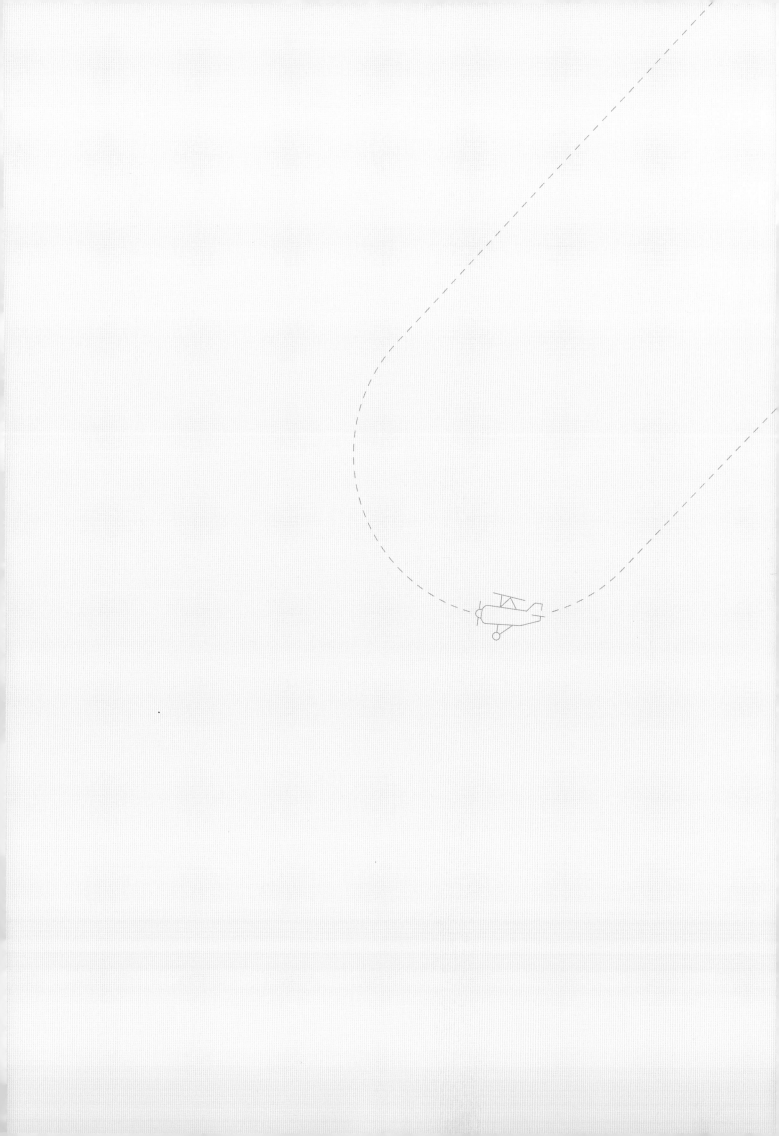

큐브 수학 실력

정답 및 풀이

6·2

동아출판

정답 및 풀이

6·2

차례

| 모바일 빠른 정답 |

QR코드를 찍으면 **정답 및 풀이**를 쉽고 빠르게 확인할 수 있습니다.

진도북 정답 및 풀이

1. 분수의 나눗셈

STEP 1 개념 완성하기 008~009쪽

1 (1) 7번 (2) 7

2 8, 4, 2

3 9, 8, 9, 8, $\frac{9}{8}$, $1\frac{1}{8}$

4 $\frac{3}{11}\div\frac{10}{11}=3\div10=\frac{3}{10}$

5 (1) 5 (2) 2 (3) $\frac{5}{6}$ (4) 3

6 $\frac{14}{15}$

7 (1) ㉡ (2) ㉠

8 ( )(○)

9 $\frac{3}{20}$, 6

5 (1) $\frac{5}{6}\div\frac{1}{6}=5\div1=5$

(2) $\frac{12}{13}\div\frac{6}{13}=12\div6=2$

(3) $\frac{5}{7}\div\frac{6}{7}=5\div6=\frac{5}{6}$

(4) $\frac{2}{5}\div\frac{2}{15}=\frac{6}{15}\div\frac{2}{15}=6\div2=3$

6 $\frac{7}{10}\div\frac{3}{4}=\frac{14}{20}\div\frac{15}{20}=14\div15=\frac{14}{15}$

7 (1) $\frac{7}{12}\div\frac{1}{12}=7\div1=7$

(2) $\frac{15}{19}\div\frac{3}{19}=15\div3=5$

8 $\frac{5}{6}\div\frac{7}{12}=\frac{10}{12}\div\frac{7}{12}=10\div7=\frac{10}{7}=1\frac{3}{7}$

$\frac{3}{10}\div\frac{2}{5}=\frac{3}{10}\div\frac{4}{10}=3\div4=\frac{3}{4}$

9 (우유를 마실 수 있는 날수)

=(전체 우유의 양)÷(하루에 마시는 우유의 양)

$=\frac{9}{10}\div\frac{3}{20}=\frac{18}{20}\div\frac{3}{20}=18\div3=6$(일)

STEP 1 개념 완성하기 010~011쪽

1 (1) 6, $\frac{3}{4}$ (2) 2 / 3, 2 / 2, 8 / 2, 4, 8 (3) 3, 4, 8

2 $21\div\frac{7}{8}=(21\div7)\times8=24$

3 ㉠

4 (1) 3 (2) $13\frac{1}{3}$ (3) 16 (4) 36

5 14

6 30, 24

7 (1) > (2) =

8 $\frac{2}{7}$, 14

4 (1) $2\div\frac{2}{3}=(2\div2)\times3=3$

(2) $8\div\frac{3}{5}=(8\div3)\times5=\frac{40}{3}=13\frac{1}{3}$

(3) $10\div\frac{5}{8}=(10\div5)\times8=16$

(4) $16\div\frac{4}{9}=(16\div4)\times9=36$

5 $8\div\frac{4}{7}=(8\div4)\times7=14$

6 $20\div\frac{5}{6}=(20\div5)\times6=24$

$25\div\frac{5}{6}=(25\div5)\times6=30$

7 (1) $9\div\frac{3}{5}=(9\div3)\times5=15$ ➔ $9\div\frac{3}{5}>10$

(2) $18\div\frac{9}{10}=(18\div9)\times10=20$

8 (나누어 줄 수 있는 사람 수)

=(전체 초콜릿의 무게)

÷(한 사람에게 줄 초콜릿의 무게)

$=4\div\frac{2}{7}=(4\div2)\times7=14$(명)

STEP 2 실력 다지기 012~015쪽

01 $\frac{2}{3}\div\frac{3}{5}=\frac{10}{15}\div\frac{9}{15}=10\div9=\frac{10}{9}=1\frac{1}{9}$

02 예 $\frac{8}{9}$은 $\frac{1}{9}$이 8개, $\frac{4}{9}$는 $\frac{1}{9}$이 4개이므로 $\frac{8}{9}\div\frac{4}{9}$를 $8\div4$로 바꾸어 계산할 수 있습니다. ▸5점

03 $\frac{4}{5}\div\frac{3}{5}$, $\frac{4}{6}\div\frac{3}{6}$

04 $\frac{7}{8}$, 2

05 $\frac{12}{13}\div\frac{4}{13}$ / 3

06 $1\frac{13}{27}$

07 24

08 선미

09 $21\frac{1}{2}$

10 <

11 $10\div\frac{2}{5}$에 ○표, $12\div\frac{4}{7}$에 △표

12 예 ❶ ㉠ $\frac{5}{12}\div\frac{3}{4}=\frac{5}{9}$ ㉡ $\frac{3}{5}\div\frac{6}{7}=\frac{7}{10}$ ㉢ $\frac{4}{15}\div\frac{4}{9}=\frac{3}{5}$ ▸3점

❷ $\frac{5}{9}\left(=\frac{50}{90}\right)<\frac{3}{5}\left(=\frac{54}{90}\right)<\frac{7}{10}\left(=\frac{63}{90}\right)$

➔ ㉠<㉢<㉡ ▸2점 / ㉠, ㉢, ㉡

13 $\frac{20}{21}\div\frac{5}{21}=4$ / 4배

14 112분

진도북 1 단원

15 4개	**16** $\frac{3}{16}$	**17** $\frac{6}{7}$
18 13	**19** 10400원	**20** 56000원
21 5	**22** 4, 5, 6	

01 분모가 다른 진분수의 나눗셈은 두 분수를 통분한 후 분자끼리의 나눗셈으로 계산합니다.

02

채점 기준	$\frac{8}{9}\div\frac{4}{9}$를 $8\div4$로 바꾸어 계산할 수 있는 이유 쓰기	5점

03 두 분수의 분모가 같으므로 두 분수의 분모를 ■라 하면 나눗셈식은 $\frac{▲}{■}\div\frac{●}{■}$입니다.

$4\div3$을 이용하여 풀 수 있으므로 $\frac{4}{■}\div\frac{3}{■}$입니다.

분모가 7보다 작은 진분수의 나눗셈이므로 ■에 들어갈 수 있는 수는 5, 6입니다.

➜ $\frac{4}{5}\div\frac{3}{5}$, $\frac{4}{6}\div\frac{3}{6}$

04 $\frac{7}{15}\div\frac{8}{15}=7\div8=\frac{7}{8}$

$\frac{7}{8}\div\frac{7}{16}=\frac{14}{16}\div\frac{7}{16}=14\div7=2$

05 색칠한 부분 $\frac{12}{13}$를 $\frac{4}{13}$씩 나누었으므로 나눗셈식으로 나타내면 $\frac{12}{13}\div\frac{4}{13}$입니다.

➜ $\frac{12}{13}\div\frac{4}{13}=12\div4=3$

06 $\frac{3}{5}\left(=\frac{27}{45}\right)<\frac{11}{15}\left(=\frac{33}{45}\right)<\frac{8}{9}\left(=\frac{40}{45}\right)$

➜ $\frac{8}{9}\div\frac{3}{5}=\frac{40}{45}\div\frac{27}{45}=40\div27=\frac{40}{27}=1\frac{13}{27}$

07 ㉡ $\frac{5}{8}$ ➜ ㉠÷㉡$=15\div\frac{5}{8}=(15\div5)\times8=24$

08 $4\div\frac{2}{3}=(4\div2)\times3=6$

정수: $6\div\frac{3}{5}=(6\div3)\times5=10$

선미: $5\div\frac{5}{6}=(5\div5)\times6=6$

따라서 $4\div\frac{2}{3}$와 몫이 같은 식을 만든 사람은 선미입니다.

09 $6\div\frac{3}{7}=(6\div3)\times7=14$

$5\div\frac{2}{3}=(5\div2)\times3=\frac{15}{2}=7\frac{1}{2}$

➜ (몫의 합)$=14+7\frac{1}{2}=21\frac{1}{2}$

10 $\frac{9}{10}\div\frac{7}{10}=9\div7=\frac{9}{7}=1\frac{2}{7}$

$\frac{8}{9}\div\frac{3}{9}=8\div3=\frac{8}{3}=2\frac{2}{3}$

➜ $1\frac{2}{7}<2\frac{2}{3}$

11 $10\div\frac{2}{5}=(10\div2)\times5=25$

$12\div\frac{4}{7}=(12\div4)\times7=21$

$21\div\frac{7}{8}=(21\div7)\times8=24$

➜ $25>24>21$이므로

$10\div\frac{2}{5}>21\div\frac{7}{8}>12\div\frac{4}{7}$입니다.

12

채점 기준	❶ 분수의 나눗셈 각각 계산하기	3점
	❷ 계산 결과가 작은 식부터 차례로 기호 쓰기	2점

13 (집~병원)÷(집~은행)

$=\frac{20}{21}\div\frac{5}{21}=20\div5=4$(배)

14 (완전히 충전하는 데 걸리는 시간)

$=48\div\frac{3}{7}=(48\div3)\times7=112$(분)

15 (마시고 남은 수정과의 양)$=1-\frac{1}{7}=\frac{6}{7}$ (L)

(필요한 컵의 수)$=\frac{6}{7}\div\frac{3}{14}=\frac{12}{14}\div\frac{3}{14}$

$=12\div3=4$(개)

16 $\square\times\frac{8}{9}=\frac{1}{6}$

➜ $\square=\frac{1}{6}\div\frac{8}{9}=\frac{3}{18}\div\frac{16}{18}=3\div16=\frac{3}{16}$

17 $\frac{9}{20}\div\frac{3}{5}=\frac{9}{20}\div\frac{12}{20}=9\div12=\frac{\overset{3}{\cancel{9}}}{\underset{4}{\cancel{12}}}=\frac{3}{4}$이므로

$\frac{9}{14}\div★=\frac{3}{4}$입니다.

$★=\frac{9}{14}\div\frac{3}{4}=\frac{36}{56}\div\frac{42}{56}=36\div42=\frac{\overset{6}{\cancel{36}}}{\underset{7}{\cancel{42}}}=\frac{6}{7}$

18 • ㉠ $\times \frac{4}{5} = 16$ ➜ ㉠ $= 16 \div \frac{4}{5} = (16 \div 4) \times 5 = 20$

• ㉡ $\times \frac{6}{11} = 18$

➜ ㉡ $= 18 \div \frac{6}{11} = (18 \div 6) \times 11 = 33$

(㉠과 ㉡에 알맞은 수의 차) $= 33 - 20 = 13$

19 약점 포인트 정답률 75%

> 아이스크림 ■ kg의 가격이 ▲원일 때
> ➜ (아이스크림 1 kg의 가격) = ▲ ÷ ■

(아이스크림 1 kg의 가격)

$= 3200 \div \frac{2}{5} = (3200 \div 2) \times 5 = 8000$(원)

➜ (아이스크림 $1\frac{3}{10}$ kg의 가격)

$= 8000 \times 1\frac{3}{10} = 10400$(원)

20 (참기름 1 L의 가격)

$= 6000 \div \frac{1}{4} = 6000 \times 4 = 24000$(원)

➜ (참기름 $1\frac{1}{2}$ L의 가격)

$= 24000 \times 1\frac{1}{2} = 36000$(원)

(들기름 1 L의 가격)

$= 5000 \div \frac{1}{4} = 5000 \times 4 = 20000$(원)

➜ (내야 하는 돈) $= 36000 + 20000 = 56000$(원)

21 약점 포인트 정답률 65%

> $\frac{\blacktriangle}{\blacksquare} \div \frac{\bullet}{\blacksquare} = \blacktriangle \div \bullet$임을 이용하여 주어진 식을 간단하게 만듭니다.

$\frac{\square}{25} \div \frac{2}{25} = \square \div 2$이므로 $\square \div 2 < 3$입니다.

$1 \div 2 = \frac{1}{2}$(○), $2 \div 2 = 1$(○), $3 \div 2 = 1\frac{1}{2}$(○),

$4 \div 2 = 2$(○), $5 \div 2 = 2\frac{1}{2}$(○), $6 \div 2 = 3$(×)……

└• 가장 큰 수

22 보이지 않는 부분에 들어갈 수 있는 수를 □라 하면

$3 \div \frac{1}{\square} = (3 \div 1) \times \square = 3 \times \square$ ➜ $10 < 3 \times \square < 20$

$3 \times 1 = 3$(×), $3 \times 2 = 6$(×), $3 \times 3 = 9$(×),

$3 \times 4 = 12$(○), $3 \times 5 = 15$(○), $3 \times 6 = 18$(○),

$3 \times 7 = 21$(×)……

➜ □ 안에 들어갈 수 있는 자연수는 4, 5, 6입니다.

STEP 1 개념 완성하기 016~017쪽

1 (1) $\frac{4}{9}$, $\frac{3}{5}$ (2) $\frac{4}{27}$ / 3 / $\frac{4}{27}$, $\frac{20}{27}$ / 3, 5, $\frac{20}{27}$

(3) 3, 5, $\frac{5}{3}$, $\frac{20}{27}$

2 $\frac{3}{7} \times \frac{10}{3}$에 ○표

3 $\frac{1}{4} \div \frac{4}{5} = \frac{1}{4} \times \frac{5}{4} = \frac{5}{16}$

4 (1) $\frac{5}{7} \div \frac{3}{4} = \frac{5}{7} \times \frac{4}{3} = \frac{20}{21}$

(2) $\frac{9}{11} \div \frac{4}{5} = \frac{9}{11} \times \frac{5}{4} = \frac{45}{44} = 1\frac{1}{44}$

5 $\frac{4}{21}$ **6** ㉡

7 $\frac{3}{4}$ **8** $\frac{3}{4}$, $1\frac{1}{15}$

4 $\frac{\blacktriangle}{\blacksquare} \div \frac{\bigstar}{\bullet} = \frac{\blacktriangle}{\blacksquare} \times \frac{\bullet}{\bigstar}$

5 $\frac{1}{6} \div \frac{7}{8} = \frac{1}{\cancel{6}_{3}} \times \frac{\cancel{8}^{4}}{7} = \frac{4}{21}$

7 $\frac{5}{12}\left(=\frac{15}{36}\right) < \frac{5}{9}\left(=\frac{20}{36}\right)$

➜ $\frac{5}{12} \div \frac{5}{9} = \frac{\cancel{5}^{1}}{\cancel{12}_{4}} \times \frac{\cancel{9}^{3}}{\cancel{5}_{1}} = \frac{3}{4}$

참고 분자가 같은 경우 분모가 작을수록 더 큰 수입니다.

$\blacksquare > \blacktriangle$ ➜ $\frac{\bullet}{\blacksquare} < \frac{\bullet}{\blacktriangle}$

8 (진희의 리본의 길이) ÷ (민호의 리본의 길이)

$= \frac{4}{5} \div \frac{3}{4} = \frac{4}{5} \times \frac{4}{3} = \frac{16}{15} = 1\frac{1}{15}$(배)

STEP 1 개념 완성하기 018~019쪽

1 $\frac{9}{5}$, $\frac{54}{5}$, $10\frac{4}{5}$

2 (1) 4, 4, $\frac{3}{4}$ (2) $\frac{3}{2}$, $\frac{3}{4}$

3 방법 1 9, 27, 8, 27, 8, $\frac{27}{8}$, $3\frac{3}{8}$

방법 2 9, 9, $\frac{3}{2}$, $\frac{27}{8}$, $3\frac{3}{8}$

4 희연

5 (1) 44 (2) $\frac{4}{21}$ (3) $2\frac{13}{25}$ (4) $7\frac{7}{12}$

6 $2\frac{1}{10}$

7 예 방법 1 $\frac{8}{3}\div\frac{3}{10}=\frac{80}{30}\div\frac{9}{30}$
$=80\div9=\frac{80}{9}=8\frac{8}{9}$

방법 2 $\frac{8}{3}\div\frac{3}{10}=\frac{8}{3}\times\frac{10}{3}=\frac{80}{9}=8\frac{8}{9}$

8 ㉡ **9** $\frac{2}{9}$, 24

5 (1) $8\div\frac{2}{11}=\overset{4}{\cancel{8}}\times\frac{11}{\underset{1}{\cancel{2}}}=44$

(2) $\frac{1}{6}\div\frac{7}{8}=\frac{1}{\underset{3}{\cancel{6}}}\times\frac{\overset{4}{\cancel{8}}}{7}=\frac{4}{21}$

(3) $\frac{7}{5}\div\frac{5}{9}=\frac{7}{5}\times\frac{9}{5}=\frac{63}{25}=2\frac{13}{25}$

(4) $2\frac{1}{6}\div\frac{2}{7}=\frac{13}{6}\div\frac{2}{7}=\frac{13}{6}\times\frac{7}{2}=\frac{91}{12}=7\frac{7}{12}$

6 $\frac{3}{2}\div\frac{5}{7}=\frac{3}{2}\times\frac{7}{5}=\frac{21}{10}=2\frac{1}{10}$

8 ㉠ $\frac{1}{3}\div\frac{3}{4}=\frac{1}{3}\times\frac{4}{3}=\frac{4}{9}$

㉡ $\frac{5}{9}\div\frac{2}{5}=\frac{5}{9}\times\frac{5}{2}=\frac{25}{18}=1\frac{7}{18}$

9 (만들 수 있는 별 모양 장식 수)
=(전체 철사의 길이)
÷(장식 한 개를 만드는 데 필요한 철사의 길이)
$=5\frac{1}{3}\div\frac{2}{9}=\frac{16}{3}\div\frac{2}{9}=\frac{\overset{8}{\cancel{16}}}{\underset{1}{\cancel{3}}}\times\frac{\overset{3}{\cancel{9}}}{\underset{1}{\cancel{2}}}=24$(개)

STEP 2 실력 다지기 020~025쪽

01 $3\div\frac{7}{8}=3\times\frac{8}{7}=\frac{24}{7}=3\frac{3}{7}$

02 예 방법 1 $\frac{3}{10}\div\frac{3}{4}=\frac{6}{20}\div\frac{15}{20}=6\div15$
$=\frac{\overset{2}{\cancel{6}}}{\underset{5}{\cancel{15}}}=\frac{2}{5}$

방법 2 $\frac{3}{10}\div\frac{3}{4}=\frac{\overset{1}{\cancel{3}}}{\underset{5}{\cancel{10}}}\times\frac{\overset{2}{\cancel{4}}}{\underset{1}{\cancel{3}}}=\frac{2}{5}$

03 예 ❶ 분수의 곱셈으로 바꿀 때 나누는 분수의 분모와 분자를 바꾸지 않아서 잘못되었습니다. ▸3점

❷ $1\frac{3}{5}\div\frac{2}{7}=\frac{8}{5}\div\frac{2}{7}=\frac{\overset{4}{\cancel{8}}}{5}\times\frac{7}{\underset{1}{\cancel{2}}}=\frac{28}{5}=5\frac{3}{5}$ ▸2점

04 (위에서부터) $1\frac{2}{3}$, $\frac{1}{2}$, $\frac{5}{8}$

05 $4\frac{1}{2}$ **06** 2, 3, 1

07 $2\frac{1}{4}$ **08** <

09 $1\frac{3}{7}$배 **10** 10 kg

11 $2\frac{1}{5}$배 **12** 6덩이

13 $2\frac{1}{3}$ **14** ㉡

15 $6\frac{1}{4}\div1\frac{7}{8}\div1\frac{1}{5}$에 ○표

16 $\frac{14}{15}$, $\frac{7}{8}$ / $1\frac{1}{15}$배

17 예 ❶ 휘발유 $\frac{4}{9}$ L로 $5\frac{3}{5}$ km를 가는 자동차가 있습니다. 이 자동차가 휘발유 1 L로 갈 수 있는 거리는 몇 km인가요? ▸3점

❷ $12\frac{3}{5}$ km ▸2점

18 $\frac{4}{5}$ **19** $2\div\frac{1}{3}=6$ / 6 m

20 $1\frac{1}{7}$ km **21** 4

22 2, 3, 4, 5 **23** $4\frac{2}{3}$, 5에 ○표

24 80 km **25** $8\frac{4}{7}$ L

26 $\frac{9}{10}$ **27** $1\frac{13}{14}$

28 (1) $\frac{1}{2}$, $\frac{1}{2}$ (2) 6 m **29** 14 m

30 $6\frac{3}{5}$ / 22 **31** 2, $7\frac{3}{5}$ / $\frac{5}{19}$

01 나누는 분수 $\frac{7}{8}$의 분모와 분자를 바꾸면 $\frac{8}{7}$이므로 $3\div\frac{7}{8}$을 $3\times\frac{8}{7}$로 고쳐서 계산합니다.

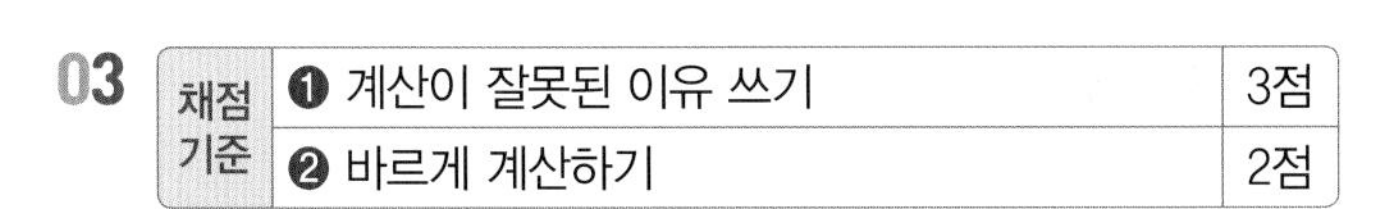

03

채점 기준	❶ 계산이 잘못된 이유 쓰기	3점
	❷ 바르게 계산하기	2점

04 $\frac{5}{12}\div\frac{1}{4}=\frac{5}{\underset{3}{\cancel{12}}}\times\overset{1}{\cancel{4}}=\frac{5}{3}=1\frac{2}{3}$

$\frac{5}{12}\div\frac{5}{6}=\frac{\overset{1}{\cancel{5}}}{\underset{2}{\cancel{12}}}\times\frac{\overset{1}{\cancel{6}}}{\underset{1}{\cancel{5}}}=\frac{1}{2}$

$\frac{5}{12}\div\frac{2}{3}=\frac{5}{\underset{4}{\cancel{12}}}\times\frac{\overset{1}{\cancel{3}}}{2}=\frac{5}{8}$

05 $7\div\frac{2}{7}=7\times\frac{7}{2}=\frac{49}{2}=24\frac{1}{2}$

$8\div\frac{2}{5}=\overset{4}{\cancel{8}}\times\frac{5}{\underset{1}{\cancel{2}}}=20$

➜ ■−▲$=24\frac{1}{2}-20=4\frac{1}{2}$

06 $\frac{7}{18}\div\frac{4}{9}=\frac{7}{\underset{2}{\cancel{18}}}\times\frac{\overset{1}{\cancel{9}}}{4}=\frac{7}{8}$

$\frac{4}{7}\div\frac{2}{3}=\frac{\overset{2}{\cancel{4}}}{7}\times\frac{3}{\underset{1}{\cancel{2}}}=\frac{6}{7}$

$\frac{14}{25}\div\frac{7}{15}=\frac{\overset{2}{\cancel{14}}}{\underset{5}{\cancel{25}}}\times\frac{\overset{3}{\cancel{15}}}{\underset{1}{\cancel{7}}}=\frac{6}{5}=1\frac{1}{5}$

➜ $1\frac{1}{5}>\frac{7}{8}\left(=\frac{49}{56}\right)>\frac{6}{7}\left(=\frac{48}{56}\right)$

07 $3\frac{1}{2}>2\frac{2}{3}>1\frac{5}{9}$

$3\frac{1}{2}\div1\frac{5}{9}=\frac{7}{2}\div\frac{14}{9}=\frac{\overset{1}{\cancel{7}}}{2}\times\frac{9}{\underset{2}{\cancel{14}}}=\frac{9}{4}=2\frac{1}{4}$

08 $\frac{16}{9}\div\frac{2}{3}=\frac{\overset{8}{\cancel{16}}}{\underset{3}{\cancel{9}}}\times\frac{\overset{1}{\cancel{3}}}{\underset{1}{\cancel{2}}}=\frac{8}{3}=2\frac{2}{3}$,

$\frac{21}{10}\div\frac{2}{5}=\frac{21}{\underset{2}{\cancel{10}}}\times\frac{\overset{1}{\cancel{5}}}{2}=\frac{21}{4}=5\frac{1}{4}$ ➜ $2\frac{2}{3}<5\frac{1}{4}$

09 ㉠ $4\frac{2}{3}\div3\frac{1}{2}=\frac{14}{3}\div\frac{7}{2}=\frac{\overset{2}{\cancel{14}}}{3}\times\frac{2}{\underset{1}{\cancel{7}}}=\frac{4}{3}=1\frac{1}{3}$

㉡ $1\frac{1}{6}\div1\frac{1}{4}=\frac{7}{6}\div\frac{5}{4}=\frac{7}{\underset{3}{\cancel{6}}}\times\frac{\overset{2}{\cancel{4}}}{5}=\frac{14}{15}$

➜ ㉠÷㉡$=1\frac{1}{3}\div\frac{14}{15}=\frac{4}{3}\div\frac{14}{15}=\frac{\overset{2}{\cancel{4}}}{\underset{1}{\cancel{3}}}\times\frac{\overset{5}{\cancel{15}}}{\underset{7}{\cancel{14}}}$

$=\frac{10}{7}=1\frac{3}{7}$(배)

11 $1\frac{27}{50}\div\frac{7}{10}=\frac{77}{50}\div\frac{7}{10}=\frac{\overset{11}{\cancel{77}}}{\underset{5}{\cancel{50}}}\times\frac{\overset{1}{\cancel{10}}}{\underset{1}{\cancel{7}}}$

$=\frac{11}{5}=2\frac{1}{5}$(배)

12 • 연정: $6\div\frac{2}{3}=\overset{3}{\cancel{6}}\times\frac{3}{\underset{1}{\cancel{2}}}=9$(덩이)

• 성현: $2\div\frac{2}{3}=\overset{1}{\cancel{2}}\times\frac{3}{\underset{1}{\cancel{2}}}=3$(덩이)

➜ $9-3=6$(덩이)

13 $2\frac{2}{9}\div1\frac{2}{3}\div\frac{4}{7}$

$=\frac{20}{9}\div\frac{5}{3}\div\frac{4}{7}=\frac{\overset{4}{\cancel{20}}}{\underset{3}{\cancel{9}}}\times\frac{\overset{1}{\cancel{3}}}{\underset{1}{\cancel{5}}}\div\frac{4}{7}=\frac{4}{3}\div\frac{4}{7}$

$=\frac{\overset{1}{\cancel{4}}}{3}\times\frac{7}{\underset{1}{\cancel{4}}}=\frac{7}{3}=2\frac{1}{3}$

중요 세 분수의 계산을 할 때에는 앞에서부터 두 수씩 차례로 계산하거나 세 분수를 한꺼번에 계산합니다.

14 ㉠ $\frac{3}{8}\div\frac{9}{16}\div\frac{5}{6}=\frac{\overset{1}{\cancel{3}}}{\underset{1}{\cancel{8}}}\times\frac{\overset{2}{\cancel{16}}}{\underset{3}{\cancel{9}}}\div\frac{5}{6}=\frac{2}{3}\div\frac{5}{6}$

$=\frac{2}{\underset{1}{\cancel{3}}}\times\frac{\overset{2}{\cancel{6}}}{5}=\frac{4}{5}$

㉡ $3\frac{1}{3}\div\frac{4}{7}\times\frac{3}{14}=\frac{10}{3}\div\frac{4}{7}\times\frac{3}{14}$

$=\frac{\overset{5}{\cancel{10}}}{\underset{1}{\cancel{3}}}\times\frac{\overset{1}{\cancel{7}}}{\underset{2}{\cancel{4}}}\times\frac{\overset{1}{\cancel{3}}}{\underset{2}{\cancel{14}}}=\frac{5}{4}=1\frac{1}{4}$

15 $\frac{7}{12}\times2\frac{1}{7}\div\frac{5}{6}=\frac{\overset{1}{\cancel{7}}}{\underset{4}{\cancel{12}}}\times\frac{\overset{5}{\cancel{15}}}{\underset{1}{\cancel{7}}}\div\frac{5}{6}=\frac{5}{4}\div\frac{5}{6}$

$=\frac{\overset{1}{\cancel{5}}}{\underset{2}{\cancel{4}}}\times\frac{\overset{3}{\cancel{6}}}{\underset{1}{\cancel{5}}}=\frac{3}{2}=1\frac{1}{2}$

$6\frac{1}{4}\div1\frac{7}{8}\div1\frac{1}{5}=\frac{25}{4}\div\frac{15}{8}\div\frac{6}{5}$

$=\frac{\overset{5}{\cancel{25}}}{\underset{1}{\cancel{4}}}\times\frac{\overset{1}{\cancel{\overset{2}{\cancel{8}}}}}{\underset{3}{\cancel{15}}}\times\frac{5}{\underset{3}{\cancel{6}}}=\frac{25}{9}=2\frac{7}{9}$

17

채점 기준	❶ 나눗셈식과 관련된 문제 만들기	3점
	❷ 만든 문제의 답 구하기	2점

(휘발유 1 L로 갈 수 있는 거리)

$=5\frac{3}{5}\div\frac{4}{9}=\frac{28}{5}\div\frac{4}{9}=\frac{\overset{7}{\cancel{28}}}{5}\times\frac{9}{\underset{1}{\cancel{4}}}=\frac{63}{5}=12\frac{3}{5}$ (km)

진도북 1 단원

18 (직사각형의 넓이)=(가로)×(세로)

➜ (가로)=(직사각형의 넓이)÷(세로)

$=\frac{4}{25}\div\frac{1}{5}=\frac{4}{\cancel{25}_{5}}\times\cancel{5}^{1}=\frac{4}{5}$ (m)

19 (평행사변형의 넓이)=(밑변의 길이)×(높이)

➜ (높이)=(평행사변형의 넓이)÷(밑변의 길이)

$=2\div\frac{1}{3}=2\times3=6$ (m)

20 (삼각형의 넓이)=(밑변의 길이)×(높이)÷2

➜ (밑변의 길이)=(삼각형의 넓이)×2÷(높이)

$=\frac{3}{7}\times2\div\frac{3}{4}=\frac{6}{7}\div\frac{3}{4}=\frac{\cancel{6}^{2}}{7}\times\frac{4}{\cancel{3}_{1}}$

$=\frac{8}{7}=1\frac{1}{7}$ (km)

21 $\frac{7}{5}\div\frac{2}{7}=\frac{7}{5}\times\frac{7}{2}=\frac{49}{10}=4\frac{9}{10}$ ➜ $\square<4\frac{9}{10}$

따라서 □ 안에 들어갈 수 있는 자연수 중에서 가장 큰 수는 4입니다.

22 $\frac{8}{15}\div\frac{2}{5}=\frac{\cancel{8}^{4}}{\cancel{15}_{3}}\times\frac{\cancel{5}^{1}}{\cancel{2}_{1}}=\frac{4}{3}=1\frac{1}{3}$

$2\frac{2}{7}\div\frac{4}{9}=\frac{16}{7}\div\frac{4}{9}=\frac{\cancel{16}^{4}}{7}\times\frac{9}{\cancel{4}_{1}}=\frac{36}{7}=5\frac{1}{7}$

➜ $1\frac{1}{3}<\square<5\frac{1}{7}$

따라서 □ 안에 들어갈 수 있는 자연수는 2, 3, 4, 5입니다.

23 $2\div\frac{4}{9}=\cancel{2}^{1}\times\frac{9}{\cancel{4}_{2}}=\frac{9}{2}=4\frac{1}{2}$ ➜ $4\frac{1}{2}<$ ♥

$6\frac{2}{3}\div1\frac{1}{9}=\frac{20}{3}\div\frac{10}{9}=\frac{\cancel{20}^{2}}{\cancel{3}_{1}}\times\frac{\cancel{9}^{3}}{\cancel{10}_{1}}=6$ ➜ ♥ <6

따라서 ♥에 공통으로 들어갈 수 있는 수는 $4\frac{2}{3}$, 5입니다.

24 약점 포인트 정답률 75%

① 1시간 15분을 시간 단위로 나타내기
② 한 시간 동안 간 평균 거리 구하기

1시간 15분 $=1\frac{1}{4}$시간

(한 시간 동안 간 평균 거리)

$=100\div1\frac{1}{4}=100\div\frac{5}{4}=\cancel{100}^{20}\times\frac{4}{\cancel{5}_{1}}=80$ (km)

25 4분 40초 $=4\frac{2}{3}$분

(1분 동안 나오는 물의 양)

$=40\div4\frac{2}{3}=40\div\frac{14}{3}=\cancel{40}^{20}\times\frac{3}{\cancel{14}_{7}}$

$=\frac{60}{7}=8\frac{4}{7}$ (L)

26 약점 포인트 정답률 70%

■÷▲=● ➜ ■÷●=▲

어떤 수를 □라 하면 $2\frac{2}{5}\div\square=2\frac{2}{3}$입니다.

➜ $\square=2\frac{2}{5}\div2\frac{2}{3}=\frac{12}{5}\div\frac{8}{3}=\frac{\cancel{12}^{3}}{5}\times\frac{3}{\cancel{8}_{2}}=\frac{9}{10}$

27 어떤 수를 □라 하면 $\square\times\frac{2}{3}=\frac{6}{7}$입니다.

➜ $\square=\frac{6}{7}\div\frac{2}{3}=\frac{\cancel{6}^{3}}{7}\times\frac{3}{\cancel{2}_{1}}=\frac{9}{7}=1\frac{2}{7}$

➜ $1\frac{2}{7}\div\frac{2}{3}=\frac{9}{7}\div\frac{2}{3}=\frac{9}{7}\times\frac{3}{2}=\frac{27}{14}=1\frac{13}{14}$

28 약점 포인트 정답률 65%

공이 떨어진 높이의 ●만큼 튀어 오를 때
(▲번째로 튀어 오른 높이)
=(떨어뜨린 높이)×●×●× …… ×● (▲번)

(2) $■\times\frac{1}{2}\times\frac{1}{2}\times\frac{1}{2}=\frac{3}{4}$, $■\times\frac{1}{8}=\frac{3}{4}$,

$■=\frac{3}{4}\div\frac{1}{8}=\frac{3}{\cancel{4}_{1}}\times\cancel{8}^{2}=6$ ➜ 6 m

29 처음 공을 떨어뜨린 높이를 □m라 하면

(2번째로 튀어 오른 높이) $=\square\times\frac{3}{7}\times\frac{3}{7}=2\frac{4}{7}$ (m),

$\square\times\frac{9}{49}=2\frac{4}{7}$,

$\square=2\frac{4}{7}\div\frac{9}{49}=\frac{\cancel{18}^{2}}{\cancel{7}_{1}}\times\frac{\cancel{49}^{7}}{\cancel{9}_{1}}=14$ ➜ 14 m

30 약점 포인트 정답률 65%

■÷▲에서
① ■가 클수록, ▲가 작을수록 몫이 큽니다.
② ■가 작을수록, ▲가 클수록 몫이 작습니다.

3, 5, 6으로 만들 수 있는 가장 큰 대분수: $6\frac{3}{5}$

➜ $6\frac{3}{5}\div\frac{3}{10}=\frac{33}{5}\div\frac{3}{10}=\frac{\cancel{33}^{11}}{\cancel{5}_{1}}\times\frac{\cancel{10}^{2}}{\cancel{3}_{1}}=22$

31 가장 작은 수를 나누어지는 수에 넣고, 남는 수로 가장 큰 대분수를 만들어 나누는 수에 넣습니다.

➜ $2\div7\frac{3}{5}=2\div\frac{38}{5}=\overset{1}{\cancel{2}}\times\frac{5}{\underset{19}{\cancel{38}}}=\frac{5}{19}$

STEP 3 서술형 해결하기 026~029쪽

01 ❶ $4\frac{4}{9}$, $\frac{4}{9}$, $\frac{40}{9}\div\frac{4}{9}=40\div4=10$(봉지),

$5\frac{1}{7}$, $\frac{6}{7}$, $\frac{36}{7}\div\frac{6}{7}=36\div6=6$(봉지) ▸4점

❷ 재희 ▸1점 / 재희

02 예 ❶ (가 주전자의 물을 붓는 데 필요한 컵 수)

$=4\frac{1}{2}\div\frac{3}{8}=\frac{9}{2}\div\frac{3}{8}=\frac{\overset{3}{\cancel{9}}}{\underset{1}{\cancel{2}}}\times\frac{\overset{4}{\cancel{8}}}{\underset{1}{\cancel{3}}}=12$(개)

(나 주전자의 물을 붓는 데 필요한 컵 수)

$=5\frac{1}{3}\div\frac{1}{3}=\frac{16}{3}\div\frac{1}{3}=16\div1=16$(개) ▸4점

❷ (필요한 컵 수의 합)$=12+16=28$(개) ▸1점

/ 28개

03 예 ❶ (가 리본의 도막 수)$=\frac{57}{8}\div\frac{3}{16}=\frac{\overset{19}{\cancel{57}}}{\underset{1}{\cancel{8}}}\times\frac{\overset{2}{\cancel{16}}}{\underset{1}{\cancel{3}}}$

$=38$(도막)

(나 리본의 도막 수)$=\frac{20}{3}\div\frac{2}{9}=\frac{\overset{10}{\cancel{20}}}{\underset{1}{\cancel{3}}}\times\frac{\overset{3}{\cancel{9}}}{\underset{1}{\cancel{2}}}$

$=30$(도막) ▸4점

❷ (도막 수의 차)$=38-30=8$(도막) ▸1점 / 8도막

04 ❶ $\frac{3}{7}$, $\frac{3}{7}$ ▸2점

❷ $9\div\frac{3}{7}=\overset{3}{\cancel{9}}\times\frac{7}{\underset{1}{\cancel{3}}}=21$, 21 ▸3점 / 21명

05 예 ❶ 장미를 심고 남은 땅은 전체 땅의

$1-\frac{5}{9}=\frac{4}{9}$입니다. ▸2점

❷ 전체 땅의 넓이를 □m^2라 하면

(장미를 심고 남은 땅의 넓이)

$=\square\times\frac{4}{9}=32\ (m^2)$,

$\square=32\div\frac{4}{9}=\overset{8}{\cancel{32}}\times\frac{9}{\underset{1}{\cancel{4}}}=72$

➜ 전체 땅의 넓이는 72 m^2입니다. ▸3점 / 72 m^2

06 예 ❶ 인절미를 만들고 남은 찹쌀가루는 처음 가지고 있던 찹쌀가루의 $1-\frac{7}{9}=\frac{2}{9}$입니다. ▸2점

❷ 처음 가지고 있던 찹쌀가루의 무게를 □g이라 하면 (남은 찹쌀가루의 무게)$=\square\times\frac{2}{9}=280$ (g),

$\square=280\div\frac{2}{9}=\overset{140}{\cancel{280}}\times\frac{9}{\underset{1}{\cancel{2}}}=1260$(g)

➜ 처음 가지고 있던 찹쌀가루는 1260 g입니다. ▸3점

/ 1260 g

07 ❶ 10, 10, 10 ▸3점

❷ 10 / 1, 2, 5, 10 / 10 ▸2점 / 10

08 예 ❶ $\frac{16}{3}\div\frac{4}{\square}=\frac{\overset{4}{\cancel{16}}}{3}\times\frac{\square}{\underset{1}{\cancel{4}}}=\frac{4\times\square}{3}$에서 나눗셈식의 몫이 자연수이므로 □ 안에는 3의 배수가 들어가야 합니다. ▸3점

❷ 3의 배수: 3, 6, 9, 12……

따라서 □ 안에 들어갈 수 있는 수는 3, 6, 9입니다.

▸2점 / 3, 6, 9

09 예 ❶ 보이지 않는 부분의 수를 □라 하면

$\frac{\square}{7}\div\frac{5}{21}=\frac{\square}{\underset{1}{\cancel{7}}}\times\frac{\overset{3}{\cancel{21}}}{5}=\frac{\square\times3}{5}$에서 나눗셈식의 몫이 자연수이므로 □ 안에는 5의 배수가 들어가야 합니다. ▸3점

❷ 5의 배수: 5, 10, 15……

따라서 보이지 않는 부분에 들어갈 수 있는 수 중 가장 작은 수는 5입니다. ▸2점 / 5

10 ❶ 96, $400-96=304$ (L) ▸2점

❷ $12\frac{2}{3}$,

$304\div12\frac{2}{3}=304\div\frac{38}{3}=\overset{8}{\cancel{304}}\times\frac{3}{\underset{1}{\cancel{38}}}=24$ (L)

▸3점 / 24 L

11 예 ❶ (4분 30초 동안 탄 양초의 길이)

$=8-2\frac{3}{5}=5\frac{2}{5}$ (cm) ▸2점

❷ 4분 30초$=4\frac{1}{2}$분

(1분 동안 타는 양초의 길이)

$=5\frac{2}{5}\div4\frac{1}{2}=\frac{27}{5}\div\frac{9}{2}=\frac{\overset{3}{\cancel{27}}}{5}\times\frac{2}{\underset{1}{\cancel{9}}}$

$=\frac{6}{5}=1\frac{1}{5}$ (cm) ▸3점 / $1\frac{1}{5}$ cm

12 예 ❶ (7분 30초 동안 탄 양초의 길이)

$=14-10\frac{1}{4}=3\frac{3}{4}$ (cm) ▸2점

❷ 7분 30초$=7\frac{1}{2}$분

(1분 동안 타는 양초의 길이)

$=3\frac{3}{4}\div7\frac{1}{2}=\frac{15}{4}\div\frac{15}{2}=\frac{\cancel{15}^{1}}{\cancel{4}_{2}}\times\frac{\cancel{2}^{1}}{\cancel{15}_{1}}$

$=\frac{1}{2}$ (cm) ▸3점 / $\frac{1}{2}$ cm

01

채점 기준		
	❶ 재희와 수철이가 토마토를 담은 봉지 수 각각 구하기	4점
	❷ 토마토를 담은 봉지 수가 더 많은 사람의 이름 쓰기	1점

02

채점 기준		
	❶ 가 주전자와 나 주전자의 물을 붓는 데 필요한 컵 수 각각 구하기	4점
	❷ 필요한 컵 수의 합 구하기	1점

03

채점 기준		
	❶ 가 리본과 나 리본의 도막 수 각각 구하기	4점
	❷ 도막 수의 차 구하기	1점

04

채점 기준		
	❶ 유진이네 반 학생 수를 ■명이라 하고 식 세우기	2점
	❷ 유진이네 반 학생 수 구하기	3점

05

채점 기준		
	❶ 장미를 심고 남은 땅은 전체 땅의 몇 분의 몇인지 구하기	2점
	❷ 전체 땅의 넓이 구하기	3점

06

채점 기준		
	❶ 남은 찹쌀가루는 처음 가지고 있던 찹쌀가루의 몇 분의 몇인지 구하기	2점
	❷ 처음 가지고 있던 찹쌀가루의 무게 구하기	3점

07

채점 기준		
	❶ ▲에 들어갈 수 있는 수의 조건 알아보기	3점
	❷ ▲에 들어갈 수 있는 수 중 가장 큰 수 구하기	2점

08

채점 기준		
	❶ □ 안에 들어갈 수 있는 수의 조건 알아보기	3점
	❷ □ 안에 들어갈 수 있는 수 구하기	2점

09

채점 기준		
	❶ 보이지 않는 부분에 들어갈 수 있는 수의 조건 알아보기	3점
	❷ 보이지 않는 부분에 들어갈 수 있는 수 중 가장 작은 수 구하기	2점

10

채점 기준		
	❶ $12\frac{2}{3}$분 동안 빠진 물의 양 구하기	2점
	❷ 1분 동안 빠지는 물의 양 구하기	3점

11

채점 기준		
	❶ 4분 30초 동안 탄 양초의 길이 구하기	2점
	❷ 1분 동안 타는 양초의 길이 구하기	3점

12

채점 기준		
	❶ 7분 30초 동안 탄 양초의 길이 구하기	2점
	❷ 1분 동안 타는 양초의 길이 구하기	3점

단원 마무리 030~032쪽

01 2 **02** 14, 7, 2

03 $\frac{8}{9}\div\frac{2}{3}=\frac{\cancel{8}^{4}}{\cancel{9}_{3}}\times\frac{\cancel{3}^{1}}{\cancel{2}_{1}}=\frac{4}{3}=1\frac{1}{3}$

04 (1) $\frac{11}{16}$ (2) $1\frac{3}{4}$ **05** 4

06 (1) ㉠ (2) ㉢ **07** 10 **08** <

09 2배 **10** $3\frac{1}{3}$ **11** $1\frac{1}{6}$

12 $\frac{4}{5}$ **13** ㉡, ㉣, ㉢, ㉠ **14** 5개

15 4 m **16** $\frac{5}{12}$ **17** 8, $1\frac{3}{5}$ / 5

18 예 ❶ 대분수를 가분수로 고치지 않고 계산했기 때문에 계산이 잘못되었습니다. ▸3점

❷ $1\frac{3}{8}\div\frac{2}{3}=\frac{11}{8}\div\frac{2}{3}=\frac{11}{8}\times\frac{3}{2}$

$=\frac{33}{16}=2\frac{1}{16}$ ▸2점

19 예 ❶ (부어야 하는 물의 양)

$=10-2\frac{1}{2}=7\frac{1}{2}$ (L) ▸2점

❷ (부어야 하는 횟수)

$=7\frac{1}{2}\div\frac{3}{4}=\frac{15}{2}\div\frac{3}{4}=\frac{\cancel{15}^{5}}{\cancel{2}_{1}}\times\frac{\cancel{4}^{2}}{\cancel{3}_{1}}=10$(번) ▸3점

/ 10번

20 예 ❶ $\frac{9}{4}\div\frac{3}{\square}=\frac{\cancel{9}^{3}}{4}\times\frac{\square}{\cancel{3}_{1}}=\frac{3\times\square}{4}$에서 나눗셈식의 몫이 자연수이므로 □ 안에는 4의 배수가 들어가야 합니다. ▸3점

❷ 4의 배수: 4, 8, 12……

따라서 □ 안에 들어갈 수 있는 수는 4, 8입니다.

▸2점 / 4, 8

08 $10\div\frac{8}{9}=\cancel{10}^{5}\times\frac{9}{\cancel{8}_{4}}=\frac{45}{4}=11\frac{1}{4}$

$9\div\frac{3}{4}=\cancel{9}^{3}\times\frac{4}{\cancel{3}_{1}}=12$

→ $11\frac{1}{4}<12$

09 $\frac{4}{19}\div\frac{2}{19}=4\div2=2$(배)

10 $\frac{14}{5}\div\frac{7}{10}=\frac{\overset{2}{\cancel{14}}}{\underset{1}{\cancel{5}}}\times\frac{\overset{2}{\cancel{10}}}{\underset{1}{\cancel{7}}}=4$

$1\frac{1}{6}\div1\frac{3}{4}=\frac{7}{6}\div\frac{7}{4}=\frac{\overset{1}{\cancel{7}}}{\underset{3}{\cancel{6}}}\times\frac{\overset{2}{\cancel{4}}}{\underset{1}{\cancel{7}}}=\frac{2}{3}$

➡ (계산 결과의 차)$=4-\frac{2}{3}=3\frac{1}{3}$

12 $\square\times\frac{2}{3}=\frac{8}{15}$ ➡ $\square=\frac{8}{15}\div\frac{2}{3}=\frac{\overset{4}{\cancel{8}}}{\underset{5}{\cancel{15}}}\times\frac{\overset{1}{\cancel{3}}}{\underset{1}{\cancel{2}}}=\frac{4}{5}$

13 ㉠ $\frac{4}{7}\div\frac{4}{5}=\frac{5}{7}$ ㉡ $\frac{7}{8}\div\frac{3}{16}=4\frac{2}{3}$

㉢ $\frac{7}{9}\div\frac{2}{3}=1\frac{1}{6}$ ㉣ $\frac{11}{15}\div\frac{3}{10}=2\frac{4}{9}$

14 $4\div\frac{2}{7}=\overset{2}{\cancel{4}}\times\frac{7}{\underset{1}{\cancel{2}}}=14$, $6\div\frac{3}{10}=\overset{2}{\cancel{6}}\times\frac{10}{\underset{1}{\cancel{3}}}=20$

➡ $14<\square<20$

$\square$ 안에 들어갈 수 있는 자연수: 15, 16, 17, 18, 19

15 (사다리꼴의 넓이)

=(윗변의 길이+아랫변의 길이)×(높이)÷2

➡ (높이)=(사다리꼴의 넓이)×2

÷(윗변의 길이+아랫변의 길이)

$=19\times2\div\left(3\frac{1}{2}+6\right)=38\div9\frac{1}{2}$

$=38\div\frac{19}{2}=\overset{2}{\cancel{38}}\times\frac{2}{\underset{1}{\cancel{19}}}=4$ (m)

16 어떤 수를 $\square$라 하면 $\square\times1\frac{1}{5}=\frac{3}{5}$입니다.

$\square=\frac{3}{5}\div1\frac{1}{5}=\frac{3}{5}\div\frac{6}{5}=\frac{\overset{1}{\cancel{3}}}{\underset{1}{\cancel{5}}}\times\frac{\overset{1}{\cancel{5}}}{\underset{2}{\cancel{6}}}=\frac{1}{2}$

➡ $\frac{1}{2}\div1\frac{1}{5}=\frac{1}{2}\div\frac{6}{5}=\frac{1}{2}\times\frac{5}{6}=\frac{5}{12}$

17 가장 큰 수를 나누어지는 수에 넣고, 남는 수로 가장 작은 대분수를 만들어 나누는 수에 넣습니다.

➡ $8\div1\frac{3}{5}=8\div\frac{8}{5}=\overset{1}{\cancel{8}}\times\frac{5}{\underset{1}{\cancel{8}}}=5$

18

채점 기준	❶ 계산이 잘못된 이유 쓰기	3점
	❷ 바르게 계산하기	2점

19

채점 기준	❶ 부어야 하는 물의 양 구하기	2점
	❷ 부어야 하는 횟수 구하기	3점

20

채점 기준	❶ □ 안에 들어갈 수 있는 수의 조건 알아보기	3점
	❷ □ 안에 들어갈 수 있는 수 구하기	2점

2. 소수의 나눗셈

STEP 1 개념 완성하기 036~037쪽

1 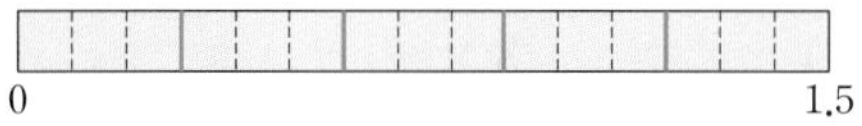 / 5

2 588, 7, 588 / 588, 84 / 84

3 (위에서부터) 10 / 207, 9, 23 / 23

4 $7.2\div0.9=\frac{72}{10}\div\frac{9}{10}=72\div9=8$

5 (1) 4 (2) 7 (3) 12 (4) 5 **6** (1) 3 (2) 8

7 예 방법 1 $10.8\div0.9=\frac{108}{10}\div\frac{9}{10}=108\div9=12$

방법 2
```
      1 2
0.9)1 0.8
      9
      1 8
      1 8
        0
```

8 7 **9** 2.88, 4

5 (3)
```
      1 2
0.3)3.6
    3
      6
      6
      0
```
(4)
```
             5
2.25)1 1.2 5
     1 1 2 5
           0
```

6 (1) $7.5\div2.5=75\div25=3$
(2) $9.12\div1.14=912\div114=8$

8 $0.64<4.48$
➡ $4.48\div0.64=448\div64=7$

9 (털실의 도막 수)
=(털실의 전체 길이)÷(한 도막의 길이)
$=2.88\div0.72=288\div72=4$(도막)

STEP 1 개념 완성하기 038~039쪽

1 (○) **2** (1) 4, 48 (2) 1, 4, 480, 480
( ) **3** (1) 320, 2.2 (2) 32, 2.2

4 (1) 3.1 (2) 4.5 (3) 2.5 (4) 2.8

5 윤수 **6** 2.8 **7** (1) ㉡ (2) ㉠

8 (1) > (2) < **9** 27.38, 7.4

1 주의 소수점을 옮길 때에는 나누는 수와 나누어지는 수의 소수점을 오른쪽으로 똑같이 옮겨야 합니다.

4 (3) $\begin{array}{r} 2.5 \\ 0.5\overline{)1.25} \\ 10 \\ \hline 25 \\ 25 \\ \hline 0 \end{array}$ (4) $\begin{array}{r} 2.8 \\ 1.6\overline{)4.48} \\ 32 \\ \hline 128 \\ 128 \\ \hline 0 \end{array}$

5 • $3.84 \div 0.8 = 38.4 \div 8 = 4.8$
• $3.84 \div 0.8 = 384 \div 80 = 4.8$

6 $3.64 \div 1.3 = 364 \div 130 = 2.8$

7 (1) $8.96 \div 3.2 = 896 \div 320 = 2.8$
(2) $13.68 \div 5.7 = 1368 \div 570 = 2.4$

8 (1) $7.84 \div 1.4 = 5.6$ ➡ $7.84 \div 1.4 > 5$
(2) $22.94 \div 3.7 = 6.2$ ➡ $22.94 \div 3.7 < 7$

9 (걸리는 시간)
=(뿌리려는 물의 양)÷(1분에 뿌리는 물의 양)
$= 27.38 \div 3.7 = 2738 \div 370 = 7.4$(분)

STEP 2 실력 다지기 040~045쪽

01 $1.28 \div 1.6 = 12.8 \div 16 = 0.8$
02 $22.5 \div 2.5$ / 9
03 ❶ $\begin{array}{r} 12 \\ 1.08\overline{)12.96} \\ 108 \\ \hline 216 \\ 216 \\ \hline 0 \end{array}$ ▸2점 / 예 ❷ 1.08과 12.96의 소수점을 각각 오른쪽으로 두 자리 옮겨서 계산했습니다. ▸3점
04 ㉡
05 $2.24 \div 0.4 = \frac{224}{100} \div \frac{40}{100} = 224 \div 40 = 5.6$
06 ❶ $\begin{array}{r} 3.2 \\ 2.8\overline{)8.96} \\ 84 \\ \hline 56 \\ 56 \\ \hline 0 \end{array}$ ▸2점 / 예 ❷ 나누는 수와 나누어지는 수의 소수점을 옮겨서 계산하는 경우 몫의 소수점은 옮긴 소수점의 위치에 찍어야 합니다. ▸3점
07 4.5, 3 **08** 15 **09** ㉡
10 < **11** $0.67\overline{)3.35}$에 ○표
12 괄목상대 **13** $15.3 \div 0.34 = 45$ / 45초
14 1.4배 **15** 5, 60 **16** 8, 9
17 예 ❶ $6.45 \div 2.15 = 645 \div 215 = 3$
$1.47 \div 0.21 = 147 \div 21 = 7$ ▸4점
❷ 3<□<7이므로 □ 안에 들어갈 수 있는 자연수는 4, 5, 6으로 모두 3개입니다. ▸1점 / 3개
18 3.7, 3.8 **19** (1) (위에서부터) 1, 1 (2) 2
20 ㉢ **21** 9 **22** 6
23 예 ❶ 나누는 수를 □라 하면 8.25÷□=2.5입니다. ▸2점
❷ □=8.25÷2.5=82.5÷25=3.3이므로 나누는 수는 3.3입니다. ▸3점 / 3.3
24 ㉡
25 $8.64 \div 3.2 + 1.2 \times 0.9 = 2.7 + 1.2 \times 0.9$
$= 2.7 + 1.08 = 3.78$
26 ㉠ **27** 5.4 m **28** 5 cm
29 6 **30** 3
31 8, 4, 5, 6 / 5.7 **32** 7

02 나누는 수와 나누어지는 수를 각각 10배 하면 225÷25가 되므로 나눗셈식은 22.5÷2.5입니다.
225÷25=9이므로 22.5÷2.5=9입니다.

03

채점 기준	❶ 12.96÷1.08 계산하기	2점
	❷ 계산 방법 쓰기	3점

04 ㉡ 나누는 수와 나누어지는 수의 소수점을 같은 자릿수만큼 옮겨서 계산하면 몫은 3.6입니다.

05 두 소수를 분수로 고칠 때 분모를 같게 고쳐야 하는데 100과 10으로 다르게 고쳐서 잘못되었습니다.

06

채점 기준	❶ 바르게 계산하기	2점
	❷ 잘못 계산한 이유 쓰기	3점

07 $2.25 \div 0.5 = 22.5 \div 5 = 4.5$
$4.5 \div 1.5 = 45 \div 15 = 3$

08 $3.15 > 1.05 > 0.21$
➡ $3.15 \div 0.21 = 315 \div 21 = 15$

09 ㉠ $7.02 \div 1.3 = 702 \div 130 = 5.4$
㉡ $6.75 \div 1.5 = 675 \div 150 = 4.5$
㉢ $9.18 \div 1.7 = 918 \div 170 = 5.4$

10 $28.5 \div 1.9 = 285 \div 19 = 15$
$4.32 \div 0.27 = 432 \div 27 = 16$ ➡ $15 < 16$

11

```
        3          5          4.9
3.7)1 1.1  0.67)3.3 5  0.7)3.4 3
    1 1 1       3 3 5      2 8
        0           0        6 3
                             6 3
                               0
```

➡ $5>4.9>3$

12 $19.2\div2.4=8$, $7.74\div1.8=4.3$, $4.25\div0.5=8.5$, $6.78\div1.13=6$
$4.3<6<8<8.5$이므로 몫이 작은 나눗셈식부터 차례로 글자를 쓰면 '괄목상대'입니다.

13 (15.3 km 떨어진 곳에서 소리가 들릴 때까지 걸리는 시간)$=15.3\div0.34=1530\div34=45$(초)

14 (집~도서관~학교)$=1.8+1.56=3.36$(km)
(집~도서관~학교)÷(집~학교)
$=3.36\div2.4=33.6\div24=1.4$(배)

15
- 1 피트$=30.48$ cm
  ➡ (은수의 키)$=152.4\div30.48=5$(피트)
- 1 인치$=2.54$ cm
  ➡ (은수의 키)$=152.4\div2.54=60$(인치)

16 $9.8\div1.4=98\div14=7$ ➡ $7<\square$
따라서 □ 안에 들어갈 수 있는 자연수는 8, 9입니다.

17

채점 기준		
	❶ $6.45\div2.15$, $1.47\div0.21$ 계산하기	4점
	❷ □ 안에 들어갈 수 있는 자연수의 개수 구하기	1점

18 ㉠ $2.88\div0.8=3.6$ ㉡ $24.18\div6.2=3.9$
따라서 3.6보다 크고 3.9보다 작은 소수 한 자리 수는 3.7, 3.8입니다.

19 (1)

```
       9
0.9)8.㉠
    8 ㉠
       0
```

$9\times9=8$㉠
➡ 8㉠$=81$, ㉠$=1$

(2)

```
        6
1.㉡)7.2
     7 2
       0
```

1㉡$\times6=72$
➡ 1㉡$=12$, ㉡$=2$

20

```
        ㉠3
0.12)1.5㉡
     1 2
       3 6
       ㉢6
         0
```

- $12\times$㉠$=12$ ➡ ㉠$=1$
- 15㉡$-120=36$ ➡ ㉡$=6$
- $12\times3=$㉢6 ➡ ㉢$=3$

따라서 잘못 짝 지어진 것은 ㉢입니다.

21

```
      2.㉠
7.3)1 6.7 ★
    1 4 ㉡
      2 ㉢ ★
      2 ㉢ ★
          0
```

- $73\times2=14$㉡ ➡ ㉡$=6$
- $167-14$㉡$=167-146=2$㉢
  ➡ ㉢$=1$
- $73\times$㉠$=2$㉢★$=21$★
  $73\times2=146$, $73\times3=219$이므로 ㉠$=3$, ★$=9$입니다.

22 $7.24\times\square=43.44$ ➡ $\square=43.44\div7.24=6$

23

채점 기준		
	❶ 나누는 수를 □라 하고 나눗셈식 세우기	2점
	❷ 나누는 수 구하기	3점

24 ㉠ $\square\times1.82=12.74$ ➡ $\square=12.74\div1.82=7$
㉡ $11.68\div\square=1.6$ ➡ $\square=11.68\div1.6=7.3$
따라서 □ 안에 알맞은 수가 더 큰 것은 ㉡입니다.

25 약점 포인트 정답률 75%
혼합 계산식의 계산 순서: ×, ÷ ➡ +, −

먼저 곱셈, 나눗셈을 앞에서부터 차례로 계산한 후 덧셈, 뺄셈을 앞에서부터 차례로 계산합니다.

26 ㉠ $12-8.4\div2.4\times2.1$
$=12-3.5\times2.1=12-7.35=4.65$
㉡ $1.3+9.75\div1.3-4.88$
$=1.3+7.5-4.88=8.8-4.88=3.92$

27 약점 포인트 정답률 70%
삼각형의 넓이 구하는 공식을 이용하거나 삼각형의 밑변의 길이를 □m라 하고 식을 세워 밑변의 길이를 구합니다.

(삼각형의 넓이)=(밑변의 길이)×(높이)÷2
➡ (밑변의 길이)=(삼각형의 넓이)×2÷(높이)
$=11.61\times2\div4.3$
$=23.22\div4.3=5.4$(m)

다른 풀이 삼각형의 밑변의 길이를 □m라 하면
(삼각형의 넓이)$=\square\times4.3\div2=11.61$($m^2$)입니다.
$\square\times4.3=23.22$, $\square=5.4$

28 (직사각형의 넓이)$=4\times3.9=15.6$(cm^2)
➡ (평행사변형의 넓이)$=15.6$ cm^2
(평행사변형의 높이)
=(평행사변형의 넓이)÷(밑변의 길이)
$=15.6\div3.12=5$(cm)

29 약점 포인트 정답률 65%
5.6◆1.12의 값을 구해야 하므로 가에 5.6, 나에 1.12를 넣어 식을 세운 후 계산합니다.

5.6◆1.12$=(5.6+1.12)\div1.12=6.72\div1.12=6$

30 $4.3◎6.45=6.45\div4.3=1.5$
$0.5◎(4.3◎6.45)=0.5◎1.5=1.5\div0.5=3$

31 약점 포인트 정답률 60%

나눗셈식에서 나누어지는 수가 작을수록, 나누는 수가 클수록 몫이 작습니다.
➜ 나누어지는 수에 높은 자리부터 작은 수를 차례로 넣고, 나누는 수에 가장 큰 수를 넣습니다.

```
      5.7
0.8)4.5 6
    4 0
      5 6
      5 6
        0
```

32 $8>4>2>1$이므로
(몫이 가장 큰 나눗셈식)
$=0.84\div0.12=84\div12=7$

STEP 1 개념 완성하기 046~047쪽

1 (1) 48, 240, 48, 5 (2) 5, 240
2 (위에서부터) 10 / 6, 6 / 10
3 (1) $27\div4.5=\frac{270}{10}\div\frac{45}{10}=270\div45=6$
(2) $34\div1.36=\frac{3400}{100}\div\frac{136}{100}=3400\div136=25$
4 (1) 5, 50, 500 (2) 25, 250, 2500
5 (1) 5 (2) 25 (3) 15 (4) 20 **6** (위에서부터) 6, 12
7 예 방법 1 $39\div3.25=\frac{3900}{100}\div\frac{325}{100}$
$=3900\div325=12$

방법 2
```
         1 2
3.25)3 9
     3 2 5
       6 5 0
       6 5 0
           0
```
8 8 **9** 69, 5

5 (3)
```
      1 5
5.4)8 1.0
    5 4
    2 7 0
    2 7 0
        0
```
(4)
```
        2 0
1.45)2 9.0 0
     2 9 0
          0
```

6 $21\div3.5=\frac{210}{10}\div\frac{35}{10}=210\div35=6$
$21\div1.75=\frac{2100}{100}\div\frac{175}{100}=2100\div175=12$

8 $28\div3.5=\frac{280}{10}\div\frac{35}{10}=280\div35=8$

STEP 1 개념 완성하기 048~049쪽

1
```
   0.6 6 6
3)2
  1 8
    2 0
    1 8
      2 0
      1 8
        2
```
2 (1) 1 (2) 0.7 (3) 0.67
3 0.2 / 5, 0.2
4 은희

5 (1)
```
   0.7 7
9)7
  6 3
    7 0
    6 3
      7
```
/ 0.8 (2)
```
    1.7 5
7)1 2.3
  7
  5 3
  4 9
    4 0
    3 5
      5
```
/ 1.8

6 (1) 1.71 (2) 3.78 **7** 2.1, 2.08, 2.078
8 ㉡ **9** 7, 1.4 / 7, 1.4

4 남는 양의 소수점은 나누어지는 수의 소수점의 위치와 같은 자리에 찍어야 합니다.
따라서 남는 리본의 길이는 1.6 m입니다.

5 (1) $7\div9=0.77\cdots\cdots$ ➜ 0.8
(2) $12.3\div7=1.75\cdots\cdots$ ➜ 1.8
참고 몫을 반올림하여 소수 첫째 자리까지 나타내어야 하므로 몫을 소수 둘째 자리까지 구합니다.

6 (1) $1.2\div0.7=12\div7=1.714\cdots\cdots$ ➜ 1.71
(2) $34\div9=3.777\cdots\cdots$ ➜ 3.78

8 ㉠ $20\div3=6.6\cdots\cdots$ ➜ 7
㉡ $33.7\div6=5.6\cdots\cdots$ ➜ 6

9
```
    7   ← 나누어 줄 수 있는 사람 수
4)2 9.4
  2 8
    1.4 ← 남는 끈의 길이
```

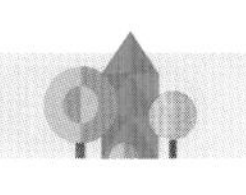

STEP 2 실력 다지기 050~053쪽

01
$$\begin{array}{r} 25 \\ 3.8\overline{)\,95} \\ \underline{76} \\ 190 \\ \underline{190} \\ 0 \end{array}$$

02 25, 4　**03** 15, 8, 16
04 연정　**05** ㉡, ㉠, ㉢
06 14
07 38÷9.5=4 / 4배

08 예 방법 1 ❶ (필요한 휘발유의 양)

$=90\div11.25=\dfrac{9000}{100}\div\dfrac{1125}{100}$

$=9000\div1125=8$(L) ▸2점

방법 2 ❷ (필요한 휘발유의 양)$=90\div11.25$

➡
$$\begin{array}{r} 8 \\ 11.25\overline{)\,90} \\ \underline{9000} \\ 0 \end{array}$$

따라서 필요한 휘발유는 8 L입니다. ▸3점

09 50개　**10** 경훈　**11** <

12 1.57 km　**13**
$$\begin{array}{r} 4 \\ 6\overline{)\,27.6} \\ \underline{24} \\ 3.6 \end{array}$$
/ 4, 3.6

14 예 방법 1 ❶ 9.6−2−2−2−2=1.6이므로 상자를 4개 포장할 수 있고, 포장지는 1.6 m^2 남습니다. ▸2점

방법 2 ❷
$$\begin{array}{r} 4 \\ 2\overline{)\,9.6} \\ \underline{8} \\ 1.6 \end{array}$$
➡ 상자를 4개 포장할 수 있고, 포장지는 1.6 m^2 남습니다. ▸3점

15 주희　**16** (1) 18000원, 15000원 (2) 나 가게

17 ❶ 8333원, 7600원, 7143원 ▸3점
예 ❷ 주스의 양이 많을수록 1 L의 가격이 저렴해집니다. ▸2점

18 71.8 kg　**19** 5명, 1.2 kg
20 6　**21** 38÷11

01 소수점을 옮겨서 계산하는 경우 몫의 소수점은 옮긴 소수점의 위치에 찍어야 합니다.
$$\begin{array}{r} 25 \\ 3.8\overline{)\,95.0} \\ \underline{76} \\ 190 \\ \underline{190} \\ 0 \end{array}$$

02 10÷0.4=100÷4=25
25÷6.25=2500÷625=4
참고 나누는 수가 자연수가 되도록 소수점을 옮겨서 계산합니다.

03

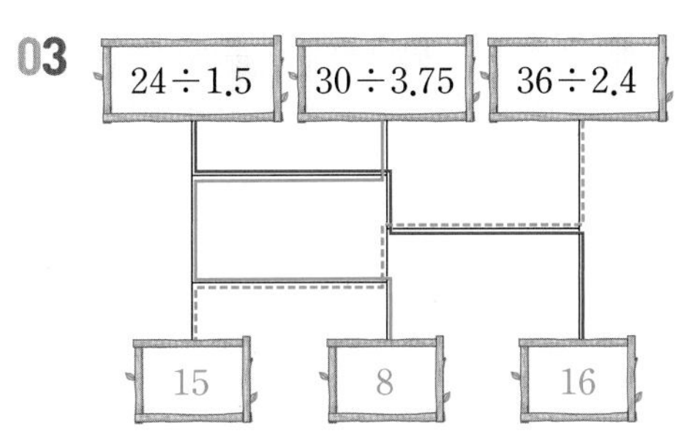

24÷1.5=240÷15=16
30÷3.75=3000÷375=8
36÷2.4=360÷24=15

04 연정: 36÷4.5=360÷45=8
민규: 13÷2.6=130÷26=5 ➡ 8>5

05 ㉠ 19÷3.8=190÷38=5
㉡ 11÷2.75=1100÷275=4
㉢ 42÷5.25=4200÷525=8
➡ ㉡ 4<㉠ 5<㉢ 8

06 9÷1.5=90÷15=6, 10÷0.5=100÷5=20, 36÷2.25=3600÷225=16
➡ 20>16>6 ➡ 20−6=14

07 (민재의 몸무게)÷(동생의 몸무게)
=38÷9.5=380÷95=4(배)

08

채점 기준		
	❶ 90 km를 가는 데 필요한 휘발유의 양 구하기	2점
	❷ ❶과 다른 방법으로 90 km를 가는 데 필요한 휘발유의 양 구하기	3점

09 (반지 한 개를 만드는 데 필요한 금의 무게)
=3.75×1.2=4.5(g)
(금 225 g으로 만들 수 있는 반지의 수)
=225÷4.5=50(개)
다른 풀이 금 한 돈이 3.75 g이므로 금 225 g은 225÷3.75=60(돈)입니다.
(만들 수 있는 반지의 수)=60÷1.2=50(개)

10 경훈: 15.2÷3=5.066…… ➡ 5.07
민정: 18.4÷7=2.628…… ➡ 2.63
따라서 바르게 나타낸 사람은 경훈입니다.

11 2.6÷0.6=4.33…… ➡ 4.3
따라서 2.6÷0.6의 몫을 반올림하여 소수 첫째 자리까지 나타낸 수는 2.6÷0.6의 몫보다 작습니다.

12 (한 시간 동안 걷는 평균 거리)
=(전체 거리)÷(걸리는 시간)
=4.7÷3=1.566…… ➡ 1.57 km

13 담을 수 있는 병 수를 구해야 하므로 몫을 자연수까지 구해야 합니다.

14

채점 기준		
	❶ 포장할 수 있는 상자 수와 남는 포장지의 넓이 구하기	2점
	❷ ❶과 다른 방법으로 포장할 수 있는 상자 수와 남는 포장지의 넓이 구하기	3점

15 주희: $4\overline{)12.7}$, 몫 3, 12, 나머지 0.7 　 윤호: $3\overline{)15.2}$, 몫 5, 15, 나머지 0.2

0.7 m > 0.2 m이므로 남는 리본의 길이가 더 긴 사람은 주희입니다.

16 (1) (가 가게의 삼겹살 1 kg의 가격)
=1800÷0.1=18000(원)
(나 가게의 삼겹살 1 kg의 가격)
=2250÷0.15=15000(원)
(2) 18000>15000이므로 나 가게에서 사는 것이 더 저렴합니다.

17

채점 기준		
	❶ 주스 1L의 가격을 구하여 표 완성하기	3점
	❷ 주스 양에 따라 1L의 가격이 어떻게 변하는지 쓰기	2점

18 약점 포인트 　 정답률 70%

(처음에 있던 쌀의 무게)
=(14모둠에게 나누어 준 쌀의 무게)+(남은 쌀의 무게)

(14모둠에게 나누어 준 쌀의 무게)=5×14=70(kg)
➡ (처음에 있던 쌀의 무게)=70+1.8=71.8(kg)

19 (7명에게 나누어 준 감자의 무게)=2×7=14(kg)
➡ (상자에 들어 있는 감자의 무게)=14+2.2
=16.2(kg)
이 감자를 한 사람에게 3 kg씩 나누어 주면
$16.2\underbrace{-3-3-3-3-3}_{5번}=1.2$(kg)이므로
나누어 줄 수 있는 사람은 5명이고,
남는 감자는 1.2 kg입니다.

20 약점 포인트 　 정답률 60%

몫의 소수점 아래 숫자에서 반복되는 숫자의 규칙을 찾아 몫의 ■째 자리 숫자를 구합니다.

6.8÷0.3=68÷3=22.666……
몫의 소수 첫째 자리부터 숫자 6이 반복되므로 몫의 소수 일곱째 자리 숫자는 6입니다.

21 • 38÷11=3.454545……
몫의 소수점 아래 반복되는 숫자: 4, 5(2개)
35÷2=17…1 ➡ 몫의 소수 35째 자리 숫자: 4
• 40÷27=1.481481……
몫의 소수점 아래 반복되는 숫자: 4, 8, 1(3개)
35÷3=11…2 ➡ 몫의 소수 35째 자리 숫자: 8
따라서 몫의 소수 35째 자리 숫자가 4인 식은 38÷11입니다.

STEP 3 서술형 해결하기 　 054~057쪽

01 ❶ 60, 0.5, 6.5 ▸2점
❷ 1.3, 6.5, 0.2 ▸3점
/ 0.2 km

02 예 ❶ 1시간 30분=1시간+0.5시간=1.5시간
(1시간 동안 달린 거리)
=108.75÷1.5=72.5(km) ▸3점
❷ (4시간 동안 갈 수 있는 거리)
=72.5×4=290(km) ▸2점
/ 290 km

03 예 ❶ 5분 45초=5분+0.75분=5.75분
(1분 동안 달린 거리)
=1.84÷5.75=0.32(km) ▸3점
❷ (8분 동안 갈 수 있는 거리)
=0.32×8=2.56(km) ▸2점
/ 2.56 km

04 ❶ 45, 2.25, 45, 2.25, 20 ▸3점
❷ 같습니다, 20 ▸2점
/ 20개

05 예 ❶ 도로의 길이는 10.8 km이고, 0.24 km 간격으로 가로등을 세우므로
(가로등과 가로등 사이의 간격 수)
=10.8÷0.24=45(군데) ▸3점
❷ 도로의 처음과 끝에 모두 가로등을 세우므로 필요한 가로등 수는 가로등과 가로등 사이의 간격 수보다 1 큽니다.
(필요한 가로등 수)=45+1=46(개) ▸2점
/ 46개

06 예 ❶ 산책로의 길이는 339.2 m이고, 6.4 m 간격으로 나무를 심으므로
(나무와 나무 사이의 간격 수)
=339.2÷6.4=53(군데) ▸3점

❷ 산책로의 처음과 끝에 모두 나무를 심으므로 필요한 나무 수는 나무와 나무 사이의 간격 수보다 1 큽니다.
(필요한 나무 수)=53+1=54(그루) ▸2점
/ 54그루

07 ❶ 3.1, 46.5, 46.5÷3.1=15 ▸3점
❷ 15, 1.66, 1.7 ▸2점
/ 1.7

08 예 ❶ 어떤 수를 □라 하면 □×4.1=50.43입니다.
➡ □=50.43÷4.1=12.3 ▸3점
❷ (바르게 계산했을 때의 몫)=12.3÷4.1=3 ▸2점
/ 3

09 예 ❶ 어떤 수를 □라 하면 □×1.8=10.53입니다.
➡ □=10.53÷1.8=5.85 ▸3점
❷ (바르게 계산했을 때의 몫)=5.85÷1.8=3.25 ▸2점 / 3.25

10 ❶ 0.4, 0.4, 84÷0.4=210, 210 ▸3점
❷ 210−84=126(명) ▸2점
/ 126명

11 예 ❶ 100−24−52=24이므로
상자 안에 들어 있는 노란색 공은 전체의 24 %입니다. ▸2점
❷ 24 %=0.24이므로
상자 안에 들어 있는 전체 공 수를 □개라 하면
(노란색 공 수)=□×0.24=96(개),
□=96÷0.24=400
따라서 상자 안에 들어 있는 공은 모두 400개입니다. ▸3점 / 400개

12 예 ❶ 100−35−20=45이므로
학급문고에 있는 과학책은 전체의 45 %입니다. ▸2점
❷ 45 %=0.45이므로
학급문고의 전체 책 수를 □권이라 하면
(과학책 수)=□×0.45=108(권),
□=108÷0.45=240
따라서 학급문고의 책은 모두 240권입니다. ▸3점
/ 240권

01

채점 기준		
	❶ 6분 30초는 몇 분인지 소수로 나타내기	2점
	❷ 1분 동안 달린 거리 구하기	3점

참고 1분=60초임을 이용하여 걸린 시간을 분 단위로 나타냅니다.

02

채점 기준		
	❶ 버스가 1시간 동안 달린 거리 구하기	3점
	❷ 버스가 4시간 동안 갈 수 있는 거리 구하기	2점

03

채점 기준		
	❶ 선민이가 자전거를 타고 1분 동안 달린 거리 구하기	3점
	❷ 선민이가 자전거를 타고 8분 동안 갈 수 있는 거리 구하기	2점

04

채점 기준		
	❶ 말뚝과 말뚝 사이의 간격 수 구하기	3점
	❷ 필요한 말뚝 수 구하기	2점

05

채점 기준		
	❶ 가로등과 가로등 사이의 간격 수 구하기	3점
	❷ 필요한 가로등 수 구하기	2점

참고 (필요한 가로등 수)=(가로등과 가로등 사이의 간격 수)+1

06

채점 기준		
	❶ 나무와 나무 사이의 간격 수 구하기	3점
	❷ 필요한 나무 수 구하기	2점

07

채점 기준		
	❶ ■ 구하기	3점
	❷ ■를 9로 나눈 몫을 반올림하여 소수 첫째 자리까지 나타내기	2점

08

채점 기준		
	❶ 어떤 수 구하기	3점
	❷ 바르게 계산했을 때의 몫 구하기	2점

09

채점 기준		
	❶ 어떤 수 구하기	3점
	❷ 바르게 계산했을 때의 몫 구하기	2점

10

채점 기준		
	❶ 전체 학생 수 구하기	3점
	❷ 여학생 수 구하기	2점

11

채점 기준		
	❶ 노란색 공의 비율 구하기	2점
	❷ 상자 안에 들어 있는 전체 공 수 구하기	3점

12

채점 기준		
	❶ 과학책의 비율 구하기	2점
	❷ 학급문고의 전체 책 수 구하기	3점

단원 마무리 058~060쪽

01 (위에서부터) 10 / 14, 2, 7 / 7 **02** 150, 2.7
03 $21.6\div2.7=\frac{216}{10}\div\frac{27}{10}=216\div27=8$
04 1.5, 1.52, 1.517 **05** (1) 7 (2) 2.1 **06** 6
07 4, 40, 400 **08** 28.56 **09** 4, 25
10 > **11** 75÷37.5=2 / 2배
12 6.2 **13** 6, 7, 8 **14** 나 가게
15 4 cm **16** 6명 / 0.02 L **17** 0
18 ❶
```
        7
2.12)14.84
     1484
        0
```
▸2점 / 예 ❷ 2.12와 14.84의 소수점을 각각 오른쪽으로 두 자리 옮겨서 계산했습니다. ▸3점

19 예 ❶ (한 시간 동안 내린 평균 비의 양)
$=$(내린 비의 양)$\div$(시간)
$=47\div11=4.27\cdots\cdots$ ▸3점
❷ 4.27……을 반올림하여 소수 첫째 자리까지 나타내면 4.3이므로 한 시간 동안 내린 평균 비의 양은 4.3 mm입니다. ▸2점 / 4.3 mm

20 예 ❶ 어떤 수를 □라 하면 $\square\times2.5=8.75$입니다.
➡ $\square=8.75\div2.5=87.5\div25=3.5$ ▸3점
❷ (바르게 계산했을 때의 몫)
$=3.5\div2.5=1.4$ ▸2점 / 1.4

01 1.4를 10배 한 수는 14, 0.2를 10배 한 수는 2이므로 $1.4\div0.2$의 몫은 $14\div2$의 몫과 같습니다.
➡ $1.4\div0.2=14\div2=7$

02 나누어지는 수 4.05에 100을 곱했으므로 나누는 수 1.5에 100을 곱하여 계산합니다.
중요 나누어지는 수와 나누는 수에 항상 같은 수를 곱하여 계산합니다.

03 나누는 수와 나누어지는 수를 각각 분모가 10인 분수로 바꾸어 계산합니다.

04 $9.1\div6=1.5166\cdots\cdots$
• 소수 첫째 자리까지 나타내기:
$9.1\div6=1.51\cdots\cdots$ ➡ 1.5
• 소수 둘째 자리까지 나타내기:
$9.1\div6=1.516\cdots\cdots$ ➡ 1.52
• 소수 셋째 자리까지 나타내기:
$9.1\div6=1.5166\cdots\cdots$ ➡ 1.517

05 (1)
```
      7
1.3)9.1
    9 1
      0
```
(2)
```
      2.1
4.3)9.0 3
    8 6
      4 3
      4 3
        0
```

06 $1.62<9.72$
➡ (큰 수)$\div$(작은 수)$=9.72\div1.62$
$=972\div162=6$

07 나누어지는 수가 같을 때 나누는 수가 $\frac{1}{10}$배, $\frac{1}{100}$배가 되면 몫은 10배, 100배가 됩니다.

08 $25.7\div0.9=257\div9=28.555\cdots\cdots$ ➡ 28.56

09 $18\div4.5=4$, $4\div0.16=25$

10 $5.25\div0.7=52.5\div7=7.5$
$8.64\div1.2=86.4\div12=7.2$ ➡ $7.5>7.2$

11 (아버지의 몸무게)$\div$(민호의 몸무게)
$=75\div37.5=750\div375=2$(배)

12 $11.16\div\square=1.8$ ➡ $11.16\div1.8=\square$, $\square=6.2$

13 $19.25\div3.85=5$, $10.08\div1.2=8.4$이므로 $5<\square<8.4$입니다.
따라서 □ 안에 들어갈 수 있는 자연수는 6, 7, 8입니다.

14 (가 가게의 쌀 1 kg의 가격)$=15750\div4.5$
$=3500$(원)
(나 가게의 쌀 1 kg의 가격)$=11900\div3.5$
$=3400$(원)
$3500>3400$이므로 나 가게에서 쌀을 사는 것이 더 저렴합니다.

15 마름모의 다른 대각선의 길이를 □ cm라 하면
(마름모의 넓이)$=5.24\times\square\div2=10.48(cm^2)$,
$5.24\times\square=20.96$, $\square=20.96\div5.24=4$
따라서 마름모의 다른 대각선의 길이는 4 cm입니다.

16 (4명에게 나누어 준 주스의 양)$=0.2\times4=0.8$(L)
➡ (병에 들어 있는 주스의 양)$=0.8+0.12$
$=0.92$(L)
주스를 한 사람에게 0.15 L씩 나누어 주면
$0.92\underbrace{-0.15-0.15-0.15-0.15-0.15-0.15}_{6번}$
$=0.02$(L)이므로
6명에게 나누어 줄 수 있고, 주스는 0.02 L 남습니다.

17 $25.4\div1.1=254\div11=23.090909\cdots\cdots$
몫의 소수 첫째 자리부터 숫자 0과 9가 반복되므로 몫의 소수 아홉째 자리 숫자는 0입니다.
참고 나눗셈식을 계산할 때 반복되는 계산 과정이 나올 때까지 몫의 소수점 아래 숫자를 구한 후 규칙을 찾습니다.

18

채점 기준		
	❶ $14.84\div2.12$ 계산하기	2점
	❷ 계산 방법 쓰기	3점

19

채점 기준		
	❶ 나눗셈식을 세워 몫을 소수 둘째 자리까지 구하기	3점
	❷ 한 시간 동안 내린 평균 비의 양은 몇 mm인지 반올림하여 소수 첫째 자리까지 나타내기	2점

20

채점 기준		
	❶ 어떤 수 구하기	3점
	❷ 바르게 계산했을 때의 몫 구하기	2점

3. 공간과 입체

STEP 1 개념 완성하기 064~065쪽

1 (1) ㉯ (2) ㉮ (3) ㉰ (4) ㉱ **2** ( )(×)
3 다 **4** (1) ㉢ (2) ㉡ (3) ㉠
5 준호, 서희 **6** 7개 **7** 나

3 다: 어느 방향에서 보아도 초록색 공, 빨간색 공, 파란색 공으로 보이는 경우는 없습니다.

5 준호: 왼쪽은 보라색, 가운데는 노란색, 오른쪽은 초록색이 보입니다.
서희: 왼쪽은 노란색, 가운데는 초록색, 오른쪽은 파란색이 보입니다.
성호: 왼쪽은 파란색, 가운데는 보라색, 오른쪽은 노란색이 보입니다.

6 쌓은 모양과 위에서 본 모양에서 뒤에 보이지 않는 쌓기나무는 없습니다.
➜ (쌓기나무의 개수)=7개

7 윗면에서 빨간색 선이 각 변의 가운데에서 시작하여 한 점에서 만나므로 위에서 본 모양은 나입니다.

STEP 1 개념 완성하기 066~067쪽

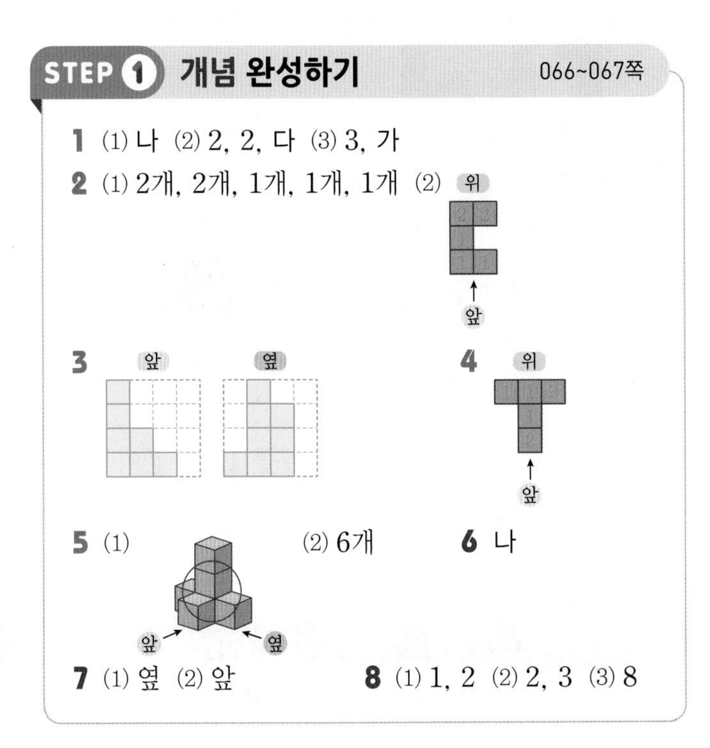

1 (1) 나 (2) 2, 2, 다 (3) 3, 가
2 (1) 2개, 2개, 1개, 1개, 1개 (2)
위
앞
3
앞
옆
4
위
앞
5 (1)
앞
옆
(2) 6개
6 나
7 (1) 옆 (2) 앞
8 (1) 1, 2 (2) 2, 3 (3) 8

4 ㉠㉡㉢ ㉣ ㉤
㉠ 1층 ➜ 1개 ㉡ 1층 ➜ 1개
㉢ 3층 ➜ 3개 ㉣ 1층 ➜ 1개
㉤ 2층 ➜ 2개

7 (1) 옆에서 보면 각 줄에서 가장 높은 층은 3층, 3층, 2층입니다.
(2) 앞에서 보면 각 줄에서 가장 높은 층은 1층, 3층, 3층입니다.

8 (1) 앞에서 보면 2층, 3층, 1층으로 보이므로 쌓기나무가 ②에는 1개, ③에는 2개 쌓여 있습니다.
(2) 옆에서 보면 3층, 2층으로 보이므로 쌓기나무가 ①에는 2개, ④에는 3개 쌓여 있습니다.
(3) (필요한 쌓기나무의 개수)
$=2+1+2+3=8$(개)

STEP 1 개념 완성하기 068~069쪽

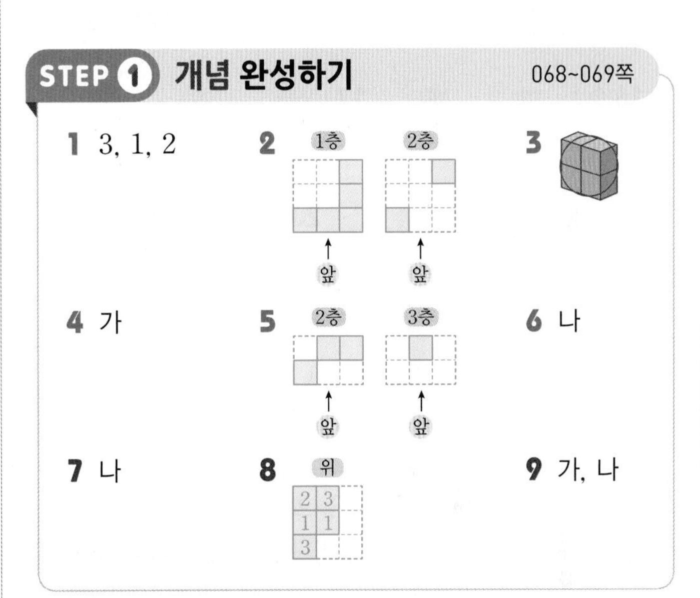

4 가

7 쌓기나무가 1층에 5개, 2층에 4개, 3층에 2개 쌓인 모양입니다. 따라서 쌓은 모양을 찾으면 나입니다.

8 위에서 본 모양은 1층 모양과 같습니다.
1층, 2층, 3층 모양에서 각 자리에 색칠된 칸 수를 세어 봅니다.

9 가→ ←나

STEP 2 실력 다지기 070~075쪽

01 나 **02** 다
03 예 1번 카메라에서 찍으면 얼굴 정면이 나옵니다. 주어진 장면은 얼굴의 옆모습이 보이고 앞으로 뻗은 손이 오른쪽을 가리키므로 4번 카메라에서 찍은 것입니다. ▸5점

04 18개 **05** 13개 **06** 가
07 (1) ㉢ (2) ㉠ **08** 가, 라
09
10 가, 다 **11** 가, 다
12 예)
13 8가지 **14**
15
16 3 / **17**
18 8개 **19** **20** 2개 **21** 라, 나
22 ❶

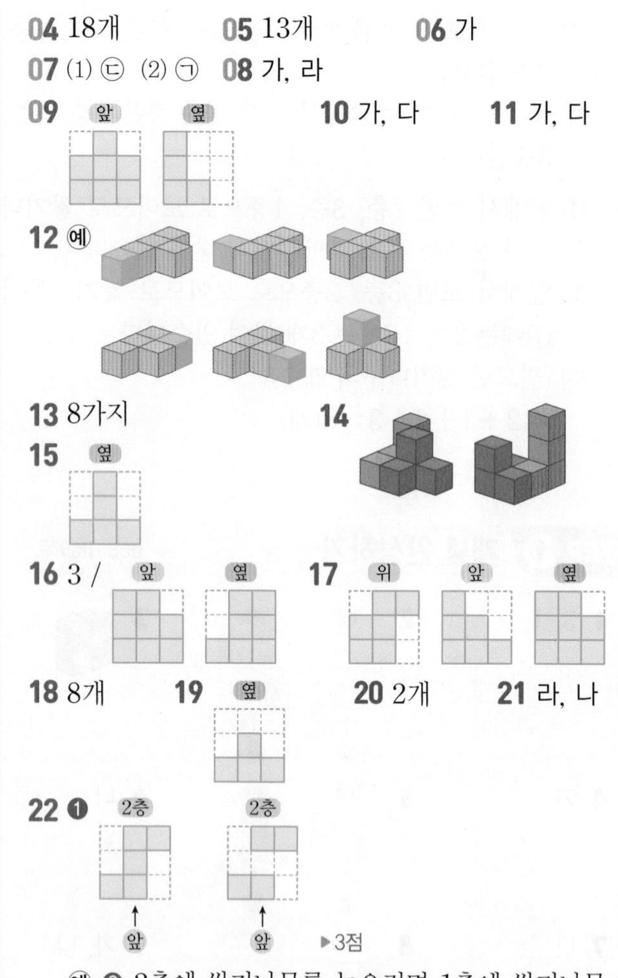

▸3점

예) ❷ 2층에 쌓기나무를 놓으려면 1층에 쌓기나무가 있어야 하고, 3층에 쌓기나무를 놓으려면 2층에 쌓기나무가 있어야 합니다. 따라서 2층은 1층에 쌓인 쌓기나무의 위치에 그리고, 3층에 쌓인 쌓기나무의 위치가 모두 포함되도록 그립니다. ▸2점

23 나, 바 **24** 가
25 **26** 2가지
27 또는
28 예) 가 나
29 7개, 9개 **30** 9개

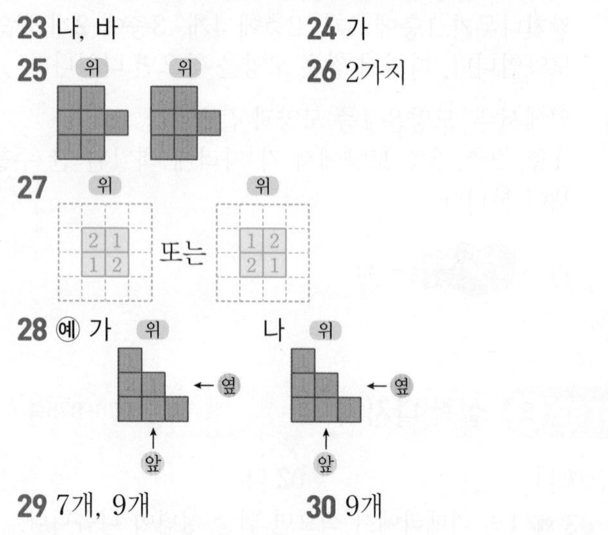

03

채점 기준	틀린 이유 쓰기	5점

04 쌓은 모양과 위에서 본 모양에서 쌓은 모양의 뒤에 보이지 않는 블록은 없습니다.
➡ (블록의 개수)=18개

05 1층: 6개, 2층: 4개, 3층: 3개
➡ (쌓기나무의 개수)=6+4+3=13(개)

07 (2) 층별로 나타낸 모양을 위에서 본 모양에 수를 쓰는 방법으로 나타내면 오른쪽과 같습니다.

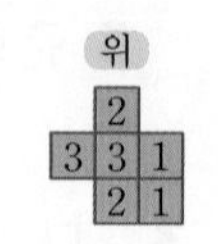

08 나 다

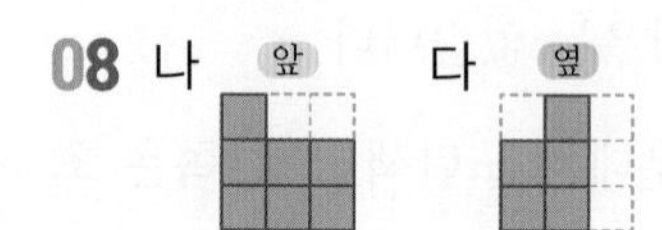

09 쌓기나무 9개로 쌓은 모양이고, 보이는 쌓기나무는 8개이므로 위에서 본 모양의 ㉠에 쌓기나무가 1개 쌓여 있습니다.
➡ 앞에서 보면 2층, 3층, 2층으로 보이고, 옆에서 보면 3층, 1층으로 보입니다.

10 가 나 다

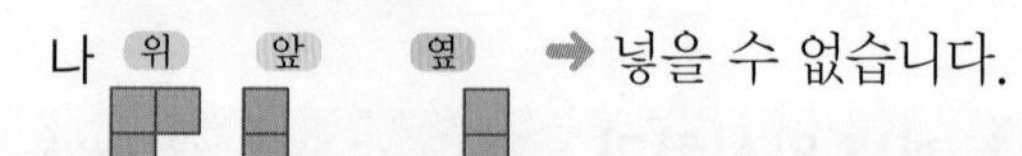

➡ 옆에서 본 모양이 서로 같은 것은 가와 다입니다.

11 가 ➡ 위와 옆으로 본 방향으로 넣을 수 있습니다.
나 ➡ 넣을 수 없습니다.

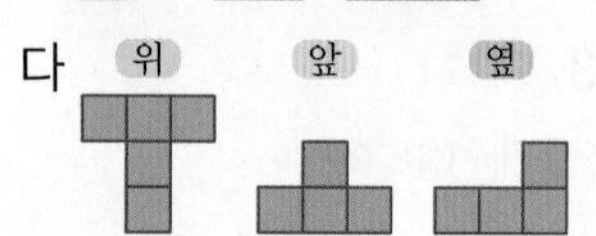

다 ➡ 앞으로 본 방향으로 넣을 수 있습니다.

12

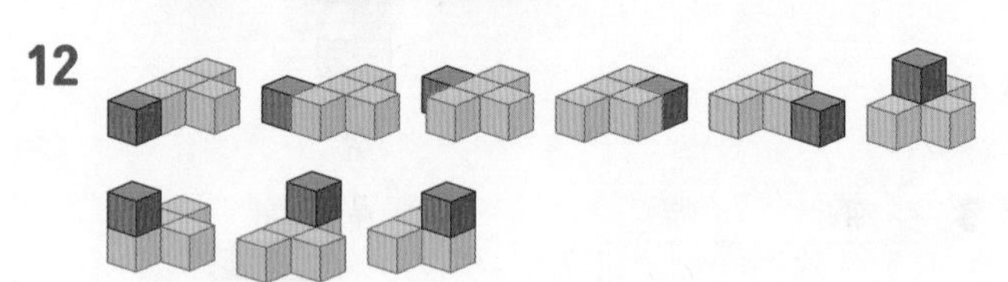

13 모양에 쌓기나무를 1개씩 붙여 가며 모양을 만들어 봅니다.

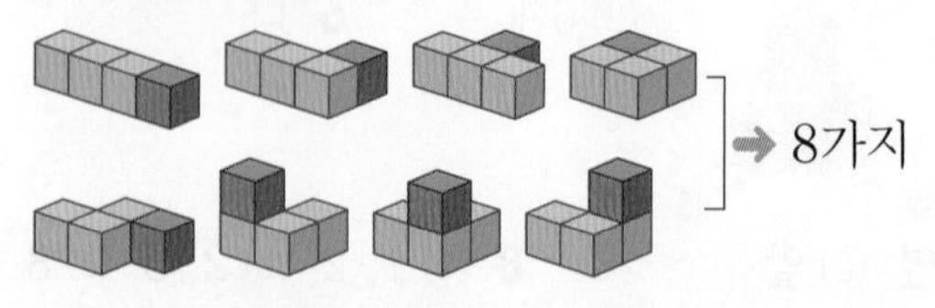

➡ 8가지

15 위에서 본 모양에서 ㉠과 ㉡에 쌓인 쌓기나무는 각각 1개입니다.
따라서 쌓은 모양을 옆에서 보면 1층, 3층, 1층으로 보입니다.

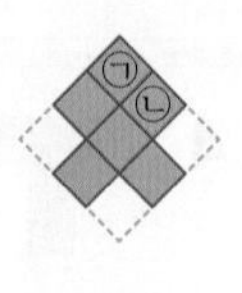

16 쌓기나무 12개로 쌓은 모양이므로
(위에서 본 모양의 빈 곳에 알맞은 수)
$=12-3-1-2-2-1=3$
따라서 앞에서 보면 3층, 3층, 2층으로 보이고, 옆에서 보면 1층, 3층, 3층으로 보입니다.

17 위에서 본 모양은 1층 모양과 같습니다. 위에서 본 모양에 쌓은 쌓기나무의 개수를 쓰면 오른쪽과 같습니다.

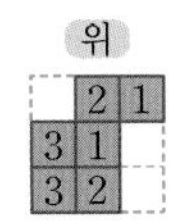

➡ 앞에서 보면 3층, 2층, 1층으로 보이고, 옆에서 보면 3층, 3층, 2층으로 보입니다.

18 앞에서 보면 1층, 3층, 1층으로 보이므로 ㉡, ㉣, ㉥에 쌓인 쌓기나무는 각각 1개입니다. 옆에서 보면 1층, 3층, 1층으로 보이므로 ㉤에 쌓인 쌓기나무는 1개, ㉢에 쌓인 쌓기나무는 3개, ㉠에 쌓인 쌓기나무는 1개입니다.
➡ (필요한 쌓기나무의 개수)
$=1+1+3+1+1+1=8$(개)

19 앞에서 보면 1층, 1층, 2층으로 보이므로 ㉠, ㉡, ㉢, ㉤에 쌓인 쌓기나무는 각각 1개이고, ㉣에 쌓인 쌓기나무는 2개입니다.

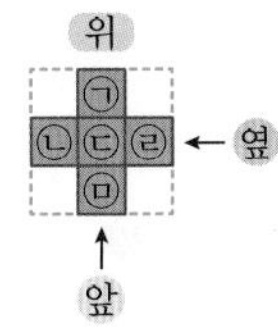

따라서 옆에서 보면 1층, 2층, 1층으로 보입니다.

20 앞에서 보면 3층, 3층으로 보이므로 ㉡에 쌓인 쌓기나무는 3개입니다.
옆에서 보면 3층, 3층, 1층으로 보이므로 ㉢에 쌓인 쌓기나무는 3개, ㉠에 쌓인 쌓기나무는 1개입니다.

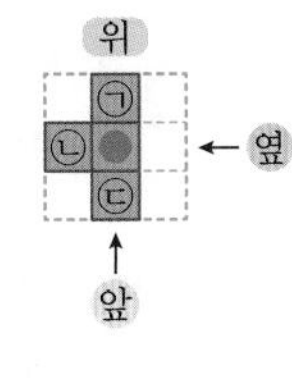

쌓기나무 9개로 쌓은 모양이므로
(●에 쌓인 쌓기나무의 개수)
$=9-1-3-3=2$(개)

21 2층과 3층에 쌓을 때는 1층에 쌓은 위치에 쌓아야 하므로 2층과 3층으로 알맞은 모양은 나, 라입니다.
3층에 쌓을 때는 2층에 쌓은 위치에 쌓아야 하므로 2층으로 알맞은 모양은 라, 3층으로 알맞은 모양은 나입니다.
참고 가, 다: 1층에 쌓은 위치와 비교해 보면 2층 또는 3층 모양으로 알맞지 않습니다.

22

채점 기준		
	❶ 2층의 모양으로 가능한 경우 모두 그리기	3점
	❷ 그린 방법 쓰기	2점

23 약점 포인트 정답률 75%

① 준영이와 윤진이가 찍은 사진에서 찾을 수 있는 건물 또는 장소 알아보기
② 전체 그림에서 ①에서 찾은 것을 본 방향 알아보기
③ 준영이와 윤진이의 위치 찾기

- 준영: 정면에서 큰 건물이 보이므로 나 위치에서 찍은 사진입니다.
- 윤진: 유람선과 강 건너편에 공원이 보이므로 바 위치에서 찍은 사진입니다.

24 정면에 아파트가 보이는 위치는 가, 나, 다입니다.
가, 나, 다 중 오른쪽에 농구장이 보이는 위치는 가입니다.

25 약점 포인트 정답률 70%

쌓은 모양에서 보이지 않는 쌓기나무의 앞쪽에 쌓기나무가 3개, 3개, 2개 쌓여 있으므로 보이지 않는 쌓기나무는 1개 또는 2개입니다.

위에서 본 모양에서 ㉠과 ㉡에 보이지 않는 쌓기나무가 있습니다.
쌓기나무가 ㉡에는 1개, ㉠에는 1개 또는 2개 쌓여 있습니다.

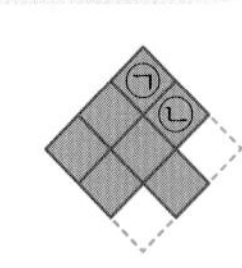

26 앞에서 보면 2층, 2층, 1층으로 보이므로 ㉢에 쌓인 쌓기나무는 2개이고, ㉡, ㉤에 쌓인 쌓기나무는 각각 1개입니다.

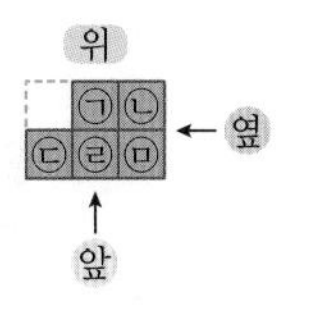

옆에서 보면 2층, 2층으로 보이므로 ㉠에 쌓인 쌓기나무는 2개이고, ㉣에 쌓인 쌓기나무는 1개 또는 2개입니다.
따라서 다음과 같은 모양이 나올 수 있습니다.

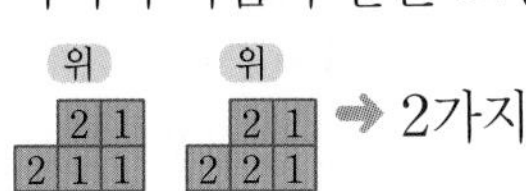

➡ 2가지

27 약점 포인트 정답률 65%

쌓기나무 6개로 쌓은 모양이고, 1층에 쌓인 쌓기나무는 4개이므로 2층에 쌓인 쌓기나무는 2개입니다. 2층에 쌓기나무 2개를 여러 가지 방법으로 놓으면서 조건을 만족하는 모양을 알아봅니다.

1층에 쌓기나무가 4개 쌓여 있고, 위에서 본 모양은 정사각형이므로 위에서 본 모양은 오른쪽과 같습니다.

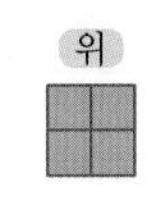

2층으로 쌓은 모양이고, 앞에서 본 모양과 옆에서 본 모양이 서로 같으므로 쌓은 모양은 (2 1 / 1 2) 또는 (1 2 / 2 1)입니다.

진도북 3 단원

28 1층에 쌓은 모양은 위에서 본 모양과 같으므로 1층에 쌓인 쌓기나무는 6개입니다.

➡ (2층의 쌓기나무의 개수)$=8-6=2$(개)

앞에서 본 모양이 서로 같고, 옆에서 본 모양이 서로 같아야 하므로 가는 ㉡과 ㉤에 2층, 나는 ㉢과 ㉣에 2층으로 쌓아야 합니다. (㉠ 또는 ㉥에 2층으로 쌓으면 조건을 만족하지 않습니다.)

조건을 모두 만족하는 경우: 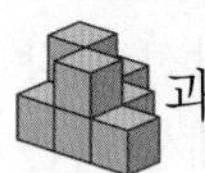 과 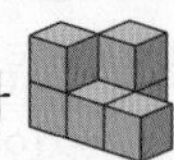

29 약점 포인트 정답률 60%

보이지 않는 쌓기나무 앞쪽에 쌓인 쌓기나무가 ■개일 때 보이지 않는 쌓기나무는 1개, 2개, ……, (■-1)개 있을 수 있습니다.

가장 적은 경우: 위 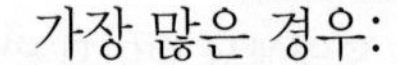 가장 많은 경우: 위 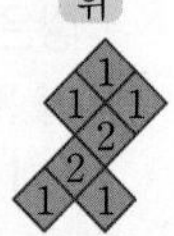

• 가장 적은 경우: $1+2+2+1+1=7$(개)

• 가장 많은 경우: $1+1+1+2+2+1+1=9$(개)

30 쌓기나무가 가장 많은 경우이므로 오른쪽과 같이 위에서 본 모양에서 색칠한 자리에 쌓기나무를 최대한 많이 쌓습니다.

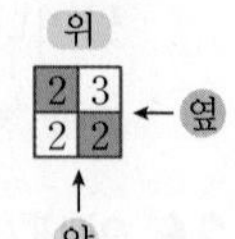

➡ 가장 많은 경우: $2+3+2+2=9$(개)

STEP 3 서술형 해결하기 076~077쪽

01 ❶ 없습니다, 8, 있습니다, 9 ▸4점 / ❷ 나 ▸1점 / 나

02 예 ❶ 가: 1층은 6개, 2층은 2개, 3층은 1개 사용하였으므로 (쌓기나무의 개수)$=6+2+1=9$(개)

나: 1층은 4개, 2층은 3개, 3층은 3개 사용하였으므로 (쌓기나무의 개수)$=4+3+3=10$(개) ▸4점

❷ 따라서 사용한 쌓기나무가 더 많은 것은 나입니다. ▸1점 / 나

03 예 ❶ 가: 앞에서 본 모양에서 ㉣은 2개, ㉠, ㉡, ㉤은 각각 1개, ㉢은 3개 쌓여 있습니다. ➡ $1+1+3+2+1=8$(개)

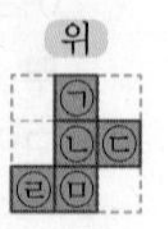

나: 앞에서 본 모양에서 ㉠, ㉡은 각각 1개, ㉢은 2개 쌓여 있습니다. 옆에서 본 모양에서 ㉣은 3개, ㉤은 2개 쌓여 있습니다. ➡ $1+1+2+3+2=9$(개) ▸4점

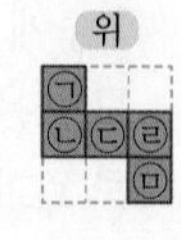

❷ 따라서 사용한 쌓기나무가 더 많은 것은 나입니다. ▸1점 / 나

04 ❶ 3, $3\times3\times3=27$(개), 9 ▸4점

❷ $27-9=18$(개) ▸1점 / 18개

05 예 ❶ (주어진 모양의 쌓기나무의 개수)$=16$개

주어진 모양에서 쌓기나무가 1층은 가장 긴 가로와 세로 방향에 각각 3개 쌓여 있고, 가장 높은 층은 4층입니다.

➡ 가장 작은 정육면체를 만들려면 쌓기나무를 한 모서리에 4개씩 놓아야 합니다.

(가장 작은 정육면체 모양을 만드는 데 필요한 쌓기나무의 개수)$=4\times4\times4=64$(개) ▸4점

❷ (필요한 쌓기나무의 개수)

$=64-16=48$(개) ▸1점

/ 48개

06 예 ❶ (주어진 모양의 쌓기나무의 개수)$=12$개

주어진 모양에서 쌓기나무가 1층은 가장 긴 가로 방향에 3개, 가장 긴 세로 방향에 2개 쌓여 있고, 가장 높은 층은 4층입니다.

➡ 가장 작은 직육면체를 만들려면 쌓기나무를 가로에는 3개, 세로에는 2개, 높이에는 4개 놓아야 합니다.

(가장 작은 직육면체 모양을 만드는 데 필요한 쌓기나무의 개수)$=3\times2\times4=24$(개) ▸4점

❷ (필요한 쌓기나무의 개수)

$=24-12=12$(개) ▸1점 / 12개

01

채점 기준		
채점 기준	❶ 필요한 쌓기나무의 개수 각각 구하기	4점
	❷ 필요한 쌓기나무가 더 많은 것의 기호 쓰기	1점

02

채점 기준		
채점 기준	❶ 사용한 쌓기나무의 개수 각각 구하기	4점
	❷ 사용한 쌓기나무가 더 많은 것의 기호 쓰기	1점

03

채점 기준		
채점 기준	❶ 사용한 쌓기나무의 개수 각각 구하기	4점
	❷ 사용한 쌓기나무가 더 많은 것의 기호 쓰기	1점

04

채점 기준		
채점 기준	❶ 정육면체 모양과 빼낸 후 모양의 쌓기나무의 개수 각각 구하기	4점
	❷ 빼낸 쌓기나무의 개수 구하기	1점

05

채점 기준		
채점 기준	❶ 주어진 모양과 만들 수 있는 가장 작은 정육면체 모양의 쌓기나무의 개수 각각 구하기	4점
	❷ 필요한 쌓기나무의 개수 구하기	1점

06

채점 기준		
채점 기준	❶ 주어진 모양과 만들 수 있는 가장 작은 직육면체 모양의 쌓기나무의 개수 각각 구하기	4점
	❷ 필요한 쌓기나무의 개수 구하기	1점

단원 마무리 078~080쪽

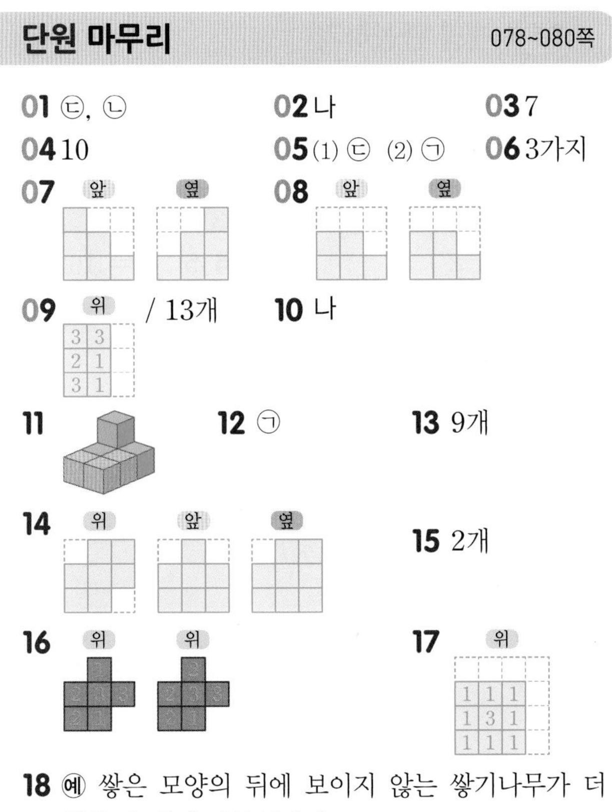

01 ㉢, ㉡ 02 나 03 7
04 10 05 (1) ㉢ (2) ㉠ 06 3가지
07 앞 옆 08 앞 옆
09 위 / 13개 10 나
11 12 ㉠ 13 9개
14 위 앞 옆 15 2개
16 위 위 17 위

18 예 쌓은 모양의 뒤에 보이지 않는 쌓기나무가 더 있을 수 있기 때문입니다. ▸5점

19 예 ❶ 쌓기나무를 1층에 5개, 2층에 4개, 3층에 2개 쌓아야 합니다.
(필요한 쌓기나무의 개수)$=5+4+2=11$(개) ▸3점
❷ (남는 쌓기나무의 개수)$=15-11=4$(개) ▸2점
/ 4개

20 예 ❶ (정육면체 모양의 쌓기나무의 개수)
$=3\times3\times3=27$(개)
(빼낸 후 모양의 쌓기나무의 개수)$=8$개 ▸4점
❷ (빼낸 쌓기나무의 개수)$=27-8=19$(개) ▸1점
/ 19개

04 쌓은 모양과 위에서 본 모양에서 뒤에 보이지 않는 쌓기나무는 없습니다. ➡ (쌓기나무의 개수)$=10$개

06 ➡ 3가지

08 쌓은 모양과 위에서 본 모양을 비교해 보면 쌓은 모양의 뒤에 보이지 않는 쌓기나무가 1개 있습니다.
앞에서 보면 2층, 2층, 1층으로 보입니다.
옆에서 보면 2층, 2층, 1층으로 보입니다.

09 위에서 본 모양은 1층 모양과 같습니다.
(필요한 쌓기나무의 개수)
$=3+3+2+1+3+1=13$(개)

10 가 앞 다 옆

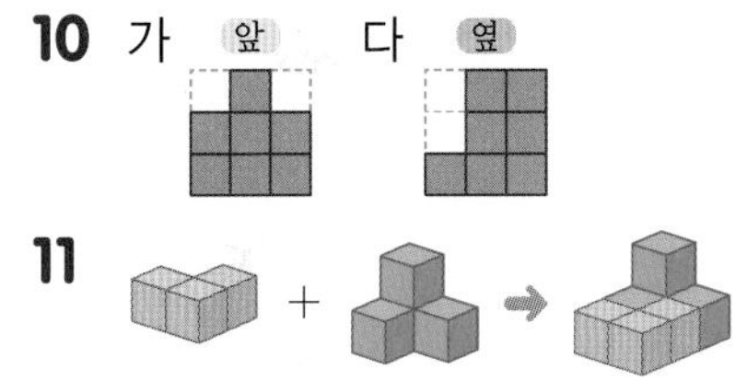

11

12 ㉠ 옆에서 보면 2층, 1층, 3층으로 보입니다.
㉡, ㉢ 옆에서 보면 2층, 2층, 3층으로 보입니다.

13 앞에서 보면 2층, 3층, 1층으로 보이므로 ㉠에 쌓인 쌓기나무는 2개, ㉤에 쌓인 쌓기나무는 1개입니다.
옆에서 보면 2층, 1층, 3층으로 보이므로 ㉣에 쌓인 쌓기나무는 2개, ㉢에 쌓인 쌓기나무는 1개, ㉡에 쌓인 쌓기나무는 3개입니다.
➡ $2+3+1+2+1=9$(개)

14 위에서 본 모양은 1층 모양과 같습니다.
위에서 본 모양에 수를 쓰는 방법으로 나타내면 오른쪽과 같습니다.

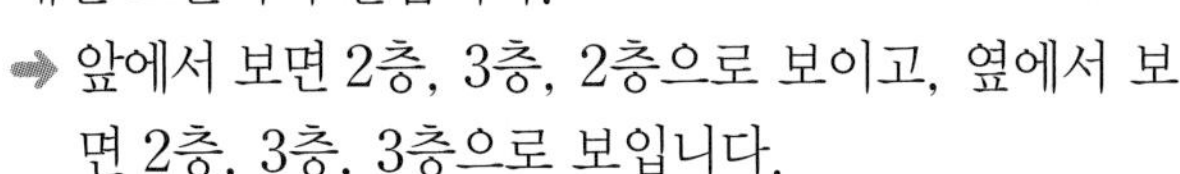

➡ 앞에서 보면 2층, 3층, 2층으로 보이고, 옆에서 보면 2층, 3층, 3층으로 보입니다.

15 앞에서 보면 1층, 3층, 3층으로 보이므로 ㉠, ㉢에 쌓인 쌓기나무는 각각 1개, ㉤에 쌓인 쌓기나무는 3개입니다.
옆에서 보면 3층, 2층, 3층으로 보이므로 ㉣에 쌓인 쌓기나무는 2개, ㉡에 쌓인 쌓기나무는 3개입니다.
쌓기나무 12개로 쌓은 모양이므로 ◆에 쌓인 쌓기나무의 개수는 $12-1-3-1-2-3=2$(개)입니다.

16 위에서 본 모양에서 ㉠에 보이지 않는 쌓기나무가 있습니다. 쌓기나무가 ㉠에 1개 또는 2개 쌓여 있습니다.

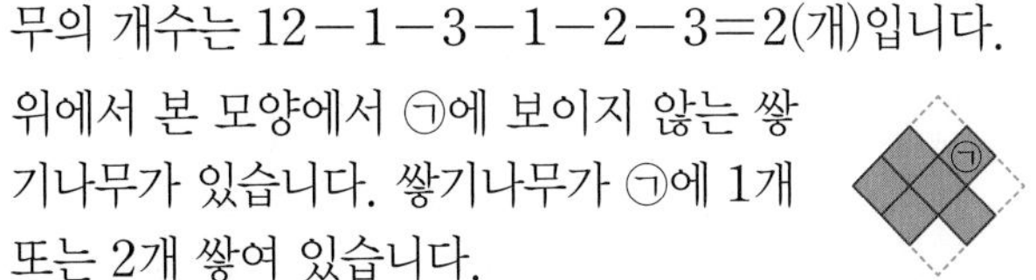

17 1층에 쌓기나무가 9개 있고, 위에서 본 모양이 정사각형이므로 위에서 본 모양은 오른쪽과 같습니다.

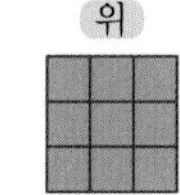

3층짜리 모양이고, 앞과 옆에서 본 모양이 같아야 하므로 가운데에 쌓기나무를 3개 놓고, 나머지 8곳에 쌓기나무를 각각 1개 놓습니다.

18

채점 기준	쌓기나무의 개수를 서로 다르게 답한 이유 쓰기	5점

19

채점 기준	❶ 필요한 쌓기나무의 개수 구하기	3점
	❷ 남는 쌓기나무의 개수 구하기	2점

20

채점 기준	❶ 정육면체 모양과 빼낸 후 모양의 쌓기나무의 개수 각각 구하기	4점
	❷ 빼낸 쌓기나무의 개수 구하기	1점

진도북 3 단원

4. 비례식과 비례배분

STEP 1 개념 완성하기 084~085쪽

1 (1) ⑦:⚠3 (2) ⑨:⚠7 (3) ⑪:⚠2 (4) ⑥:⚠13
2 9, 21
3 (1) 예 10 (2) 예 (위에서부터) 10 / 6, 5 / 10
4 (위에서부터) 15 / 10, 3 / 15
5 (1) ㉡ (2) ㉢ (3) ㉠
6 예 방법 1 후항을 소수로 바꾸면 0.4 : 0.1입니다.
전항과 후항에 10을 곱하면 4 : 1이 됩니다.
방법 2 전항을 분수로 바꾸면 $\frac{4}{10}$: $\frac{1}{10}$입니다.
전항과 후항에 10을 곱하면 4 : 1이 됩니다.
7 (1) 12, 21 (2) 9, 2
8 (1) 예 3 : 2 (2) 예 5 : 4 (3) 예 4 : 5 (4) 예 5 : 3
9 2.5, 12, 25

1 ■ : ▲ ➔ [전항] ■, [후항] ▲

4 전항과 후항에 두 분모의 최소공배수인 15를 곱합니다.

5 (1) 5 : 2는 전항과 후항에 4를 곱한 20 : 8과 비율이 같습니다.
(2) 18 : 12는 전항과 후항을 6으로 나눈 3 : 2와 비율이 같습니다.
(3) 7 : 3은 전항과 후항에 100을 곱한 700 : 300과 비율이 같습니다.

7 (1) $3:4=(3\times3):(4\times3)=9:12$
$3:4=(3\times7):(4\times7)=21:28$
(2) $18:12=(18\div2):(12\div2)=9:6$
$18:12=(18\div6):(12\div6)=3:2$

8 (1) $1.2:0.8=(1.2\times10):(0.8\times10)=12:8$
$=(12\div4):(8\div4)=3:2$
(2) $\frac{1}{2}:\frac{2}{5}=\left(\frac{1}{2}\times10\right):\left(\frac{2}{5}\times10\right)=5:4$
(3) $28:35=(28\div7):(35\div7)=4:5$
(4) $\frac{1}{3}:0.2=\frac{1}{3}:\frac{2}{10}$
$=\left(\frac{1}{3}\times30\right):\left(\frac{2}{10}\times30\right)=10:6$
$=(10\div2):(6\div2)=5:3$

9 (수진이의 리본의 길이) : (진현이의 리본의 길이)
$=1.2:2.5=(1.2\times10):(2.5\times10)=12:25$

STEP 1 개념 완성하기 086~087쪽

1 비례식
2 (1) $\frac{2}{3}$, $\frac{6}{9}\left(=\frac{2}{3}\right)$
(2) 2, 3, 6, 9 (또는 6 : 9=2 : 3)
3 ( ) (○) ( ) **4** ⚠5:④=⑩:⚠8
5 (위에서부터)
(1) 2 / 14, 6 / [외항] 7, 6 [내항] 3, 14
(2) 3, 2 / 8 / [외항] 24, 2 [내항] 16, 3
6 정민
7 (1) 12, 8, 12 : 8 / 24, 16, 24 : 16
(2) $\frac{12}{8}\left(=\frac{3}{2}\right)$, $\frac{24}{16}\left(=\frac{3}{2}\right)$
(3) 8, 24, 16
8 (1) $\frac{6}{11}$, $\frac{9}{15}\left(=\frac{3}{5}\right)$ (2) 5, 9, 15

4 외항
5 : 4=10 : 8
내항

5 (1) 비의 전항과 후항에 같은 수를 곱하여도 비율은 변하지 않으므로 7 : 3의 전항과 후항에 2를 곱하면 7 : 3=14 : 6입니다.
(2) 비의 전항과 후항을 같은 수로 나누어도 비율은 변하지 않으므로 24 : 16의 전항과 후항을 8로 나누면 24 : 16=3 : 2입니다.

6 [선주] 2 : 3의 비율은 $\frac{2}{3}$, 6 : 9의 비율은 $\frac{6}{9}=\frac{2}{3}$로 비율이 같으므로 비례식을 바르게 만들었습니다.
[정민] 10 : 2의 비율은 5, 1 : 5의 비율은 $\frac{1}{5}$로 비율이 다르므로 비례식을 잘못 만들었습니다.

7 (2) [가] 12 : 8 ➔ (비율)$=\frac{12}{8}\left(=\frac{3}{2}\right)$
[나] 24 : 16 ➔ (비율)$=\frac{24}{16}\left(=\frac{3}{2}\right)$
(3) 12 : 8과 24 : 16의 비율이 같으므로 비례식으로 나타내면 12 : 8=24 : 16입니다.

8 (1) 3 : 5 ➔ $3\div5=\frac{3}{5}$, 6 : 11 ➔ $6\div11=\frac{6}{11}$,
9 : 15 ➔ $9\div15=\frac{9}{15}\left(=\frac{3}{5}\right)$
(2) 비 3 : 5와 비율이 같은 비는 9 : 15입니다.
➔ 3 : 5=9 : 15

STEP 2 실력 다지기 088~091쪽

01 예 16 : 6, 24 : 9 **02** 예 12 : 9, 8 : 6
03 다 **04** 15 : 7 **05** 대현

06 예 방법 1 $1\frac{1}{2} : 1.8 = \frac{3}{2} : \frac{18}{10}$
$= \left(\frac{3}{2} \times 10\right) : \left(\frac{18}{10} \times 10\right) = 15 : 18$
$= (15 \div 3) : (18 \div 3) = 5 : 6$

방법 2 $1\frac{1}{2} : 1.8 = 1.5 : 1.8$
$= (1.5 \times 10) : (1.8 \times 10) = 15 : 18$
$= (15 \div 3) : (18 \div 3) = 5 : 6$

07 8 : 3=24 : 9 또는 24 : 9=8 : 3

08 예 12 : 15와 3 : 5의 비율을 각각 구합니다.
12 : 15 ➔ $\frac{12}{15}\left(=\frac{4}{5}\right)$, 3 : 5 ➔ $\frac{3}{5}$
두 비의 비율이 다르므로 비례식이 아닙니다. ▸5점

09 아몬드 **10** ②, ⑤

11 예 ❶ 5 : 6=15 : 18에서 안쪽에 있는 두 항을 내항이라고 합니다. ➔ [내항] 6, 15
비 5 : 6, 15 : 18에서 기호 ':' 뒤에 있는 수를 후항이라고 합니다. ➔ [후항] 6, 18 ▸4점
❷ 따라서 내항도 되고 후항도 되는 수는 6입니다. ▸1점 / 6

12 예 4 : 1=20 : 5
13 3 : 4 **14** 3 : 2

15 ❶ 4 : 1, 4 : 1 ▸3점
예 ❷ 두 컵에 들어 있는 물 양과 매실 원액 양의 비의 비율이 같으므로 두 매실주스의 진하기는 같습니다. ▸2점

16 (위에서부터) 19, 76, 19 / 76권 **17** 40 m

18 예 ❶ 8 : ㉠=24 : 45에서 8에 3을 곱하면 24가 되므로 8 : ㉠=(8×3) : (㉠×3)=24 : 45
➔ ㉠=15 ▸2점
❷ 30 : 42=15 : □에서 30을 2로 나누면 15가 되므로 30 : 42=(30÷2) : (42÷2)=15 : 21
➔ □=21 ▸3점 / 21

19 8 : 5 **20** 4 : 5
21 3, 12, 4 **22** 8, 3, 4

01 $8 : 3 = (8 \times 2) : (3 \times 2) = 16 : 6$
$= (8 \times 3) : (3 \times 3) = 24 : 9$
$= \cdots\cdots$

02 비율이 $\frac{24}{18}$인 비는 24 : 18입니다.
➔ $24 : 18 = (24 \div 2) : (18 \div 2) = 12 : 9$
$= (24 \div 3) : (18 \div 3) = 8 : 6$
$= \cdots\cdots$

03 [가] $4 : 6 = (4 \div 2) : (6 \div 2) = 2 : 3$
[나] $6 : 9 = (6 \div 3) : (9 \div 3) = 2 : 3$
[다] $9 : 12 = (9 \div 3) : (12 \div 3) = 3 : 4$
[라] $10 : 15 = (10 \div 5) : (15 \div 5) = 2 : 3$

04 (농구공의 무게) : (배구공의 무게)
$= 0.6 : 0.28 = (0.6 \times 100) : (0.28 \times 100) = 60 : 28$
$= (60 \div 4) : (28 \div 4) = 15 : 7$

05 [대현] $1\frac{1}{6} : \frac{7}{8} = \frac{7}{6} : \frac{7}{8} = \left(\frac{7}{6} \times 24\right) : \left(\frac{7}{8} \times 24\right)$
$= 28 : 21 = (28 \div 7) : (21 \div 7)$
$= 4 : 3$
[민아] $2.1 : 0.56 = (2.1 \times 100) : (0.56 \times 100)$
$= 210 : 56$
$= (210 \div 14) : (56 \div 14) = 15 : 4$

07 8 : 3 ➔ $\frac{8}{3}$, 4 : 6 ➔ $\frac{4}{6}\left(=\frac{2}{3}\right)$,
24 : 9 ➔ $\frac{24}{9}\left(=\frac{8}{3}\right)$, 12 : 8 ➔ $\frac{12}{8}\left(=\frac{3}{2}\right)$
따라서 비율이 같은 두 비는 8 : 3과 24 : 9입니다.
➔ 8 : 3=24 : 9 또는 24 : 9=8 : 3

08

채점 기준	비례식이 아닌 이유 쓰기	5점

09

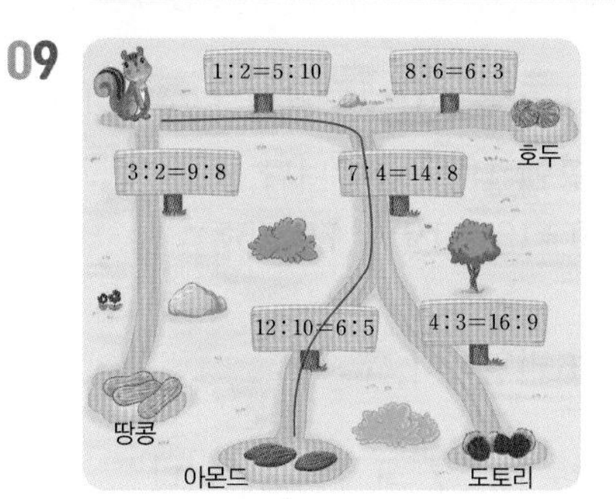

• 1 : 2=5 : 10에서
1 : 2 ➔ $\frac{1}{2}$, 5 : 10 ➔ $\frac{5}{10}\left(=\frac{1}{2}\right)$(○)
• 7 : 4=14 : 8에서
7 : 4 ➔ $\frac{7}{4}$, 14 : 8 ➔ $\frac{14}{8}\left(=\frac{7}{4}\right)$(○)
• 12 : 10=6 : 5에서
12 : 10 ➔ $\frac{12}{10}\left(=\frac{6}{5}\right)$, 6 : 5 ➔ $\frac{6}{5}$(○)

진도북 4 단원

10 ② 2는 내항이지만 8은 외항입니다.
⑤ 20은 전항이지만 2는 후항입니다.

11

채점 기준		
	❶ 내항과 후항 각각 구하기	4점
	❷ 내항도 되고 후항도 되는 수 구하기	1점

12 외항에 4와 5, 내항에 1과 20을 번갈아 놓으면서 비례식을 만들어 봅니다.
➡ 4 : 1=20 : 5, 4 : 20=1 : 5,
5 : 1=20 : 4, 5 : 20=1 : 4

13 (나무의 높이) : (그림자의 길이)
=2.4 : 3.2=(2.4×10) : (3.2×10)=24 : 32
=(24÷8) : (32÷8)=3 : 4

14 전체 일의 양을 1이라 하면 윤주가 한 시간 동안 한 일의 양은 $\frac{1}{2}$, 연수가 한 시간 동안 한 일의 양은 $\frac{1}{3}$입니다.
➡ $\frac{1}{2} : \frac{1}{3}=\left(\frac{1}{2}\times 6\right) : \left(\frac{1}{3}\times 6\right)=3 : 2$

15

채점 기준		
	❶ 물 양과 매실 원액 양의 비를 가장 간단한 자연수의 비로 나타내기	3점
	❷ 두 매실주스의 진하기 비교하기	2점

[가 컵] (물 양) : (매실 원액 양)
=80 : 20=(80÷20) : (20÷20)=4 : 1
[나 컵] (물 양) : (매실 원액 양)
=120 : 30=(120÷30) : (30÷30)=4 : 1

16 4 : 3=□ : 57에서 3에 19를 곱하면 57이 되므로 4 : 3의 전항과 후항에 19를 곱합니다.
➡ 4 : 3=(4×19) : (3×19)=76 : 57
➡ □=76
따라서 위인전은 76권입니다.

17 가로를 □m라 하면 10 : 7=□ : 28입니다.
7에 4를 곱하면 28이 되므로 10 : 7의 전항과 후항에 4를 곱합니다.
➡ 10 : 7=(10×4) : (7×4)=40 : 28
➡ □=40
따라서 직사각형의 가로는 40 m입니다.

18

채점 기준		
	❶ ㉠에 알맞은 수 구하기	2점
	❷ □ 안에 알맞은 수 구하기	3점

19 약점 포인트 정답률 75%
• (평행사변형 가의 높이)
=(평행사변형 나의 높이)=(평행선 사이의 거리)
• (평행사변형의 넓이)=(밑변의 길이)×(높이)

(가의 넓이)=8×3=24(cm^2)
(나의 넓이)=5×3=15(cm^2)
(가의 넓이) : (나의 넓이)
=24 : 15=(24÷3) : (15÷3)=8 : 5
참고 두 평행사변형의 높이가 서로 같을 때 넓이의 비는 밑변의 길이의 비와 같습니다.

20 직사각형 가와 나의 가로를 ■cm라 하면
(가의 넓이)=(■×8)cm^2,
(나의 넓이)=(■×10)cm^2입니다.
➡ (가의 넓이) : (나의 넓이)
=(■×8) : (■×10)
=(■×8÷■) : (■×10÷■)=8 : 10
=(8÷2) : (10÷2)=4 : 5

21 약점 포인트 정답률 65%
① 준수가 한 말을 보고 ㉢에 알맞은 수 구하기
② 수민이가 한 말을 보고 ㉠, ㉡에 알맞은 수 각각 구하기

㉠ : 1=㉡ : ㉢에서 후항은 1과 4이므로 ㉢=4입니다.
㉠ : 1의 비율이 3이므로 $\frac{㉠}{1}$=3, ㉠=3입니다.
㉡ : 4의 비율이 3이므로 $\frac{㉡}{4}$=3, ㉡=12입니다.

22 6 : ㉠=㉡ : ㉢이라 하면
6 : ㉠의 비율이 $\frac{3}{4}$이므로 $\frac{6}{㉠}=\frac{3}{4}$, ㉠=8입니다.
6 : 8=㉡ : ㉢에서 외항의 곱이 24이므로
6×㉢=24, ㉢=4입니다.
㉡ : 4의 비율이 $\frac{3}{4}$이므로 $\frac{㉡}{4}=\frac{3}{4}$, ㉡=3입니다.

STEP 1 개념 완성하기 092~093쪽

1 (1) 2, 15, 30 / 5, 6, 30 (2) 같습니다
2 (1) 12, 12 / ○ (2) 90, 60 / × **3** ㉠
4 20, 32, 20, 160, 8
5 (1) 150 (2) 150, 10800, 108 (3) 108킬로칼로리
6 (1) 6 (2) 12 (3) 55 (4) 3 **7** 8
8 (1) 3000, 5 (2) 7500원

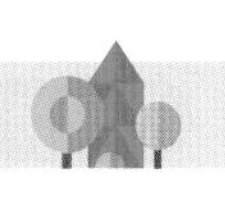

4 (외항의 곱)=(내항의 곱)
➜ ㉠×20=5×32, ㉠×20=160, ㉠=8

5 (1) (두부의 양) : (열량)=100 : 72
➜ 100 : 72=150 : ■
(2) (외항의 곱)=(내항의 곱)
➜ 100×■=72×150, 100×■=10800,
■=108

6 (1) □×5=1×30, □×5=30, □=6
(2) 4×□=3×16, 4×□=48, □=12
(3) 22×5=□×2, □×2=110, □=55
(4) 27×2=18×□, 18×□=54, □=3

8 (1) (과자 상자 수) : (가격)=2 : 3000
➜ 2 : 3000=5 : ★
(2) 2×★=3000×5, 2×★=15000, ★=7500
따라서 과자 5통을 사려면 7500원이 필요합니다.

STEP 1 개념 완성하기 094~095쪽

1 (1) $\frac{5}{5+3}$, $\frac{3}{5+3}$ / $\frac{5}{8}$, $\frac{3}{8}$ (2) $\frac{5}{8}$, 10 / $\frac{3}{8}$, 6

2 1, 6, $\frac{1}{7}$, 7 / 1, 6, $\frac{6}{7}$, 42

3 $\frac{8}{15}$, 40 / $\frac{7}{15}$, 35 4 $\frac{3}{10}$, 6 / $\frac{7}{10}$, 14

5 $\frac{13}{20}$, 3250 / $\frac{7}{20}$, 1750 6 (1) 20, 25 (2) 27, 36

7 (1) 5, 200 (2) 120 mL 8 20 kg, 10 kg

4 나리: $20\times\frac{3}{3+7}=20\times\frac{3}{10}=6$(자루)
우주: $20\times\frac{7}{3+7}=20\times\frac{7}{10}=14$(자루)

5 준희: $5000\times\frac{13}{13+7}=5000\times\frac{13}{20}=3250$(원)
선우: $5000\times\frac{7}{13+7}=5000\times\frac{7}{20}=1750$(원)

6 (1) $45\times\frac{4}{4+5}=45\times\frac{4}{9}=20$
$45\times\frac{5}{4+5}=45\times\frac{5}{9}=25$
(2) $63\times\frac{3}{3+4}=63\times\frac{3}{7}=27$
$63\times\frac{4}{3+4}=63\times\frac{4}{7}=36$

7 (1) (전체 주스 양) : (해주가 마시게 되는 주스 양)
➜ (2+3) : 3=5 : 3 ➜ 5 : 3=200 : ■
(2) 5 : 3=200 : ■ ➜ ■=3×40=120 (×40)
해주가 마시게 되는 주스 양: 120 mL

8 가 모둠: $30\times\frac{2}{2+1}=30\times\frac{2}{3}=20$(kg)
나 모둠: $30\times\frac{1}{2+1}=30\times\frac{1}{3}=10$(kg)

STEP 2 실력 다지기 096~099쪽

01 ④ 02 4.8$\left(=4\frac{4}{5}\right)$

03 예 ❶ 1 : 3=4 : 12 ▸3점
❷ 두 수의 곱이 같은 카드를 찾아 외항과 내항에 놓았습니다. ▸2점

04 $\frac{2}{3}$ 05 ㉠ 06 ㉢

07 (1) 5 : 4 (2) 70, 56 08 40, 60

09 수학교실 10 5000원 11 3600 g

12 예 ❶ 벽면 6개를 칠하는 데 필요한 페인트의 양을 □통이라 하고 비례식을 세우면 3 : 4=6 : □입니다. □에 7을 넣으면 외항의 곱과 내항의 곱이 다르므로 틀렸습니다. ▸2점
❷ 3 : 4=6 : □
➜ 3×□=4×6, 3×□=24, □=8
따라서 페인트는 8통 필요합니다. ▸3점

13 50, 30 14 75자루, 65자루

15 30 kg 16 (1) 50 m (2) 150 m

17 ① 290 ② 330 18 예 5 : 6

19 예 5 : 9 20 96000원

21 예 방법 1 ❶ 가 회사와 나 회사가 투자한 금액의 비
➜ 3억 : 5억 ➜ 3 : 5
가 회사: $24\times\frac{3}{3+5}=24\times\frac{3}{8}=9$억(원)
나 회사: $24\times\frac{5}{3+5}=24\times\frac{5}{8}=15$억(원) ▸3점
방법 2 ❷ 가 회사가 3억 원, 나 회사가 5억 원을 가지면 남는 돈은 24억−3억−5억=16억(원)입니다. 남는 돈을 반으로 나누면 16억÷2=8억(원)이므로 가 회사는 3억+8억=11억(원), 나 회사는 5억+8억=13억(원)을 가지면 됩니다. ▸2점

01 ① $1:4=5:20$ ➜ (외항의 곱)$=1\times20=20$
(내항의 곱)$=4\times5=20$
② $3:2=18:12$ ➜ (외항의 곱)$=3\times12=36$
(내항의 곱)$=2\times18=36$
③ $10:5=2:1$ ➜ (외항의 곱)$=10\times1=10$
(내항의 곱)$=5\times2=10$
④ $6:8=2:3$ ➜ (외항의 곱)$=6\times3=18$
(내항의 곱)$=8\times2=16$
⑤ $21:15=7:5$ ➜ (외항의 곱)$=21\times5=105$
(내항의 곱)$=15\times7=105$
➜ ④ 외항의 곱과 내항의 곱이 다르므로 비례식이 아닙니다.

02 비례식에서 외항의 곱과 내항의 곱은 같습니다.
➜ (외항의 곱)=(내항의 곱)$=1.6\times3=4.8\left(=4\frac{4}{5}\right)$

03

채점 기준	❶ 비례식 만들기	3점
	❷ 만든 방법 쓰기	2점

04 $\frac{3}{5}\times10=\square\times9$, $\square\times9=6$, $\square=\frac{6}{9}=\frac{2}{3}$

05 • ㉠$\times4.8=4\times6$, ㉠$\times4.8=24$, ㉠$=5$
• $35\times$㉡$=40\times1\frac{3}{4}$, $35\times$㉡$=70$, ㉡$=2$
따라서 $5>2$이므로 더 큰 수는 ㉠입니다.

06 ㉠ $40\times7=56\times\square$, $56\times\square=280$, $\square=5$
㉡ $\square\times2.7=9\times1.5$, $\square\times2.7=13.5$, $\square=5$
㉢ $1\times\square=8\times\frac{3}{4}$, $\square=6$
따라서 □ 안에 알맞은 수가 다른 하나는 ㉢입니다.

07 (1) $\frac{1}{4}:\frac{1}{5}=\left(\frac{1}{4}\times20\right):\left(\frac{1}{5}\times20\right)=5:4$
(2) $126\times\frac{5}{5+4}=126\times\frac{5}{9}=70$
$126\times\frac{4}{5+4}=126\times\frac{4}{9}=56$

08 가 : 나$=72:108$
$=(72\div36):(108\div36)$
$=2:3$
가: $100\times\frac{2}{2+3}=100\times\frac{2}{5}=40$
나: $100\times\frac{3}{2+3}=100\times\frac{3}{5}=60$

09 • $0.75:0.4=75:40=15:8$
➜ ㉠: $230\times\frac{15}{23}=150$(수),
㉡: $230\times\frac{8}{23}=80$(학)
• $0.9:1.35=90:135=2:3$
➜ ㉢: $150\times\frac{2}{5}=60$(교), ㉣: $150\times\frac{3}{5}=90$(실)
따라서 낱말을 완성하면 수학교실입니다.

10 학생의 입장료를 □원이라 하고 비례식을 세우면
$10:13=\square:6500$입니다.
$10\times6500=13\times\square$, $13\times\square=65000$, $\square=5000$
따라서 학생의 입장료는 5000원입니다.

11 소금물 600 L를 증발시켜서 얻을 수 있는 소금의 무게를 □ g이라 하고 비례식을 세우면
$15:90=600:\square$입니다.
$15\times\square=90\times600$, $15\times\square=54000$, $\square=3600$
따라서 소금물 600 L를 증발시켰을 때 얻을 수 있는 소금은 3600 g입니다.

12

채점 기준	❶ 틀린 이유 쓰기	2점
	❷ 필요한 페인트의 양 구하기	3점

13 $2.5:1.5=25:15=5:3$
➜ $80\times\frac{5}{8}=50$(cm), $80\times\frac{3}{8}=30$(cm)

14 (가 모둠의 학생 수) : (나 모둠의 학생 수)$=15:13$
➜ 가 모둠: $140\times\frac{15}{28}=75$(자루)
나 모둠: $140\times\frac{13}{28}=65$(자루)

15 (경수) : (수하)$=2:3$
수확한 토마토의 무게를 □ kg이라 하면
경수: $\square\times\frac{2}{5}=12$(kg) ➜ $\square=12\div\frac{2}{5}=30$(kg)
따라서 수확한 토마토는 모두 30 kg입니다.

16 (1) 축척이 $1:5000$이므로 지도상에서 1 cm인 거리는 실제로 5000 cm$=$50 m입니다.
(2) (매표소~전시관)의 실제 이동 거리를 □ cm라 하면 $1:5000=3:\square$입니다.
➜ $1\times\square=5000\times3$, $\square=15000$
따라서 (매표소~전시관)의 실제 이동 거리는 15000 cm$=$150 m입니다.

17 ① (매표소~전망대~식물원)
$=3.4+2.4=5.8$(cm)
(매표소~전망대~식물원)의 실제 이동 거리를 □cm라 하면 $1:5000=5.8:$□입니다.
➜ $1\times$□$=5000\times5.8$, □$=29000$
따라서 (매표소~전망대~식물원)의 실제 이동 거리는 29000 cm=290 m입니다.
② (매표소~공연장~바람의 언덕)
$=4+2.6=6.6$(cm)
(매표소~공연장~바람의 언덕)의 실제 이동 거리를 □cm라 하면 $1:5000=6.6:$□입니다.
➜ $1\times$□$=5000\times6.6$, □$=33000$
따라서 (매표소~공연장~바람의 언덕)의 실제 이동 거리는 33000 cm=330 m입니다.

18 약점 포인트 정답률 65%

■×▲=●×◆에서 ■×▲를 외항의 곱, ●×◆를 내항의 곱이라고 생각합니다.
➜ ■ : ●=◆ : ▲, ■ : ◆=● : ▲,
▲ : ●=◆ : ■, ▲ : ◆=● : ■

㉮×0.6을 외항의 곱, ㉯×0.5를 내항의 곱이라고 생각합니다.
㉮ : ㉯$=0.5:0.6=(0.5\times10):(0.6\times10)=5:6$

19 ㉮$\times\frac{3}{5}$을 외항의 곱, ㉯$\times\frac{1}{3}$을 내항의 곱이라고 생각합니다.
㉮ : ㉯$=\frac{1}{3}:\frac{3}{5}=\left(\frac{1}{3}\times15\right):\left(\frac{3}{5}\times15\right)=5:9$

20 약점 포인트 정답률 70%

① 전체 여행 비용 구하기
② 전체 여행 비용을 가족의 구성원 수의 비에 따라 비례배분하기

(전체 여행 비용)
$=60000+35000+82000+39000$
$=216000$(원)
민서네 가족과 윤하네 가족의 구성원 수의 비 ➜ $4:5$
(민서네 가족이 내야 하는 금액)
$=216000\times\frac{4}{4+5}=216000\times\frac{4}{9}$
$=96000$(원)

21

채점 기준		
	❶ 방법 1로 벌어들인 돈을 공정하게 나누기	3점
	❷ 방법 2로 벌어들인 돈을 공정하게 나누기	2점

STEP 3 서술형 해결하기 100~103쪽

01 ❶ 3600, 3600 ▸2점
❷ 3600, 7, 25200, 8400, 8400,
$10000-8400=1600$(원) ▸3점 / 1600원

02 예 ❶ 참기름 1 L=1000 mL의 가격이 18000원이므로 참기름 800 mL의 가격을 ▲원이라 하면 $1000:18000=800:$▲입니다. ▸2점
❷ $1000\times$▲$=18000\times800$,
$1000\times$▲$=14400000$, ▲$=14400$
➜ 참기름 800 mL의 가격은 14400원입니다.
(거스름돈)$=15000-14400=600$(원) ▸3점
/ 600원

03 예 ❶ 삼겹살 600 g=0.6 kg의 가격이 12000원이므로 삼겹살 1.4 kg의 가격을 □원이라 하면 $0.6:12000=1.4:$□입니다. ▸2점
❷ $0.6\times$□$=12000\times1.4$, $0.6\times$□$=16800$,
□$=28000$
➜ 삼겹살 1.4 kg의 가격은 28000원입니다.
(거스름돈)$=30000-28000=2000$(원) ▸3점
/ 2000원

04 ❶ 120, 100, 120, 100 ▸3점
❷ 120, 100, 12000, 500, 500 ▸2점 / 500 m^2

05 예 ❶ (사용하고 남은 리본의 백분율)
$=100-80=20$ ➜ 20 %
백분율의 전체는 100 %이므로 처음에 가지고 있던 리본의 길이를 ◆ m라 하고 비례식을 세우면 $20:0.6=100:$◆입니다. ▸3점
❷ $20\times$◆$=0.6\times100$, $20\times$◆$=60$, ◆$=3$
따라서 처음에 가지고 있던 리본은 3 m입니다. ▸2점
/ 3 m

06 예 ❶ (여학생의 백분율)$=100-42=58$ ➜ 58 %
백분율의 전체는 100 %이므로 운동장에 있는 학생 수를 □명이라 하고 비례식을 세우면
$58:145=100:$□입니다. ▸3점
❷ $58\times$□$=145\times100$, $58\times$□$=14500$, □$=250$
따라서 운동장에 있는 학생은 모두 250명입니다.
▸2점 / 250명

07 ❶ 2, 2, $66\div2=33$(cm) ▸2점
❷ 7, 4, $33\times\frac{7}{7+4}=33\times\frac{7}{11}=21$(cm),
$33\times\frac{4}{7+4}=33\times\frac{4}{11}=12$(cm) ▸3점
/ 21 cm, 12 cm

진도북 4단원

08 예 ❶ (가로) : (세로)$=40:25$
$=(40\div5):(25\div5)=8:5$ ▶2점
❷ 실제 액자의 둘레가 52 cm이므로
(가로)$+$(세로)$=52\div2=26$(cm)입니다.
➡ 가로: $26\times\frac{8}{8+5}=26\times\frac{8}{13}=16$(cm)
세로: $26\times\frac{5}{8+5}=26\times\frac{5}{13}=10$(cm) ▶3점
/ 16 cm, 10 cm

09 예 ❶ (가로) : (세로)$=50:25$
$=(50\div25):(25\div25)=2:1$ ▶2점
❷ 실제 칠판의 둘레가 6 m이므로
(가로)$+$(세로)$=6\div2=3$(m)입니다.
➡ 가로: $3\times\frac{2}{2+1}=3\times\frac{2}{3}=2$(m)
세로: $3\times\frac{1}{2+1}=3\times\frac{1}{3}=1$(m) ▶3점
/ 2 m, 1 m

10 ❶ ㉯, ㉯ ▶2점
❷ ㉯, ㉮, $15:10=(15\div5):(10\div5)=3:2$ ▶3점
/ 3 : 2

11 예 ❶ (㉮의 회전수) : (㉯의 회전수)
$=$(㉯의 톱니 수) : (㉮의 톱니 수)
$=36:16=(36\div4):(16\div4)=9:4$ ▶3점
❷ 톱니바퀴 ㉯가 24바퀴 도는 동안 톱니바퀴 ㉮가 도는 바퀴 수를 □바퀴라 하면 9 : 4=□ : 24입니다.
➡ $9\times24=4\times$□, $4\times$□$=216$, □$=54$
따라서 톱니바퀴 ㉯가 24바퀴 도는 동안 톱니바퀴 ㉮는 54바퀴 돕니다. ▶2점 / 54바퀴

12 예 ❶ (가의 회전수) : (나의 회전수)
$=$(나의 톱니 수) : (가의 톱니 수)
$=27:45=(27\div9):(45\div9)=3:5$ ▶3점
❷ 톱니바퀴 가가 12바퀴 도는 동안 톱니바퀴 나가 도는 바퀴 수를 □바퀴라 하면 3 : 5=12 : □입니다. ➡ $3\times$□$=5\times12$, $3\times$□$=60$, □$=20$
따라서 톱니바퀴 가가 12바퀴 도는 동안 톱니바퀴 나는 20바퀴 돕니다. ▶2점 / 20바퀴

번호	채점 기준		점수
01	채점 기준	❶ 빵 7개의 가격을 ■원이라 하고 비례식 세우기	2점
		❷ 받아야 하는 거스름돈 구하기	3점
02	채점 기준	❶ 참기름 800 mL의 가격을 ▲원이라 하고 비례식 세우기	2점
		❷ 받아야 하는 거스름돈 구하기	3점
03	채점 기준	❶ 삼겹살 1.4 kg의 가격을 □원이라 하고 비례식 세우기	2점
		❷ 받아야 하는 거스름돈 구하기	3점
04	채점 기준	❶ 밭의 전체 넓이를 ● m^2라 하고 비례식 세우기	3점
		❷ 밭의 전체 넓이 구하기	2점
05	채점 기준	❶ 처음에 가지고 있던 리본의 길이를 ◆ m라 하고 비례식 세우기	3점
		❷ 처음에 가지고 있던 리본의 길이 구하기	2점
06	채점 기준	❶ 운동장에 있는 학생 수를 □명이라 하고 비례식 세우기	3점
		❷ 운동장에 있는 학생 수 구하기	2점
07	채점 기준	❶ (가로)+(세로)의 값 구하기	2점
		❷ 직사각형의 가로와 세로 각각 구하기	3점
08	채점 기준	❶ 액자의 가로와 세로의 비를 간단한 자연수의 비로 나타내기	2점
		❷ 실제 액자의 가로와 세로 각각 구하기	3점
09	채점 기준	❶ 칠판의 가로와 세로의 비를 간단한 자연수의 비로 나타내기	2점
		❷ 실제 칠판의 가로와 세로 각각 구하기	3점
10	채점 기준	❶ 톱니바퀴 ㉮와 ㉯에서 톱니 수와 회전수의 관계 알아보기	2점
		❷ 톱니바퀴 ㉮와 ㉯의 회전수의 비를 가장 간단한 자연수의 비로 나타내기	3점
11	채점 기준	❶ 톱니바퀴 ㉮와 ㉯의 회전수의 비를 간단한 자연수의 비로 나타내기	3점
		❷ 톱니바퀴 ㉯가 24바퀴 도는 동안 톱니바퀴 ㉮가 도는 바퀴 수 구하기	2점
12	채점 기준	❶ 톱니바퀴 가와 나의 회전수의 비를 간단한 자연수의 비로 나타내기	3점
		❷ 톱니바퀴 가가 12바퀴 도는 동안 톱니바퀴 나가 도는 바퀴 수 구하기	2점

단원 마무리

104~106쪽

01 (위에서부터) 35, 7
02 ④
03 $\frac{2}{5}$, 48 / $\frac{3}{5}$, 72
04 (1) ㉢ (2) ㉠
05 예 4 : 10, 6 : 15
06 36 : 8
07 28, 3

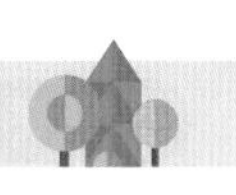

08 예 $12\times12=8\times▲$
$8\times▲=144$
$▲=18$

09 25, 45

10 7 : 4

11 6

12 가, 다

13 30초

14 6000원

15 400 cm^2

16 16, 20, 5

17 10바퀴

18 예 ❶ 전항은 기호 ':' 앞에 있는 8과 24입니다.
외항은 바깥쪽에 있는 8과 15입니다. ▸4점
❷ 따라서 전항도 되고 외항도 되는 수는 8입니다.
▸1점 / 8

19 예 ❶ 평행사변형의 밑변의 길이를 □cm라 하고 비례식을 세우면 8 : 5=□ : 20입니다.
$8\times20=5\times□$, $5\times□=160$, □=32
➜ (밑변의 길이)=32 cm ▸3점
❷ (평행사변형의 넓이)=$32\times20=640(cm^2)$ ▸2점
/ 640 cm^2

20 예 ❶ (경수가 일한 시간) : (수하가 일한 시간)
=8 : 6.5=16 : 13 ▸2점
❷ 경수: $58\times\frac{16}{16+13}=58\times\frac{16}{29}=32(kg)$
수하: $58\times\frac{13}{16+13}=58\times\frac{13}{29}=26(kg)$ ▸3점
/ 32 kg, 26 kg

06 9 : 2 ➜ $\frac{9}{2}$, 18 : 6 ➜ $\frac{18}{6}(=3)$
36 : 8 ➜ $\frac{36}{8}\left(=\frac{9}{2}\right)$, 10 : 3 ➜ $\frac{10}{3}$
따라서 비례식으로 나타내면 9 : 2=36 : 8입니다.

07 56 : 24=(56÷2) : (24÷2)=28 : 12 ➜ ㉠=28
56 : 24=(56÷8) : (24÷8)=7 : 3 ➜ ㉡=3

09 $70\times\frac{5}{14}=25$, $70\times\frac{9}{14}=45$

10 $4.9 : 2\frac{4}{5}=4.9 : 2.8$
$=(4.9\times10) : (2.8\times10)=49 : 28$
$=(49\div7) : (28\div7)=7 : 4$

11 비례식에서 외항의 곱과 내항의 곱은 같습니다.
➜ (내항의 곱)=(외항의 곱)=$\frac{2}{5}\times15=6$

12 [가] (가로) : (세로)=10 : 7.5=100 : 75=4 : 3
[나] (가로) : (세로)=10 : 8=5 : 4
[다] (가로) : (세로)=12 : 9=4 : 3
[라] (가로) : (세로)=14 : 12=7 : 6

13 인공위성이 237 km를 도는 데 걸리는 시간을 □초라 하고 비례식을 세우면 79 : 10=237 : □입니다.
➜ $79\times□=10\times237$, $79\times□=2370$, □=30
따라서 인공위성이 237 km를 도는 데 걸리는 시간은 30초입니다.
다른 풀이 비례식을 79 : 237=10 : □로 세울 수도 있습니다.
➜ $79\times□=237\times10$, $79\times□=2370$, □=30

14 (윤수) : (동생)=7 : 5
어머니께서 주신 용돈을 □원이라 하면
윤수: $□\times\frac{7}{7+5}=□\times\frac{7}{12}=3500$(원)
➜ $□=3500\div\frac{7}{12}=6000$

15 (전체의 35 %의 넓이)=140 cm^2
백분율에서 전체는 100 %이므로 삼각형의 전체 넓이를 □ cm^2라 하고 비례식을 세우면
35 : 140=100 : □입니다.
➜ $35\times□=140\times100$, $35\times□=14000$, □=400
따라서 삼각형의 전체 넓이는 400 cm^2입니다.

16 ㉠ : 4=㉡ : ㉢이라 하면
㉠ : 4의 비율이 4이므로 $\frac{㉠}{4}=4$, ㉠=16입니다.
16 : 4=㉡ : ㉢에서 내항의 곱이 80이므로
$4\times㉡=80$, ㉡=20입니다.
20 : ㉢의 비율이 4이므로 $\frac{20}{㉢}=4$, ㉢=5입니다.

17 (㉮의 회전수) : (㉯의 회전수)
=(㉯의 톱니 수) : (㉮의 톱니 수)=16 : 24=2 : 3
톱니바퀴 ㉯가 15바퀴 도는 동안 톱니바퀴 ㉮가 도는 바퀴 수를 □바퀴라 하면 2 : 3=□ : 15입니다.
➜ $2\times15=3\times□$, $3\times□=30$, □=10
따라서 톱니바퀴 ㉯가 15바퀴 도는 동안 톱니바퀴 ㉮는 10바퀴 돕니다.

18

채점 기준		
	❶ 전항과 외항 각각 구하기	4점
	❷ 전항도 되고 외항도 되는 수 구하기	1점

19

채점 기준		
	❶ 평행사변형의 밑변의 길이 구하기	3점
	❷ 평행사변형의 넓이 구하기	2점

20

채점 기준		
	❶ 경수와 수하가 일한 시간의 비를 간단한 자연수의 비로 나타내기	2점
	❷ 경수와 수하가 가지게 되는 감자의 무게 각각 구하기	3점

진도북 4단원

진도북 정답 및 풀이

5. 원의 넓이

STEP 1 개념 완성하기 112~113쪽

1 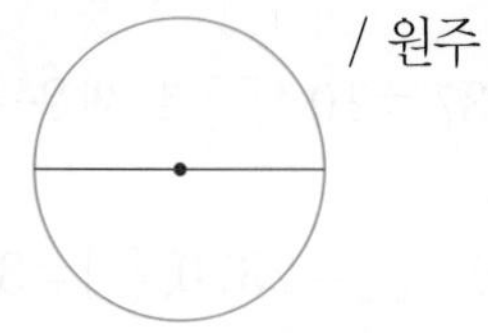 / 원주

2 (1) 3, 4 (2) 3, 4

3 (1) 10, 3.14 (2) 원주율

4 (1) 3, 9.3, 3.1 / 4, 12.4, 3.1 (2) 변하지 않습니다.

5 ○, ×, ○

6 ㉡

7 28.3, 9, 3.144, 3.14

5 • 원의 지름: 원 위의 두 점을 이은 선분이 원의 중심을 지날 때의 선분 ➡ 선분 ㄱㄴ은 원의 지름입니다.
• 원주는 원의 지름의 약 3배입니다.
• (원주율)=(원주)÷(지름)이므로 원주율은 시계의 둘레를 선분 ㄱㄴ으로 나눈 값입니다.

6 (정육각형의 둘레)$=1\times6=6$(cm)
(정사각형의 둘레)$=2\times4=8$(cm)
➡ 6 cm<(원주)<8 cm
따라서 원주와 가장 비슷한 길이는 ㉡ 7 cm입니다.

7 (원주율)=(원주)÷(지름)
$=28.3\div9=3.144\cdots\cdots$ ➡ 3.14

STEP 1 개념 완성하기 114~115쪽

1 (1) 12 cm (2) 12, 3, 36

2 (1) 46.5, 3.1, 15 (2) 2, 37.2, 3.1, 2, 6

3 (1) 65.94 cm (2) 43.96 cm

4 (1) 10 (2) 6

5 (1) 6, 9 (2) 2, 3

6 248 cm

7 2.4 cm

8 (1) 15 cm (2) 5 cm

3 (1) (원주)$=21\times3.14=65.94$(cm)

4 (1) (지름)$=31.4\div3.14=10$(cm)

5 (1) (원주가 18 cm인 원의 지름)$=18\div3=6$(cm)
(원주가 27 cm인 원의 지름)$=27\div3=9$(cm)

6 (훌라후프의 원주)$=40\times2\times3.1=248$(cm)

7 (지름)$=7.536\div3.14=2.4$(cm)

8 (1) (원의 원주)=(색 테이프의 길이)=15 cm
(2) (원의 지름)$=15\div3=5$(cm)

STEP 2 실력 다지기 116~119쪽

01 서현

02 3.1, 3.14

03 ❶ 3.14, 3.14, 3.14 ▸3점
예 ❷ 원의 크기가 달라도 원주율은 같습니다. ▸2점

04 21.7 cm

05 37.68 cm

06 45 cm

07 (1) 5 cm (2) 4.5 cm

08 35 cm

09 10 cm

10 ㉡

11 연아

12 ㉢, ㉠, ㉡

13 4배

14 예 ❶ 큰 원의 지름은 작은 원의 지름의 2배이므로 큰 원의 원주도 작은 원의 원주의 2배입니다. ▸2점
❷ (작은 원의 원주)$=56.52\div2=28.26$(cm) ▸3점
/ 28.26 cm

15 24 cm

16 4650 cm

17 5바퀴

18 16개

19 124, 124

20 6.28 m

21 178.5 cm

22 112 cm

01 서현: 원의 크기와 상관없이 원주율은 일정합니다.

02 (원주율)=(원주)÷(지름)
$=40.84\div13=3.141\cdots\cdots$
➡ 반올림하여 소수 첫째 자리까지 나타낸 값: 3.1
반올림하여 소수 둘째 자리까지 나타낸 값: 3.14

03

채점 기준		
	❶ 원주율 각각 구하기	3점
	❷ 원주율에 대해 알 수 있는 점 쓰기	2점

가: (원주율)=(원주)÷(지름)$=69.08\div22=3.14$
나: (원주율)=(원주)÷(지름)$=37.68\div12=3.14$
다: (원주율)=(원주)÷(지름)$=47.1\div15=3.14$

04 컴퍼스를 3.5 cm만큼 벌려서 원을 그렸으므로 (그린 원의 지름)$=3.5\times2=7$(cm)입니다.
➡ (그린 원의 원주)$=7\times3.1=21.7$(cm)

05 (선분 ㄴㅇ)=(선분 ㄷㅇ)=4 cm이므로
(선분 ㄱㅇ)$=2+4=6$(cm)
(선분 ㄱㄹ)$=6\times2=12$(cm)
➡ (큰 원의 원주)$=12\times3.14=37.68$(cm)

06 (가장 두꺼운 부분의 원주)$=45\times3=135$(cm)
(가장 얇은 부분의 원주)$=30\times3=90$(cm)
➡ (원주의 차)$=135-90=45$(cm)

07 (1) (반지름)$=31.4\div3.14\div2=5$(cm)
(2) (반지름)$=28.26\div3.14\div2=4.5$(cm)

08 (피자의 지름)$=105\div3=35$(cm)
상자의 밑면의 한 변의 길이는 피자의 지름보다 길거나 같아야 하므로 적어도 35 cm이어야 합니다.

09 원주가 길수록 지름도 길므로 지름이 가장 긴 원은 가이고, 가장 짧은 원은 나입니다.
(가의 지름)$=93\div3.1=30$(cm)
(나의 지름)$=62\div3.1=20$(cm)
➡ (지름의 차)$=30-20=10$(cm)

10 (㉠의 원주)=69 cm, (㉡의 원주)$=21\times3=63$(cm)
➡ 69 cm$>$63 cm이므로 더 작은 원은 ㉡입니다.
다른 풀이 (㉠의 지름)$=69\div3=23$(cm)
(㉡의 지름)=21 cm
➡ 23 cm$>$21 cm이므로 더 작은 원은 ㉡입니다.

11 (정수가 굴리고 있는 굴렁쇠의 반지름)=24 cm
(연아가 굴리고 있는 굴렁쇠의 반지름)
$=157\div3.14\div2=25$(cm)
➡ 24 cm$<$25 cm이므로 더 큰 굴렁쇠를 굴리고 있는 사람은 연아입니다.
다른 풀이 (정수가 굴리고 있는 굴렁쇠의 둘레)
$=24\times2\times3.14=150.72$(cm)
(연아가 굴리고 있는 굴렁쇠의 둘레)=157 cm
➡ 150.72 cm$<$157 cm이므로 더 큰 굴렁쇠를 굴리고 있는 사람은 연아입니다.

12 ㉠ (지름)=12 cm ㉡ (지름)$=5.5\times2=11$(cm)
㉢ (지름)$=40.3\div3.1=13$(cm)
➡ ㉢ 13 cm$>$㉠ 12 cm$>$㉡ 11 cm
다른 풀이 ㉠ (원주)$=12\times3.1=37.2$(cm)
㉡ (원주)$=5.5\times2\times3.1=34.1$(cm)
㉢ (원주)=40.3 cm
➡ ㉢ 40.3 cm$>$㉠ 37.2 cm$>$㉡ 34.1 cm

13 원주가 2배, 3배, 4배……가 되면 지름도 2배, 3배, 4배……가 됩니다.
수호가 그린 원의 원주는 윤정이가 그린 원의 원주의 $48\div12=4$(배)이므로 수호가 그린 원의 지름도 윤정이가 그린 원의 지름의 4배입니다.
다른 풀이 (수호가 그린 원의 지름)
$=48\div3=16$(cm)
(윤정이가 그린 원의 지름)$=12\div3=4$(cm)
➡ $16\div4=4$(배)
중요 원주와 지름의 관계
원주가 2배, 3배, 4배……가 되면 지름도 2배, 3배, 4배……가 됩니다.

14

채점 기준		
	❶ 원주와 지름의 관계 알아보기	2점
	❷ 작은 원의 원주 구하기	3점

15 큰 바퀴의 원주는 작은 바퀴의 원주의 3배이므로 큰 바퀴의 반지름도 작은 바퀴의 반지름의 3배입니다.
(작은 바퀴의 반지름)$=50.24\div3.14\div2=8$(cm)
➡ (큰 바퀴의 반지름)$=8\times3=24$(cm)

16 (바퀴의 원주)$=50\times3.1=155$(cm)
(강당 바닥의 가로)$=155\times30=4650$(cm)

17 (철로의 원주)$=28\times3.14=87.92$(m)
➡ (기차가 달린 바퀴 수)
=(기차가 달린 거리)÷(철로의 원주)
$=439.6\div87.92=5$(바퀴)

18 (팔찌의 원주)$=4\times2\times3=24$(cm)
필요한 구슬 수는 간격 수와 같습니다.
(필요한 구슬 수)=(팔찌의 원주)÷(간격)
$=24\div1.5=16$(개)

19 약점 포인트 정답률 75%
(반원에서 곡선 부분의 길이)=(원주)÷2
(금빛 코스)=(반지름이 40 m인 원의 원주)÷2
$=40\times2\times3.1\div2=124$(m)
(은빛 코스)=(지름이 40 m인 원의 원주)÷2×2
$=40\times3.1\div2\times2=124$(m)

20 1번 경주로의 곡선 구간의 지름은 35 m이고, 2번 경주로의 곡선 구간의 지름은 $35+2=37$(m)입니다.
(1번 경주로의 곡선 구간의 거리)
$=35\times3.14\div2\times2=109.9$(m)
(2번 경주로의 곡선 구간의 거리)
$=37\times3.14\div2\times2=116.18$(m)
따라서 2번 경주로에서 달리는 사람은 1번 경주로에서 달리는 사람보다 $116.18-109.9=6.28$(m) 더 앞에서 출발하면 됩니다.
참고 1번 경주로와 2번 경주로에서 직선 부분의 길이는 같으므로 곡선 부분의 길이만 비교합니다.

진도북 5단원

21 약점 포인트 정답률 65%

색칠한 부분의 안쪽과 바깥쪽을 모두 생각하여 둘레를 구합니다.
(색칠한 부분의 둘레)
=(지름이 25 cm인 원의 원주)
+(한 변의 길이가 25 cm인 정사각형의 둘레)

(원의 지름)=(정사각형의 한 변의 길이)=25 cm
➜ (색칠한 부분의 둘레)
=(곡선 부분의 길이)+(직선 부분의 길이)
=(지름이 25 cm인 원의 원주)
+(한 변의 길이가 25 cm인 정사각형의 둘레)
$=25\times3.14+25\times4=78.5+100$
$=178.5$(cm)

22 (색칠한 부분의 둘레)
=(곡선 부분의 길이의 합)
+(직선 부분의 길이의 합)
=(반지름이 20 cm인 원의 원주)÷2
+(반지름이 12 cm인 원의 원주)÷2+8+8
$=20\times2\times3\div2+12\times2\times3\div2+8+8$
$=60+36+16=112$(cm)

STEP 1 개념 완성하기 120~121쪽

1 (1) 16, 16, 128 (2) 128 (3) 16, 16, 256 (4) 256 (5) 128, 256
2 (1) 32개 (2) 60개 (3) 32, 60
3 18, 36 **4** 88, 132
5 (1) 6, 3, 6, 18 (2) 6, 4, 6, 24 (3) 18, 24
6 98, 196, 예 147

3 (원 안의 정사각형의 넓이)$=6\times6\div2=18$(cm^2)
➜ 18 cm^2<(원의 넓이)
(원 밖의 정사각형의 넓이)$=6\times6=36$(cm^2)
➜ (원의 넓이)<36 cm^2

4 노란색 모눈은 88개이므로 넓이는 88 cm^2입니다.
➜ 88 cm^2<(원의 넓이)
초록색 선 안쪽 모눈은 132개이므로 넓이는 132 cm^2입니다. ➜ (원의 넓이)<132 cm^2

5 (3) (원 안의 정육각형의 넓이)<(원의 넓이)
➜ 18 cm^2<(원의 넓이)
(원의 넓이)<(원 밖의 정육각형의 넓이)
➜ (원의 넓이)< 24 cm^2

6 (원 안의 정사각형의 넓이)$=14\times14\div2=98$(cm^2)
(원 밖의 정사각형의 넓이)$=14\times14=196$(cm^2)
➜ 98 cm^2<(원의 넓이)<196 cm^2

STEP 1 개념 완성하기 122~123쪽

1 (1) (위에서부터) 12.4, 4 (2) 49.6 cm^2
2 3.14, 8, 8, 200.96
3 (1) 113.04 cm^2 (2) 314 cm^2
4 (1) 10, 10, 100 (2) 3.1, 5, 5, 77.5 (3) 100, 77.5, 22.5
5 (1) 3 cm^2, 12 cm^2, 27 cm^2 (2) 4, 9
6 3, $3.1\times3\times3$, 27.9 / 9, $3.1\times9\times9$, 251.1
7 706.5 m^2 **8** 588, 147, 441

3 (1) (원의 넓이)$=3.14\times6\times6=113.04$($cm^2$)
(2) (반지름)$=20\div2=10$(cm)
(원의 넓이)$=3.14\times10\times10=314$($cm^2$)

4 (3) (색칠한 부분의 넓이)
=(한 변의 길이가 10 cm인 정사각형의 넓이)
−(반지름이 5 cm인 원의 넓이)
$=100-77.5=22.5$(cm^2)

7 (정원의 넓이)$=3.14\times15\times15=706.5$($m^2$)

8 (색칠한 부분의 넓이)
=(반지름이 14 cm인 원의 넓이)
−(반지름이 7 cm인 원의 넓이)
$=3\times14\times14-3\times7\times7$
$=588-147=441$(cm^2)

STEP 2 실력 다지기 124~127쪽

01 예 675 cm^2 **02** 예 33 cm^2
03 예 84 cm^2 **04** 697.5 cm^2
05 예 ❶ (분홍색 원의 반지름)$=20-8=12$(cm)
▸2점
❷ (분홍색 원의 넓이)$=3\times12\times12=432$(cm^2)
▸3점 / 432 cm^2
06 266.9 cm^2 **07** <

08 예 ❶ ㉡ (반지름)$=8\div2=4$(cm)
➜ (원의 넓이)$=3.1\times4\times4=49.6$(cm^2) ▸3점
❷ $77.5\ cm^2>49.6\ cm^2$이므로 더 큰 원은 ㉠입니다. ▸2점 / ㉠

09 1, 3, 2
10 4배
11 16배
12 $254.34\ cm^2$
13 $92.34\ cm^2$
14 $96\ cm^2$
15 $22.95\ cm^2$
16 $125.55\ cm^2$
17 $87.48\ cm^2$
18 다
19 $0.4\ cm^2$
20 ❶ 원주, 반지름 ▸2점
예 ❷ (원의 넓이)
$=$(삼각형의 넓이)
$=$(밑변의 길이)$\times$(높이)$\div2$
$=$(원주)$\times$(반지름)$\div2$
$=$(원주율)$\times$(지름)$\times$(반지름)$\div2$
$=$(원주율)$\times$(지름)$\div2\times$(반지름)
$=$(원주율)$\times$(반지름)$\times$(반지름) ▸3점
21 14 cm
22 24 m

01 (원 안의 정사각형의 넓이)$=30\times30\div2=450$(cm^2)
(원 밖의 정사각형의 넓이)$=30\times30=900$(cm^2)
원의 넓이는 원 안의 정사각형의 넓이 $450\ cm^2$보다 크고, 원 밖의 정사각형의 넓이 $900\ cm^2$보다 작습니다.
따라서 원의 넓이를 약 $675\ cm^2$라고 어림할 수 있습니다.

02 주황색 모눈은 21개이므로 넓이는 $21\ cm^2$입니다.
➜ $21\ cm^2<$(원의 넓이)
초록색 선 안쪽 모눈은 45개이므로 넓이는 $45\ cm^2$입니다. ➜ (원의 넓이)$<45\ cm^2$
따라서 원의 넓이를 약 $33\ cm^2$라고 어림할 수 있습니다.

03 (원 안의 정육각형의 넓이)
$=$(나의 넓이)$\times6=12\times6=72$(cm^2)
(원 밖의 정육각형의 넓이)
$=$(가의 넓이)$\times6=16\times6=96$(cm^2)
원의 넓이는 원 안의 정육각형의 넓이 $72\ cm^2$보다 크고, 원 밖의 정육각형의 넓이 $96\ cm^2$보다 작습니다.
따라서 원의 넓이를 약 $84\ cm^2$라고 어림할 수 있습니다.

04 (반지름)$=$(끈의 길이)$=15$ cm
(원의 넓이)$=3.1\times15\times15=697.5$($cm^2$)

05

채점 기준		
	❶ 분홍색 원의 반지름 구하기	2점
	❷ 분홍색 원의 넓이 구하기	3점

06 (가의 넓이)$=3.14\times7\times7=153.86$($cm^2$)
(나의 넓이)$=3.14\times6\times6=113.04$($cm^2$)
➜ (넓이의 합)$=153.86+113.04=266.9$(cm^2)

07 (반지름이 8 cm인 원의 넓이)
$=3\times8\times8=192$(cm^2)
➜ $192\ cm^2<243\ cm^2$

08

채점 기준		
	❶ ㉡의 넓이 구하기	3점
	❷ 더 큰 원의 기호 쓰기	2점

09 (반지름이 14 cm인 쟁반의 넓이)
$=3.14\times14\times14=615.44$($cm^2$)
(지름이 26 cm인 쟁반의 넓이)
$=3.14\times13\times13=530.66$($cm^2$)
➜ $452.16\ cm^2<530.66\ cm^2<615.44\ cm^2$

10 반지름이 2배, 3배, 4배……가 되면 넓이는 4배, 9배, 16배……가 됩니다.
나의 반지름은 $8\div2=4$(cm)이므로 가의 반지름은 나의 반지름의 $8\div4=2$(배)입니다.
따라서 반지름이 2배가 되면 넓이는 4배가 되므로 가의 넓이는 나의 넓이의 4배입니다.
중요 원에서 반지름이 ■배가 되면 넓이는 (■$\times$■)배가 됩니다.

11 (주은이가 그린 원의 반지름)$=24\div2=12$(cm)
주은이가 그린 원의 반지름은 성수가 그린 원의 반지름의 $12\div3=4$(배)입니다.
따라서 반지름이 4배가 되면 넓이는 16배가 되므로 주은이가 그린 원의 넓이는 성수가 그린 원의 넓이의 16배입니다.

12 반지름이 3배가 되면 넓이는 9배가 되므로 나 그림자의 넓이는 가 그림자의 넓이의 9배입니다.
➜ (나 그림자의 넓이)$=28.26\times9=254.34$(cm^2)

13 (색칠한 부분의 넓이)
$=$(반지름이 9 cm인 원의 넓이)
$-$(두 대각선이 각각 18 cm인 마름모의 넓이)
$=3.14\times9\times9-18\times18\div2$
$=254.34-162=92.34$(cm^2)

14 (큰 원의 반지름)$=4\times2=8$(cm)
➡ (색칠한 부분의 넓이)
$=$(큰 원의 넓이)$-$(작은 원의 넓이)$\times2$
$=3\times8\times8-3\times4\times4\times2$
$=192-96=96$(cm^2)

15 도형을 반원 부분과 삼각형 부분으로 나누어 넓이를 구합니다.

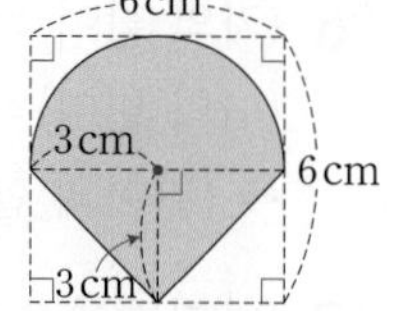

(도형의 넓이)
$=$(반지름이 3 cm인 반원의 넓이)
$+$(밑변의 길이가 6 cm, 높이가 3 cm인 삼각형의 넓이)
$=3.1\times3\times3\div2+6\times3\div2$
$=13.95+9=22.95$(cm^2)

16 색칠한 부분에서 작은 반원 부분을 옮기면 반지름이 9 cm인 반원 모양이 됩니다.
(색칠한 부분의 넓이)
$=3.1\times9\times9\div2=125.55$($\text{cm}^2$)

17 잘라 낸 부분을 모으면 다음과 같습니다.

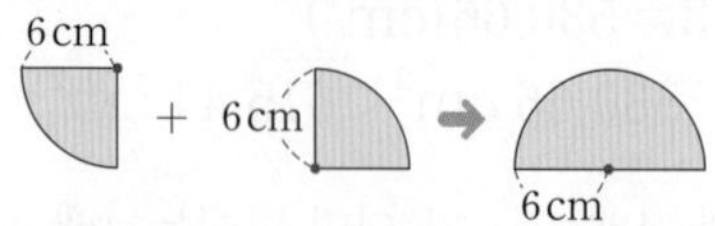

(남은 부분의 넓이)
$=$(한 변의 길이가 12 cm인 정사각형의 넓이)
$-$(반지름이 6 cm인 반원의 넓이)
$=12\times12-3.14\times6\times6\div2$
$=144-56.52=87.48$(cm^2)

18 색칠한 부분에서 일부분을 옮기면 다음과 같은 모양이 됩니다.

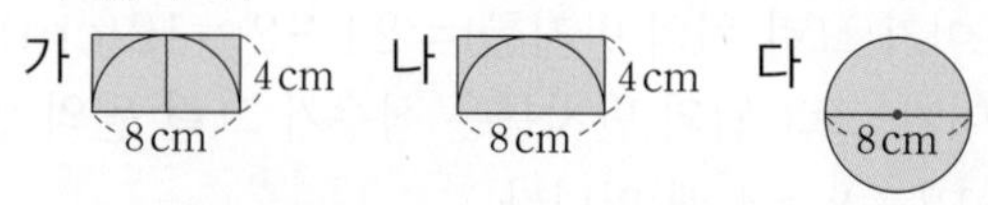

따라서 넓이가 다른 하나는 다입니다.

19 약점 포인트 정답률 75%

원의 넓이 ➡ (지름이 12 cm인 원의 넓이)
팔각형의 넓이
➡ (삼각형 4개의 넓이의 합)$+$(정사각형 5개의 넓이의 합)

(원의 넓이)$=3.1\times6\times6=111.6$(cm^2)
(팔각형의 넓이)
$=$(밑변의 길이가 4 cm, 높이가 4 cm인 삼각형의 넓이)$\times4$
$+$(한 변의 길이가 4 cm인 정사각형의 넓이)$\times5$
$=4\times4\div2\times4+4\times4\times5=32+80=112$($\text{cm}^2$)
➡ (넓이의 차)$=112-111.6=0.4$(cm^2)

20

채점 기준		
	❶ 삼각형의 밑변의 길이와 높이는 각각 원의 무엇과 같은지 쓰기	2점
	❷ 삼각형의 넓이 구하는 방법을 이용하여 원의 넓이 구하는 방법 설명하기	3점

21 반지름을 □ cm라 하면
(원의 넓이)$=3.1\times\square\times\square=151.9$($\text{cm}^2$),
$\square\times\square=49$입니다.
$7\times7=49$이므로 □$=7$입니다.
➡ (지름)$=7\times2=14$(cm)

22 연못의 반지름을 □ m라 하면
(연못의 넓이)$=3\times\square\times\square=48$($\text{m}^2$),
$\square\times\square=16$입니다.
$4\times4=16$이므로 □$=4$입니다.
➡ (연못의 둘레)$=4\times2\times3=24$(m)

STEP 3 서술형 해결하기

128~131쪽

01 ❶ 한 변, 15 ▸2점
❷ $15\times3.1=46.5$(cm) ▸3점 / 46.5 cm

02 예 ❶ 가장 큰 원을 그리려면 직사각형의 짧은 변의 길이를 지름으로 해야 합니다.
➡ (그릴 수 있는 가장 큰 원의 지름)$=16$ cm ▸2점
❷ (그릴 수 있는 가장 큰 원의 원주)
$=16\times3.14=50.24$(cm) ▸3점 / 50.24 cm

03 예 ❶ 가장 큰 원을 만들려면 직사각형의 짧은 변의 길이를 지름으로 해야 합니다.
(만들 수 있는 가장 큰 원의 지름)$=34$ cm ▸2점
❷ (만들 수 있는 가장 큰 원의 넓이)
$=3\times17\times17=867$(cm^2) ▸3점 / 867 cm^2

04 ❶ 6, $3.1\times6\times6=111.6$(cm^2) ▸2점
❷ $6+6=12$(cm),
$3.1\times12\times12-111.6=334.8$($\text{cm}^2$) ▸3점
/ 111.6 cm^2, 334.8 cm^2

05 예 ❶ (가장 큰 원의 반지름)$=18\div2=9$(cm)
(두 번째로 큰 원의 반지름)$=9-3=6$(cm)
(가장 작은 원의 반지름)$=6-3=3$(cm) ▸2점
❷ (색칠한 부분의 넓이)
$=$(두 번째로 큰 원의 넓이)$-$(가장 작은 원의 넓이)
$=3\times6\times6-3\times3\times3$
$=108-27=81$(cm^2) ▸3점 / 81 cm^2

06 예 ❶ (가장 작은 원의 반지름)$=10\div2=5$(cm)
(두 번째로 큰 원의 반지름)$=5+5=10$(cm)
(가장 큰 원의 반지름)$=10+5=15$(cm) ▸2점
❷ (색칠한 부분의 넓이)
$=$(가장 큰 원의 넓이)$-$(두 번째로 큰 원의 넓이)
$=3.14\times15\times15-3.14\times10\times10$
$=706.5-314=392.5$(cm^2) ▸3점
/ 392.5 cm^2

07 ❶ 90 ▸2점
❷ $\frac{90}{360}$, $3\times24\times24\times\frac{90}{360}=432$(cm^2) ▸3점
/ 432 cm^2

08 예 ❶ 주어진 도형은 전체 원의 $\frac{45}{360}$입니다. ▸2점
❷ (도형의 넓이)
$=$(반지름이 4 cm인 원의 넓이)$\times\frac{45}{360}$
$=3.1\times4\times4\times\frac{45}{360}=6.2$(cm^2) ▸3점
/ 6.2 cm^2

09 예 ❶ 주어진 도형은 전체 원의 $\frac{300}{360}$입니다. ▸2점
❷ (도형의 넓이)
$=$(반지름이 3 cm인 원의 넓이)$\times\frac{300}{360}$
$=3.14\times3\times3\times\frac{300}{360}$
$=23.55$(cm^2) ▸3점
/ 23.55 cm^2

10 ❶ 원주, 37.68, 3.14, 12 ▸3점
❷ $12\div2=6$(cm),
$3.14\times6\times6=113.04$(cm^2) ▸2점
/ 113.04 cm^2

11 예 ❶ (만들 수 있는 가장 큰 원의 원주)
$=$(철사의 길이)$=68.2$ cm
➡ (만들 수 있는 가장 큰 원의 지름)
$=68.2\div3.1=22$(cm) ▸3점
❷ (원의 반지름)$=22\div2=11$(cm)
(원의 넓이)$=3.1\times11\times11=375.1$(cm^2) ▸2점
/ 375.1 cm^2

12 예 ❶ (만들 수 있는 가장 큰 원의 원주)
$=$(털실의 길이)$=96$ cm
➡ (만들 수 있는 가장 큰 원의 지름)
$=96\div3=32$(cm) ▸3점
❷ (원의 반지름)$=32\div2=16$(cm)
(원의 넓이)$=3\times16\times16=768$(cm^2) ▸2점
/ 768 cm^2

01
채점 기준	❶ 만들 수 있는 가장 큰 원의 지름 구하기	2점
	❷ 만들 수 있는 가장 큰 원의 원주 구하기	3점

참고 • 정사각형 모양의 종이를 잘라 가장 큰 원을 만드는 경우
➡ (원의 지름)=(정사각형의 한 변의 길이)
• 직사각형 모양의 종이를 잘라 가장 큰 원을 만드는 경우
➡ (원의 지름)=(직사각형의 변 중 가장 짧은 변의 길이)

02
채점 기준	❶ 그릴 수 있는 가장 큰 원의 지름 구하기	2점
	❷ 그릴 수 있는 가장 큰 원의 원주 구하기	3점

03
채점 기준	❶ 만들 수 있는 가장 큰 원의 지름 구하기	2점
	❷ 만들 수 있는 가장 큰 원의 넓이 구하기	3점

04
채점 기준	❶ 빨간색 부분의 넓이 구하기	2점
	❷ 노란색 부분의 넓이 구하기	3점

05
채점 기준	❶ 각 원의 반지름 구하기	2점
	❷ 색칠한 부분의 넓이 구하기	3점

06
채점 기준	❶ 각 원의 반지름 구하기	2점
	❷ 색칠한 부분의 넓이 구하기	3점

07
채점 기준	❶ 윤석이가 먹은 피자 조각은 전체 피자의 몇 분의 몇인지 구하기	2점
	❷ 윤석이가 먹은 피자 조각의 넓이 구하기	3점

08
채점 기준	❶ 도형은 전체 원의 몇 분의 몇인지 구하기	2점
	❷ 도형의 넓이 구하기	3점

참고 원의 일부분인 도형의 넓이 알아보기

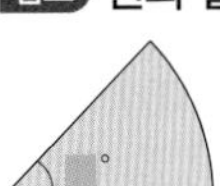

(도형의 넓이)
$=$(원주율)$\times$(반지름)$\times$(반지름)$\times\frac{■}{360}$

09
채점 기준	❶ 도형은 전체 원의 몇 분의 몇인지 구하기	2점
	❷ 도형의 넓이 구하기	3점

10
채점 기준	❶ 원의 지름 구하기	3점
	❷ 원의 넓이 구하기	2점

11
채점 기준	❶ 만들 수 있는 가장 큰 원의 지름 구하기	3점
	❷ 만들 수 있는 가장 큰 원의 넓이 구하기	2점

12
채점 기준	❶ 만들 수 있는 가장 큰 원의 지름 구하기	3점
	❷ 만들 수 있는 가장 큰 원의 넓이 구하기	2점

단원 마무리 132~134쪽

01 94.2, 30, 3.14 **02** 6, 3.1, 18.6
03 162, 324 **04** 예 243 m^2
05 (위에서부터) 15.7, 5 **06** 78.5 cm^2
07 4 cm **08** 49.6 cm^2 **09** 24 cm
10 ㉡ **11** 8 cm **12** 15 cm
13 2배, 4배 **14** 42.14 cm^2 **15** 37.2 cm^2
16 54 cm **17** 49.68 cm, 28.26 cm^2
18 ❶ 승훈 ▸1점
예 ❷ 원의 크기와 상관없이 원주율은 항상 일정해. ▸4점
19 예 ❶ (철로의 원주)$=20\times3.14=62.8$(cm) ▸3점
❷ (기차가 달린 거리)$=62.8\times3=188.4$(cm) ▸2점
/ 188.4 cm
20 예 ❶ (가장 큰 원의 원주)=(끈의 길이)$=86.8$ cm
➡ (원의 지름)$=86.8\div3.1=28$(cm) ▸3점
❷ (원의 넓이)$=3.1\times14\times14=607.6(cm^2)$ ▸2점
/ 607.6 cm^2

03 (원 안의 정사각형의 넓이)$=18\times18\div2=162(m^2)$
(원 밖의 정사각형의 넓이)$=18\times18=324(m^2)$

05 (직사각형의 가로)$=5\times2\times3.14\times\frac{1}{2}=15.7$(cm)
(직사각형의 세로)=(반지름)=5 cm

06 (원의 넓이)$=15.7\times5=78.5(cm^2)$

07 (반지름)$=25.12\div3.14\div2=4$(cm)

08 (반지름)$=8\div2=4$(cm)
➡ (넓이)$=3.1\times4\times4=49.6(cm^2)$

09 (호두파이의 지름)$=74.4\div3.1=24$(cm)
정사각형 모양인 상자의 밑면의 한 변의 길이는 호두파이의 지름보다 길거나 같아야 하므로
적어도 24 cm이어야 합니다.

10 ㉠ (원의 넓이)$=3.14\times10\times10=314(cm^2)$
➡ ㉠ 314 cm^2 < ㉡ 379.94 cm^2

11 (작은 원의 지름)=(큰 원의 반지름)
$=48\div3\div2=8$(cm)
다른 풀이 큰 원의 지름은 작은 원의 지름의 2배이므로 큰 원의 원주는 작은 원의 원주의 2배입니다.
(작은 원의 원주)$=48\div2=24$(cm)
➡ (작은 원의 지름)$=24\div3=8$(cm)

12 (가의 원주)$=11\times3=33$(cm)
(나의 원주)$=8\times2\times3=48$(cm)
➡ (두 원의 원주의 차)$=48-33=15$(cm)

13 • 지름이 2배가 되면 원주도 2배가 됩니다.
➡ 원 나의 원주는 원 가의 원주의 2배입니다.
• 지름이 2배가 되면 넓이는 $2\times2=4$(배)가 됩니다.
➡ 원 나의 넓이는 원 가의 넓이의 4배입니다.

14
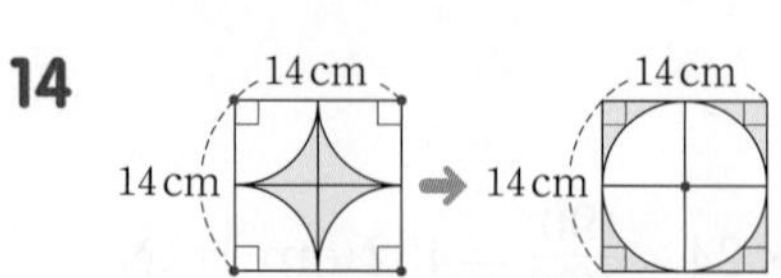

(색칠한 부분의 넓이)
=(한 변의 길이가 14 cm인 정사각형의 넓이)
−(지름이 14 cm인 원의 넓이)
$=14\times14-3.14\times7\times7$
$=196-153.86=42.14(cm^2)$

15 (도형의 넓이)
=(반지름이 12 cm인 원의 넓이)$\times\frac{30}{360}$
$=3.1\times12\times12\times\frac{30}{360}=37.2(cm^2)$

16 원의 반지름을 □cm라 하면
(넓이)$=3\times□\times□=243(cm^2)$입니다.
$□\times□=81$, □=9이므로 반지름은 9 cm입니다.
➡ (원주)$=9\times2\times3=54$(cm)

17 (색칠한 부분의 둘레)
=(지름이 12 cm인 반원의 둘레)
+(지름이 6 cm인 원의 원주)
$=12\times3.14\div2+12+6\times3.14$
$=18.84+12+18.84=49.68$(cm)
(색칠한 부분의 넓이)
=(반지름이 6 cm인 반원의 넓이)
−(반지름이 3 cm인 원의 넓이)
$=3.14\times6\times6\div2-3.14\times3\times3$
$=56.52-28.26=28.26(cm^2)$

18

채점 기준		
	❶ 잘못 말한 사람의 이름 쓰기	1점
	❷ 바르게 고치기	4점

19

채점 기준		
	❶ 철로의 원주 구하기	3점
	❷ 기차가 달린 거리 구하기	2점

20

채점 기준		
	❶ 만들 수 있는 가장 큰 원의 지름 구하기	3점
	❷ 만들 수 있는 가장 큰 원의 넓이 구하기	2점

6. 원기둥, 원뿔, 구

STEP 1 개념 완성하기 140~141쪽

1 다, 마
2 (1) 전개도 (2)
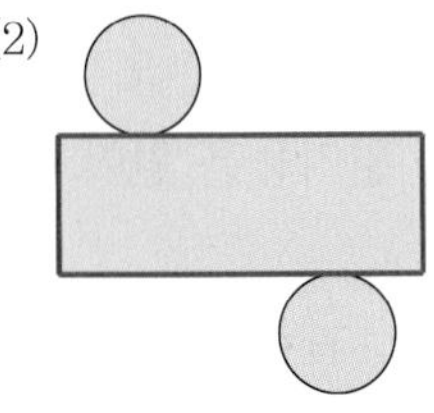

3 (위에서부터) 밑면, 높이, 옆면
4
5 ( ) (○)
6 (1) 7 cm (2) 4 cm
7 (위에서부터) 6, 5
8 18.6, 7

3 • 밑면: 서로 평행하고 합동인 두 면
• 옆면: 두 밑면과 만나는 면
• 높이: 두 밑면에 수직인 선분의 길이

5 왼쪽 전개도는 두 밑면이 합동이 아니므로 전개도를 잘못 그렸습니다.

7 (밑면의 지름)=(직사각형의 세로)×2
=3×2=6(cm)
(높이)=(직사각형의 가로)=5 cm

8 (㉠의 길이)=(밑면의 둘레)
=3×2×3.1=18.6(cm)
(㉡의 길이)=(원기둥의 높이)=7 cm

STEP 1 개념 완성하기 142~143쪽

1 다, 라
2 (1) 밑면, 옆면, 원뿔의 꼭짓점 (2) 모선 (3) 높이
3 (위에서부터) 원뿔의 꼭짓점, 높이, 모선, 옆면, 밑면
4 나
5 (1) ㉡ (2) ㉠
6 (1) 7 cm (2) 8 cm
7 (위에서부터) 5, 6
8 (1) 17 cm (2) 모선

3 • 밑면: 평평한 면 • 옆면: 옆을 둘러싼 굽은 면
• 원뿔의 꼭짓점: 뾰족한 부분의 점
• 모선: 원뿔의 꼭짓점과 밑면인 원의 둘레의 한 점을 이은 선분
• 높이: 원뿔의 꼭짓점에서 밑면에 수직인 선분의 길이

7 (밑면의 지름)=(직각삼각형의 밑변의 길이)×2
=3×2=6(cm)
(높이)=(직각삼각형의 높이)=5 cm

8 (2) 모선: 17 cm, 높이: 15 cm
➜ 17 cm>15 cm이므로 모선의 길이가 높이보다 더 깁니다.
중요 원뿔에서 모선의 길이는 항상 높이보다 깁니다.

STEP 1 개념 완성하기 144~145쪽

1 구
2 다, 라
3 구, 원기둥
4 (왼쪽에서부터) 구의 중심, 구의 반지름
5 구
6 (1) ㉢ 원뿔 (2) ㉠ 구 (3) ㉡ 원기둥
7 (1) 4 cm (2) 7 cm
8 예

9 (1) 가 (2) 나 (3) 가, 나 (4) 다

4 • 구의 중심: 가장 안쪽에 있는 점
• 구의 반지름: 구의 중심에서 구의 겉면의 한 점을 이은 선분

6 (1) 원뿔 모양입니다. ➜ ㉢
(2) 구 모양입니다. ➜ ㉠
(3) 원기둥 모양입니다. ➜ ㉡

9 (1) 기둥 모양인 도형은 가(원기둥)입니다.
(2) 꼭짓점이 있는 도형은 나(원뿔)입니다.
(3) 밑면의 모양이 원인 도형은 가(원기둥), 나(원뿔)입니다.
(4) 어느 방향에서 보아도 모양이 같은 도형은 다(구)입니다.

STEP 2 실력 다지기 146~151쪽

01 12 cm, 4 cm
02 ㉡
03 7 cm
04 2, 2 / 원, 칠각형
05 ②, ⑤
06 예 ❶ 기둥 모양입니다. 밑면이 2개입니다. ▸2점
❷ 밑면의 모양이 원기둥은 원이고, 각기둥은 다각형입니다.
원기둥에는 굽은 면이 있고, 각기둥에는 굽은 면이 없습니다. ▸3점
07 희연
08 ❶ 잘못 그렸습니다. ▸1점
예 ❷ 전개도에서 옆면의 모양이 직사각형이 아니기 때문입니다. ▸4점

진도북 6단원

09 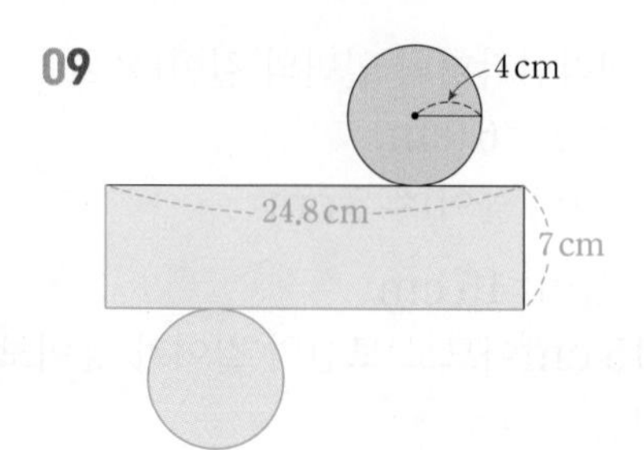

10 예 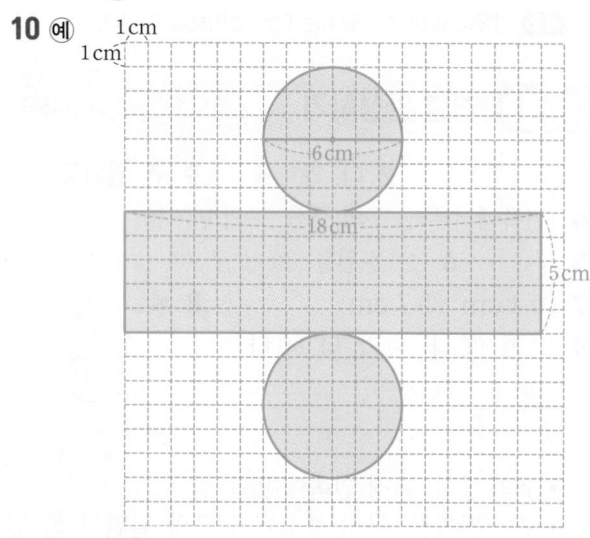

11 16, 24 / 12, 8

12 (1) ○ (2) × (3) ×

13 48 cm

14 원뿔 / 각뿔 / 원뿔, 각뿔

15 ㉠, ㉣

16 ❶ ㉡ ▸1점 / 예 ❷ 각뿔에는 모서리가 있지만 원뿔에는 모서리가 없습니다. ▸4점

17 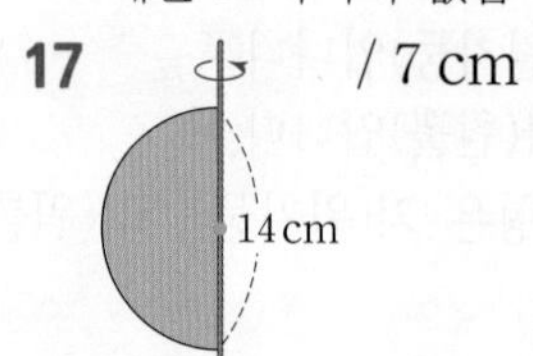 / 7 cm

18 ❶ 현미 ▸1점 / 예 ❷ 구의 중심은 1개입니다. ▸4점

19 12 cm

20 10개, 2개, 7개

21 소희

22 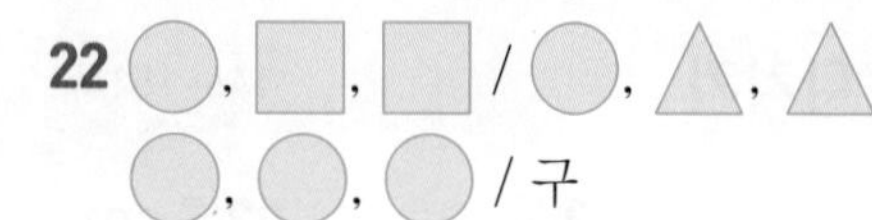 / 구

23 ❶ 틀렸습니다. ▸1점
예 ❷ 원기둥에는 뾰족한 부분이 없습니다. ▸4점

24 6 cm

25 7 cm

26 64 cm

27 150 cm^2

28 3 cm

29 가

01 직사각형 모양의 종이를 한 변을 기준으로 한 바퀴 돌리면 원기둥이 만들어집니다.
(밑면의 지름)$=6\times2=12$(cm)
(높이)=(직사각형의 세로)$=4$ cm

03 원기둥을 위에서 본 모양은 원기둥의 밑면의 모양과 같습니다. ➜ (밑면의 지름)$=7$ cm
앞에서 본 모양의 가로는 밑면의 지름과 같고, 세로는 높이와 같습니다. 앞에서 본 모양이 정사각형이므로 (높이)=(밑면의 지름)$=7$ cm입니다.

05 ① 꼭짓점이 원기둥은 없고, 오각기둥은 있습니다.
③ 밑면의 모양이 원기둥은 원이고, 오각기둥은 오각형입니다.
④ 원기둥의 옆면은 굽은 면이고, 오각기둥에는 굽은 면이 없습니다.

06

채점 기준		
	❶ 같은 점 2가지 쓰기	2점
	❷ 다른 점 2가지 쓰기	3점

07 희연: 원기둥의 높이는 옆면의 세로와 같습니다.

08

채점 기준		
	❶ 전개도를 바르게 그렸는지, 잘못 그렸는지 쓰기	1점
	❷ 이유 쓰기	4점

09 (옆면의 가로)=(밑면의 둘레)
$=4\times2\times3.1=24.8$(cm)
(옆면의 세로)=(원기둥의 높이)$=7$ cm

10 (옆면의 가로)=(밑면의 둘레)$=6\times3=18$(cm)
(옆면의 세로)=(원기둥의 높이)$=5$ cm

11 • 가: (밑면의 지름)=(직각삼각형의 밑변의 길이)$\times2$
$=8\times2=16$(cm)
(높이)=(직각삼각형의 높이)$=12$ cm
• 나: (밑면의 지름)=(직각삼각형의 높이)$\times2$
$=12\times2=24$(cm)
(높이)=(직각삼각형의 밑변의 길이)$=8$ cm

12 (2) 원뿔을 옆에서 본 모양은 이등변삼각형입니다.
(3) 모선의 길이는 항상 높이보다 깁니다.

13 (선분 ㄴㄷ)=(밑면의 지름)$=9\times2=18$(cm)
원뿔에서 모선의 길이는 모두 같으므로
(선분 ㄱㄷ)=(선분 ㄱㄴ)$=15$ cm
➜ (삼각형 ㄱㄴㄷ의 둘레)$=15+18+15$
$=48$(cm)

15 ㉠ 원뿔과 칠각뿔은 모두 밑면이 1개입니다.
㉡ 위에서 본 모양이 원뿔은 원, 칠각뿔은 칠각형입니다.
㉢ 꼭짓점이 원뿔은 1개, 칠각뿔은 8개입니다.
㉣ 원뿔과 칠각뿔을 앞에서 본 모양은 모두 이등변삼각형입니다.

16

채점 기준	❶ 틀린 것을 찾아 기호 쓰기	1점
	❷ 이유 쓰기	4점

17 (구의 반지름)=(반원의 반지름)$=14\div2=7$(cm)
구의 중심은 반원의 중심과 같습니다.

18

채점 기준	❶ 잘못 설명한 사람의 이름 쓰기	1점
	❷ 바르게 고치기	4점

19 구의 겉면에 그릴 수 있는 가장 큰 원은 구의 중심과 중심이 같은 원입니다.
➡ (가장 큰 원의 지름)=(구의 지름)$=6\times2=12$(cm)

21 (소희가 사용한 구의 수)=17개
(재준이가 사용한 구의 수)=11개] 17개>11개

22 • 원기둥: 위에서 본 모양은 원이고, 앞, 옆에서 본 모양은 직사각형입니다.
• 원뿔: 위에서 본 모양은 원이고, 앞, 옆에서 본 모양은 이등변삼각형입니다.
• 구: 어느 방향에서 보아도 항상 원 모양입니다.

23

채점 기준	❶ 준기가 한 말이 맞는지, 틀린지 쓰기	1점
	❷ 이유 쓰기	4점

24 (옆면의 가로)=(밑면의 지름)×(원주율)
➡ (옆면의 가로)$=㉠\times2\times3.1=37.2$(cm),
$㉠\times6.2=37.2$, $㉠=6$

25 (옆면의 가로)$=3\times2\times3.14=18.84$(cm)이므로
(옆면의 세로)$=131.88\div18.84=7$(cm)입니다.
➡ (만들어지는 원기둥의 높이)=7 cm

26 약점 포인트 정답률 75%

평면도형을 돌려서 만든 입체도형
• 직사각형을 한 변을 기준으로 한 바퀴 돌릴 때 ➡ 원기둥
• 직각삼각형을 한 변을 기준으로 한 바퀴 돌릴 때 ➡ 원뿔
• 반원을 지름을 기준으로 한 바퀴 돌릴 때 ➡ 구

주어진 원기둥은 가로가 12 cm, 세로가 20 cm인 직사각형의 세로를 기준으로 한 바퀴 돌려서 만든 입체도형입니다.

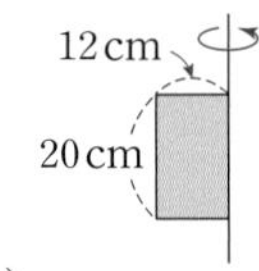

➡ (둘레)$=12+20+12+20=64$(cm)

27 주어진 원뿔은 밑변의 길이가 20 cm, 높이가 15 cm인 직각삼각형의 높이를 기준으로 한 바퀴 돌려서 만든 입체도형입니다.

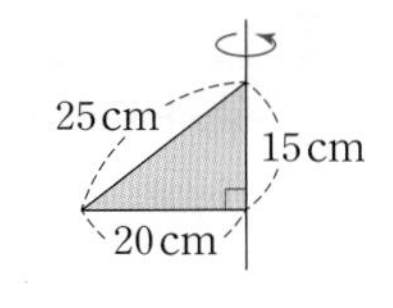

➡ (넓이)$=20\times15\div2=150$(cm^2)

28 약점 포인트 정답률 65%

① 전개도의 옆면의 가로 구하기
② 종이의 가로와 세로 중 어느 방향으로 전개도를 그릴지 정하기
③ 높이가 최대한 높은 원기둥을 만들 때 높이 구하기

(전개도의 옆면의 가로)$=6\times3=18$(cm)
종이의 세로는 15 cm이므로 세로 방향으로 옆면의 가로를 그릴 수 없습니다.
➡ 종이의 가로 방향으로 옆면의 가로를 그립니다.
높이가 최대한 높은 원기둥을 만들어야 하므로
(전개도의 옆면의 세로)
=(종이의 세로)−(밑면의 지름)×2
$=15-6\times2=3$(cm)
➡ (원기둥의 높이)=(전개도의 옆면의 세로)=3 cm

29

	옆면의 가로	원기둥의 최대 높이
가	$5\times2\times3.1=31$(cm)	$30-5\times2\times2=10$(cm)
나	$4\times2\times3.1=24.8$(cm)	$34-4\times2\times2=18$(cm)

가: 옆면의 가로가 31 cm이므로 종이의 가로 방향으로 옆면의 가로를 그립니다. 이 경우 원기둥의 최대 높이가 10 cm이므로 높이가 12 cm인 원기둥을 만들 수 없습니다.
나: 옆면의 가로가 24.8 cm이므로 종이의 어느 방향이든 전개도를 그릴 수 있습니다. 종이의 세로 방향으로 옆면의 가로를 그리면 원기둥의 최대 높이가 18 cm이므로 높이가 18 cm인 원기둥을 만들 수 있습니다.

STEP 3 서술형 해결하기 152~153쪽

01 ❶ 원, 지름, 14 ▸3점
❷ $3.14\times7\times7=153.86$(cm^2) ▸2점 / 153.86 cm^2

02 예 ❶ 통조림통을 앞에서 본 모양은 가로가 $6\times2=12$(cm), 세로가 13 cm인 직사각형입니다. ▸3점

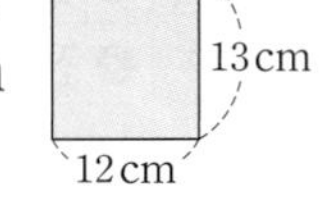

❷ (앞에서 본 모양의 넓이)
$=12\times13=156$(cm^2) ▸2점 / 156 cm^2

03 예 ❶ 삿갓을 앞에서 본 모양은 밑변의 길이가 $32\times2=64$(cm), 높이가 24 cm인 삼각형입니다. ▸3점
❷ (앞에서 본 모양의 넓이)
$=64\times24\div2=768$(cm^2) ▸2점 / 768 cm^2

진도북 6단원

04 ❶ $6\times2\times3.14=37.68$ (cm) ▸3점
❷ 37.68, 37.68, 9, 9 ▸2점
/ 9 cm

05 예 ❶ 밑면의 지름을 ▲ cm라 하면
(옆면의 가로)=(밑면의 둘레)=(▲×3) cm
(옆면의 세로)=(밑면의 지름)=▲ cm ▸3점
❷ (옆면의 둘레)
=▲×3+▲+▲×3+▲=64 (cm),
▲×8=64, ▲=8
따라서 밑면의 지름은 8 cm입니다. ▸2점
/ 8 cm

06 예 ❶ 밑면의 지름을 □ cm라 하면
(전개도의 옆면의 가로)=(밑면의 둘레)
=(□×3) cm
(원기둥의 높이)=(밑면의 지름)=□ cm이므로
(전개도의 옆면의 세로)=(원기둥의 높이)
=□ cm ▸3점
❷ (전개도의 옆면의 둘레)
=□×3+□+□×3+□=96 (cm),
□×8=96, □=12
따라서 원기둥의 밑면의 지름은 12 cm입니다. ▸2점
/ 12 cm

01

채점 기준		
채점 기준	❶ 구를 위에서 본 모양 알아보기	3점
	❷ 구를 위에서 본 모양의 넓이 구하기	2점

02

채점 기준		
채점 기준	❶ 통조림통을 앞에서 본 모양 알아보기	3점
	❷ 통조림통을 앞에서 본 모양의 넓이 구하기	2점

03

채점 기준		
채점 기준	❶ 삿갓을 앞에서 본 모양 알아보기	3점
	❷ 삿갓을 앞에서 본 모양의 넓이 구하기	2점

04

채점 기준		
채점 기준	❶ 전개도의 옆면의 가로 구하기	3점
	❷ 전개도의 옆면의 세로 구하기	2점

05

채점 기준		
채점 기준	❶ 밑면의 지름을 ▲ cm라 하고 옆면의 가로와 세로 알아보기	3점
	❷ 밑면의 지름 구하기	2점

06

채점 기준		
채점 기준	❶ 밑면의 지름을 □ cm라 하고 전개도의 옆면의 가로와 세로 알아보기	3점
	❷ 밑면의 지름 구하기	2점

중요 (전개도의 옆면의 가로)=(밑면의 둘레)
(전개도의 옆면의 세로)=(원기둥의 높이)

단원 마무리

154~156쪽

01 ③ **02** 나, 다, 마 **03** 구
04 (왼쪽에서부터) 높이, 밑면, 옆면, 밑면
05 4 cm
06 9 cm, 15 cm, 12 cm
07 20 cm
08 (위에서부터) 4, 24.8, 10
09 5개, 3개, 5개
10 3 cm, 6 cm **11** ㉢
12 예

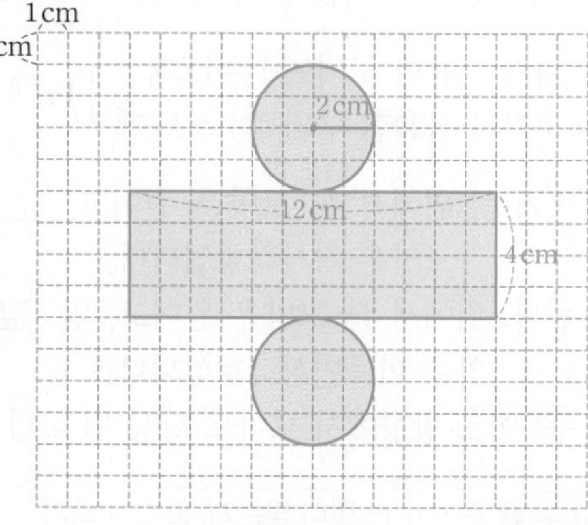

13 ㉢ **14** 9 cm
15 원기둥, 120 cm^2 **16** 70 cm^2
17 나
18 ❶ 원뿔이 아닙니다. ▸1점
예 ❷ 밑면의 모양이 원이 아니고, 옆면이 굽은 면이 아니므로 원뿔이 아닙니다. ▸4점
19 예 ❶ 밑면의 모양이 원입니다. ▸2점
❷ 원기둥은 기둥 모양이고, 원뿔은 뿔 모양입니다. ▸3점
20 예 ❶ (전개도의 옆면의 가로)=$3\times2\times3.1$
=18.6 (cm) ▸2점
❷ 원기둥의 높이를 □ cm라 하면 전개도의 옆면의 세로는 □ cm입니다.
(전개도의 옆면의 둘레)=18.6+□+18.6+□
=51.2 (cm),
□+□=14, □=7
➡ (원기둥의 높이)=7 cm ▸3점 / 7 cm

03 반원 모양의 종이를 지름을 기준으로 한 바퀴 돌리면 구가 만들어집니다.

04 • 밑면: 서로 평행하고 합동인 두 면
• 옆면: 두 밑면과 만나는 면
• 높이: 두 밑면에 수직인 선분의 길이

05 구의 중심에서 구의 겉면의 한 점을 이은 선분의 길이를 알아봅니다.
➜ (구의 반지름)$=8\div2=4$(cm)

06 • 밑면: 평평한 면 ➜ (밑면의 반지름)$=9$ cm
• 모선: 꼭짓점과 밑면인 원의 둘레의 한 점을 이은 선분 ➜ 15 cm
• 높이: 꼭짓점에서 밑면에 수직인 선분의 길이 ➜ 12 cm

07 원기둥의 높이: 8 cm, 원뿔의 높이: 12 cm
➜ $8+12=20$(cm)

08 (밑면의 반지름)$=8\div2=4$(cm)
(전개도의 옆면의 가로)
$=$(밑면의 둘레)$=8\times3.1=24.8$(cm)
(전개도의 옆면의 세로)$=$(원기둥의 높이)$=10$ cm

10 오른쪽과 같은 원기둥이 만들어집니다.

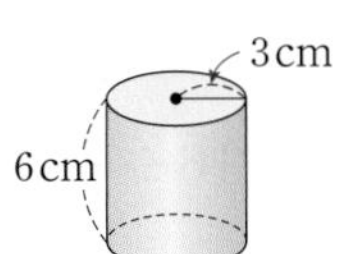

(밑면의 반지름)
$=$(직사각형의 가로)$=3$ cm
(높이)$=$(직사각형의 세로)$=6$ cm

11 ㉠ 밑면이 원뿔은 1개이고, 구는 없습니다.
㉡ 꼭짓점이 원뿔은 1개이고, 구는 없습니다.
㉢ 원뿔과 구를 위에서 본 모양은 모두 원입니다.
㉣ 앞에서 본 모양이 원뿔은 이등변삼각형이고, 구는 원입니다.

12 (옆면의 가로)
$=$(밑면의 둘레)$=2\times2\times3=12$(cm)
(옆면의 세로)$=$(원기둥의 높이)$=4$ cm

13 ㉢ 원기둥을 위에서 본 모양은 원이고, 앞에서 본 모양은 직사각형입니다.
➜ 원기둥은 보는 방향에 따라 모양이 다릅니다.

14 원기둥을 앞에서 본 모양은 오른쪽과 같은 직사각형입니다.

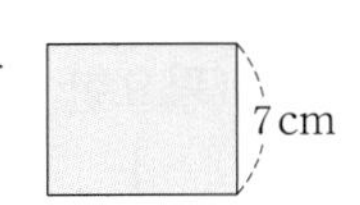

(직사각형의 세로)$=$(원기둥의 높이)
$=7$ cm
밑면의 지름을 □cm라 하면
(직사각형의 가로)$=$(밑면의 지름)$=$□ cm
➜ (앞에서 본 모양의 둘레)
$=$□$+7+$□$+7=32$(cm),
□$+$□$=18$, □$=9$
따라서 밑면의 지름은 9 cm입니다.

15 원기둥을 앞에서 본 모양은 가로가 $9\times2=18$(cm), 세로가 16 cm인 직사각형입니다.
➜ (넓이)$=18\times16=288$(cm^2)
원뿔을 앞에서 본 모양은 밑변의 길이가 14 cm, 높이가 24 cm인 이등변삼각형입니다.
➜ (넓이)$=14\times24\div2=168$(cm^2)
따라서 앞에서 본 모양의 넓이는 원기둥이
$288-168=120$(cm^2) 더 넓습니다.

16 주어진 도형은 다음과 같이 가로가 14 cm, 세로가 5 cm인 직사각형의 가로를 기준으로 한 바퀴 돌려서 만든 원기둥입니다.

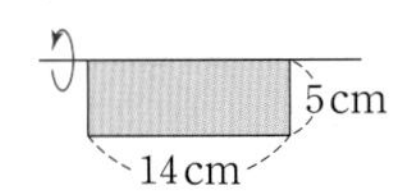

(돌리기 전의 평면도형의 넓이)
$=$(직사각형의 넓이)$=14\times5=70$(cm^2)

17 가: (전개도의 옆면의 가로)$=7\times2\times3=42$(cm)
종이의 어느 방향이든 전개도를 그릴 수 있습니다.
➜ 종이의 세로 방향으로 옆면의 가로를 그립니다.
(만들 수 있는 원기둥의 최대 높이)
$=$(종이의 가로)$-$(밑면의 지름)$\times2$
$=52-7\times2\times2=24$(cm)
➜ 높이가 18 cm인 원기둥을 만들 수 있습니다.
나: (전개도의 옆면의 가로)$=8\times2\times3=48$(cm)
종이의 세로 방향으로 옆면의 가로를 그릴 수 없습니다.
➜ 종이의 가로 방향으로 옆면의 가로를 그립니다.
(만들 수 있는 원기둥의 최대 높이)
$=$(종이의 세로)$-$(밑면의 지름)$\times2$
$=45-8\times2\times2=13$(cm)
➜ 높이가 14 cm인 원기둥을 만들 수 없습니다.

18

채점 기준		
	❶ 원뿔인지, 아닌지 쓰기	1점
	❷ 이유 쓰기	4점

19

채점 기준		
	❶ 같은 점 쓰기	2점
	❷ 다른 점 쓰기	3점

다른 정답 [같은 점] 평면도형을 한 변을 기준으로 한 바퀴 돌려서 만들 수 있습니다.
[다른 점] 밑면이 원기둥은 2개이고, 원뿔은 1개입니다.

20

채점 기준		
	❶ 전개도의 옆면의 가로 구하기	2점
	❷ 원기둥의 높이 구하기	3점

1. 분수의 나눗셈

STEP 1 한번더 개념 완성하기 01쪽

1 (1) ㉢ (2) ㉡ 2 (○) ( )

3 $\frac{7}{30}$, 4 4 (위에서부터) 45, 30

5 (1) > (2) < 6 $\frac{5}{8}$, 24

3 (귤을 먹을 수 있는 날수)
=(전체 귤의 양)÷(하루에 먹는 귤의 양)
$=\frac{14}{15}\div\frac{7}{30}=\frac{28}{30}\div\frac{7}{30}=28\div7=4$(일)

5 (1) $6\div\frac{2}{3}=(6\div2)\times3=9 \rightarrow 6\div\frac{2}{3}>8$
(2) $21\div\frac{7}{9}=(21\div7)\times9=27 \rightarrow 21\div\frac{7}{9}<28$

6 (나누어 줄 수 있는 사람 수)
=(전체 털실의 길이)
÷(한 사람에게 주는 털실의 길이)
$=15\div\frac{5}{8}=(15\div5)\times8=24$(명)

STEP 2 한번더 실력 다지기 02~03쪽

01 예 $\frac{6}{7}$은 $\frac{1}{7}$이 6개, $\frac{3}{7}$은 $\frac{1}{7}$이 3개이므로 $6\div3$으로 바꾸어 계산할 수 있습니다. ▸5점

02 $\frac{8}{9}\div\frac{2}{9}$, $\frac{8}{10}\div\frac{2}{10}$ 03 $\frac{9}{14}\div\frac{3}{14}$ / 3

04 $2\frac{1}{10}$ 05 현지 06 68

07 $16\div\frac{4}{9}$에 ○표, $12\div\frac{2}{3}$에 △표 08 ㉢, ㉡, ㉠

09 70분 10 3개 11 $1\frac{3}{32}$

12 10 13 30000원 14 4, 5, 6

01

채점 기준	$\frac{6}{7}\div\frac{3}{7}$을 $6\div3$으로 바꾸어 계산할 수 있는 이유 쓰기	5점

03 색칠한 부분 $\frac{9}{14}$를 $\frac{3}{14}$씩 나누었으므로 나눗셈식으로 나타내면 $\frac{9}{14}\div\frac{3}{14}$입니다.

04 $\frac{5}{12}\left(=\frac{10}{24}\right)<\frac{5}{6}\left(=\frac{20}{24}\right)<\frac{7}{8}\left(=\frac{21}{24}\right)$
$\rightarrow \frac{7}{8}\div\frac{5}{12}=\frac{21}{24}\div\frac{10}{24}$
$=21\div10=\frac{21}{10}=2\frac{1}{10}$

05 $9\div\frac{3}{4}=(9\div3)\times4=12$
현지: $10\div\frac{5}{6}=(10\div5)\times6=12$
유미: $14\div\frac{7}{9}=(14\div7)\times9=18$

06 $20\div\frac{4}{7}=(20\div4)\times7=35$
$27\div\frac{9}{11}=(27\div9)\times11=33$
→ (몫의 합)$=35+33=68$

07 $12\div\frac{2}{3}=(12\div2)\times34=18$
$16\div\frac{4}{9}=(16\div4)\times9=36$
$21\div\frac{7}{8}=(21\div7)\times8=24 \rightarrow 36>24>18$

08 ㉠ $\frac{5}{12}\div\frac{5}{6}=\frac{5}{12}\div\frac{10}{12}=5\div10=\frac{5}{10}=\frac{1}{2}$
㉡ $\frac{3}{4}\div\frac{5}{9}=\frac{27}{36}\div\frac{20}{36}$
$=27\div20=\frac{27}{20}=1\frac{7}{20}$
㉢ $\frac{2}{3}\div\frac{3}{10}=\frac{20}{30}\div\frac{9}{30}=20\div9=\frac{20}{9}=2\frac{2}{9}$
$\rightarrow 2\frac{2}{9}>1\frac{7}{20}>\frac{1}{2}$

09 (완전히 충전하는 데 걸리는 시간)
$=56\div\frac{4}{5}=(56\div4)\times5=70$(분)

10 (사용하고 남은 식용유의 양)$=1-\frac{1}{5}=\frac{4}{5}$ (L)
(필요한 병의 수)
$=\frac{4}{5}\div\frac{4}{15}=\frac{12}{15}\div\frac{4}{15}=12\div4=3$(개)

11 $\frac{8}{27}\div\frac{5}{9}=\frac{8}{27}\div\frac{15}{27}=8\div15=\frac{8}{15}$이므로
$\frac{7}{12}\div♥=\frac{8}{15}$입니다.
$♥=\frac{7}{12}\div\frac{8}{15}=\frac{35}{60}\div\frac{32}{60}$
$=35\div32=\frac{35}{32}=1\frac{3}{32}$

12 • $\square\times\frac{2}{3}=20$ ➜ $\square=20\div\frac{2}{3}=(20\div2)\times3=30$

• $\square\times\frac{9}{10}=36$

➜ $\square=36\div\frac{9}{10}=(36\div9)\times10=40$

($\square$ 안에 알맞은 수의 차)$=40-30=10$

13 (검정콩 1 kg의 가격)

$=4000\div\frac{1}{3}=4000\times3=12000$(원)

(검정콩 $1\frac{1}{4}$ kg의 가격)

$=12000\times1\frac{1}{4}=\overset{3000}{\cancel{12000}}\times\frac{5}{\underset{1}{\cancel{4}}}=15000$(원)

(완두콩 1 kg의 가격)

$=3000\div\frac{1}{5}=3000\times5=15000$(원)

➜ (내야 하는 돈)$=15000+15000=30000$(원)

14 $6\div\frac{1}{\square}=(6\div1)\times\square=6\times\square$이므로

$20<6\times\square<40$입니다.

$6\times3=18$, $6\times4=24$, $6\times5=30$, $6\times6=36$, $6\times7=42$이므로 $\square$ 안에 들어갈 수 있는 자연수는 4, 5, 6입니다.

STEP 1 한번더 개념 완성하기 04쪽

1 ㉡ **2** $\frac{3}{11}$ **3** $\frac{5}{8}$, $1\frac{13}{35}$

4 예 방법 1 $\frac{9}{4}\div\frac{5}{7}=\frac{63}{28}\div\frac{20}{28}$

$=63\div20=\frac{63}{20}=3\frac{3}{20}$

방법 2 $\frac{9}{4}\div\frac{5}{7}=\frac{9}{4}\times\frac{7}{5}=\frac{63}{20}=3\frac{3}{20}$

5 ㉠ **6** $\frac{3}{4}$, 7

5 ㉠ $\frac{1}{2}\div\frac{3}{7}=\frac{1}{2}\times\frac{7}{3}=\frac{7}{6}=1\frac{1}{6}$

㉡ $\frac{2}{9}\div\frac{6}{7}=\frac{\overset{1}{\cancel{2}}}{9}\times\frac{7}{\underset{3}{\cancel{6}}}=\frac{7}{27}$

6 $5\frac{1}{4}\div\frac{3}{4}=\frac{21}{4}\div\frac{3}{4}=\frac{\overset{7}{\cancel{21}}}{\underset{1}{\cancel{4}}}\times\frac{\overset{1}{\cancel{4}}}{\underset{1}{\cancel{3}}}=7$(개)

STEP 2 한번더 실력 다지기 05~07쪽

01 예 방법 1 $\frac{2}{9}\div\frac{3}{8}=\frac{16}{72}\div\frac{27}{72}=16\div27=\frac{16}{27}$

방법 2 $\frac{2}{9}\div\frac{3}{8}=\frac{2}{9}\times\frac{8}{3}=\frac{16}{27}$

02 예 ❶ 분수의 곱셈으로 바꿀 때 나누는 분수의 분모와 분자를 바꾸어야 하는데 나누어지는 수의 분모와 분자를 바꾸어 잘못되었습니다. ▸3점

❷ $1\frac{3}{4}\div\frac{2}{7}=\frac{7}{4}\div\frac{2}{7}=\frac{7}{4}\times\frac{7}{2}=\frac{49}{8}=6\frac{1}{8}$ ▸2점

03 $2\frac{2}{3}$ **04** 2, 3, 1 **05** >

06 $2\frac{1}{22}$배 **07** $1\frac{1}{14}$배 **08** 4병

09 ㉠ **10** (   ) (○)

11 예 ❶ 소금이 $1\frac{5}{8}$ kg, 설탕이 $\frac{6}{7}$ kg 있습니다. 소금의 무게는 설탕의 무게의 몇 배인가요? ▸3점

❷ $1\frac{43}{48}$배 ▸2점

12 18 cm **13** $1\frac{9}{26}$ km **14** 1, 2, 3

15 $5\frac{8}{9}$, 3에 ○표 **16** $9\frac{9}{14}$ L **17** $2\frac{11}{32}$

18 18 m **19** $3\div9\frac{4}{5}$ / $\frac{15}{49}$

02

채점 기준	❶ 잘못 계산한 이유 쓰기	3점
	❷ 바르게 계산하기	2점

03 ♥$=16\frac{2}{3}$, ●$=14$ ➜ ♥$-$●$=16\frac{2}{3}-14=2\frac{2}{3}$

05 $\frac{13}{5}\div\frac{2}{3}=\frac{13}{5}\times\frac{3}{2}=\frac{39}{10}=3\frac{9}{10}$

$\frac{7}{4}\div\frac{9}{11}=\frac{7}{4}\times\frac{11}{9}=\frac{77}{36}=2\frac{5}{36}$

06 ㉠ $4\frac{1}{2}\div1\frac{5}{6}=\frac{9}{2}\div\frac{11}{6}=\frac{9}{\underset{1}{\cancel{2}}}\times\frac{\overset{3}{\cancel{6}}}{11}=\frac{27}{11}=2\frac{5}{11}$

㉡ $1\frac{3}{5}\div1\frac{1}{3}=\frac{8}{5}\div\frac{4}{3}=\frac{\overset{2}{\cancel{8}}}{5}\times\frac{3}{\underset{1}{\cancel{4}}}=\frac{6}{5}=1\frac{1}{5}$

➜ ㉠$\div$㉡$=2\frac{5}{11}\div1\frac{1}{5}=\frac{27}{11}\div\frac{6}{5}$

$=\frac{\overset{9}{\cancel{27}}}{11}\times\frac{5}{\underset{2}{\cancel{6}}}=\frac{45}{22}=2\frac{1}{22}$(배)

07 $12\frac{1}{2}\div 11\frac{2}{3}=\frac{25}{2}\div\frac{35}{3}$

$=\frac{25}{2}\times\frac{3}{35}=\frac{15}{14}=1\frac{1}{14}$(배)

08 순아: $6\div\frac{3}{4}=6\times\frac{4}{3}=8$(병)

하은: $9\div\frac{3}{4}=9\times\frac{4}{3}=12$(병)

따라서 하은이는 순아보다 딸기잼을 $12-8=4$(병) 더 많이 만들 수 있습니다.

10 $\frac{3}{10}\times 1\frac{1}{9}\div\frac{2}{5}=\frac{3}{10}\times\frac{10}{9}\div\frac{2}{5}=\frac{1}{3}\div\frac{2}{5}$

$=\frac{1}{3}\times\frac{5}{2}=\frac{5}{6}$

$\frac{1}{6}\div\frac{3}{8}\div\frac{2}{7}=\frac{1}{6}\times\frac{8}{3}\div\frac{2}{7}=\frac{4}{9}\div\frac{2}{7}$

$=\frac{4}{9}\times\frac{7}{2}=\frac{14}{9}=1\frac{5}{9}$

➜ $\frac{5}{6}<1\frac{5}{9}$

11

채점 기준		
	❶ 나눗셈식과 관련된 문제 만들기	3점
	❷ 만든 문제의 답 구하기	2점

12 (직사각형의 넓이)=(가로)×(세로)

➜ (세로)=(직사각형의 넓이)÷(가로)

$=3\div\frac{1}{6}=3\times 6=18$ (cm)

13 (삼각형의 넓이)=(밑변의 길이)×(높이)÷2

➜ (밑변의 길이)=(삼각형의 넓이)×2÷(높이)

$=\frac{5}{13}\times 2\div\frac{4}{7}=\frac{10}{13}\div\frac{4}{7}$

$=\frac{10}{13}\times\frac{7}{4}=\frac{35}{26}=1\frac{9}{26}$ (km)

14 $\frac{5}{16}\div\frac{3}{8}=\frac{5}{16}\times\frac{8}{3}=\frac{5}{6}$

$3\frac{1}{6}\div\frac{4}{5}=\frac{19}{6}\div\frac{4}{5}=\frac{19}{6}\times\frac{5}{4}=\frac{95}{24}=3\frac{23}{24}$

➜ $\frac{5}{6}<\square<3\frac{23}{24}$

따라서 □ 안에 들어갈 수 있는 자연수는 1, 2, 3입니다.

15 $2\div\frac{5}{7}=2\times\frac{7}{5}=\frac{14}{5}=2\frac{4}{5}$ ➜ $2\frac{4}{5}<$ ★

$6\frac{3}{4}\div 1\frac{1}{8}=\frac{27}{4}\div\frac{9}{8}=\frac{27}{4}\times\frac{8}{9}=6$ ➜ ★ <6

★에 공통으로 들어갈 수 있는 수: $5\frac{8}{9}$, 3

17 어떤 수를 □라 하면 $\square\times\frac{2}{5}=\frac{3}{8}$입니다.

➜ $\square=\frac{3}{8}\div\frac{2}{5}=\frac{3}{8}\times\frac{5}{2}=\frac{15}{16}$

$\frac{15}{16}\div\frac{2}{5}=\frac{15}{16}\times\frac{5}{2}=\frac{75}{32}=2\frac{11}{32}$

18 처음 공을 떨어뜨린 높이를 □m라 하면

(2번째로 튀어 오른 높이)$=\square\times\frac{1}{3}\times\frac{1}{3}=2$(m),

$\square\times\frac{1}{9}=2$, $\square=2\div\frac{1}{9}=2\times 9=18$

따라서 처음 공을 떨어뜨린 높이는 18 m입니다.

19 나눗셈식에서 나누어지는 수가 작을수록, 나누는 수가 클수록 몫이 작습니다.

$3\div 9\frac{4}{5}=3\div\frac{49}{5}=3\times\frac{5}{49}=\frac{15}{49}$

STEP3 한번더 서술형 해결하기 08~09쪽

01 예 ❶ (현수가 밤을 담은 봉지 수)

$=3\frac{3}{5}\div\frac{2}{5}=\frac{18}{5}\div\frac{2}{5}=18\div 2=9$(봉지)

(민지가 밤을 담은 봉지 수)

$=3\frac{1}{8}\div\frac{5}{8}=\frac{25}{8}\div\frac{5}{8}=25\div 5=5$(봉지) ▸4점

❷ 따라서 $9>5$이므로 밤을 담은 봉지 수가 더 많은 사람은 현수입니다. ▸1점 / 현수

02 예 ❶ (가 끈의 도막 수)$=\frac{35}{4}\div\frac{7}{8}=\frac{35}{4}\times\frac{8}{7}$

$=10$(도막)

(나 끈의 도막 수)$=\frac{26}{7}\div\frac{13}{14}=\frac{26}{7}\times\frac{14}{13}$

$=4$(도막) ▸4점

❷ (도막 수의 차)$=10-4=6$(도막) ▸1점 / 6도막

03 예 ❶ 경진이네 반 학생의 $\frac{4}{9}$가 동생이 있으므로 경진이네 반 전체 학생 수를 ■명이라 하면 (동생이 있는 학생 수)$=■\times\frac{4}{9}=8$(명)입니다. ▸2점

❷ $■=8\div\frac{4}{9}=\overset{2}{\cancel{8}}\times\frac{9}{\underset{1}{\cancel{4}}}=18$(명)

따라서 경진이네 반 학생은 모두 18명입니다. ▸3점 / 18명

04 예 ❶ 팬케이크를 만드는 데 사용한 밀가루는 처음 가지고 있던 밀가루의 $\frac{5}{7}$이므로 팬케이크를 만들고 남은 밀가루는 처음 가지고 있던 밀가루의 $1-\frac{5}{7}=\frac{2}{7}$입니다. ▸2점

❷ 처음 가지고 있던 밀가루의 무게를 □g이라 하면 (남은 밀가루의 무게)$=□\times\frac{2}{7}=130$ (g)입니다.

$□=130\div\frac{2}{7}=\overset{65}{\cancel{130}}\times\frac{7}{\underset{1}{\cancel{2}}}=455$ (g)

따라서 처음 가지고 있던 밀가루는 455 g입니다. ▸3점 / 455 g

05 예 ❶ $\frac{4}{9}\div\frac{♥}{18}=\frac{8}{18}\div\frac{♥}{18}=8\div♥$에서 몫이 자연수이므로 ♥에는 8의 약수가 들어가야 합니다. ▸3점

❷ 8의 약수: 1, 2, 4, 8

따라서 ♥에 들어갈 수 있는 수 중 가장 큰 수는 8입니다. ▸2점 / 8

06 예 ❶ 보이지 않는 부분의 수를 □라 하면

$\frac{□}{8}\div\frac{9}{32}=\frac{□}{\underset{1}{\cancel{8}}}\times\frac{\overset{4}{\cancel{32}}}{9}=\frac{□\times4}{9}$에서

몫이 자연수이므로 □ 안에는 9의 배수가 들어가야 합니다. ▸3점

❷ 9의 배수: 9, 18, 27……

따라서 보이지 않는 부분에 들어갈 수 있는 수 중 가장 작은 수는 9입니다. ▸2점 / 9

07 예 ❶ ($11\frac{1}{4}$분 동안 빠진 물의 양)

=(처음에 있던 물의 양)

−($11\frac{1}{4}$분 후 남은 물의 양)

$=300-120=180$ (L) ▸2점

❷ (1분 동안 빠지는 물의 양)

=($11\frac{1}{4}$분 동안 빠진 물의 양)$\div11\frac{1}{4}$

$=180\div11\frac{1}{4}=180\div\frac{45}{4}$

$=\overset{4}{\cancel{180}}\times\frac{4}{\underset{1}{\cancel{45}}}=16$ (L) ▸3점 / 16 L

08 예 ❶ (6분 15초 동안 탄 양초의 길이)

=(처음 양초의 길이)−(남은 양초의 길이)

$=18-12\frac{2}{3}=5\frac{1}{3}$ (cm) ▸2점

❷ 6분 15초$=6\frac{1}{4}$분

(1분 동안 타는 양초의 길이)

$=5\frac{1}{3}\div6\frac{1}{4}=\frac{16}{3}\div\frac{25}{4}=\frac{16}{3}\times\frac{4}{25}$

$=\frac{64}{75}$ (cm) ▸3점 / $\frac{64}{75}$ cm

번호	채점 기준		
01	채점 기준	❶ 현수와 민지가 밤을 담은 봉지 수 각각 구하기	4점
		❷ 밤을 담은 봉지 수가 더 많은 사람의 이름 쓰기	1점
02	채점 기준	❶ 가 끈과 나 끈의 도막 수 각각 구하기	4점
		❷ 도막 수의 차 구하기	1점
03	채점 기준	❶ 경진이네 반 전체 학생 수를 ■명이라 하고 식 세우기	2점
		❷ 경진이네 반 전체 학생 수 구하기	3점
04	채점 기준	❶ 남은 밀가루는 처음 가지고 있던 밀가루의 몇 분의 몇인지 구하기	2점
		❷ 처음 가지고 있던 밀가루의 무게 구하기	3점
05	채점 기준	❶ ♥에 들어갈 수 있는 수의 조건 알아보기	3점
		❷ ♥에 들어갈 수 있는 수 중 가장 큰 수 구하기	2점
06	채점 기준	❶ 보이지 않는 부분에 들어갈 수 있는 수의 조건 알아보기	3점
		❷ 보이지 않는 부분에 들어갈 수 있는 수 중 가장 작은 수 구하기	2점
07	채점 기준	❶ $11\frac{1}{4}$분 동안 빠진 물의 양 구하기	2점
		❷ 1분 동안 빠지는 물의 양 구하기	3점
08	채점 기준	❶ 6분 15초 동안 탄 양초의 길이 구하기	2점
		❷ 1분 동안 타는 양초의 길이 구하기	3점

2. 소수의 나눗셈

STEP 1 한번 더 개념 완성하기 10쪽

1 예 방법 1 $12.6 \div 0.9 = \frac{126}{10} \div \frac{9}{10} = 126 \div 9 = 14$

방법 2

$$\begin{array}{r} 14 \\ 0.9\overline{)12.6} \\ 9 \\ \hline 36 \\ 36 \\ \hline 0 \end{array}$$

2 9 **3** 1.62, 0.54, 3 **4** (1) ㉢ (2) ㉡

5 (1) < (2) > **6** 14.56, 5.2

3 (나무 막대의 도막 수)
=(나무 막대의 전체 길이)÷(한 도막의 길이)
$=1.62 \div 0.54 = 162 \div 54 = 3$(도막)

5 (1) $6.08 \div 1.9 = 608 \div 190 = 3.2$
➡ $6.08 \div 1.9 < 4$

6 (걸리는 시간)
=(만들려는 과일 주스의 양)
÷(1분에 만들 수 있는 과일 주스의 양)
$=14.56 \div 2.8 = 1456 \div 280 = 5.2$(분)

STEP 2 한번 더 실력 다지기 11~13쪽

01 $24.6 \div 8.2$ / 3

02 ❶

$$\begin{array}{r} 13 \\ 3.06\overline{)39.78} \\ 306 \\ \hline 918 \\ 918 \\ \hline 0 \end{array}$$ ▸2점

/ 예 ❷ 3.06과 39.78의 소수점을 각각 오른쪽으로 두 자리 옮겨서 계산했습니다. ▸3점

03 $2.88 \div 0.9 = \frac{288}{100} \div \frac{90}{100} = 288 \div 90 = 3.2$

04

$$\begin{array}{r} 1.8 \\ 4.2\overline{)7.56} \\ 42 \\ \hline 336 \\ 336 \\ \hline 0 \end{array}$$

05 24 **06** ㉢

07 $0.7\overline{)2.45}$에 ○표

08 오매불망 **09** 2.4배

10 9, 19

11 예 ❶ $4.64 \div 1.16 = 464 \div 116 = 4$
$2.97 \div 0.33 = 297 \div 33 = 9$ ▸4점
❷ $4 < \square < 9$이므로 □ 안에 들어갈 수 있는 자연수는 5, 6, 7, 8로 모두 4개입니다. ▸1점 / 4개

12 7.3, 7.4 **13** ㉡ **14** 6

15 예 ❶ 나누는 수를 □라 하면 $6.44 \div \square = 1.4$입니다. ▸2점
❷ $\square = 6.44 \div 1.4 = 64.4 \div 14 = 4.6$이므로 나누는 수는 4.6입니다. ▸3점 / 4.6

16 ㉡ **17** ㉡ **18** 4 cm

19 6 **20** 5

02

채점 기준		
	❶ 39.78÷3.06 계산하기	2점
	❷ 계산 방법 쓰기	3점

03 2.88을 분수로 고치면 $\frac{288}{100}$인데 $\frac{288}{10}$로 고쳐서 잘못되었습니다.

04 나누는 수와 나누어지는 수의 소수점을 옮겨서 계산하는 경우 몫의 소수점은 옮긴 소수점의 위치에 찍어야 합니다.

05 $4.56 \div 0.19 = 456 \div 19 = 24$

06 ㉠ $5.16 \div 1.2 = 516 \div 120 = 4.3$
㉡ $6.45 \div 1.5 = 645 \div 150 = 4.3$
㉢ $7.92 \div 2.2 = 792 \div 220 = 3.6$

07

$$\begin{array}{r} 6 \\ 2.9\overline{)17.4} \\ 174 \\ \hline 0 \end{array} \qquad \begin{array}{r} 4 \\ 0.57\overline{)2.28} \\ 228 \\ \hline 0 \end{array} \qquad \begin{array}{r} 3.5 \\ 0.7\overline{)2.45} \\ 21 \\ \hline 35 \\ 35 \\ \hline 0 \end{array}$$

08 $22.1 \div 3.4 = 6.5$, $13.32 \div 1.8 = 7.4$,
$4.75 \div 0.5 = 9.5$, $14.24 \div 7.12 = 2$
$9.5 > 7.4 > 6.5 > 2$이므로 계산 결과가 큰 나눗셈식부터 차례로 글자를 쓰면 오매불망입니다.

09 (집~병원~공원)$=4.18+3.5=7.68$(km)
(집~병원~공원)÷(집~공원)
$=7.68 \div 3.2 = 76.8 \div 32 = 2.4$(배)

10 감자 1관은 3.75 kg이므로 감자 33.75 kg은 $33.75 \div 3.75 = 9$(관)입니다.
소고기 1근은 0.6 kg이므로 소고기 11.4 kg은 $11.4 \div 0.6 = 19$(근)입니다.

11

채점 기준	❶ 4.64÷1.16, 2.97÷0.33 계산하기	4점
	❷ □ 안에 들어갈 수 있는 자연수의 개수 구하기	1점

12 ㉠ 2.16÷0.3=21.6÷3=7.2
㉡ 65.25÷8.7=652.5÷87=7.5
따라서 7.2보다 크고 7.5보다 작은 소수 한 자리 수는 7.3, 7.4입니다.

13 1.6)5.4 4 → ㉠.4 (4 8 / 6 ㉡ / ㉢ 4 / 0)
• 16×㉠=48 ➔ ㉠=3
• 544−480=6㉡ ➔ ㉡=4
• 16×4=㉢4 ➔ ㉢=6
따라서 잘못 짝 지어진 것은 ㉡입니다.

14 5.3)1 6.9 ♥ → 3.㉠ (1 5 ㉡ / 1 ㉢ ♥ / 1 ㉢ ♥ / 0)
• 53×3=15㉡ ➔ ㉡=9
• 169−15㉡=169−159=1㉢ ➔ ㉢=0
• 53×㉠=1㉢♥=10♥
53×2=106이므로
㉠=2, ♥=6입니다.

15

채점 기준	❶ 나누는 수를 □라 하고 나눗셈식 세우기	2점
	❷ 나누는 수 구하기	3점

16 ㉠ □×1.84=7.36 ➔ □=7.36÷1.84=4
㉡ 15.54÷□=3.7 ➔ □=15.54÷3.7=4.2
4<4.2이므로 □ 안에 알맞은 수가 더 큰 것은 ㉡입니다.

17 ㉠ 9−3.5÷2.5×4.3=9−1.4×4.3
=9−6.02=2.98
㉡ 4.6+8.32÷5.2−3.18=4.6+1.6−3.18
=6.2−3.18=3.02
2.98<3.02이므로 계산 결과가 더 큰 것은 ㉡입니다.

18 (직사각형의 넓이)=3×4.8=14.4(cm^2)
➔ (평행사변형의 넓이)=14.4 cm^2
(평행사변형의 높이)
=(평행사변형의 넓이)÷(밑변의 길이)
=14.4÷3.6=4(cm)

19 2.9♠3.48=3.48÷2.9=1.2
0.2♠(2.9♠3.48)=0.2♠1.2=1.2÷0.2=6

20 나눗셈식에서 나누어지는 수가 클수록, 나누는 수가 작을수록 몫이 큽니다.
6>5>3>1이므로
(몫이 가장 큰 나눗셈식)=0.65÷0.13
=65÷13=5

STEP 1 한번 더 개념 완성하기 14쪽

1 예 방법 1 $30\div1.25=\frac{3000}{100}\div\frac{125}{100}$
=3000÷125=24

방법 2 1.25)3 0 → 2 4 (2 5 0 / 5 0 0 / 5 0 0 / 0)

2 5 **3** 93, 5
4 2.6, 2.62, 2.617 **5** ㉡ **6** 8, 1.2 / 8, 1.2

2 $34\div6.8=\frac{340}{10}\div\frac{68}{10}$=340÷68=5

3 (칠할 수 있는 벽의 수)
$=93\div18.6=\frac{930}{10}\div\frac{186}{10}$=930÷186=5(면)

5 ㉠ 50÷7=7.1…… ➔ 7
㉡ 47.5÷6=7.9…… ➔ 8

6 3)2 5.2 → 8 ← 나누어 줄 수 있는 사람 수
2 4
1.2 ← 남는 설탕의 무게

STEP 2 한번 더 실력 다지기 15~16쪽

01 30, 8 **02** 14, 24, 25
03 ㉠, ㉡, ㉢ **04** 25
05 예 방법 1 ❶ (걸리는 시간)
=(가는 거리)÷(1분에 가는 거리)
$=33\div1.65=\frac{3300}{100}\div\frac{165}{100}$
=3300÷165=20(분) ▸2점

방법 2 ❷ (걸리는 시간)
=(가는 거리)÷(1분에 가는 거리)
=33÷1.65
➔ 1.65)3 3 → 2 0 (3 3 0 / 0)
/ 따라서 33km를 가는 데 20분이 걸립니다. ▸3점

매칭북 한번 더

06 40개　07 >　08 1.67 km

09 예 방법 1 ❶ $8.1-3-3=2.1$이므로 상자를 2개 포장할 수 있고, 남는 포도는 2.1 kg입니다. ▸2점

방법 2 ❷ $8.1 \div 3$: 몫 2, $3 \times 2 = 6$, 나머지 2.1 ➜ 상자를 2개 포장할 수 있고, 남는 포도는 2.1 kg입니다. ▸3점

10 해미

11 ❶ 3667원, 3267원, 3042원 ▸3점

예 ❷ 세제의 양이 많을수록 1 L의 가격이 저렴해집니다. ▸2점

12 4명, 2.3 kg　13 $25 \div 11$

03 ㉠ $21 \div 3.5 = 210 \div 35 = 6$
㉡ $14 \div 1.75 = 1400 \div 175 = 8$
㉢ $27 \div 2.25 = 2700 \div 225 = 12$
➜ ㉠<㉡<㉢

04 $60 \div 3.75 = 6000 \div 375 = 16$
$18 \div 1.2 = 180 \div 12 = 15$
$20 \div 0.5 = 200 \div 5 = 40$
➜ $40-15=25$

05

채점 기준		
	❶ 33 km를 가는 데 걸리는 시간 구하기	2점
	❷ ❶과 다른 방법으로 33 km를 가는 데 걸리는 시간 구하기	3점

06 (목걸이 한 개를 만드는 데 필요한 금의 무게)
$=3.75 \times 2.2 = 8.25$(g)
(금 330 g으로 만들 수 있는 목걸이의 수)
$=330 \div 8.25 = 40$(개)

07 $6.5 \div 0.3 = 21.666\cdots\cdots$ ➜ 21.67
따라서 $6.5 \div 0.3$의 몫을 반올림하여 소수 둘째 자리까지 나타낸 수는 $6.5 \div 0.3$의 몫보다 큽니다.

08 (한 시간 동안 걸은 평균 거리)
$=5 \div 3 = 1.666\cdots\cdots$ ➜ 1.67 km

09

채점 기준		
	❶ 포장할 수 있는 상자 수와 남는 포도의 무게 구하기	2점
	❷ ❶과 다른 방법으로 포장할 수 있는 상자 수와 남는 포도의 무게 구하기	3점

11

채점 기준		
	❶ 세제 1 L의 가격을 구하여 표 완성하기	3점
	❷ 세제 양에 따라 1 L의 가격이 어떻게 변하는지 쓰기	2점

$4400 \div 1.2 = 3666.6\cdots\cdots$ ➜ 3667
$4900 \div 1.5 = 3266.6\cdots\cdots$ ➜ 3267
$7300 \div 2.4 = 3041.6\cdots\cdots$ ➜ 3042

12 (7명에게 나누어 주는 체리의 무게)
$=3 \times 7 = 21$(kg)
(상자에 들어 있는 체리의 무게)
$=21+1.3=22.3$(kg)
$22.3\underbrace{-5-5-5-5}_{4번}=2.3$(kg)이므로
나누어 줄 수 있는 사람은 4명이고,
남는 체리는 2.3 kg입니다.

13 • $25 \div 11 = 2.272727\cdots\cdots$
몫의 소수점 아래 반복되는 숫자: 2, 7(2개)
$41 \div 2 = 20 \cdots 1$ ➜ 몫의 소수 41째 자리 숫자: 2
• $80 \div 27 = 2.962962\cdots\cdots$
몫의 소수점 아래 반복되는 숫자: 9, 6, 2(3개)
$41 \div 3 = 13 \cdots 2$ ➜ 몫의 소수 41째 자리 숫자: 6

STEP3 한 번 더 서술형 해결하기 17~18쪽

01 예 ❶ 5분 30초=5분+0.5분=5.5분 ▸2점
❷ (1분 동안 달린 거리)
=(달린 거리)÷(걸린 시간)
$=7.7 \div 5.5 = 1.4$(km) ▸3점 / 1.4 km

02 예 ❶ 6분 15초=6분+0.25분=6.25분
(1분 동안 달린 거리)
$=4.25 \div 6.25 = 0.68$(km) ▸3점
❷ (9분 동안 갈 수 있는 거리)
$=0.68 \times 9 = 6.12$(km) ▸2점 / 6.12 km

03 예 ❶ (화분과 화분 사이의 간격 수)
$=58 \div 1.45 = 40$(군데) ▸3점
❷ 필요한 화분 수는 화분과 화분 사이의 간격 수와 같습니다.
따라서 필요한 화분은 40개입니다. ▸2점 / 40개

04 예 ❶ (가로등과 가로등 사이의 간격 수)
$=147.2 \div 4.6 = 32$(군데) ▸3점
❷ 산책로의 처음과 끝에 모두 가로등을 세우므로 필요한 가로등 수는 가로등과 가로등 사이의 간격 수보다 1 큽니다.
(필요한 가로등 수)$=32+1=33$(개) ▸2점 / 33개

05 예 ❶ ■에 2.8을 곱한 값이 44.8이므로
■$\times 2.8 = 44.8$입니다.
➜ ■$=44.8 \div 2.8 = 16$ ▸3점
❷ ■$\div 7 = 16 \div 7 = 2.28\cdots\cdots$ ➜ 2.3
따라서 ■를 7로 나눈 몫을 반올림하여 소수 첫째 자리까지 나타내면 2.3입니다. ▸2점 / 2.3

06 예 ❶ 어떤 수를 □라 하면 □×3.5=22.54입니다.
➡ □=22.54÷3.5=6.44 ▸3점
❷ (바르게 계산했을 때의 몫)=6.44÷3.5=1.84
▸2점 / 1.84

07 예 ❶ 55%=0.55이므로
박물관에 입장한 전체 학생 수를 ■명이라 하면
(여학생 수)=■×0.55=132(명)입니다.
■=132÷0.55=240
➡ 박물관에 입장한 전체 학생 수는 240명입니다.
▸3점
❷ (남학생 수)=240−132=108(명) ▸2점
/ 108명

08 예 ❶ 100−50−25=25이므로
사과 맛 사탕은 전체의 25%입니다. ▸2점
❷ 25%=0.25이므로
봉지에 들어 있는 사탕 수를 □개라 하면
(사과 맛 사탕 수)=□×0.25=40(개),
□=40÷0.25=160
따라서 봉지에 들어 있는 사탕은 모두 160개입니다. ▸3점 / 160개

01
채점 기준		
	❶ 5분 30초는 몇 분인지 소수로 나타내기	2점
	❷ 1분 동안 달린 거리 구하기	3점

02
채점 기준		
	❶ 진호가 자전거를 타고 1분 동안 달린 거리 구하기	3점
	❷ 진호가 자전거를 타고 9분 동안 갈 수 있는 거리 구하기	2점

03
채점 기준		
	❶ 화분과 화분 사이의 간격 수 구하기	3점
	❷ 필요한 화분 수 구하기	2점

04
채점 기준		
	❶ 가로등과 가로등 사이의 간격 수 구하기	3점
	❷ 필요한 가로등 수 구하기	2점

05
채점 기준		
	❶ ■ 구하기	3점
	❷ ■를 7로 나눈 몫을 반올림하여 소수 첫째 자리까지 나타내기	2점

06
채점 기준		
	❶ 어떤 수 구하기	3점
	❷ 바르게 계산했을 때의 몫 구하기	2점

07
채점 기준		
	❶ 전체 학생 수 구하기	3점
	❷ 남학생 수 구하기	2점

08
채점 기준		
	❶ 사과 맛 사탕은 전체의 몇 %인지 구하기	2점
	❷ 봉지에 들어 있는 사탕 수 구하기	3점

3. 공간과 입체

STEP1 한 번 더 개념 완성하기 19쪽

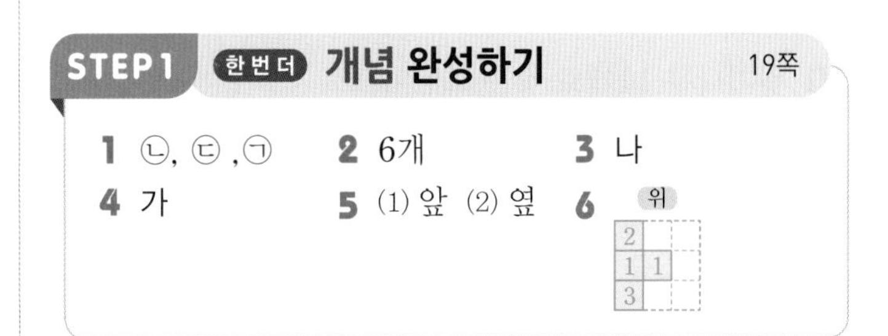

2 쌓은 모양과 위에서 본 모양에서 뒤에 보이지 않는 쌓기나무는 없습니다. ➡ (쌓기나무의 개수)=6개

STEP2 한 번 더 실력 다지기 20~22쪽

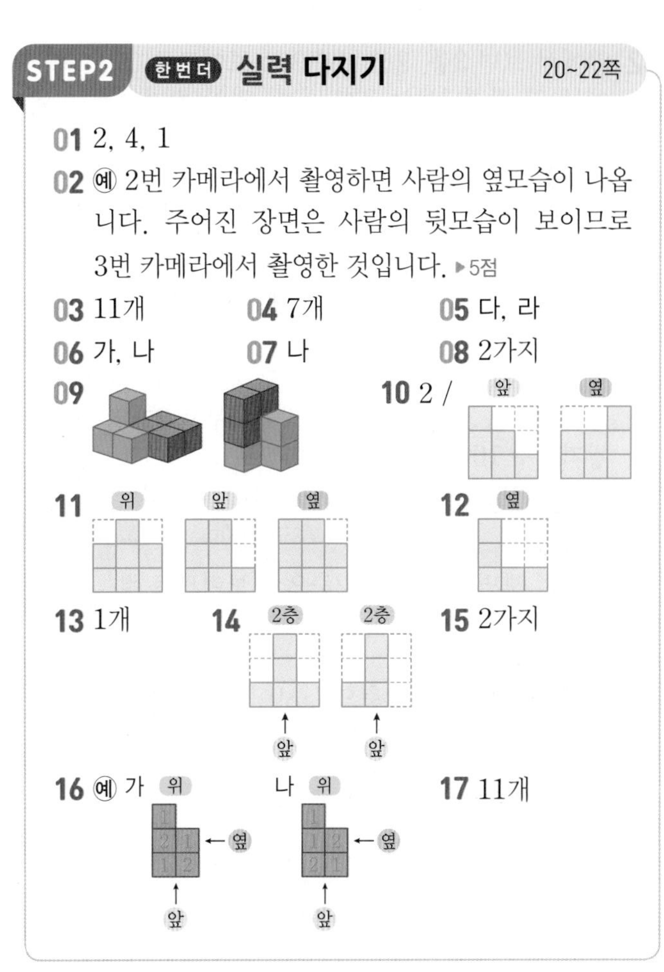

01 2, 4, 1
02 예 2번 카메라에서 촬영하면 사람의 옆모습이 나옵니다. 주어진 장면은 사람의 뒷모습이 보이므로 3번 카메라에서 촬영한 것입니다. ▸5점
03 11개
04 7개
05 다, 라
06 가, 나
07 나
08 2가지
09
10 2 /
앞
옆
11
위
앞
옆
12
옆
13 1개
14
2층
2층
앞
앞
15 2가지
16 예 가
위
옆
앞
나
위
옆
앞
17 11개

02
채점 기준	
틀린 이유 쓰기	5점

03 1층: 6개, 2층: 3개, 3층: 2개
➡ (쌓기나무의 개수)=6+3+2=11(개)

04 쌓은 모양과 위에서 본 모양에서 뒤에 보이지 않는 쌓기나무는 없습니다. ➡ (쌓기나무의 개수)=7개

05 가: 위에서 본 모양 ➡ 나: 옆에서 본 모양 ➡

매칭북 한 번 더

09 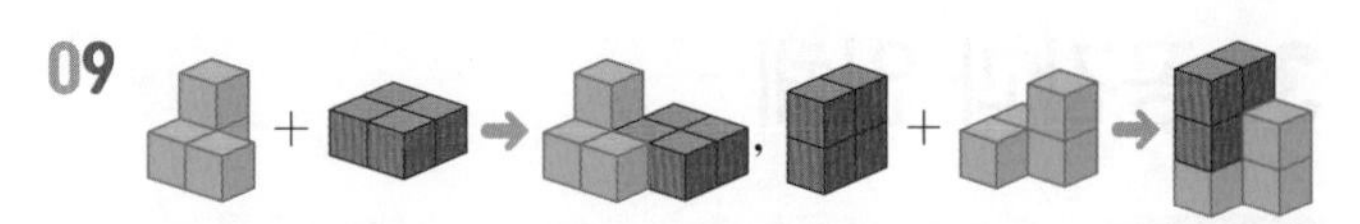

10 쌓기나무 11개로 쌓은 모양이므로
(위에서 본 모양의 빈 곳에 알맞은 수)
$=11-3-1-1-1-1-2=2$
따라서 앞에서 보면 3층, 2층, 1층으로 보이고, 옆에서 보면 2층, 2층, 3층으로 보입니다.

11 위에서 본 모양은 1층 모양과 같습니다.
위에서 본 모양에 쌓은 쌓기나무의 개수를 쓰면 오른쪽과 같습니다.

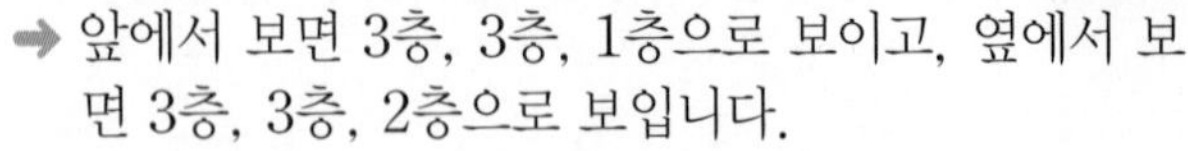

위

	2	
1	3	1
3	2	1

➡ 앞에서 보면 3층, 3층, 1층으로 보이고, 옆에서 보면 3층, 3층, 2층으로 보입니다.

12 앞에서 보면 3층, 2층, 1층으로 보이므로 ㉠에 쌓인 쌓기나무는 3개, ㉡에 쌓인 쌓기나무는 2개, ㉢, ㉣, ㉤에 쌓인 쌓기나무는 각각 1개입니다.
따라서 옆에서 보면 3층, 1층, 1층으로 보입니다.

13 앞에서 보면 3층, 3층, 1층으로 보이므로 ㉡에 쌓인 쌓기나무는 3개, ㉣에 쌓인 쌓기나무는 1개입니다.
옆에서 보면 2층, 3층, 3층으로 보이므로 ㉠에 쌓인 쌓기나무는 3개, ㉢에 쌓인 쌓기나무는 2개입니다.
쌓기나무 10개로 쌓은 모양이므로
(★에 쌓인 쌓기나무의 개수)$=10-3-3-2-1$
$=1$(개)

15 앞에서 보면 2층, 1층, 2층으로 보이므로 쌓기나무가 ㉢에는 2개, ㉡, ㉤에는 각각 1개 쌓여 있습니다.
옆에서 보면 2층, 2층으로 보이므로 쌓기나무가 ㉣에는 2개, ㉠에는 1개 또는 2개 쌓여 있습니다.

위

1	1	2
2	1	

위

2	1	2
2	1	

➡ 2가지

16 1층에 쌓은 모양은 위에서 본 모양과 같으므로 1층에 쌓인 쌓기나무는 5개입니다.
➡ (2층에 쌓아야 하는 쌓기나무의 개수)
$=7-5=2$(개)
2층으로 쌓아야 하고, 앞에서 본 모양이 서로 같고, 옆에서 본 모양이 서로 같아야 하므로 가와 나는 각각 ㉡과 ㉤에 2층, ㉢과 ㉣에 2층으로 쌓아야 합니다.

➡

1	
2	1
1	2

,

1	
1	2
2	1

17 앞과 옆에서 본 모양에 맞게 쌓기나무를 최대한 많이 쌓으면 오른쪽과 같습니다.

➡ 가장 많은 경우: $3+3+1+2+2=11$(개)

STEP3 한번더 서술형 해결하기 23쪽

01 예 ❶ 가: 쌓은 모양과 위에서 본 모양에서 뒤에 보이지 않는 쌓기나무는 없습니다.
➡ (쌓기나무의 개수)$=6$개
나: 쌓은 모양과 위에서 본 모양이 다르므로 뒤에 보이지 않는 쌓기나무가 있습니다.
➡ (쌓기나무의 개수)$=8$개 ▸4점
❷ 필요한 쌓기나무가 더 많은 것은 나입니다. ▸1점
/ 나

02 예 ❶ 가: 위에서 본 모양에 쌓은 쌓기나무의 개수를 쓰면 오른쪽과 같습니다.

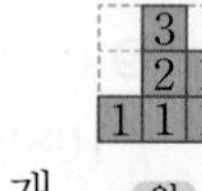

➡ $3+2+1+1+1+1=9$(개)
나: 위에서 본 모양에 쌓은 쌓기나무의 개수를 쓰면 오른쪽과 같습니다.

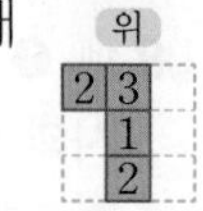

➡ $2+3+1+2=8$(개) ▸4점
❷ 사용한 쌓기나무가 더 많은 것은 가입니다. ▸1점
/ 가

03 예 ❶ (정육면체 모양의 쌓기나무의 개수)
$=3\times3\times3=27$(개)
(빼낸 후 모양의 쌓기나무의 개수)$=11$개 ▸4점
❷ (빼낸 쌓기나무의 개수)$=27-11=16$(개) ▸1점
/ 16개

04 예 ❶ (주어진 모양의 쌓기나무의 개수)$=9$개
주어진 모양에서 쌓기나무가 1층은 가장 긴 가로 방향으로 3개, 가장 긴 세로 방향으로 3개, 가장 높은 층은 2층으로 쌓여 있습니다.
➡ 가장 작은 직육면체를 만들려면 쌓기나무를 가로에는 3개, 세로에는 3개, 높이에는 2개 놓아야 합니다.
(가장 작은 직육면체의 쌓기나무의 개수)
$=3\times3\times2=18$(개) ▸4점
❷ (필요한 쌓기나무의 개수)$=18-9=9$(개) ▸1점
/ 9개

01

채점 기준		
	❶ 필요한 쌓기나무의 개수 각각 구하기	4점
	❷ 필요한 쌓기나무가 더 많은 것의 기호 쓰기	1점

02

채점 기준		
	❶ 사용한 쌓기나무의 개수 각각 구하기	4점
	❷ 사용한 쌓기나무가 더 많은 것의 기호 쓰기	1점

03

채점 기준		
	❶ 정육면체 모양과 빼낸 후 모양의 쌓기나무의 개수 각각 구하기	4점
	❷ 빼낸 쌓기나무의 개수 구하기	1점

04

채점 기준		
	❶ 주어진 모양과 만들 수 있는 가장 작은 직육면체 모양의 쌓기나무의 개수 각각 구하기	4점
	❷ 필요한 쌓기나무의 개수 구하기	1점

4. 비례식과 비례배분

STEP 1 한번더 개념 완성하기 24쪽

1 (1) 21, 42 (2) 8, 4
2 (1) 예 7 : 3 (2) 예 10 : 9 (3) 예 3 : 7 (4) 예 5 : 12
3 예 2.7, 38, 27
4 (1) 15 : 9, 5 : 3 (2) $\frac{15}{9}\left(=\frac{5}{3}\right)$, $\frac{5}{3}$ (3) 9, 5, 3
5 (1) $\frac{10}{13}$, $\frac{25}{30}\left(=\frac{5}{6}\right)$ (2) 6, 25, 30

1 (1) 2 : 7=(2×3) : (7×3)=6 : 21
2 : 7=(2×6) : (7×6)=12 : 42
(2) 20 : 16=(20÷2) : (16÷2)=10 : 8
20 : 16=(20÷4) : (16÷4)=5 : 4

3 (경미의 지점토의 무게):(윤정이의 지점토의 무게)
=3.8 : 2.7=(3.8×10) : (2.7×10)=38 : 27

5 (1) 5 : 6 ➔ (비율)=$\frac{5}{6}$, 10 : 13 ➔ (비율)=$\frac{10}{13}$,
25 : 30 ➔ (비율)=$\frac{25}{30}\left(=\frac{5}{6}\right)$
(2) 비 5 : 6과 비율이 같은 비는 25 : 30입니다.
➔ 5 : 6=25 : 30

STEP 2 한번더 실력 다지기 25~26쪽

01 예 27 : 15, 18 : 10
02 다 **03** 석준
04 예 방법 1 $3\frac{1}{5}$: 1.4=$\frac{16}{5}$: $\frac{14}{10}$
=$\left(\frac{16}{5}\times10\right)$: $\left(\frac{14}{10}\times10\right)$=32 : 14
=(32÷2) : (14÷2)=16 : 7
방법 2 $3\frac{1}{5}$: 1.4=3.2 : 1.4
=(3.2×10) : (1.4×10)=32 : 14
=(32÷2) : (14÷2)=16 : 7
05 예 14 : 21 ➔ (비율)=$\frac{14}{21}\left(=\frac{2}{3}\right)$
3 : 7 ➔ (비율)=$\frac{3}{7}$
두 비의 비율이 다르므로 비례식이 아닙니다. ▸5점

06

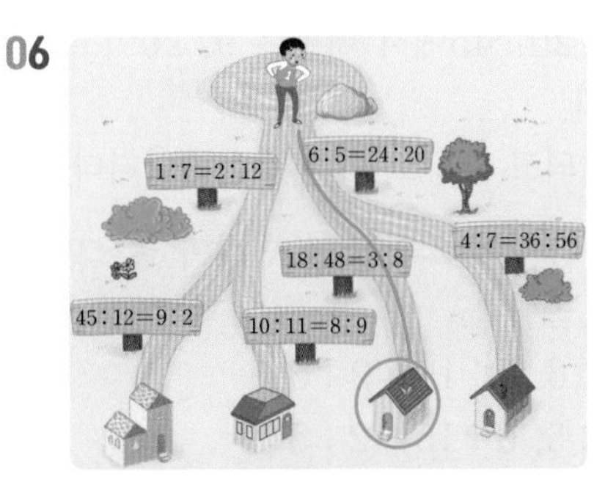

07 9 **08** 예 5 : 2=15 : 6 **09** 7 : 6
10 ❶ 3 : 1, 3 : 1 ▸4점
예 ❷ 두 컵에 들어 있는 물 양과 망고 원액 양의 비의 비율이 같으므로 두 망고 주스의 진하기는 같습니다. ▸1점
11 36 m **12** 3 **13** 2 : 3
14 10, 4, 5

02 [가] 8 : 10=(8÷2) : (10÷2)=4 : 5
[나] 12 : 15=(12÷3) : (15÷3)=4 : 5
[다] 16 : 24=(16÷8) : (24÷8)=2 : 3
[라] 20 : 25=(20÷5) : (25÷5)=4 : 5

03 [미애] $1\frac{1}{8}$: $\frac{3}{7}$=$\frac{9}{8}$: $\frac{3}{7}$=$\left(\frac{9}{8}\times56\right)$: $\left(\frac{3}{7}\times56\right)$
=63 : 24=(63÷3) : (24÷3)
=21 : 8
[석준] 4.9 : 0.42=(4.9×100) : (0.42×100)
=490 : 42=(490÷14) : (42÷14)
=35 : 3

05

채점 기준	비례식이 아닌 이유 쓰기	5점

다른 풀이 14 : 21의 전항과 후항을 각각 3으로 나누면 $\frac{14}{3}$: 7입니다. $\frac{14}{3}$: 7과 3 : 7의 전항이 다르므로 비례식이 아닙니다.

06 • 1 : 7=2 : 12에서
1 : 7 ➔ $\frac{1}{7}$, 2 : 12 ➔ $\frac{2}{12}\left(=\frac{1}{6}\right)$(×)
• 6 : 5=24 : 20에서
6 : 5 ➔ $\frac{6}{5}$, 24 : 20 ➔ $\frac{24}{20}\left(=\frac{6}{5}\right)$(○)
• 18 : 48=3 : 8에서
18 : 48 ➔ $\frac{18}{48}\left(=\frac{3}{8}\right)$, 3 : 8 ➔ $\frac{3}{8}$(○)
• 4 : 7=36 : 56에서
4 : 7 ➔ $\frac{4}{7}$, 36 : 56 ➔ $\frac{36}{56}\left(=\frac{9}{14}\right)$(×)

매칭북 한번더

07 비례식 4 : 9=20 : 45에서 내항은 9, 20이고, 후항은 9, 45입니다.
따라서 내항도 되고 후항도 되는 수는 9입니다.

08 외항에 5와 6, 내항에 2와 15를 번갈아 놓으면서 비례식을 만들어 봅니다.
➡ 5 : 2=15 : 6, 5 : 15=2 : 6,
6 : 2=15 : 5, 6 : 15=2 : 5

09 전체 일의 양을 1이라 하면 영희가 한 시간 동안 한 일의 양은 $\frac{1}{6}$, 준우가 한 시간 동안 한 일의 양은 $\frac{1}{7}$입니다. ➡ $\frac{1}{6} : \frac{1}{7}=\left(\frac{1}{6}\times 42\right) : \left(\frac{1}{7}\times 42\right)=7 : 6$

10

채점 기준		
	❶ 물 양과 망고 원액 양의 비를 각각 가장 간단한 자연수의 비로 나타내기	4점
	❷ 두 망고 주스의 진하기 비교하기	1점

[가 컵] (물 양) : (망고 원액 양)
=90 : 30=(90÷30) : (30÷30)=3 : 1
[나 컵] (물 양) : (망고 원액 양)
=150 : 50=(150÷50) : (50÷50)=3 : 1

11 세로를 □ m라 하면 9 : 4=81 : □입니다.
9에 9를 곱하면 81이 되므로 9 : 4의 전항과 후항에 각각 9를 곱합니다.
➡ 9 : 4=(9×9) : (4×9)=81 : 36 ➡ (세로)=36 m

12
- 5 : ㉠=(5×7) : (㉠×7)=35 : 56에서
㉠×7=56, ㉠=8입니다.
- 40 : 15=㉠ : □에서 40 : 15=8 : □입니다.
40 : 15=(40÷5) : (15÷5)=8 : 3이므로
□=3입니다.

13 직사각형 가와 나의 가로를 ■cm라 하면
(가의 넓이)=(■×12) cm^2,
(나의 넓이)=(■×18) cm^2입니다.
➡ (가의 넓이) : (나의 넓이)
=(■×12) : (■×18)
=(■×12÷■) : (■×18÷■)=12 : 18
=(12÷6) : (18÷6)=2 : 3

14 8 : ㉠=㉡ : ㉢
- 8 : ㉠의 비율이 $\frac{4}{5}$이므로 $\frac{8}{㉠}=\frac{4}{5}$, ㉠=10입니다.
- 8 : 10=㉡ : ㉢에서 외항의 곱이 40이므로
8×㉢=40, ㉢=5입니다.
- ㉡ : 5의 비율이 $\frac{4}{5}$이므로 $\frac{㉡}{5}=\frac{4}{5}$, ㉡=4입니다.

STEP 1 한번더 개념 완성하기 27쪽

1 (1) 9 (2) 56 (3) 30 (4) 3 **2** 32
3 (1) 2100, 8 (2) 5600원 **4** (1) 12, 21 (2) 15, 27
5 (1) 8 (2) 150 mL **6** 32 m, 8 m

2 $\frac{1}{4}\times$▲$=0.4\times 20$, $\frac{1}{4}\times$▲$=8$, ▲$=32$

3 (1) (젤리 봉지 수) : (가격)=3 : 2100
➡ 3 : 2100=8 : ■
(2) 3×■=2100×8, 3×■=16800, ■=5600
따라서 젤리 8봉지를 사려면 5600원이 필요합니다.

4 (1) $33\times\frac{4}{4+7}=33\times\frac{4}{11}=12$
$33\times\frac{7}{4+7}=33\times\frac{7}{11}=21$
(2) $42\times\frac{5}{5+9}=42\times\frac{5}{14}=15$
$42\times\frac{9}{5+9}=42\times\frac{9}{14}=27$

5 (1) (전체 생수 양) : (수희가 마시는 생수 양)
➡ (3+5) : 3=8 : 3=400 : ★
(2) 8×★=3×400, 8×★=1200, ★=150
따라서 수희가 마시는 생수는 150 mL입니다.

STEP 2 한번더 실력 다지기 28~29쪽

01 10 **02** 예 1 : 2=9 : 18 **03** ㉡
04 ㉠ **05** 60, 80 **06** 바이올린
07 420 g
08 예 ❶ 종이배 9개를 만드는 데 필요한 색종이 수를 □장이라 하고 비례식을 세우면 3 : 2=9 : □입니다. □에 8을 넣으면 외항의 곱과 내항의 곱이 다르므로 틀렸습니다. ▸2점
❷ 3 : 2=9 : □
➡ 3×□=2×9, 3×□=18, □=6
따라서 색종이는 6장 필요합니다. ▸3점
09 88권, 92권 **10** 24 kg **11** 640 m
12 예 9 : 10 **13** 15억 원, 21억 원

01 비례식에서 외항의 곱과 내항의 곱은 같습니다.
➡ (외항의 곱)=(내항의 곱)=2.5×4=10

02 두 수의 곱이 같은 카드를 찾아 외항과 내항에 놓습니다.
$1\times18=18$, $2\times9=18$이므로 1과 18을 외항에 놓고, 2와 9를 내항에 놓으면 $1:2=9:18$이 됩니다.

03 • ㉠$\times4.5=3\times9$,
㉠$\times4.5=27$, ㉠$=6$
• $6\times$㉡$=20\times1\frac{1}{2}$,
$6\times$㉡$=30$, ㉡$=5$
따라서 $6>5$이므로 더 작은 수는 ㉡입니다.

04 ㉠ $21\times9=27\times\square$, $27\times\square=189$, $\square=7$
㉡ $\square\times6.4=8\times1.6$, $\square\times6.4=12.8$, $\square=2$
㉢ $50\times\frac{1}{5}=\square\times5$, $\square\times5=10$, $\square=2$

05 가 : 나$=78:104=(78\div26):(104\div26)=3:4$
가: $140\times\frac{3}{3+4}=140\times\frac{3}{7}=60$
나: $140\times\frac{4}{3+4}=140\times\frac{4}{7}=80$

06 • $0.28:0.8=28:80=7:20$
➡ $135\times\frac{7}{7+20}=135\times\frac{7}{27}=35$(바)
$135\times\frac{20}{7+20}=135\times\frac{20}{27}=100$(이)
• $0.6:1.4=6:14=3:7$
➡ $200\times\frac{3}{3+7}=200\times\frac{3}{10}=60$(올)
$200\times\frac{7}{3+7}=200\times\frac{7}{10}=140$(린)

07 소금물 84 L를 증발시켰을 때 얻을 수 있는 소금의 무게를 $\square$g이라 하고 비례식을 세우면
$14:70=84:\square$입니다.
➡ $14\times\square=70\times84$, $14\times\square=5880$, $\square=420$
따라서 소금물 84 L를 증발시켰을 때 얻을 수 있는 소금은 420 g입니다.

08

채점 기준	❶ 틀린 이유 쓰기	2점
	❷ 필요한 색종이 수 구하기	3점

09 (1반의 학생 수) : (2반의 학생 수)$=22:23$
➡ 1반: $180\times\frac{22}{22+23}=180\times\frac{22}{45}=88$(권)
2반: $180\times\frac{23}{22+23}=180\times\frac{23}{45}=92$(권)

10 (희주) : (상미)$=5:3$
수확한 포도의 무게를 $\square$kg이라 하면
희주: $\square\times\frac{5}{5+3}=\square\times\frac{5}{8}=15$(kg)
➡ $\square=15\div\frac{5}{8}=24$(kg)
따라서 수확한 포도는 모두 24 kg입니다.

11 (학교~공원~병원)$=1.7+1.5=3.2$(cm)
실제 거리를 $\square$cm라 하면
$1:20000=3.2:\square$, $\square=20000\times3.2$,
$\square=64000$
따라서 실제 거리는 64000 cm$=$640 m입니다.

12 가$\times\frac{5}{9}$를 외항의 곱, 나$\times\frac{1}{2}$을 내항의 곱이라 하면 주어진 식을 비례식 가 : 나$=\frac{1}{2}:\frac{5}{9}$로 나타낼 수 있습니다.
➡ 가 : 나$=\frac{1}{2}:\frac{5}{9}$
$=\left(\frac{1}{2}\times18\right):\left(\frac{5}{9}\times18\right)=9:10$

참고 가 : 나$=\frac{1}{2}:\frac{5}{9}$ ➡ 가$\times\frac{5}{9}=$나$\times\frac{1}{2}$

13 가 회사와 나 회사가 투자한 돈의 비
➡ 5억 : 7억 ➡ $5:7$
가 회사: 36억$\times\frac{5}{5+7}=$36억$\times\frac{5}{12}=$15억(원)
나 회사: 36억$\times\frac{7}{5+7}=$36억$\times\frac{7}{12}=$21억(원)

STEP3 한번더 서술형 해결하기 30~31쪽

01 예 ❶ 감자 4개의 가격: 3200원
감자 9개의 가격을 ■원이라 하고 비례식을 세우면
$4:3200=9:$■입니다. ▸2점
❷ $4\times$■$=3200\times9$, $4\times$■$=28800$, ■$=7200$
따라서 감자 9개의 가격은 7200원입니다.
(거스름돈)$=10000-7200=2800$(원) ▸3점
/ 2800원

매칭북 한번더

02 예 ❶ 소고기 $600\,g=0.6\,kg$의 가격이 30000원이므로 소고기 $0.9\,kg$의 가격을 □원이라 하고 비례식을 세우면 $0.6:30000=0.9:$□입니다. ▸2점
❷ $0.6\times$□$=30000\times0.9$, $0.6\times$□$=27000$, □$=45000$
따라서 소고기 $0.9\,kg$의 가격은 45000원입니다.
(거스름돈)$=50000-45000$
$=5000$(원) ▸3점
/ 5000원

03 예 ❶ 밭의 16 %의 넓이: $84\,m^2$
백분율의 전체는 100 %이므로 밭의 전체 넓이를 ▲ m^2라 하고 비례식을 세우면
$16:84=100:$▲입니다. ▸3점
❷ $16\times$▲$=84\times100$, $16\times$▲$=8400$, ▲$=525$
따라서 밭의 전체 넓이는 $525\,m^2$입니다. ▸2점
/ $525\,m^2$

04 예 ❶ (여학생의 백분율)$=100-35=65$ ➜ 65 %
백분율의 전체는 100 %이므로 박물관에 입장한 학생 수를 □명이라 하고 비례식을 세우면
$65:208=100:$□입니다. ▸3점
❷ $65\times$□$=208\times100$, $65\times$□$=20800$, □$=320$
따라서 박물관에 입장한 학생은 모두 320명입니다.
▸2점 / 320명

05 예 ❶ (직사각형의 둘레)$=$(가로$+$세로)$\times2$
➜ (가로)$+$(세로)$=$(직사각형의 둘레)$\div2$
$=128\div2=64$(cm) ▸2점
❷ 가로와 세로의 비가 $9:7$이므로
가로: $64\times\frac{9}{9+7}=64\times\frac{9}{16}=36$(cm)
세로: $64\times\frac{7}{9+7}=64\times\frac{7}{16}=28$(cm) ▸3점
/ 36 cm, 28 cm

06 예 ❶ (가로) : (세로)
$=45:15=(45\div15):(15\div15)$
$=3:1$ ▸2점
❷ 실제 천의 둘레가 16 m이므로
(가로)$+$(세로)$=16\div2=8$(m)
➜ 가로: $8\times\frac{3}{3+1}=8\times\frac{3}{4}=6$(m)
세로: $8\times\frac{1}{3+1}=8\times\frac{1}{4}=2$(m) ▸3점
/ 6 m, 2 m

07 예 ❶ (㉮의 톱니 수)$\times$(㉮의 회전수)
$=$(㉯의 톱니 수)$\times$(㉯의 회전수)
➜ (㉮의 회전수) : (㉯의 회전수)
$=$(㉯의 톱니 수) : (㉮의 톱니 수)$=30:25$ ▸2점
❷ (㉮의 회전수) : (㉯의 회전수)
$=30:25=(30\div5):(25\div5)=6:5$ ▸3점
/ $6:5$

08 예 ❶ (가의 회전수) : (나의 회전수)
$=$(나의 톱니 수) : (가의 톱니 수)
$=26:65=(26\div13):(65\div13)=2:5$ ▸3점
❷ 톱니바퀴 가가 14바퀴 도는 동안 톱니바퀴 나가 도는 바퀴 수를 □바퀴라 하면 $2:5=14:$□입니다.
➜ $2\times$□$=5\times14$, $2\times$□$=70$, □$=35$
따라서 톱니바퀴 가가 14바퀴 도는 동안 톱니바퀴 나는 35바퀴 돕니다. ▸2점 / 35바퀴

01	채점 기준	❶ 감자 9개의 가격을 ■원이라 하고 비례식 세우기	2점
		❷ 받아야 하는 거스름돈 구하기	3점
02	채점 기준	❶ 소고기 0.9 kg의 가격을 □원이라 하고 비례식 세우기	2점
		❷ 받아야 하는 거스름돈 구하기	3점
03	채점 기준	❶ 밭의 전체 넓이를 ▲ m^2라 하고 비례식 세우기	3점
		❷ 밭의 전체 넓이 구하기	2점
04	채점 기준	❶ 박물관에 입장한 학생 수를 □명이라 하고 비례식 세우기	3점
		❷ 박물관에 입장한 학생 수 구하기	2점
05	채점 기준	❶ (가로)$+$(세로)의 값 구하기	2점
		❷ 직사각형의 가로와 세로 각각 구하기	3점
06	채점 기준	❶ 천의 가로와 세로의 비를 간단한 자연수의 비로 나타내기	2점
		❷ 실제 천의 가로와 세로 각각 구하기	3점
07	채점 기준	❶ 톱니바퀴 ㉮와 ㉯에서 톱니 수와 회전수의 관계 알아보기	2점
		❷ 톱니바퀴 ㉮와 ㉯의 회전수의 비를 가장 간단한 자연수의 비로 나타내기	3점
08	채점 기준	❶ 톱니바퀴 가와 나의 회전수의 비를 간단한 자연수의 비로 나타내기	3점
		❷ 톱니바퀴 가가 14바퀴 도는 동안 톱니바퀴 나가 도는 바퀴 수 구하기	2점

5. 원의 넓이

STEP 1 한 번 더 개념 완성하기 32쪽

1 ○, ○, × 2 ㉡ 3 3.14
4 (1) 49.6 cm (2) 74.4 cm 5 20 cm
6 (1) 24 cm (2) 8 cm

3 (원주율)=(원주)÷(지름)
=18.85÷6=3.141······ ➜ 3.14

4 (1) (왼쪽 고리의 원주)=16×3.1=49.6 (cm)
(2) (오른쪽 고리의 원주)=(반지름)×2×(원주율)
=12×2×3.1=74.4 (cm)

5 (지름)=62.8÷3.14=20 (cm)

6 (1) (원의 원주)=(색 테이프의 길이)=24 cm
(2) (원의 지름)=24÷3=8 (cm)

STEP 2 한 번 더 실력 다지기 33~34쪽

01 3.1, 3.14 02 56.52 cm 03 75 cm
04 12 cm 05 3 cm 06 하은
07 ㉡, ㉠, ㉢
08 예 ❶ 큰 원의 지름이 작은 원의 지름의 3배이므로 큰 원의 원주도 작은 원의 원주의 3배입니다. ▸2점
❷ (작은 원의 원주)=65.94÷3=21.98 (cm)
▸3점 / 21.98 cm
09 12 cm 10 2바퀴 11 28개
12 12.56 m 13 126 cm

02 (선분 ㄱㅇ)=4+5=9 (cm)
➜ (큰 원의 원주)=18×3.14=56.52 (cm)

03 (바깥쪽 원의 원주)=60×3=180 (cm)
(안쪽 원의 원주)=35×3=105 (cm)
➜ (원주의 차)=180−105=75 (cm)

04 (시계의 지름)=36÷3=12 (cm)
상자의 밑면의 한 변의 길이는 시계의 지름보다 길거나 같아야 하므로 적어도 12 cm이어야 합니다.

05 원주가 길수록 지름도 길므로 지름이 가장 긴 것은 나이고, 가장 짧은 것은 가입니다.
(나의 지름)=27.9÷3.1=9 (cm)
(가의 지름)=18.6÷3.1=6 (cm)
➜ (지름의 차)=9−6=3 (cm)

06 (하은이가 돌리고 있는 훌라후프의 반지름)=40 cm
(상희가 돌리고 있는 훌라후프의 반지름)
=219.8÷3.14÷2=35 (cm)
➜ 40 cm>35 cm이므로 더 큰 훌라후프를 돌리고 있는 사람은 하은입니다.

참고 두 훌라후프의 원주를 구하여 크기를 비교할 수도 있습니다.

07 ㉠ (지름)=2.5×2=5 (cm)
㉡ (지름)=18.6÷3.1=6 (cm)
㉢ (지름)=4 cm
➜ ㉡>㉠>㉢

08

채점 기준		
	❶ 원주와 지름의 관계 알아보기	2점
	❷ 작은 원의 원주 구하기	3점

10 (호수의 원주)=80×3.14=251.2 (m)
(진아가 달린 바퀴 수)=502.4÷251.2=2(바퀴)

12 1번 경주로의 곡선 구간의 지름은 36 m이고, 2번 경주로의 곡선 구간의 지름은 36+4=40 (m)입니다.
(1번 경주로의 곡선 구간의 거리)
=36×3.14÷2×2=113.04 (m)
(2번 경주로의 곡선 구간의 거리)
=40×3.14÷2×2=125.6 (m)
따라서 2번 경주로에서 달리는 사람은 1번 경주로에서 달리는 사람보다 125.6−113.04=12.56 (m) 더 앞에서 출발하면 됩니다.

13 (색칠한 부분의 둘레)
=(반지름이 22 cm인 원의 원주)÷2
+(반지름이 16 cm인 원의 원주)÷2+6+6
=22×2×3÷2+16×2×3÷2+6+6
=66+48+6+6=126 (cm)

STEP 1 한 번 더 개념 완성하기 35쪽

1 (1) 6, 6, 6, 36 (2) 6, 8, 6, 48 (3) 36, 48
2 128, 256, 예 192
3 4, 3.1×4×4, 49.6 / 6, 3.1×6×6, 111.6
4 803.84 cm^2 5 225 cm^2

4 (쟁반의 넓이)=3.14×16×16=803.84 (cm^2)

5 (색칠한 부분의 넓이)=3×10×10−3×5×5
=300−75=225 (cm^2)

매칭북 정답 및 풀이

STEP2 한 번 더 실력 다지기 36~37쪽

01 예 $46\ cm^2$ **02** 예 $189\ cm^2$

03 예 ❶ (초록색 원의 반지름)$=15-7=8$(cm) ▸2점

❷ (초록색 원의 넓이)$=3\times8\times8=192$(cm^2) ▸3점 / $192\,cm^2$

04 ㉡ **05** 3, 1, 2 **06** 25배

07 $314\ cm^2$ **08** $714\ cm^2$ **09** $8.8\ cm^2$

10 $200.96\ cm^2$ **11** 나 **12** 30 m

01 보라색 모눈은 32개이므로 넓이는 32 cm^2입니다.
➡ 32 $cm^2<$(원의 넓이)
초록색 선 안쪽 모눈은 60개이므로 넓이는 60 cm^2입니다.
➡ (원의 넓이)$<60\ cm^2$
원의 넓이를 약 46 cm^2라고 어림할 수 있습니다.

03

채점 기준		
	❶ 초록색 원의 반지름 구하기	2점
	❷ 초록색 원의 넓이 구하기	3점

04 ㉡ (반지름)$=14\div2=7$(cm)
(원의 넓이)$=3.1\times7\times7=151.9$(cm^2)
➡ ㉠ 111.6 $cm^2<$㉡ 151.9 cm^2

05 (반지름이 11 cm인 원반의 넓이)
$=3.14\times11\times11=379.94$($cm^2$)
(지름이 18 cm인 원반의 넓이)
$=3.14\times9\times9=254.34$($cm^2$)
➡ $379.94\ cm^2>254.34\ cm^2>200.96\ cm^2$

07 반지름이 2배가 되면 원의 넓이는 4배가 되므로 나 그림자의 넓이는 가 그림자의 넓이의 4배입니다.
(나 그림자의 넓이)$=78.5\times4=314$(cm^2)

08 (색칠한 부분의 넓이)
$=3\times24\times24\div2-3\times10\times10\div2$
$=864-150=714$(cm^2)

09 도형의 넓이는 오른쪽 색칠한 부분의 넓이의 2배와 같습니다.

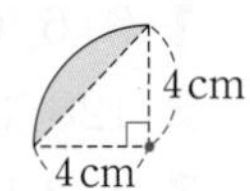

(도형의 넓이)
$=(3.1\times4\times4\div4-4\times4\div2)\times2$
$=(12.4-8)\times2=4.4\times2=8.8$($cm^2$)

10 색칠한 부분을 모으면 반지름이 8 cm인 원과 같습니다.
(색칠한 부분의 넓이)$=3.14\times8\times8=200.96$($cm^2$)

12 씨름판의 반지름을 □ m라 하면
(씨름판의 넓이)$=3\times□\times□=75$(cm^2),
$□\times□=25$입니다.
$5\times5=25$이므로 □$=5$입니다.
➡ (씨름판의 둘레)$=5\times2\times3=30$(m)

STEP3 한 번 더 서술형 해결하기 38~39쪽

01 예 ❶ 정사각형 모양의 색종이를 잘라 가장 큰 원을 만들려면 정사각형의 한 변의 길이를 지름으로 해야 합니다. ➡ (원의 지름)$=9$ cm ▸2점
❷ (원의 원주)$=9\times3.1=27.9$(cm) ▸3점
/ 27.9 cm

02 예 ❶ 가장 큰 원을 만들려면 직사각형의 짧은 변의 길이를 지름으로 해야 합니다.
➡ (원의 지름)$=50$ cm ▸2점
❷ (원의 넓이)$=3\times25\times25=1875$(cm^2) ▸3점
/ 1875 cm^2

03 예 ❶ (초록색 부분의 반지름)$=8$cm
➡ (초록색 부분의 넓이)
$=3.1\times8\times8=198.4$(cm^2) ▸2점
❷ (초록색과 보라색 부분을 합한 원의 반지름)
$=8+8=16$(cm)
➡ (보라색 부분의 넓이)
$=3.1\times16\times16-198.4$
$=793.6-198.4=595.2$(cm^2) ▸3점
/ 198.4 cm^2, 595.2 cm^2

04 예 ❶ (가장 작은 원의 반지름)$=6\div2=3$(cm)
(두 번째로 큰 원의 반지름)$=3+2=5$(cm)
(가장 큰 원의 반지름)$=5+2=7$(cm) ▸2점
❷ (색칠한 부분의 넓이)
$=3.14\times7\times7-3.14\times5\times5$
$=153.86-78.5=75.36$(cm^2) ▸3점
/ 75.36 cm^2

05 예 ❶

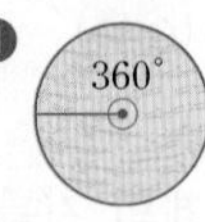

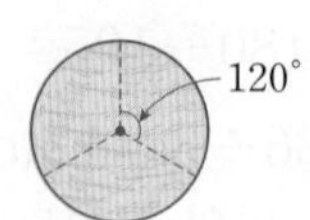

선영이가 먹은 감자전 조각의 넓이는 전체 감자전 넓이의 $\frac{120}{360}$입니다. ▸2점
❷ (선영이가 먹은 감자전 조각의 넓이)
$=3\times20\times20\times\frac{120}{360}=400$($cm^2$) ▸3점
/ 400 cm^2

06 예 ❶ 주어진 도형의 넓이는 전체 원의 넓이의 $\frac{30}{360}$ 입니다. ▸2점

❷ (도형의 넓이)

$=3\times4\times4\times\frac{30}{360}=4(\text{cm}^2)$ ▸3점

/ 4 cm^2

07 예 ❶ (지름)=(원주)÷(원주율)

$=18.84\div3.14=6(\text{cm})$ ▸3점

❷ (원의 반지름)$=6\div2=3(\text{cm})$

(원의 넓이)$=3.14\times3\times3=28.26(\text{cm}^2)$ ▸2점

/ 28.26 cm^2

08 예 ❶ (만들 수 있는 가장 큰 원의 원주)

=(철사의 길이)

$=36\text{ cm}$

➜ (만들 수 있는 가장 큰 원의 지름)

$=36\div3=12(\text{cm})$ ▸3점

❷ (원의 반지름)$=12\div2=6(\text{cm})$

(원의 넓이)$=3\times6\times6=108(\text{cm}^2)$ ▸2점

/ 108 cm^2

01

채점 기준		
	❶ 만들 수 있는 가장 큰 원의 지름 구하기	2점
	❷ 만들 수 있는 가장 큰 원의 원주 구하기	3점

02

채점 기준		
	❶ 만들 수 있는 가장 큰 원의 지름 구하기	2점
	❷ 만들 수 있는 가장 큰 원의 넓이 구하기	3점

03

채점 기준		
	❶ 초록색 부분의 넓이 구하기	2점
	❷ 보라색 부분의 넓이 구하기	3점

04

채점 기준		
	❶ 각 원의 반지름 구하기	2점
	❷ 색칠한 부분의 넓이 구하기	3점

05

채점 기준		
	❶ 선영이가 먹은 감자전 조각의 넓이는 전체 감자전 넓이의 몇 분의 몇인지 구하기	2점
	❷ 선영이가 먹은 감자전 조각의 넓이 구하기	3점

06

채점 기준		
	❶ 도형의 넓이는 전체 원의 넓이의 몇 분의 몇인지 구하기	2점
	❷ 도형의 넓이 구하기	3점

07

채점 기준		
	❶ 원의 지름 구하기	3점
	❷ 원의 넓이 구하기	2점

08

채점 기준		
	❶ 만들 수 있는 가장 큰 원의 지름 구하기	3점
	❷ 만들 수 있는 가장 큰 원의 넓이 구하기	2점

6. 원기둥, 원뿔, 구

STEP 1 한번더 개념 완성하기 40쪽

1 (1) 5 cm (2) 9 cm 2 12.4, 6
3 (1) 12 cm (2) 6 cm 4 (위에서부터) 3, 4
5 20 cm 6 8 cm 7 (1) ㉡ (2) ㉢ (3) ㉠

2 (㉠의 길이)=(밑면의 둘레)
$=2\times2\times3.1=12.4(\text{cm})$

4 (밑면의 지름)=(직각삼각형의 밑변의 길이)$\times2$
$=2\times2=4(\text{cm})$
(높이)=(직각삼각형의 높이)$=3\text{ cm}$

STEP 2 한번더 실력 다지기 41~43쪽

01 ㉠ 02 4 cm 03 (   ) (×) (   ) 04 선재

05 ❶ 잘못 그렸습니다. ▸2점
예 ❷ 전개도에서 옆면의 모양이 직사각형이 아니므로 전개도를 잘못 그렸습니다. ▸3점

06 예

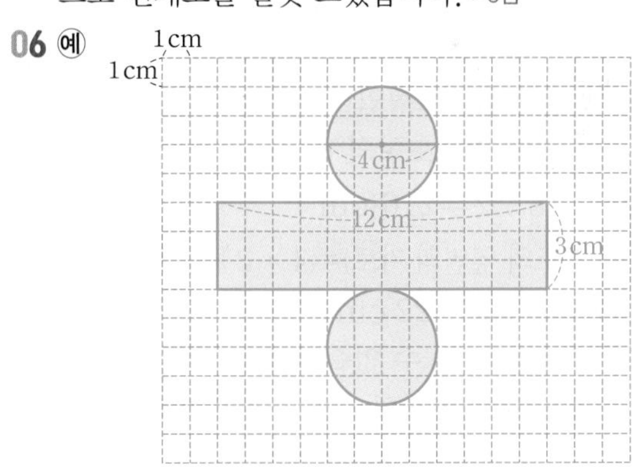

07 (1) ○ (2) × (3) ○ 08 32 cm
09 ㉡, ㉢ 10 ㉢
11 ❶ 현지 ▸2점 / 예 ❷ 구를 위, 앞, 옆에서 본 모양은 모두 원입니다. ▸3점
12 14 cm 13 미주
14 ❶ 틀렸습니다. ▸2점 / 예 ❷ 원기둥, 원뿔, 구를 위에서 본 모양은 모두 원입니다. ▸3점
15 9 cm 16 216 cm^2 17 가

03 원기둥의 옆면은 굽은 면이고, 사각기둥의 옆면의 모양은 직사각형입니다.

05

채점 기준		
	❶ 전개도를 바르게 그렸는지, 잘못 그렸는지 쓰기	2점
	❷ 이유 쓰기	3점

08 (선분 ㄴㄷ)=(밑면의 지름)$=6\times2=12$(cm)
원뿔에서 모선의 길이는 모두 같으므로
(선분 ㄱㄷ)=(선분 ㄱㄴ)$=10$ cm
➡ (삼각형 ㄱㄴㄷ의 둘레)$=10+12+10=32$(cm)

09 ㉠ 원뿔과 육각뿔 모두 밑면이 1개입니다.
㉡ 위에서 본 모양이 원뿔은 원, 육각뿔은 육각형입니다.
㉢ 꼭짓점이 원뿔은 1개, 육각뿔은 7개입니다.
㉣ 원뿔과 육각뿔 모두 앞에서 본 모양이 삼각형입니다.

11

채점 기준		
	❶ 잘못 설명한 사람의 이름 쓰기	2점
	❷ 바르게 고치기	3점

12 구의 겉면에 그릴 수 있는 원 중에서 가장 큰 원은 구의 중심과 중심이 같은 원입니다.
➡ (가장 큰 원의 지름)=(구의 지름)$=14$ cm

14

채점 기준		
	❶ 설명이 맞는지, 틀린지 쓰기	2점
	❷ 이유 쓰기	3점

15 (옆면의 가로)$=4\times2\times3.14=25.12$(cm)이므로
(옆면의 세로)$=226.08\div25.12=9$(cm)입니다.
➡ (만들어지는 원기둥의 높이)$=9$ cm

16 주어진 원뿔은 오른쪽과 같은 직각삼각형의 높이를 기준으로 한 바퀴 돌려서 만든 입체도형입니다.

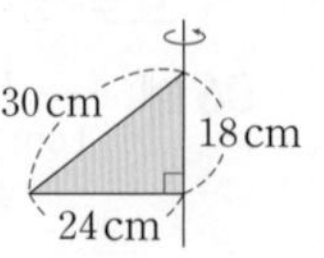

(돌리기 전의 평면도형의 넓이)
$=24\times18\div2=216$(cm^2)

17 가: (전개도의 옆면의 가로)$=4\times2\times3.1=24.8$(cm)
종이의 세로는 22 cm이므로 세로 방향으로 옆면의 가로를 그릴 수 없습니다.
➡ 종이의 가로 방향으로 옆면의 가로를 그립니다.
(만들 수 있는 원기둥의 최대 높이)
=(종이의 세로)−(밑면의 지름)×2
$=22-4\times2\times2=6$(cm)
➡ 높이가 7 cm인 원기둥을 만들 수 없습니다.
나: (전개도의 옆면의 가로)$=5\times2\times3.1=31$(cm)
종이의 세로는 22 cm이므로 세로 방향으로 옆면의 가로를 그릴 수 없습니다.
➡ 종이의 가로 방향으로 옆면의 가로를 그립니다.
(만들 수 있는 원기둥의 최대 높이)
=(종이의 세로)−(밑면의 지름)×2
$=22-5\times2\times2=2$(cm)
➡ 높이가 2 cm인 원기둥을 만들 수 있습니다.

STEP3 한번더 서술형 해결하기 44쪽

01 예 ❶ 구를 위에서 본 모양은 원입니다.
구를 위에서 본 모양의 지름은 구의 지름과 같으므로 16 cm입니다. ▸3점
❷ (위에서 본 모양의 넓이)
$=3.14\times8\times8=200.96$(cm^2) ▸2점
/ 200.96 cm^2

02 예 ❶ 고깔을 앞에서 본 모양은 오른쪽과 같이 밑변의 길이가 30 cm, 높이가 20 cm인 삼각형입니다. ▸3점

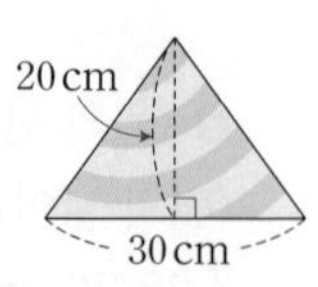

❷ (앞에서 본 모양의 넓이)
$=30\times20\div2=300$(cm^2) ▸2점 / 300 cm^2

03 예 ❶ (옆면의 가로)$=3\times2\times3.14$
$=18.84$(cm) ▸3점
❷ 옆면의 세로를 □cm라 하면
(옆면의 둘레)
$=18.84+□+18.84+□=51.68$(cm) ➡ □$=7$
따라서 옆면의 세로는 7 cm입니다. ▸2점 / 7 cm

04 예 ❶ 밑면의 지름을 □cm라 하면
(전개도의 옆면의 가로)=(한 밑면의 둘레)
=(□×3) cm
(원기둥의 높이)=(밑면의 지름)=□cm이므로
(전개도의 옆면의 세로)=(원기둥의 높이)
=□cm ▸3점
❷ (전개도의 옆면의 둘레)
=□×3+□+□×3+□=128(cm),
□×8=128, □=16
따라서 원기둥의 밑면의 지름은 16 cm이므로
반지름은 $16\div2=8$(cm)입니다. ▸2점 / 8 cm

01

채점 기준		
	❶ 구를 위에서 본 모양 알아보기	3점
	❷ 구를 위에서 본 모양의 넓이 구하기	2점

02

채점 기준		
	❶ 고깔을 앞에서 본 모양 알아보기	3점
	❷ 고깔을 앞에서 본 모양의 넓이 구하기	2점

03

채점 기준		
	❶ 전개도의 옆면의 가로 구하기	3점
	❷ 전개도의 옆면의 세로 구하기	2점

04

채점 기준		
	❶ 밑면의 지름을 □cm라 하고 전개도의 옆면의 가로와 세로 알아보기	3점
	❷ 원기둥의 밑면의 반지름 구하기	2점

단원 평가 매칭북 45~62쪽

1. 분수의 나눗셈 45~47쪽

01 6 **02** 6, 2, 3 **03** 8, 4, 5, 10

04 5, 8, 5, 8, $\frac{5}{8}$ / $\frac{5}{2}$, $\frac{5}{8}$

05 $2\frac{1}{7}\div\frac{4}{5}=\frac{15}{7}\div\frac{4}{5}=\frac{15}{7}\times\frac{5}{4}=\frac{75}{28}=2\frac{19}{28}$

06 (1) $5\frac{13}{15}$ (2) $1\frac{7}{8}$ **07** 5

08 $\frac{9}{10}\div\frac{3}{10}$ / 3

09 $3\frac{1}{4}\div\frac{5}{9}=\frac{13}{4}\div\frac{5}{9}=\frac{13}{4}\times\frac{9}{5}=\frac{117}{20}=5\frac{17}{20}$

10 39 **11** $2\frac{11}{32}$

12 $\frac{2}{9}\div\frac{1}{7}=1\frac{5}{9}$ / $1\frac{5}{9}$배

13 6 **14** 33 kg

15 $\frac{12}{13}\div\frac{7}{13}$, $\frac{12}{14}\div\frac{7}{14}$ **16** 3개

17 $7\div2\frac{3}{4}$ / $2\frac{6}{11}$

18 예 ❶ (땅콩 1 kg의 가격)
=(전체 가격)÷(땅콩의 무게) ▸2점

❷ (땅콩 1 kg의 가격)$=4000\div\frac{5}{7}$
$=\overset{800}{\cancel{4000}}\times\frac{7}{\underset{1}{\cancel{5}}}=5600$(원)

▸3점 / 5600원

19 예 ❶ (밑변의 길이)
=(평행사변형의 넓이)÷(높이) ▸2점

❷ (밑변의 길이)$=6\frac{3}{5}\div1\frac{4}{9}$
$=\frac{33}{5}\div\frac{13}{9}=\frac{33}{5}\times\frac{9}{13}$
$=\frac{297}{65}=4\frac{37}{65}$ (cm) ▸3점

/ $4\frac{37}{65}$ cm

20 예 ❶ 어떤 수를 □라 하면 $□\times\frac{7}{8}=2\frac{2}{5}$입니다.
$□=2\frac{2}{5}\div\frac{7}{8}=\frac{12}{5}\div\frac{7}{8}=\frac{12}{5}\times\frac{8}{7}=\frac{96}{35}$ ▸3점

❷ $\frac{96}{35}\div\frac{1}{2}=\frac{96}{35}\times2=\frac{192}{35}=5\frac{17}{35}$ ▸2점

/ $5\frac{17}{35}$

06 (1) $\frac{8}{3}\div\frac{5}{11}=\frac{8}{3}\times\frac{11}{5}=\frac{88}{15}=5\frac{13}{15}$

(2) $2\frac{1}{2}\div1\frac{1}{3}=\frac{5}{2}\div\frac{4}{3}=\frac{5}{2}\times\frac{3}{4}=\frac{15}{8}=1\frac{7}{8}$

07 $\frac{15}{16}\div\frac{3}{16}=15\div3=5$

10 $15\div\frac{5}{13}=(15\div5)\times13=39$

11 가장 큰 수는 $3\frac{1}{8}$, 가장 작은 수는 $1\frac{1}{3}$입니다.

➡ $3\frac{1}{8}\div1\frac{1}{3}=\frac{25}{8}\div\frac{4}{3}=\frac{25}{8}\times\frac{3}{4}$
$=\frac{75}{32}=2\frac{11}{32}$

12 (현주가 먹은 케이크 양)÷(규민이가 먹은 케이크 양)
$=\frac{2}{9}\div\frac{1}{7}=\frac{14}{63}\div\frac{9}{63}=14\div9=\frac{14}{9}=1\frac{5}{9}$(배)

14 (쇠막대 1 m의 무게)
$=10\div\frac{5}{11}=(10\div5)\times11=22$ (kg)

➡ (쇠막대 $1\frac{1}{2}$ m의 무게)
$=22\times1\frac{1}{2}=\overset{11}{\cancel{22}}\times\frac{3}{\underset{1}{\cancel{2}}}=33$ (kg)

16 $12\div\frac{2}{□}=(12\div2)\times□=6\times□$이므로
$6\times□<20$입니다.
따라서 □ 안에 들어갈 수 있는 자연수는 1, 2, 3으로 모두 3개입니다.

17 나눗셈식에서 나누어지는 수가 클수록, 나누는 수가 작을수록 몫이 큽니다. 가장 큰 수를 나누어지는 수에 넣고, 남는 수로 가장 작은 대분수를 만들어 나누는 수에 넣습니다.

➡ $7\div2\frac{3}{4}=7\div\frac{11}{4}=7\times\frac{4}{11}=\frac{28}{11}=2\frac{6}{11}$

18

채점 기준		
	❶ 땅콩 1 kg의 가격 구하는 방법 알아보기	2점
	❷ 땅콩 1 kg의 가격 구하기	3점

19

채점 기준		
	❶ 평행사변형의 밑변의 길이 구하는 방법 알아보기	2점
	❷ 평행사변형의 밑변의 길이 구하기	3점

20

채점 기준		
	❶ 어떤 수 구하기	3점
	❷ 어떤 수를 $\frac{1}{2}$로 나눈 몫 구하기	2점

2. 소수의 나눗셈 48~50쪽

01 126, 9, 126, 9, 14
02 258, 6, 258, 258, 43, 43
03 (위에서부터) 10 / 144, 3, 48 / 48
04 (위에서부터) 10 / 5, 5 / 10
05 (1) 7 (2) 1.4 **06** 1.95 **07** 13.57
08 8, 80, 800 **09** $4.5\overline{)36}$, 몫 8, 360, 0
10 (1) ㉠ (2) ㉢ **11** ㉠ **12** 94 km
13 (위에서부터) 6, 4 **14** 17 km
15 5명, 1.9 kg **16** 4 **17** 7, 6, 4 / 190
18 ❶ 36.9÷0.3=123 ▸3점
예 ❷ 나누는 수와 나누어지는 수를 각각 10배 하면 369÷3이 되므로 나눗셈식은 36.9÷0.3입니다. ▸2점
19 예 ❶ 9.8>1.1 ➜ 9.8÷1.1=8.9090…… ▸2점
❷ 몫의 소수 첫째 자리부터 숫자 9, 0이 반복되므로 몫의 소수 일곱째 자리 숫자는 9입니다. ▸3점
/ 9
20 예 ❶ 어떤 수를 □라 하면 □×2.9=33.64, □=33.64÷2.9=11.6입니다. ▸3점
❷ 11.6÷2.9=4 ▸2점 / 4

03 14.4를 10배 한 수는 144, 0.3을 10배 한 수는 3이므로 14.4÷0.3의 몫은 144÷3의 몫과 같습니다.
➜ 14.4÷0.3=144÷3=48

04 8÷1.6에서 나누는 수와 나누어지는 수를 각각 10배 하면 80÷16이 됩니다.
나누는 수와 나누어지는 수를 각각 10배 하면 나눗셈의 몫은 변하지 않으므로 8÷1.6의 몫은 80÷16의 몫인 5와 같습니다.

06 0.78÷0.4=7.8÷4=1.95

07 몫을 반올림하여 소수 둘째 자리까지 나타내려면 소수 셋째 자리에서 반올림해야 합니다.
➜ 40.7÷3=13.566…… ➜ 13.57

09 몫의 소수점은 옮긴 소수점의 위치에 맞게 찍어야 합니다.
$4.5\overline{)36.0}$, 몫 8, 360, 0

10 (1) 43.2÷3.6=432÷36=12
(2) 17.36÷1.24=1736÷124=14

11 85÷6=14.16……
몫을 반올림하여 소수 첫째 자리까지 나타내면 14.2이므로 ㉠>㉡입니다.

12 (휘발유 6.58 L로 갈 수 있는 거리)
=(전체 휘발유의 양)
÷(1 km를 가는 데 필요한 휘발유의 양)
=6.58÷0.07=94 (km)

13 $1.㉠\overline{)14.4}$, 몫 9, 1㉡4, 0
144−1㉡4=0 ➜ ㉡=4
1㉠×9=144
➜ 144÷9=16이므로 ㉠=6입니다.

14 2시간 18분=2.3시간
(1시간 동안 달린 거리)
=(전체 달린 거리)÷(걸린 시간)
=40.2÷2.3=17.4…… ➜ 17
따라서 1시간 동안 달린 거리를 반올림하여 자연수로 나타내면 17 km입니다.

15 (8명에게 나누어 준 토마토의 양)=2×8=16 (kg)
(상자에 들어 있는 토마토의 양)
=16+0.9=16.9 (kg)
$3\overline{)16.9}$, 몫 5, 15, 1.9 ➜ 나누어 줄 수 있는 사람은 5명이고, 남는 토마토는 1.9 kg입니다.
주의 나누어 줄 수 있는 사람 수는 자연수이어야 하므로 몫을 자연수까지만 구합니다.

16 10.8★8.1=10.8÷(10.8−8.1)=10.8÷2.7=4

17 몫이 가장 크게 되도록 나눗셈식을 만들어야 하므로 수 카드 3장 중 2장을 사용하여 가장 큰 두 자리 수를 만들어 나누어지는 수에 쓰고, 남은 수 카드 1장을 나누는 수에 씁니다. ➜ 76÷0.4=190

18

채점 기준		
	❶ 나눗셈식을 찾아 계산하기	3점
	❷ 이유 쓰기	2점

19

채점 기준		
	❶ 큰 수를 작은 수로 나눈 몫 구하기	2점
	❷ 몫의 소수 일곱째 자리 숫자 구하기	3점

20

채점 기준		
	❶ 어떤 수 구하기	3점
	❷ 바르게 계산했을 때의 몫 구하기	2점

3. 공간과 입체 51~53쪽

01 위에 ○표
02 라
03 다
04 가
05 10개
06 앞 옆
07 가, 나
08 2층 3층
09 3, 1, 1, 1, 2
10 8개
11 나
12 위
13 10개
14 옆
15 ㉠, ㉡ / ㉠, ㉡ / ㉡
16 2가지
17 11개
18 예 ❶ 2층에 쌓인 쌓기나무의 개수를 구하므로 위에서 본 모양에 적힌 수가 2 이상인 칸 수를 세어 봅니다. ▸2점
❷ 2 이상인 수가 적힌 칸은 4칸이므로 2층에 쌓인 쌓기나무는 4개입니다. ▸3점 / 4개
19 예 ❶ 옆에서 본 모양에서 ㉠, ㉡, ㉢에 쌓인 쌓기나무는 각각 1개입니다. ▸3점
❷ 앞에서 본 모양에서 ㉤에 쌓인 쌓기나무는 3개입니다. ▸2점 / 3개
20 예 ❶ (정육면체 모양의 쌓기나무의 개수)
$=3\times3\times3=27$(개)
(새로 만든 모양의 쌓기나무의 개수)=10개 ▸3점
❷ (빼낸 쌓기나무의 개수)$=27-10=17$(개) ▸2점
/ 17개

01 오른쪽 사진은 놀이터의 윗부분이 보이기 때문에 위에서 찍은 사진입니다.

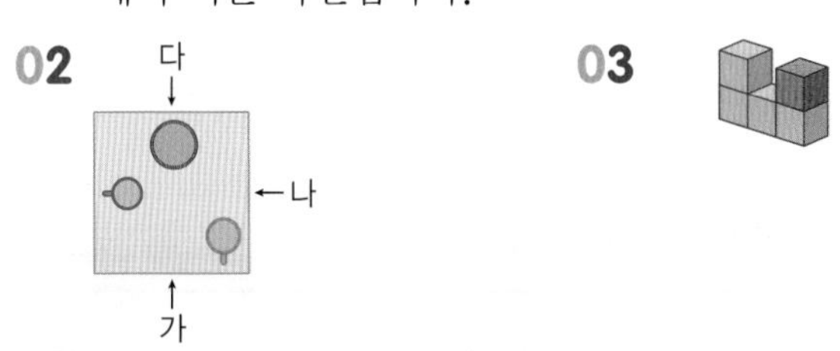

05 쌓은 모양과 위에서 본 모양에서 뒤에 보이지 않는 쌓기나무는 없습니다. ➜ 10개

07 다를 앞에서 본 모양은 입니다.

09 앞에서 본 모양에서 ㉢에 쌓인 쌓기나무는 1개이고, 옆에서 본 모양에서 ㉠에 쌓인 쌓기나무는 3개, ㉡, ㉣에 쌓인 쌓기나무는 각각 1개, ㉤에 쌓인 쌓기나무는 2개입니다.

10 위
➜ $3+1+1+1+2=8$(개)

11

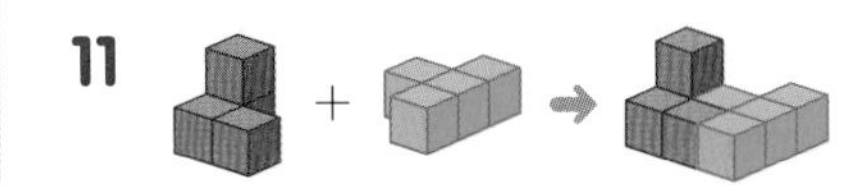

12 위에서 본 모양은 1층 모양과 같습니다.
1층 모양에서 쌓기나무가 ㉡과 ㉤에는 3층, ㉢에는 2층, ㉠과 ㉣에는 1층까지 있습니다.

14 위
앞에서 본 모양에서
㉠=2개, ㉡=1개, ㉢=1개, ㉣=2개입니다.

15 가와 나는 상자 ㉠, 상자 ㉡에 모두 넣을 수 있습니다. 다를 넣기 위해서는 'ㄴ' 모양의 구멍이 필요하기 때문에 상자 ㉠에는 넣을 수 없습니다.

16 옆에서 본 모양에서 ㉠에 쌓인 쌓기나무는 2개, ㉣, ㉤에 쌓인 쌓기나무는 각각 1개입니다.
앞에서 본 모양에서 ㉢에 쌓인 쌓기나무는 2개입니다. ➜ 앞과 옆에서 본 모양에서 ㉡에 쌓인 쌓기나무는 1개 또는 2개입니다.

나올 수 있는 모양: 또는 ➜ 2가지

17 쌓기나무의 개수를 위에서 본 모양에 수로 쓰면 다음과 같습니다.

〈가장 적은 경우〉 〈가장 많은 경우〉

(가장 많은 경우의 쌓기나무의 개수)
$=2+2+1+3+2+1=11$(개)

18

채점 기준		
	❶ 2층에 쌓인 쌓기나무의 개수 구하는 방법 알아보기	2점
	❷ 2층에 쌓인 쌓기나무의 개수 구하기	3점

19

채점 기준		
	❶ ㉠, ㉡, ㉢에 쌓인 쌓기나무의 개수 구하기	3점
	❷ ㉤에 쌓인 쌓기나무의 개수 구하기	2점

20

채점 기준		
	❶ 정육면체 모양과 새로 만든 모양의 쌓기나무의 개수 각각 구하기	3점
	❷ 빼낸 쌓기나무의 개수 구하기	2점

4. 비례식과 비례배분 54~56쪽

01 5, 8
02 (위에서부터) 24, 12
03 (○) (   )
04 28, 420, 70
05 (위에서부터) 20, 100, 20 / 100 cm
06 예 방법 1 $1.7 : 1\frac{1}{2} = 1.7 : 1.5$
$= (1.7\times10) : (1.5\times10) = 17 : 15$
방법 2 $1.7 : 1\frac{1}{2} = \frac{17}{10} : \frac{3}{2}$
$= \left(\frac{17}{10}\times10\right) : \left(\frac{3}{2}\times10\right) = 17 : 15$
07 6, 250 / $\frac{1}{6}$, 50
08 예 7 : 4=28 : 16
09 50, 130
10 예 5 : 3
11 예 10 : 18, 15 : 27
12 9컵
13 26
14 ㉠
15 ㄴ, ㅏ / ㅂ, ㅣ / 나비
16 16 : 9
17 54000원
18 예 내항은 3과 12이고, 외항은 4와 9야. ▸5점
19 예 ❶ 자동차가 200 km를 달리는 데 걸리는 시간을 □분이라 하고 비례식을 세우면
5 : 4=200 : □입니다. ▸2점
❷ 5×□=4×200, 5×□=800, □=160
따라서 200 km를 달리는 데 160분=2시간 40분이 걸립니다. ▸3점 / 2시간 40분
20 예 ❶ 평행사변형 가와 나의 높이는 같으므로 넓이의 비는 밑변의 길이의 비와 같습니다. 평행사변형 가와 나의 넓이의 비는 12 : 9=4 : 3입니다. ▸2점
❷ (평행사변형 가의 넓이)
$= 168\times\frac{4}{4+3} = 168\times\frac{4}{7} = 96\ (\text{cm}^2)$ ▸3점
/ 96 cm^2

07 $300\times\frac{5}{5+1} = 300\times\frac{5}{6} = 250$

$300\times\frac{1}{5+1} = 300\times\frac{1}{6} = 50$

08 7 : 4 ➔ $\frac{7}{4}$, 18 : 12 ➔ $\frac{18}{12}\left(=\frac{3}{2}\right)$,

28 : 16 ➔ $\frac{28}{16}\left(=\frac{7}{4}\right)$

비율이 같은 두 비를 찾으면 7 : 4와 28 : 16입니다.
➔ 7 : 4=28 : 16 또는 28 : 16=7 : 4

12 넣어야 하는 새우젓의 양을 □컵이라 하면
8 : 3=24 : □입니다.
➔ 8×□=3×24, 8×□=72, □=9
따라서 새우젓을 9컵 넣어야 합니다.

13 비의 전항과 후항을 0이 아닌 같은 수로 나누어도 비율은 같습니다.
12 : 80=(12÷2) : (80÷2)=6 : 40 → ㉠=6
12 : 80=(12÷4) : (80÷4)=3 : 20 → ㉡=20
➔ ㉠+㉡=6+20=26

14 ㉠ □×0.2=1×3, □×0.2=3, □=15
㉡ 100×□=150×4, 100×□=600, □=6
따라서 15>6이므로 □ 안에 알맞은 수가 더 큰 비례식은 ㉠입니다.

15 • $20\times\frac{1}{1+3} = 20\times\frac{1}{4} = 5$(ㄴ)

$20\times\frac{3}{1+3} = 20\times\frac{3}{4} = 15$(ㅂ)

• $75\times\frac{7}{7+8} = 75\times\frac{7}{15} = 35$(ㅣ)

$75\times\frac{8}{7+8} = 75\times\frac{8}{15} = 40$(ㅏ)

16 가×$1\frac{1}{2}$을 외항의 곱, 나×$2\frac{2}{3}$를 내항의 곱이라 하면 가 : 나=$2\frac{2}{3} : 1\frac{1}{2}$입니다.

➔ 가 : 나=$2\frac{2}{3} : 1\frac{1}{2} = \frac{8}{3} : \frac{3}{2}$

$= \left(\frac{8}{3}\times6\right) : \left(\frac{3}{2}\times6\right) = 16 : 9$

17 (전체 비용)
=80000+45000+19000=144000(원)
가족 구성원 수의 비인 5 : 3으로 전체 비용을 비례배분합니다.
➔ [현아네 가족] $144000\times\frac{3}{8} = 54000$(원)

18

채점 기준	잘못 말한 부분을 찾아 바르게 고치기	5점

19

채점 기준	❶ 알맞은 비례식 세우기	2점
	❷ 200 km를 달리는 데 걸리는 시간 구하기	3점

20

채점 기준	❶ 평행사변형 가와 나의 넓이의 비 구하기	2점
	❷ 평행사변형 가의 넓이 구하기	3점

5. 원의 넓이 57~59쪽

01 원주, 지름 **02** 3, 4, 3, 4 **03** 4 / 12, 3, 4
04 (1) 55.8 cm (2) 37.2 cm
05 3.14, 3.14 / 같습니다
06 90, 120, 90, 120
07 (1) 28.26 cm^2 (2) 78.5 cm^2 **08** 30 cm
09 14 cm **10** 588 cm^2 **11** 6280 cm
12 2.65 cm **13** 84 cm **14** 461.58 cm^2
15 ㉡, ㉠, ㉢ **16** 24 m, 16 m^2
17 245.6 m
18 ❶ ㉢ ▸2점
예 ❷ 원주는 지름의 약 3배입니다. ▸3점
19 예 ❶ 원의 지름이 ■배가 되면 원주도 ■배가 됩니다. ▸2점
❷ 12÷6=2이므로 윤미가 그린 원의 원주는 지은이가 그린 원의 원주의 2배입니다. ▸3점 / 2배
20 예 ❶ (곡선 부분의 길이)
$=8\times2\times3\times\frac{270}{360}=36$ (cm) ▸2점
❷ (직선 부분의 길이)=8+8=16 (cm) ▸1점
❸ (도형의 둘레)=36+16=52 (cm) ▸2점
/ 52 cm

02 원주는 정육각형의 둘레보다 크므로
(원의 지름)×3<(원주), 원주는 정사각형의 둘레보다 작으므로 (원주)<(원의 지름)×4입니다.

04 (1) (원주)=18×3.1=55.8 (cm)
(2) (원주)=6×2×3.1=37.2 (cm)

05 • 접시: (원주)÷(지름)=69.08÷22=3.14
• 거울: (원주)÷(지름)=47.1÷15=3.14

07 (1) (원의 넓이)=3.14×3×3=28.26 (cm^2)
(2) (원의 넓이)=3.14×5×5=78.5 (cm^2)

08 (원주)=(종이 띠의 길이)=93 cm
(지름)=93÷3.1=30 (cm)

09 (반지름)=86.8÷3.1÷2=14 (cm)

10 가장 큰 원을 만들려면 직사각형의 짧은 변의 길이를 지름으로 해야 합니다.
(만들 수 있는 가장 큰 원의 지름)=28 cm
➜ (만들 수 있는 가장 큰 원의 넓이)
=3×14×14=588 (cm^2)

11 (바퀴의 원주)=50×3.14=157 (cm)
➜ (집에서 놀이터까지의 거리)
=157×40=6280 (cm)

12 (500원짜리 동전의 지름)
=8.321÷3.14=2.65 (cm)

13 (원의 지름)=65.1÷3.1=21 (cm)
(정사각형의 한 변의 길이)=(원의 지름)=21 cm
(정사각형의 둘레)=21×4=84 (cm)

14 (작은 원의 반지름)=14÷2=7 (cm)
(색칠한 부분의 넓이)
=(큰 원의 넓이)−(작은 원의 넓이)
=3.14×14×14−3.14×7×7
=615.44−153.86
=461.58 (cm^2)

15 ㉠ (프라이팬의 넓이)=3×16×16=768 (cm^2)
㉡ (프라이팬의 반지름)=102÷3÷2=17 (cm)
(프라이팬의 넓이)=3×17×17=867 (cm^2)
㉢ (프라이팬의 넓이)=3×15×15=675 (cm^2)
➜ ㉡ 867 cm^2 > ㉠ 768 cm^2 > ㉢ 675 cm^2

16

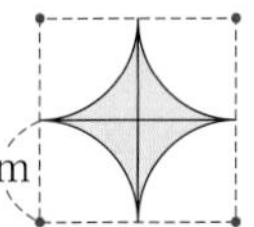

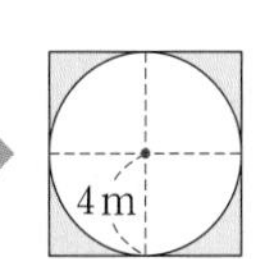

• (꽃밭의 둘레)=(반지름이 4 m인 원의 원주)
=4×2×3=24 (m)
• (꽃밭의 넓이)
=(한 변의 길이가 8 m인 정사각형의 넓이)
−(반지름이 4 m인 원의 넓이)
=8×8−3×4×4
=64−48=16 (m^2)

17 (성훈이가 달린 거리)
=60×2+40×3.14÷2×2
=120+125.6=245.6 (m)

18

채점 기준		
	❶ 잘못 설명한 것의 기호 쓰기	2점
	❷ 바르게 고치기	3점

19

채점 기준		
	❶ 지름과 원주의 관계 알아보기	2점
	❷ 윤미가 그린 원의 원주는 지은이가 그린 원의 원주의 몇 배인지 구하기	3점

20

채점 기준		
	❶ 곡선 부분의 길이 구하기	2점
	❷ 직선 부분의 길이 구하기	1점
	❸ 도형의 둘레 구하기	2점

매칭북 단원 평가지

6. 원기둥, 원뿔, 구

60~62쪽

01 가, 바 **02** 원뿔 **03** 구
04 (위에서부터) 원뿔의 꼭짓점, 높이, 모선, 옆면, 밑면
05 (왼쪽에서부터) 구의 중심, 구의 반지름
06 미영 **07** 2, 1, 3 **08** (1) ○ (2) ×
09 3 cm **10** 원기둥, 원, 육각형, 직사각형
11 14 cm **12** 승희 **13** 504 cm^2
14 12 cm **15** 29.5 cm^2 **16** 6 cm
17 9 cm
18 예 두 밑면이 합동이 아니므로 원기둥의 전개도가 아닙니다. ▸5점
19 ❶ 해연 ▸2점
예 ❷ 나는 모선의 길이를 재는 방법이고, 모선의 길이는 항상 높이보다 길어. ▸3점
20 예 ❶ 돌리기 전의 평면도형은 밑변의 길이가 6 cm, 높이가 8 cm인 직각삼각형입니다. ▸3점

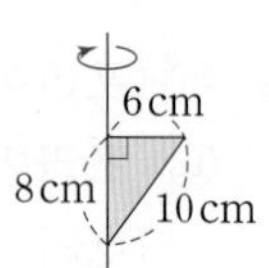

❷ (돌리기 전의 평면도형의 넓이)
$=6\times8\div2=24\,(\text{cm}^2)$ ▸2점 / 24 cm^2

04 원뿔의 꼭짓점: 뾰족한 부분의 점
모선: 꼭짓점과 밑면인 원의 둘레의 한 점을 이은 선분
높이: 꼭짓점에서 밑면에 수직인 선분의 길이
밑면: 평평한 면
옆면: 옆을 둘러싼 굽은 면

05 구의 중심: 가장 안쪽에 있는 점
구의 반지름: 구의 중심에서 구의 겉면의 한 점을 이은 선분

06 진서는 원뿔의 모선의 길이를 잰 것입니다.

07 모양을 만드는 데 사용한 원기둥은 2개, 원뿔은 1개, 구는 3개입니다.

08 (2) 구는 어느 방향에서 보아도 모양이 항상 원입니다.

09 원기둥의 높이: 6 cm
원뿔의 높이: 9 cm
➡ $9-6=3$ (cm)
주의 원기둥에서 8 cm는 밑면의 지름이고, 원뿔에서 11 cm는 모선의 길이입니다.

10 • 원기둥의 밑면의 모양은 원이고, 육각기둥의 밑면의 모양은 육각형입니다.
• 육각기둥의 옆면의 모양은 직사각형입니다.

11 만들어지는 입체도형은 원기둥입니다.
(원기둥의 높이)=(직사각형의 가로)=14 cm

12 승희: 원기둥을 위에서 본 모양은 원이고, 앞과 옆에서 본 모양은 직사각형입니다.

13 (선분 ㄱㄹ)=(밑면의 둘레)$=7\times2\times3=42$ (cm)
(선분 ㄱㄴ)=(원기둥의 높이)=12 cm
➡ (직사각형 ㄱㄴㄷㄹ의 넓이)$=42\times12=504\,(\text{cm}^2)$

14 원기둥을 앞에서 본 모양이 정사각형이므로 높이는 정사각형의 한 변의 길이와 같습니다.
➡ (높이)=(정사각형의 둘레)$\div4$
$=48\div4=12$ (cm)

15

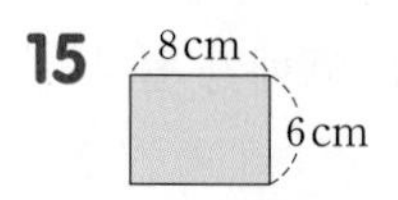

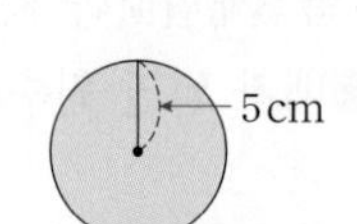

• 원기둥을 앞에서 본 모양은 가로가 8 cm, 세로가 6 cm인 직사각형이므로 넓이는 $8\times6=48\,(\text{cm}^2)$입니다.
• 구를 앞에서 본 모양은 반지름이 5 cm인 원이므로 넓이는 $3.1\times5\times5=77.5\,(\text{cm}^2)$입니다.
➡ (넓이의 차)$=77.5-48=29.5\,(\text{cm}^2)$
참고 (원의 넓이)=(원주율)×(반지름)×(반지름)

16 (옆면의 가로)$=360\div10=36$ (cm)
(옆면의 가로)=(밑면의 지름)×(원주율)이므로
(밑면의 지름)=(옆면의 가로)÷(원주율)
$=36\div3=12$ (cm)입니다.
➡ (밑면의 반지름)$=12\div2=6$ (cm)

17 (원기둥의 높이)=(밑면의 지름)=□cm라 하면
(전개도의 옆면의 가로)=□×3,
(전개도의 옆면의 세로)=□입니다.
(전개도의 옆면의 둘레)
=□×3+□+□×3+□=72,
□×8=72, □=9입니다.
➡ (원기둥의 높이)=9 cm

18

채점 기준		
	이유 쓰기	5점

19

채점 기준		
	❶ 잘못 말한 사람의 이름 쓰기	2점
	❷ 이유 쓰기	3점

20

채점 기준		
	❶ 돌리기 전의 평면도형 알아보기	3점
	❷ 돌리기 전의 평면도형의 넓이 구하기	2점

큐브 수학 실력

정답 및 풀이 6·2

믿고 보는 동아출판
초등 교재
기초학습서부터 교과서 개념 다지기, 과목별 전문서까지!
초등학교 입학 전부터, 예비 중등까지!
초등학생에게 꼭 필요한 영역을 빠짐없이! 동아출판 초등 교재 라인업
BEST
초능력
맞춤법 + 받아쓰기
초등 국어 1·2
쉽고 빠른 맞춤법 학습
받아쓰기 단계별 연습
국어 교과서 어휘 학습
2022 개정 교육과정
초능력 비주얼씽킹 과학
초능력 비주얼씽킹 초등 한국사
초능력 수학 연산
초능력 국어 독해
초능력 급수 한자
초등 영역별 기초학습서
초능력 국어/수학/과학/한국사/한자
초고필 비문학 독해 1
5~6학년 예비 중등
초고필 지금 유리수의 사칙연산 을 해야 할 때
초고필 지금, 국어 문법을 해야 할 때
초고필 지금 국어 어휘 를 해야 할 때
초고필 지금 한국사 를 해야 할 때
반편성 배치고사 + 진단평가
예비 중등
초고필 국어/수학/한국사
적중 반편성 배치고사 + 진단평가